S

D1310247

ro
ro
ro

Bevor sie eines Tages beschloss, Bestsellerautorin zu werden, war Jilliane Hoffman stellvertretende Staatsanwältin in Florida. Sie beriet u. a. im Auftrag des Bundesstaates die Spezialeinheiten der Polizei in allen juristischen Belangen – von Drogenfahndern bis zur Abteilung für organisiertes Verbrechen. Heute lebt sie mit Mann und Kindern in Fort Lauderdale.

Ihre ersten beiden Romane, «Cupido» (rororo 23966) und «Morpheus» (rororo 23691), landeten auf Anhieb an der Spitze der internationalen Bestsellerlisten.

Jilliane Hoffman

VATER UNSER

Thriller

Deutsch von Nina Scheweling
und Sophie Zeitz

Rowohlt Taschenbuch Verlag

Die Originalausgabe erschien 2007 unter dem Titel
«Plea of Insanity» bei Michael Joseph.

Veröffentlicht im Rowohlt Taschenbuch Verlag,
Reinbek bei Hamburg, November 2008
Copyright © 2007 by Rowohlt Verlag GmbH,
Reinbek bei Hamburg
«Plea of Insanity» Copyright © by Jilliane Hoffman
Abdruck aus: Lewis Carroll: Alice im Wunderland,
Ü: Christian Enzensberger,
© Insel Verlag, Frankfurt a. M. 1973
Abdruck aus: Hesse, Eva/Ickstadt, Heinz (Hg.):
Englische und amerikanische Dichtung, Bd. 4,
Ü: Prof. Werner von Koppenfels,
© Prof. Werner von Koppenfels
Satz aus der Berthold Bembo PostScript, InDesign,
bei Pinkuin Satz und Datentechnik, Berlin
Druck und Bindung CPI – Clausen & Bosse, Leck
Printed in Germany
ISBN 978 3 499 24456 8

VATER UNSER

PROLOG

GEORGIA ADAMS leerte den letzten Schluck Kaffee aus dem großen Becher mit der Aufschrift «Some Bunny Loves You». Dann lehnte sie sich in ihrem Stuhl zurück und schloss die Augen. Um Viertel vor fünf Uhr morgens schafften es nicht mal vier dampfende Tassen flüssiges Koffein, sie wach zu halten, und eine Sekunde später war sie wieder in einen verrückten Traum versunken. Seit einer knappen Woche hatte sie Nachtschicht, doch ihr Biorhythmus wollte sich einfach nicht auf die Geisterstunde umstellen. Georgia hasste es, nachts zu arbeiten, aber mit dem Baby hatte sie keine Wahl. Randy war Dachdecker, und Dächer wurden am Tag gedeckt. Sie brauchten das Geld, und Kinderbetreuung war keine Option für sie – nie und nimmer. Selbst wenn ihre ehrgeizige, arbeitssüchtige Schwiegermutter sich auf den Kopf stellte.

Das Klingeln der Telefonanlage schrillte plötzlich in Georgias Ohr und verpasste ihr den vertrauten Adrenalinstoß. Sie setzte sich auf und drückte die Taste, mit der sie den Anruf entgegennahm. «Notrufzentrale», sagte sie monoton, mit der unbeteiligten Stimme, die man ihr auf dem Amt beigebracht hatte, während sie sich den Schlaf aus den Augen rieb. «Um was für einen Notfall handelt es sich?»

Bis auf das tote Rauschen blieb es in der Leitung still.

«Hier ist der Notruf, neun-eins-eins», sagte Georgia. «Haben Sie einen Notfall zu melden?»

Wieder Schweigen.

«Hören Sie, Sie haben neun-eins-eins gewählt. Möchten Sie

einen Notfall melden?», wiederholte Georgia. Langsam ging der Anrufer ihr auf die Nerven. Sie hätte nicht einschlafen dürfen, das war klar, aber von irgendeinem Scherzkeks oder Betrunkenen geweckt zu werden, machte ihre Laune auch nicht besser.

«Helfen Sie uns», flüsterte auf einmal eine Stimme, dünn und irgendwie weit entfernt.

Georgia rollte ihren Stuhl näher an die Konsole mit den drei Monitoren. «Natürlich helfen wir», sagte sie beruhigend. Ihre Finger glitten über die Tasten. Wenn sie einen bestimmten Code eintippte, verschickte der Computer automatisch eine Nachricht an die Feuerwehr oder die Polizei, je nachdem, um welche Art von Notfall es sich handelte. Doch bis jetzt wusste sie nicht, worum es ging. «Wie heißen Sie? Können Sie lauter sprechen?», fragte Georgia und drehte die Lautstärke an ihrem Headset auf. «Ich kann Sie kaum verstehen.» Aus irgendeinem Grund lief ihr plötzlich ein Schauer über den Rücken, und die kleinen Härchen in ihrem Nacken stellten sich auf. Dabei arbeitete sie schon lange in der Notrufzentrale – zu lange vielleicht – und ließ normalerweise nichts an sich ran. Sie hatte mit angehört, wie Frauen von ihren Männern geschlagen wurden, wie bei einem Streit im Straßenverkehr auf einmal Schüsse fielen und wie Frauen auf dem Küchenfußboden ihr Baby zur Welt brachten. Aber diesmal – da war etwas in dieser Stimme. Etwas, das nicht in Ordnung war. Etwas, das ihr aus unerfindlichen Gründen *naheging*.

«Helfen Sie uns … bitte.»

So dünn, so weit weg, so unsicher. *Wie ein Kind.*

Auf einem der Monitore vor ihr leuchtete die zu der Telefonnummer gehörige Adresse auf, die das System automatisch ermittelt hatte. Ein anderer Monitor zeigte eine Straßenkarte, und in einem Wohngebiet blinkte das Symbol für ein Einfamilienhaus auf. Der Anruf kam über das Festnetz rein.

«Ich helfe dir, Kleines», sagte Georgia voller Wärme. «Aber du musst mir genau sagen, was passiert ist.»

«Ich glaube, er kommt zurück», flüsterte die Mädchenstimme zwischen kurzen, heftigen Schluchzern.

«Wer kommt zurück? Bist du verletzt? Wie heißt du?» *Versetz dich in den Anrufer hinein, Georgia. Halte ihn in der Leitung, egal, was passiert. Wenn möglich, frage nach Details.*

«Er kommt zurück …», wiederholte die Kleine mit erstickter Stimme, dann fing sie zu weinen an.

«Wer kommt zurück? Ist jemand verletzt? Braucht ihr einen Arzt?» Das monotone Sprechen war ihr noch nie so schwergefallen. Georgia starrte das Häuschen an, das hilflos auf ihrem Monitor blinkte. *Was zum Teufel war da draußen los?*

Und dann hörten die Tränen unvermittelt auf. «O nein, nein … *Schsch, schsch* …» Und es wurde wieder still in der Leitung.

Vielleicht war es nur ein dummer Streich, versuchte Georgia sich einzureden. *Eine Göre, die dich auf den Arm nehmen will.* In ihrer Laufbahn hatte sie Dutzende von Telefonstreichen erlebt – beliebter Zeitvertreib bei Pyjama-Partys unter kichernden Teenagern, deren Eltern ihnen nie beigebracht hatten, dass man mit dem Notruf nicht spielte. Erst vor ein paar Wochen hatte eine Kollegin ein paar Kabinen weiter einen Anruf von zwei Zwölfjährigen angenommen, die es für einen Mordsspaß gehalten hatten zu behaupten, dass sie entführt worden wären. Stunde um Stunde waren Polizeiteams draußen im Einsatz gewesen, Tausende Dollar Steuergelder wurden verschwendet.

Im Hintergrund hörte sie plötzlich einen dumpfen Schlag. Georgia zögerte einen Moment, dann versuchte sie es noch einmal. «Hallo? Hallo? Bist du noch da?» Sie stand auf, um dem Leiter der Zentrale ein Zeichen zu geben, damit er das Gespräch mit anhörte, doch seine Kabine war leer wie viele Kabinen auf der Etage um diese Zeit. Die Rushhour in der

Notrufzentrale war zwischen drei Uhr nachmittags und Mitternacht. Unfälle im Berufsverkehr, gestresste Angestellte, die ihren Frust nach Feierabend an Familie und Freunden ausließen. Dagegen war es zur Friedhofsschicht für gewöhnlich vergleichsweise ruhig.

«Hallo? Ist da jemand am Telefon?», fragte Georgia wieder. «Hallo? Hier ist die Notrufzentrale.»

Die Leitung war tot.

Georgia starrte den Monitor an. Ihr Herz klopfte schnell. Das Häuschen blinkte immer noch und warf ein gespenstisches Licht in die Dunkelheit ihrer Kabine.

Sie würde nie wieder die Nachtschicht übernehmen.

«Vater, die Welt wird dunkel um mich herum.
Ich spüre es mehr und mehr ...»
David «Son of Sam» Berkowitz in einem Brief
an seinen Vater, datiert einen Monat vor seinem
ersten Mord
November 1975

KAPITEL 1

DAS ALTE spanische Haus stand ein Stück abseits der Straße und war von üppigen tropischen Pflanzen und hoch aufragenden Palmen umgeben. Halloween-Dekorationen schmückten den gepflegten Rasen, und in einem Beet voller Fleißiger Lieschen wartete ein zwei Meter großer Sensenmann in schwarzer Kutte darauf, Kinder zu erschrecken. Selbstgebastelte Gespenster mit schwarzen Augenhöhlen baumelten von den Ästen einer Eiche. Im schwachen Mondlicht leuchteten sie in einem unwirklichen Weiß und drehten sich im Wind, der über Nacht aufgekommen war; Vorbote einer vorzeitigen Kaltfront. Irgendwo bellte ein Hund, und die Nacht ging allmählich in den Tag über.

Plötzlich wurde die schläfrige, frühmorgendliche Stille vom kurzen Aufheulen einer Sirene durchbrochen, und ein Streifenwagen fuhr langsam die Sorolla Avenue herauf. Police Officer Pete Colonna parkte auf dem Bordstein vor dem Haus und stieg aus. Er betrachtete einen Augenblick lang das dunkle Gebäude und ging dann über den gewundenen Gehweg auf die Haustür zu. Als sein Blick auf die verstreut herumliegende Straßenkreide und ein Dreirad mit silbernen Rennstreifen fiel, beschleunigte er seine Schritte. Er klingelte, pochte gleichzeitig gegen die eindrucksvolle Eichentür, doch niemand öffnete.

«8362, Gables», sagte Pete in das Mikrophon an seiner Schulter.

«Sprechen Sie, 8362.»

«Stehe vor dem Haus 985 Sorolla. Niemand öffnet.»

«Warten Sie, 8362.» Kurz darauf meldete sich die Leitstelle wieder. «Die Telefongesellschaft hat die Leitung gecheckt. Sie ist frei, aber niemand nimmt ab.»

«Ich höre im Haus kein Klingeln.»

In dem Moment ertönte aus dem Sprechfunkgerät die Stimme seines Sergeants. «8362, hier ist 998. Gehen Sie auf Kanal zwei.» Auf Kanal zwei konnte man ohne Vermittlung der Zentrale direkt miteinander reden. Pete drehte an seinem Funkgerät. «Legen Sie los, Sarge.»

«Was gibt's bei Ihnen?»

«Ich sehe mir gerade das Haus an», erwiderte Pete und schritt langsam über den Rasen vor dem Haus. «Keine eingeschlagenen Fenster oder anderen Zeichen für einen Einbruch, aber …» Er zögerte.

«Ja?»

«Irgendwas stimmt nicht, Sarge.»

Nach einer kurzen Pause sagte der Sergeant: «Okay, ich komme vorbei.»

«Ich breche die Tür auf.»

«Den Teufel werden Sie tun! Warten Sie, bis ich da bin», befahl der Sergeant streng.

Pete schaltete seine Taschenlampe ein und spähte durch ein Gebüsch, hinter dem ein schwarzer Eisenzaun und ein Gartentor verborgen waren. Vergessene Spielsachen trieben langsam über die Wasseroberfläche eines Swimmingpools. «Hier leben Kinder», sagte er. Petes Frau war schwanger. In ein paar Wochen würde er selbst zwei Kinder haben.

«Warten Sie, bis ich da bin. Gehen Sie nicht allein rein, Colonna. Sonst haben Sie vielleicht plötzlich 'nen verwirrten Typen mit 'ner Schrotflinte vor sich, der die Klingel nicht gehört hat. Bleiben Sie auf Empfang. Ich bin in fünf Minuten da.»

Pete schaltete sein Funkgerät zurück auf den Leitstellen-Kanal und ging wieder zur Vorderseite des Hauses. Ihm fiel das handgeschnitzte Schild mit der Aufschrift «Willkommen» auf, das neben der Haustür angebracht war. In seinem Magen breitete sich langsam ein unbehagliches Gefühl aus.

Es schien eine Ewigkeit zu dauern – mit Sicherheit länger als fünf Minuten –, bis der Streifenwagen seines Sergeants die Wohnstraße heraufkroch und auf dem Bordstein parkte. Sergeant Demos stand kurz vor der Pensionierung und hatte sich über die Jahre eine gewisse Gelassenheit angewöhnt. Er brauchte eine ganze Weile, bis er aus dem Auto gestiegen war und den Gehweg hinauftrottete.

«Immer noch nichts, Colonna?», fragte er.

«Nein, Sarge. Kein Lebenszeichen.»

«Der Anrufer war ein Kind, richtig? Könnte ein Streich gewesen sein», sagte Demos und kratzte sich nachdenklich den knubbeligen, kahlen Kopf. «Großartig. Alle im Bett, außer Junior. Und der hockt hinter seinen Bugs-Bunny-Vorhängen, beobachtet uns und macht sich vor Lachen in die Hose», fügte er hinzu und schaute zu den dunklen Fenstern hinauf.

Pete schüttelte den Kopf. «Die Telefonleitung ist in Ordnung, aber das Telefon klingelt nicht. Und niemand geht an die Tür. Ich hab ein ganz dummes Gefühl bei der Sache.»

«Du und deine Gefühle! Ich habe eher das Gefühl, dass du Überstunden machen wirst, um all die Berichte zu schreiben.» Der Sergeant hämmerte mit seinem Schlagstock gegen die Tür. «Polizei! Ist jemand zu Hause?» Einen Augenblick später sah er Pete an. «Haben wir zu der Adresse was in den Akten?»

«Nicht dass ich wüsste. Die Zentrale hat nichts gesagt. Ich

bin jedenfalls noch nie hier gewesen», sagte er und ließ den Blick über die herrschaftlichen Anwesen der Nachbarschaft gleiten. «Schickes Viertel.»

«Lass dich nicht täuschen, Kleiner. O. J. Simpson hat in Beverly Hills gewohnt.»

«Ich glaube, das war Brentwood.»

«Ist doch das Gleiche. Ich meine, häusliche Gewalt kann überall vorkommen. Das musst du dir merken.» Demos seufzte. «Ein kleines Kind? Na schön. Schlag die Scheibe neben der Tür ein. Die Stadt muss dafür aufkommen, also sei vorsichtig.»

Mit der Taschenlampe zerschlug Pete eine der Milchglasscheiben, griff durch das Loch und entriegelte das Türschloss. Als er die Haustür öffnete, ertönte das gellende Heulen einer Alarmanlage.

«Tja, falls die Bewohner geschlafen haben, sind sie spätestens jetzt wach!», rief der Sergeant. «Warte kurz.» Sie blieben auf der Veranda vor der weitgeöffneten Tür stehen, doch niemand erschien.

Die Zentrale meldete sich wieder über das Funkgerät. «8362, 998. Seid vorsichtig, wir haben eine Meldung vom Sicherheitsdienst. Es gibt einen Alarm an eurem Einsatzort.»

«Verstanden», sagte Demos, «998 und 8362 haben sich Zutritt durch die Vordertür verschafft. Hat der Besitzer den Notruf alarmiert?»

«Negativ, 998. Es geht immer noch niemand ans Telefon.»

Der Sergeant nickte Pete zu. «In Ordnung. Gehen wir rein.»

«Hier spricht die Polizei von Coral Gables! Ist alles in Ordnung hier drin?», rief Pete mit lauter Stimme in die Dunkelheit hinein, um die Alarmanlage zu übertönen. Er zog seine Waffe, leuchtete mit der Taschenlampe voran und betrat das Haus. Der Sergeant folgte ihm, schwer atmend. Die Glassplitter der Fensterscheibe knirschten unter ihren Füßen.

Sie standen in einer majestätischen Eingangshalle mit einer an die sechs Meter hohen Decke. An einer Seite wand sich eine Treppe nach oben und endete auf einer Galerie, die von einem kunstvollen, schmiedeeisernen Geländer umrahmt wurde. Hinter der Galerie lag ein Flur, und Pete sah, dass dort irgendwo ein Licht brannte. «Polizei!», rief er wieder.

Schnell durchsuchten sie die Räume im Erdgeschoss. Auf der Waschmaschine türmte sich Wäsche, im Wohnzimmer lagen Spielsachen verstreut. Neben dem Spülbecken in der Küche standen ordentlich aufgereiht saubere Babyflaschen. Das unbehagliche Gefühl in Petes Magen wurde stärker.

Der Alarm verstummte. Wahrscheinlich hatte die Zentrale dem Sicherheitsdienst mitgeteilt, dass Polizeibeamte vor Ort waren. Auf einmal schien es in dem großen Haus viel zu leise zu sein. Pete dachte an die Babyflaschen und wurde plötzlich von Panik ergriffen.

«Hier ist die Polizei von Coral Gables!», rief nun Demos. Immer noch keine Antwort.

Pete lief auf die Treppe zu. Hinter sich hörte er den Sergeant schnaufen. Demos' Ausrüstungsgürtel klirrte, die Absätze seiner schweren Stiefel knallten auf dem Steinfußboden.

Im oberen Stockwerk war der Boden von einem weichen Teppich bedeckt. Ein Lichtstreifen fiel in den Flur. Er drang aus einer halb offen stehenden Tür am Ende des Ganges. Alle anderen Türen waren geschlossen. An den Wänden hingen Familienfotos.

«Irgendwas gefunden?», rief Demos, der immer noch auf der Treppe war.

Pete ging den Flur entlang auf die offene Tür zu. Wie bei einer raffinierten Kamerafahrt kamen langsam immer mehr Einzelheiten des Zimmers in Sicht. Farbenprächtige Schmetterlinge, die über eine hellviolette Wand tanzten. Ein Hello-Kitty-Spiegel. Ein großes Namensschild an der Wand, auf dem

EMMA stand. Eine Steppdecke mit dem Motiv einer Disney-Prinzessin. «Kinderzimmer!», rief er laut.

«Wo zum Teufel sind Sie denn reingetreten?», fragte Demos hinter ihm.

Pete schaute zu Boden. Hinter sich, wo er gerade gegangen war, sah er dunkle Fußabdrücke im dämmrigen Licht. Rote Spritzer sprenkelten den rosa Teppich vor ihm, und offensichtlich führten sie ins Kinderzimmer.

«O mein Gott!», murmelte Demos entsetzt.

Pete wollte nicht weitergehen. Er wollte nicht wissen, was ihn in dem Raum erwartete. Übelkeit zerrte an seinen Eingeweiden, und Schweiß tropfte von seiner Stirn. Er ahnte, dass er das, was nur wenige Schritte entfernt auf ihn wartete, zeitlebens nicht mehr vergessen würde. Er atmete tief ein, die Waffe schussbereit, und dachte an seine Frau und die Zwillinge, die bald zur Welt kommen würden. Zwei Mädchen. Madison und McKenzie sollten sie heißen. «Polizei!», rief er noch einmal und versuchte, das leichte Zittern in seiner Stimme zu unterdrücken.

Dann betrat er das Zimmer und brach zusammen.

KAPITEL 2

SIRENEN HEULTEN auf, und ihr ohrenbetäubendes, schrilles Kreischen wurde immer lauter – Streifenwagen und Zivilfahrzeuge rasten über verschlafene Straßen in Richtung Sorolla Avenue. Innerhalb von Minuten war der gesamte Block von Blaulichtern erhellt. Uniformierte Beamte der Police Departments von Coral Gables und Miami-Dade verteilten sich in den Vorgärten und auf den Bürgersteigen und sprachen dabei unablässig in ihre Funkgeräte. Anwohner traten aus ihren Häusern, sammelten sich in kleinen Gruppen auf dem Gehweg und beobachteten die Ereignisse aus sicherer Entfernung. Die Morgenmäntel zum Schutz vor dem kalten Wind eng um sich geschlungen, unterhielten sie sich aufgeregt und reckten die Hälse, um das hektische Treiben vor dem Haus von Dr. David Marquette und seiner hübschen Frau Jennifer besser sehen zu können. Einige trauten sich schließlich näher an den Ort des Geschehens heran, doch Absperrgitter und gelbes Absperrband verwehrten ihnen den Zutritt. Ein Übertragungswagen von *Channel 10* bog in die Straße ein, gefolgt von einem von *Channel 7*. Und immer mehr Fahrzeuge der Polizei.

Sergeant Ralph Demos saß in der Eingangshalle auf einer Couch mit Blumenmuster, über ihm wand sich eine herrschaftliche Freitreppe nach oben. Er wischte sich mit einem Papiertaschentuch den Schweiß aus dem Gesicht, doch er hörte einfach nicht auf zu schwitzen. In diesem Augenblick wünschte er sich, nicht vor zehn Jahren mit dem Rauchen aufgehört zu haben. Oder mit dem Trinken.

Die Polizisten schienen überall zu sein, und es kamen immer noch mehr. Ein Stockwerk höher hielt ein halbes Dutzend Uniformierter vor den Türen zu den Schlafzimmern Wache, während die Techniker von der Spurensicherung des Miami-Dade Police Departments ihre Fotos schossen. Die grellen Blitzlichter durchzuckten den Flur.

«Sieht so aus, als würden sie den ganzen Bezirk zusammentrommeln», sagte Carlos Sanchez, ein Streifenpolizist aus Coral Gables, während ein weiterer Techniker von der Spurensicherung in einer MDPD-Windjacke an ihnen vorbei die Treppe hinaufeilte. «Ich habe vorhin Steve Brill in die Küche gehen sehen. Er ist von der *Persons Crime Squad*», fuhr Sanchez fort und blickte den Flur hinunter, der zur Küche führte. Dort waren gerade einige Detectives dabei, Pete Colonna zu befragen. «Aber ich wette, dass Miami-Dade welche von der Mordkommission schickt.» Coral Gables hatte kein eigenes Morddezernat, sondern nur eine *Persons Crime Squad*, die sich mit Verbrechen an Personen beschäftigte. «Ich habe gehört, dass Brill ein ganz schönes Arschloch sein kann – aber nur, wenn man mit ihm schläft», sagte Sanchez grinsend.

«Den kenn ich nicht», murmelte Demos, unfähig, seinen Blick von der Treppe zu lösen. Jedes Mal, wenn ein Blitzlicht aufflammte, lud sich die Kamera danach mit einem lauten, hohen Summton wieder auf. In der Eingangshalle hatte die Spurensicherung damit begonnen, nach Fingerabdrücken zu suchen, und bald war alles von einem feinen schwarzen Puder bedeckt. Ein bitterer Geschmack legte sich auf Demos' Zunge. Aus der Küche hörte er, wie die Detectives Pete Colonna befragten, der immer noch heulte.

«Alles okay, Ralph?», fragte Sanchez stirnrunzelnd. «Soll ich einen von den Sanitätern holen?»

«Armer Junge», sagte Ralph abwesend, fuhr sich mit zitternder Hand über den schweißnassen Kopf und warf einen

Blick zur Küche. «Als ich das viele Blut sah, wusste ich, dass es schrecklich werden würde, aber Pete ist doch erst seit – wie lange? –, seit einem Jahr dabei ...»

«Seine Frau kriegt bald ihr Erstes», sagte Sanchez kopfschüttelnd. «Deswegen nimmt es ihn wohl so mit.»

«Zwillinge. Ich weiß. Ich habe es eben gehört.»

«Pete schafft das schon. Er kann zum Therapeuten gehen, wenn er Hilfe braucht.»

«Die wird er garantiert brauchen. Er wollte gleich die Haustür aufbrechen, als er hier ankam. Ich habe ihm gesagt, er soll warten. Vielleicht wäre alles anders gekommen ...» Demos verstummte, und Sanchez schwieg ebenfalls.

Zwei Männer in blauen Windjacken mit der leuchtend weißen Aufschrift MIAMI-DADE COUNTY MEDICAL EXAMINER'S OFFICE traten durch die Eingangstür. Mit einem ernsten Nicken gingen sie an Sanchez und Demos vorbei und die Treppe hinauf. Der Leiter der Gerichtsmedizin war schon vor Ort. Ralph blickte ihnen gedankenverloren hinterher.

«Wer hat den Vater gefunden?», fragte Sanchez und schob seinen Freund zurück ins Wohnzimmer.

«Ich», antwortete Ralph leise. «Wird er durchkommen?»

«Keine Ahnung. War ziemlich schlimm zugerichtet. Sie bringen ihn ins Ryder.» Das Ryder-Unfallkrankenhaus gehörte zum Jackson Memorial Hospital in der Innenstadt von Miami, das Teil der Universitätsklinik war.

«Verdammt», murmelte Ralph und schüttelte den Kopf. «Und die anderen?»

Sanchez starrte schweigend auf den Boden.

Ralph kämpfte mit den Tränen. «Eine ganze Familie», stieß er hervor. «Was für ein Schwein ist zu so was fähig? In was für einer Welt leben wir bloß?»

Sanchez sah Ralph an, der sich Ströme von Schweiß aus der

Stirn wischte. Er wirkte, als würde er jeden Moment umfallen.

«Packst du das, Ralph?»

«Ich? Ich bin in ein paar Wochen hier weg. Aber Colonna hat gerade erst angefangen, verstehst du, Carlos? Er hat die Scheiße noch vierundzwanzig Jahre am Arsch, wenn er Rente kassieren will.» Wieder explodierte ein Blitzlicht im Flur über ihnen, gefolgt von dem vertrauten Summton. Dann hörten sie Schritte auf den Steinstufen der Treppe.

«Manchmal ist dieser Job echt beschissen.» Das war alles, was Carlos Sanchez herausbrachte, als Ralph zu weinen begann. Er beobachtete schweigend, wie die beiden Männer in den blauen Windjacken den ersten der kleinen schwarzen Leichensäcke die Treppe heruntertrugen.

«Aber ich möchte nicht unter Verrückte
kommen», meinte Alice.
«Oh, das kannst du wohl kaum verhindern»,
sagte die Katze: «Wir sind hier nämlich alle
verrückt. Ich bin verrückt. Du bist verrückt.»
«Woher willst du wissen, dass ich verrückt
bin?», erkundigte sich Alice.
«Wenn du es nicht wärest», stellte die Katze
fest, «dann wärest du nicht hier.»
Lewis Carroll, Alice im Wunderland, Kapitel 6

KAPITEL 3

STAATSANWÄLTIN Julia Valenciano stand an ihrem
Pult im Gerichtssaal 4.10, eine 74 Seiten lange Prozessliste
vor sich und vier Kartons voller Prozessakten zu ihren Füßen,
und geriet in Panik. Sie kaute auf den Innenseiten ihrer Wangen, während sie ungläubig auf das gelbe Formular in ihrer
Hand starrte, das darüber Auskunft gab, ob sich ein Opfer dazu
bereiterklärte, vor Gericht auszusagen. Mario, der sich für sie
um die Koordination von Zeugen und Opfern kümmerte, hatte es letzten Freitag für sie vorbereitet.

«Staatsanwaltschaft?», knurrte der Richter ungeduldig von
der Richterbank herüber. Ihre Antwort würde ihm gar nicht
gefallen. Der Ehrenwerte Leonard Farley hatte heute noch üblere Laune als sonst. Julia schloss eine Sekunde lang die Augen
und wünschte sich weit weg, nach Hawaii zum Beispiel. Nur
fort aus diesem überfüllten, hektischen Gerichtssaal.

Ein Montagmorgen in Richter Farleys Gerichtssaal war die

Hölle, vor allem während ihrer Prozesswoche. 4.10, der größte Gerichtssaal im Richard Gerstein Criminal Justice Building, war gerammelt voll, und die Prozessliste quoll über vor Anklagevernehmungen, Anträgen und natürlich Verhandlungsterminen. Trotz der Schilder, die überall hingen – «Reden, Kinder, Handys verboten» –, füllte das gedämpfte Flüstern der Opfer, Zeugen, Familienangehörigen und Angeklagten auf den Bänken hinter ihr den Raum. Zu ihrer Rechten wand sich eine Schlange von gereizten, ungeduldigen Anwälten vom Pult der Verteidigung bis in den schmalen Gang, der zur Galerie führte. Die meisten vertraten mehrere Mandanten, deren Anhörungen zum Teil gleichzeitig in verschiedenen Gerichtssälen stattfanden, aber da keiner der Anwälte es wagte, Richter Farley warten zu lassen, kamen sie alle zuerst zu ihm. Hinter Julia hatte sich eine Schlange aus Anklagevertretern gebildet. Während sie fahrig durch die Akten mit der Aufschrift *Der Staat gegen Powers* blätterte, hörte sie auf beiden Seiten entnervtes Seufzen.

In diesem Moment öffnete sich eine Tür, und eine Reihe etwas verwahrlost wirkender Häftlinge – frisch aus dem Dade County Jail auf der anderen Straßenseite – wurde auf die Geschworenenbank geführt, an den Händen aneinandergekettet wie eine surreale Girlande von Papiermännchen.

«Darf ich jetzt?», fragte der Richter verärgert und ließ den Blick durch den Gerichtssaal schweifen, während die Vollzugsbeamten zusahen, dass die Angeklagten sich setzten. Er wartete immer noch auf Julias Antwort. Nun wandte er sich an Jefferson, den Gerichtsdiener. «Sind hier eigentlich alle taub? Verstehen *Sie* mich wenigstens?» Jefferson nickte, sichtlich nervös.

«Richter», begann Julia langsam, «es sieht so aus, als hätten wir ein Problem.» Auf das gelbe Formular hatte Mario in beinahe unleserlicher Handschrift «Opfer unkooperativ. Weigert sich auszusagen – MG» gekritzelt. Julia hätte wetten können, dass diese Worte am Freitag, als sie die Verhandlungen für Montagmorgen vorbereitet hatte, noch nicht dort gestanden hatten.

«*Ich* habe kein Problem, Frau Staatsanwältin», entgegnete Richter Farley, lehnte sich in seinem Stuhl zurück und kniff die Augen zu schmalen Schlitzen zusammen. Er witterte Blut, und das machte ihn glücklich.

Jedem der 20 Strafrichter, die am Gericht in Miami arbeiteten, waren drei Staatsanwälte, drei Pflichtverteidiger, ein Oberstaatsanwalt sowie ein leitender Strafverteidiger zugeteilt. Die sogenannten A-Staatsanwälte und A-Pflichtverteidiger verhandelten die schweren Verbrechen, die B-Anwälte die minderschweren Verbrechen, und die C-Anwälte schlugen sich mit Vergehen wie Einbruch und Diebstahl herum. Die tatsächlich spektakulären Fälle landeten in der Regel immer bei den Kollegen der Spezialabteilungen «Major Crimes», «Organisiertes Verbrechen», «Drogendelikte» oder «Berufsverbrechen». Es war reines Pech, dass Julia Valenciano als B-Staatsanwältin ausgerechnet Richter Leonard Farleys Gerichtssaal zugeteilt worden war – unter Kollegen besser bekannt als «Sibirien».

Julia war seit fast drei Jahren Staatsanwältin, und bisher hatte sie eine Menge Glück mit ihren Richtern und Oberstaatsanwälten gehabt. Selbst am Amtsgericht, wo sie mit Ordnungswidrigkeiten und Verkehrsdelikten begonnen hatte, waren die Richter immer höflich und respektvoll gewesen. Vielleicht waren es keine Koryphäen, aber damals kam sie selbst frisch von der Uni und hatte noch eine Menge über die Regeln der Beweisführung zu lernen. Doch dann wechselte sie zum Bezirksgericht auf der anderen Straßenseite, und die Flitterwochen waren zu Ende. Der Ernst des Lebens hatte begonnen, und jetzt saß sie schon seit vier langen Monaten im Saal 4.10 fest – Sibirien, kein Ende in Sicht.

Ihr Richter war nicht bloß schwierig – er war einfach unmöglich. Selbst an guten Tagen konnten sie einander nicht ausstehen, was nicht verwunderlich war. Farley mochte niemanden, vor allem keine Frauen, und das war auf Dauer ziemlich anstrengend. Vermutlich hätte Julias Leben sehr viel einfacher sein können, wenn sie das getan hätte, was die meisten anderen der ihm unterstellten Ankläger taten: nichts. Sie warteten einfach ab, bis Farleys Wutanfälle vorüber waren, und erhoben, wenn der Richter wieder einmal ein haarsträubendes oder schlichtweg falsches Urteil gefällt hatte, gerade so laut Einwand, dass es der Gerichtsreporter hören konnte. Sollte doch die Rechtsabteilung der Staatsanwaltschaft entscheiden, welchen Murks sie in der Berufung wieder geradebiegen wollten. Unglücklicherweise war Julia nicht der Typ, der den Mund halten konnte. Und somit wurde jeder Tag zu einem Kampf. Farley würde seinen Posten so schnell nicht räumen. Er gehörte hier genauso zum Inventar wie die stählernen Lampen an der Decke des Gerichtssaals, die er im Jahr 1974 selbst hatte aufhängen lassen. Als amtierender Richter konnte Farley weder von einem ehrgeizigen Gegner noch von einer empörten Öffentlichkeit aus dem Amt befördert werden. Lediglich der Oberste Richter – sein Schwager – hatte die Befugnis, ihn zu versetzen. Und bis er starb, konnte Julia nur hoffen, dass sie sich schnellstmöglich zur A-Staatsanwältin bei einem anderen Richter hocharbeiten würde oder gar bei einer der Spezialabteilungen. Leider war mit nichts von beidem in nächster Zeit zu rechnen.

Farley tippte mit seinem Stift deutlich hörbar auf den Tisch. Die Menschen im Gerichtssaal spürten, dass Ärger in der Luft lag, und das leise Gemurmel erstarb. Plötzlich waren sie alle sehr daran interessiert, was der Richter zu sagen hatte. Wahrscheinlich deswegen, weil sich sein Ärger nicht gegen sie richten würde.

«Ich habe ein Problem, Euer Ehren», sagte Julia und räusperte sich. Dann sah sie zum Richter auf. «Meine Zeugin im Fall Powers ist leider nicht mehr zu einer Aussage bereit.»

«Sie hatten am Donnerstag erklärt, in dieser Sache verhandeln zu können.» Eine tiefe Falte grub sich in Richter Farleys runzlige Stirn, und die weißen Einstein-Brauen zogen sich zusammen.

«Ja, das habe ich, Euer Ehren. Da wollte meine Zeugin laut den Unterlagen auch aussagen, aber offensichtlich hat sie ihre Meinung geändert. Ich werde sie noch einmal persönlich vorladen müssen.»

«Und warum haben Sie das nicht schon längst getan?»

«Euer Ehren, wir haben Powers heute an zwölfter Stelle zur Verhandlung festgesetzt. Wenn Sie den Termin auf Ende der Woche verschieben, könnten wir heute Morgen mit Ivaroni oder Singer weitermachen, auf die ich bestens vorbereitet bin. Ich –»

«Sie haben erklärt, dass Sie verhandeln können, Frau Staatsanwältin. Ich verschiebe diesen Fall nicht. Entweder sind Sie bereit oder nicht. Wenn nicht, dann weise ich die Klage ab.»

Scott Andrews, der Pflichtverteidiger, lächelte. Ein Fall weniger auf seiner Tagesordnung, und die Chancen der Staatsanwaltschaft, ohne ein Opfer erneut Klage wegen schwerer Körperverletzung einzureichen, waren praktisch gleich null.

Julia spürte, dass jeder im Saal sie beobachtete. Im Augenwinkel entdeckte sie Letray Powers, den Angeklagten, mit einem breiten Goldzahngrinsen auf dem pockennarbigen Gesicht. Er hob eine angekettete Hand und klatschte seinen Sitznachbarn ab. Powers war einen Meter neunzig groß und wog hundertzehn Kilo, und sogar unter dem unförmigen orangefarbenen Gefängnis-Overall waren die Muskelpakete zu sehen. Julia warf einen Blick auf ihr rosa Verhaftungsprotokoll und rief sich die Einzelheiten in Erinnerung. Letray war mit einer Rasierklinge auf seine schwangere Freundin losgegangen. Sie biss sich auf die Zähne. *Auf ein Neues!,* dachte sie und sah dem Richter fest in die Augen. «Die Staatsanwaltschaft ist zur Verhandlung bereit, Euer Ehren», verkündete sie trotzig.

«Habe ich Sie gerade richtig verstanden?», fragte der Richter und richtete sich in seinem überdimensionierten Lederthron auf. «Kein Opfer, und Sie wollen trotzdem verhandeln?»

«Euer Ehren, Mr. Powers hat eine lange Vorgeschichte als Gewalttäter, einschließlich Vorstrafen wegen Widerstands gegen die Staatsgewalt, schwerer Körperverletzung und Bedrohung mit einer Waffe, ganz zu schweigen von den drei Verhaftungen wegen häuslicher Gewalt. Er griff seine Freundin mit einer Rasierklinge an, nur weil sie in die Richtung eines anderen Mannes blickte. Seine im fünften Monat schwangere Freundin, wie ich hinzufügen darf. Ihr Gesicht musste mit zweiundsechzig Stichen genäht werden.»

«Offenbar hält sie es trotzdem nicht für nötig, hier zu erscheinen.»

«Sie ist ein Opfer häuslicher Gewalt, Euer Ehren.»

«Sie ist in erster Linie ein Opfer, das nicht anwesend ist, Ms. Valenciano. Und ich habe keine Zeit, auf so etwas Rücksicht zu nehmen. Meine Prozessliste ist lang.»

«Wenn Euer Ehren der Staatsanwaltschaft keinen Aufschub bewilligt, sodass ich Ms. Johnson noch einmal persönlich vorladen kann, bleibt mir keine andere Wahl, als ohne ihre Aussage fortzufahren. Lieber so, als dass die Anklage abgewiesen wird.»

«Und wie wollen Sie das bewerkstelligen, Frau Staatsanwältin?» Richter Farley bemühte sich, seine Wut zu zügeln. Häusliche Gewalt war ein heikles Thema. In einem überfüllten Gerichtssaal bedeutete es schlechte Presse, wenn er unsensibel war.

Julia schluckte. «Ich brauche das Opfer nicht, Euer Ehren.»

«Das habe ich ja noch nie gehört. Ms. Valenciano, hat man es an der Universität versäumt, Ihnen das Thema Corpus Delicti nahezubringen? Und die einzig Geschädigte Ihres Verbrechens will offenbar nicht aussagen.»

«Es gibt Zeugen, die ihre Verletzungen bestätigen können.»

«Und wer sagt darüber aus, wie diese Verletzungen zustande gekommen sind? Hat jemand gesehen, wie das Opfer angegriffen wurde?»

«Ihre Aussage bei der Polizei –»

«Hörensagen», warf der Verteidiger ein. Jetzt starrte der Richter auch ihn wütend an.

«– ist zulässig als eine Äußerung unter Stress», fuhr Julia fort.

Im Rechtswesen galt die Annahme, dass Aussagen, die während oder kurz nach einer Stresssituation gemacht wurden, mit hoher Wahrscheinlichkeit der Wahrheit entsprachen. Äußerungen unter Stress waren daher vor Gericht zulässig, auch wenn Aussagen vom Hörensagen normalerweise unzulässig waren. Mit anderen Worten, wenn Billy zusah, wie Suzy den ungedeckten Scheck unterschrieb, reichte es nicht, dass er es dem netten Polizisten erzählte, sondern er musste im Gerichtssaal erscheinen und es dem netten Richter persönlich erzählen, damit seine Aussage der Staatsanwaltschaft nutzte. Ansonsten galt seine Aussage als Hörensagen und hatte vor Gericht keinen Bestand. Von einem Irren mit einer Rasierklinge verunstaltet zu werden, sollte wohl als Stresssituation durchgehen, dachte Julia. Mit Sicherheit würde es ziemlich kompliziert werden, einen Prozess ohne Opfer zu führen und sich nur auf eine Äußerung unter Stress zu berufen, aber sie würde keinesfalls zusehen, wie dieser Mistkerl Letray grinsend hier rausmarschierte und der Richter ihm auch noch einen schönen Tag wünschte.

«Machen Sie keine Mätzchen, Ms. Valenciano. In meinem Gerichtssaal werden keine hypothetischen Fälle verhandelt», bellte Farley.

«Das habe ich auch nicht vor, Euer Ehren.»

«Sind Sie bereit, die Geschworenen auszuwählen?»

«Das bin ich, Euer Ehren.»

Der Richter starrte sie lange an. Im Gerichtssaal blieb es ungewöhnlich still. «Sie wollen also eine Verhandlung? Na schön. Dann morgen früh, neun Uhr.» Der Verteidiger öffnete den Mund, doch Richter Farley kam ihm zuvor. «Keine Aufregung, Mr. Andrews. Wenn Ms. Valenciano sagt, dass wir auch ohne ihr Opfer verhandeln können, dann verhandeln wir eben ohne ihr Opfer. Morgen früh werden wir ja sehen, was sie vorhat.» Farley sah Julia ohne zu blinzeln an. «Ivonne», wandte er sich dann an die Gerichtsschreiberin, die an einem Schreibtisch unterhalb der Richterbank saß, «verschieben Sie Ms. Valencianos übrige Verhandlungen auf Mittwoch. Powers wird uns nicht viel Zeit kosten. Wir machen da weiter, wo wir aufgehört haben, und Ms. Valenciano kann die Geschworenen für Ivaroni danach auswählen. Und falls sie auf Ivaroni auch so gut vorbereitet ist wie auf Powers, kommen wir vielleicht sogar noch zu Singer und den anderen zehn Fällen, die sie heute Morgen fertig gehabt haben sollte.» Er drohte Julia mit seinem Stift. «Wenn Sie mit dem Fall Powers meine Zeit vergeuden, Frau Staatsanwältin», kläffte er mit lauter Stimme, «dann werden Sie sich nicht nur mit dem Doppelbestrafungsverbot herumschlagen müssen. Ich rate Ihnen dringend, die nächsten dreiundzwanzig Stunden dafür zu nutzen, Ihr Opfer zu finden.»

Julia trat vom Pult zurück, bückte sich und schleifte die Kisten mit den Prozessakten beiseite, während der Staatsanwalt für Wirtschaftsverbrechen seinen ersten Fall aufrief. Ihr Puls raste, in ihren Ohren pochte es, und ihre Hände zitterten. Ein Murmeln erhob sich in der Menge, und Julia spürte die Blicke ihrer Kollegen. Sie wollte nur noch raus aus diesem Gerichtssaal und laut schreien.

«Lass dich von ihm nicht auf die Palme bringen», flüsterte

Karyn Seminara, ihre Oberstaatsanwältin, als sie ihr half, die Aktenkisten auf den Klappwagen zu laden. Julia sah auf und holte tief Luft, bevor sie etwas sagen konnte, das sie später bereuen würde. Karyn brachte keiner auf die Palme. Sie blieb immer gelassen, war nie an Konfrontation interessiert, und Farley hätte sie wahrscheinlich für die ideale Frau gehalten, wenn sie nicht dann und wann den Mund aufgemacht hätte. Seit über einem Jahr leitete sie seine Abteilung – sei es, weil jemand von oben meinte, dass sie mit ihrer besonnenen Art am besten mit dem Richter und seinen Wutanfällen zurechtkam, oder, was Julia eher für wahrscheinlich hielt, weil sie irgendwann mal jemandem ans Bein gepinkelt hatte. Die Freundschaft, die Julia und Karyn in den letzten vier Monaten geschlossen hatten, war eher oberflächlich und beruhte hauptsächlich auf einem gelegentlichen, halb obligatorischen Afterwork-Drink am Freitagnachmittag oder einem Café con leche nach Gericht. Oberflächlich, weil Karyn Wert darauf legte, mit jedem gut Freund zu sein, vor allem mit jedem in der Abteilung, was sie nicht unbedingt zur idealen Chefin machte. Wie Onkel Jimmy Julia am ersten Tag ihres ersten Jobs bei Dunkin' Doughnuts beigebracht hatte: «Freunde sind keine guten Chefs, und Chefs sind keine guten Freunde.» Und Jimmy musste es wissen. Sein eigener Onkel war angeblich Kapo in einer der New Yorker Mafiafamilien gewesen, bis ihm zwei seiner «Freunde» eines Sonntagnachmittags in einer Brooklyner Muschelbar von hinten ein paar Kugeln in den Kopf gejagt hatten. Julia atmete tief aus und schaute ihre Abteilungsleiterin an. Sie sah die Enttäuschung in Karyns schiefem Lächeln. «Wenn ich jetzt sage, was ich denke, Karyn», antwortete sie leise, «setzt Farley mich morgen zu den Angeklagten auf die Bank.»

«Farley ist, wie er ist, Julia, daran wirst auch du nichts ändern. Aber wenn man bedenkt, wie rot sein Kopf gerade geworden ist, wird er die Richterbank wahrscheinlich eines Tages auf einer Trage verlassen», erwiderte Karyn lächelnd, dann fuhr sie nach einer kurzen Pause fort: «Du bist eine gute Anwältin, Schätzchen, aber willst du diesen Fall wirklich ohne das Opfer durchziehen?»

«Ich habe keine Wahl.»

«Aber die Geschädigte hatte die Wahl – und sie ist nicht hier.»

«Wenn ich es ohne sie machen muss, bitte schön.»

«Und welchen Sinn hat das?»

Julia warf einen Blick auf Letray Powers, der schadenfroh grinste. «Wenn er rauskommt, geht er wieder auf sie los. Nur zielt er beim nächsten Mal vielleicht auf ihre Kehle.»

«Im Grunde weißt du doch, dass der Richter recht hat», sagte Karyn seufzend und zuckte die Schultern. «Wenn ein Opfer die Aussage verweigert, wird es auch auf eine erneute Vorladung hin nicht vor Gericht erscheinen. Und wenn deine Geschädigte nicht gefunden werden will, wirst du sie nicht finden. Alles, was du erreichst, ist, dass Farley noch wütender wird. Warum lässt du ihn die Klage nicht einfach abweisen und reichst den Fall rüber an die Abteilung für häusliche Gewalt? Dann können die versuchen, den Fall ohne Opfer wieder vor Gericht zu bringen.»

In den vier Monaten, seit Julia in der Abteilung war, hatte sie Karyn nicht einmal vor Gericht gesehen. Selbst eine bloße Anhörung kam selten vor. Karyn fand bei jedem Fall einen Haken, bei jedem Opfer ein Problem, bei jedem Angeklagten eine Ausrede. So war alles verhandelbar für sie, sogar Mord, und ihre Deals lagen bisweilen weit unter den gesetzlichen Richtlinien. Natürlich sah Karyn keinen Sinn darin, einen Fall von häuslicher Gewalt ohne Opfer weiterverfolgen zu wollen und das großzügige Angebot des Richters, den Fall abzuweisen, auszuschlagen. Ein Fall weniger auf dem engen Terminplan der Abteilung, und das ganz ohne eigene Schuld.

«Drüben hätten sie das gleiche Problem, nur schlimmer», sagte Julia schließlich, als sie den Wagen vollgeladen hatte. «Schau dir den Typen an, Karyn. Wenn der hier rauskommt, marschiert er auf direktem Weg nach Hause.»

Karyn verdrehte die Augen. «Du kannst nicht alle Probleme dieser Welt lösen, Julia. Wie ich solche Fälle hasse. Man sollte sie alle gleich rüberschieben. Du hast wirklich ganz schön viel Mumm, Kleine.»

«Danke», sagte Julia und schnallte die Aktenkisten mit einem Riemen am Wagen fest.

«Und ich bin anscheinend nicht die Einzige, die das bemerkt hat.» Karyn senkte wieder die Stimme und machte ein ernstes Gesicht. «Während deines Schlagabtausches mit Farley ist Charley Rifkin hier aufgetaucht.»

Rifkin war der leitende Staatsanwalt von *Major Crimes*, der Abteilung für Kapitalverbrechen, und die rechte Hand des Generalstaatsanwalts.

Julias Hände wurden feucht. *Oje.* «Und?», fragte sie und versuchte, zuversichtlich dabei zu klingen.

«Er will dich in zehn Minuten in seinem Büro sehen. Ach, und, Julia», Karyn schwang ihren blonden Bubikopf herum und sah Julia wieder mit ihrem halben, enttäuschten Lächeln an, «er wirkte nicht gerade glücklich.»

KAPITEL 4

VERDAMMT. Montag war einfach nicht ihr Tag. Julia zerrte den wackligen Wagen durch den Hinterausgang des Gerichtsgebäudes die Rollstuhlrampe hinunter und überquerte eilig die 13th Street. Die Büros der Staatsanwaltschaft befanden sich im Graham Building auf der anderen Straßenseite. Fast hätte ihr eine tropische Windböe den Rock hochgewirbelt – direkt vor den vergitterten Fenstern des Gefängnisses –, und sie ärgerte sich, dass sie heute Morgen ausgerechnet nach dem einzigen Kostüm gegriffen hatte, dessen Saum nicht verstärkt war.

Karyn hielt sie wahrscheinlich für überehrgeizig und streitlustig. Farley war sauer auf sie, mal wieder. Sie hatte nur einen Tag, um sich auf eine Verhandlung vorzubereiten, für die sich offenbar weder der Richter noch die Abteilungsleiterin, noch das Opfer selbst interessierte. Eigentlich hatte sie gedacht, es könne nicht mehr schlimmer kommen – und nun wurde sie ausgerechnet in das Büro des Abteilungsleiters von *Major Crimes* zitiert.

In der Hierarchie der Staatsanwaltschaft war die Abteilung *Major Crimes* ganz oben bei der Verwaltung, und ihr Leiter Charley Rifkin besaß nicht nur das Wohlwollen des Generalstaatsanwaltes, sondern spielte auch mit ihm Golf, seit er vor über zehn Jahren sein Wahlkampfmanager gewesen war. In sein Büro bestellt zu werden, gehörte nicht zum Alltagsgeschäft, vor allem nicht für eine kleine B-Anwältin, es sei denn natürlich, er hatte im Gerichtssaal etwas gesehen, das ihm nicht gefiel. Oder, dachte Julia, während sie an einem Fingernagel nagte und zusah, wie der Klappwagen den Metalldetektor des Graham Building passierte, ein Richter oder Staatsanwalt hatte sich bei ihm beschwert.

In der *Major Crimes Unit* wurden sämtliche Fälle bearbeitet, bei denen auf Todesstrafe plädiert wurde und die ein großes Medieninteresse weckten. Jeder der zehn herausragenden Staatsanwälte der Abteilung konnte auf mehr als zwölf Jahre Berufserfahrung zurückblicken, hatte also trotz niedriger Löhne und des hohen Burn-out-Faktors praktisch sein ganzes Berufsleben bei der Staatsanwaltschaft verbracht, wo die reguläre Halbwertszeit bei etwa drei Jahren lag. Sie waren alle absolute Profis, und das wussten sie auch und trugen die Nase entsprechend hoch. Ihre Anwesenheit im Gerichtssaal wurde vom Richter mit Respekt, von den Geschworenen mit Neugier und von der Verteidigung mit Neid quittiert. Und sie konnten den kleinen Anklägern auf dem Parkett einen Riesenschrecken einjagen, vor allem, wenn ein reißerischer Fall ein Kamerateam und eine Meute übereifriger Journalisten anlockte. Und das ging nicht nur den Anfängern so, die als C-Kläger frisch vom Jugend- oder irgendeinem Provinzgericht kamen. Julia hatte gestandene A-Anwälte und Oberstaatsanwälte gesehen, die plötzlich zu stammeln anfingen, wenn einer der Veteranen der *Major Crimes* über die Galerie spazierte und bat, einen bestimmten Fall aufzurufen.

Überflüssigerweise drückte sie noch einmal auf den Fahrstuhlknopf, dann reihte sie sich in die wartende Menge von Uniformierten, Anwälten und anderen Zeitgenossen, die nach oben wollten, ein. Auch wenn es ihren Kampfgeist von heute Morgen wahrscheinlich nicht hätte bremsen können, wurmte es sie doch, dass sie nichts von Rifkins Anwesenheit bemerkt hatte.

Bis auf eine Begegnung im Fahrstuhl und einen Vortrag zum

Thema Geschworenenauswahl hatte Julia den leitenden Staatsanwalt der *Major Crimes* nie offiziell kennengelernt. Und auch wenn sie in ihren zwei Jahren als Anklägerin Tausende von Malen in der ersten Etage gewesen war, um mit der Abteilung für Berufsverbrechen um Deals für Gewohnheitstäter zu schachern oder Kollegen anderer Abteilungen zu besuchen, hatte sie nie die Sicherheitsschleuse passiert, die zur *Major Crimes Unit* führte. Das Allerheiligste. Nicht dass ihre Plastikkarte ihr den Zugang dorthin verwehrt hätte, doch es hatte einfach keinen Grund gegeben. Keiner ihrer Fälle hatte Details beinhaltet, für die sich irgendjemand bei *Major Crimes* interessierte – weder hatte es einen prominenten Angeklagten, noch ein berühmtes Opfer gegeben, einen brutalen Serienmörder oder ein verruchtes Lacrosse-Team. Und was die gesellschaftlichen Anlässe anging, so mischte sich die High Society der Spezialbereiche nicht mit den jungen Klägern unten vom Parkett. Wie in jedem Betrieb gab es auch bei der Staatsanwaltschaft ein unausgesprochenes Kastensystem unter den Kollegen: Die Abteilungsleiter speisten mit den Abteilungsleitern, Prozessanwälte lunchten mit Prozessanwälten, Aushilfskräfte futterten mit Aushilfskräften. Und in den fünf Minuten ihrer freien Zeit stopften sich die jungen Kläger vom Parkett ein paar Kroketten und Erdnussbuttersandwichs mit ihren jungen Kollegen rein, entweder direkt am Tisch im Gerichtssaal oder in der Cafeteria gegenüber.

Im ersten Stock stieg sie mit einem Kerl aus dem Fahrstuhl, der entweder Drogendealer war oder Zivilfahnder beim Drogendepartment, der es noch nicht unter die Dusche geschafft hatte. Der tätowierte Kopf einer Königskobra zuckte böse grinsend aus dem Kragen seines T-Shirts hervor, die gebleckten Giftzähne auf seine Schlagader gerichtet. Ihr Träger lächelte Julia zu, als würden sie einander kennen, dann verschwand er den Flur hinunter in Richtung Berufsverbrechen.

Zögernd lächelte sie zurück und hoffte, dass er ein Drogenfahnder war.

Ihr eigenes Büro befand sich oben im zweiten Stock, doch sie wollte das Treffen mit Rifkin lieber gleich hinter sich bringen. Wenn Rifkin den Klappwagen mit den Kisten voller Gerichtsunterlagen sah, erinnerte er sich vielleicht, wie es war, 102 kleine Fälle mit sich herumzuschleifen, und hatte ein bisschen Mitleid mit ihr, bevor er sie zusammenstauchte, weil sie einem Richter mit einem aussichtslosen Fall das Leben schwermachte. Vor der Tür mit der Aufschrift *Major Crimes* blieb sie stehen. Sie wischte sich die Hände am Rock ab, holte tief Luft und zog ihre ID-Card am Sicherheitscheck durch den Schlitz. Die Tür öffnete sich mit einem Klicken, und sie betrat einen langen, spärlich beleuchteten leeren Flur, der genau wie der Rest des Gebäudes in einem deprimierenden Grauton gestrichen war.

Kaum hatte sie die Schwelle übertreten, spürte sie den kollektiven Blick von acht Sekretärinnen, in deren Höhle sie unvermittelt gelandet war. Vor ihr eröffnete sich ein neonbeleuchteter Irrgarten aus Resopal- und Plexiglaskabinen, und sie fühlte sich wie ein Kind, das über die Wasserrutsche plötzlich am tiefen Ende des Beckens gelandet war. Jegliche Unterhaltung im Raum verstummte.

«Guten Tag», sagte Julia und versuchte zu lächeln. «Ich möchte zu Charley Rifkin.»

«Erwartet er Sie?», fragte eine ältere Frau mit verbissenem Gesicht und teigigen Hängewangen. Irgendwo ließ jemand eine Kaugummiblase knallen. Auf dem Schreibtisch vor ihr stand ein roter Plastikzeigefinger, der auf einer Feder hin- und herschwang. Die Aufschrift auf dem Sockel lautete: *Leg dich nicht mit Oma an.*

«Ich glaube schon», antwortete Julia langsam. «Meine Abteilungsleiterin sagte mir, Mr. Rifkin wolle mich sprechen.»

«Ach», erwiderte die ältere Frau, und ihre Wangen schienen

noch weiter abzusacken. «Sie sind die aus Richter Farleys Abteilung.»

Das klang nicht gut. «Ja, die bin ich.» Julia lächelte und wischte sich noch einmal so unauffällig wie möglich die Hände am Rock ab. Unglücklicherweise hatte sie die feuchten Hände ihrer Mutter geerbt – ein Fluch für die Karriere. Ihr Lächeln wurde immer angestrengter.

Oma griff zum Telefonhörer, wählte eine Nummer und wandte sich ab. «Sie ist da.» Dann bedachte sie Julia mit einem verächtlichen Blick und machte eine Kopfbewegung den Gang hinunter. Die Haut unter ihrem Kinn wabbelte wie der Kropf eines Truthahns. «Zwei-null-sieben. Auf dem zweiten Flur nach rechts. Das letzte Büro auf der linken Seite.»

KAPITEL 5

ALS JULIA an den Arbeitskabinen vorbeiging, folgten ihr die Blicke der Sekretärinnen stumm wie die Augenpaare auf den Gemälden eines Spukhauses. Der Flur zog sich endlos, und sie war mehr als erleichtert, als sie endlich aus dem Blickfeld der Hyänen war. Hinter der Ecke eröffnete sich ein weiterer langer Flur. An den geschlossenen Türen rechts und links hingen bronzene Plaketten mit den Namen der Anwälte, die dahinter arbeiteten – die meisten kannte sie nicht, wie sie feststellte, von manchen hatte sie noch nicht einmal gehört. Offensichtlich war man bei *Major Crimes* nicht sehr gesellig. Nicht dass oben auf dem zweiten Stock ständig gefeiert wurde, aber dort standen wenigstens die Türen offen, und die Kollegen konnten einander jederzeit in ihren klaustrophobischen Büros besuchen, um sich Rat zu holen, über einen Pflichtverteidiger zu lästern oder einen schnellen Café cubano hinunterzustürzen – heißes, flüssiges kubanisches Adrenalin –, das ihre beste Freundin Dayanara Vega, B-Anwältin in Richter Stalders Abteilung, jeden Nachmittag Punkt drei frisch aufbrühte. Es herrschte ein Gemeinschaftsgefühl auf den matten grauen Fluren von Julias Stockwerk. Hier dagegen, auf der «Macht-Etage», fühlte man sich abgeschnitten vom Rest der Welt.

«Charles August Rifkin, Division Chief» stand auf dem Namensschild neben der Tür Nummer 207. Die drei Tassen Kaffee und die Cornflakes, die sie gefrühstückt hatte, machten sich plötzlich unangenehm bemerkbar, und sie betete, ihr Magen würde keine Geräusche von sich geben. Gedämpft war

Chief Rifkins Stimme durch die Tür zu hören, doch Julia verstand nicht, was er sagte. Sie hoffte, er sprach am Telefon, denn Publikum war das Letzte, was sie heute Morgen brauchte. Ein letztes Mal trocknete sie die Handflächen an ihrem Rock, dann klopfte sie an. Nach einer kurzen Pause sagte jemand: «Herein.»

«Guten Tag», sagte sie beim Eintreten tapfer. Sie versuchte, den Klappwagen hinter sich herzuziehen, doch er blieb am Türrahmen hängen.

«Den können Sie draußen lassen», sagte eine zweite Stimme aus dem toten Winkel hinter der Tür. Eine Stimme, die ihr überaus bekannt vorkam.

Sie zuckte zusammen, nickte und schob den Wagen auf dem Flur an die Wand. Dann atmete sie tief ein und kehrte in Rifkins Büro zurück. Hinter ihr wurde leise die Tür geschlossen, aber es war nicht Rifkin, der vor ihr hinter seinem überdimensionierten Schreibtisch in seinem Ledersessel saß und sie mit finsterer Miene ansah. Der andere Mann ließ sich in einem der roten Ledersessel vor dem Schreibtisch nieder und bedeutete ihr, ebenfalls Platz zu nehmen.

Es hatte also doch noch schlimmer kommen können.

«Guten Morgen, Julia», sagte Ricardo Bellido kühl, der stellvertretende Leiter von *Major Crimes*. «Rick» trug einen konservativen schwarzen Anzug von Hugo Boss, ein blütenweißes Hemd und eine Seidenkrawatte. Das Grau der Krawatte betonte die silbernen Schläfen seiner ansonsten rabenschwarzen, dichten Locken, was ihm durchaus schmeichelte. Einen viel zu langen Augenblick starrte sie ihn an, doch er lächelte nicht. Er blinzelte nicht einmal. *Kein Hellseher hätte erraten können, dass wir vor drei Tagen zum ersten Mal miteinander geschlafen haben,* ging es Julia durch den Kopf. Sie fragte sich fast, ob sie sich alles nur eingebildet hatte.

«Ich habe Sie vorhin im Gerichtssaal beobachtet», begann

Charles Rifkin verdrießlich. «Sie legen sich wohl gern mit Farley an?» Bevor Julia etwas erwidern konnte, wandte er sich an Rick und sagte ausdruckslos: «Sie will einen Fall von häuslicher Gewalt verhandeln – ohne Opfer. Lenny hat getobt.»

«Ist ja nichts Neues», entgegnete Rick schulterzuckend.

«Wie lange sind Sie bereits in seiner Abteilung?», fragte der Chief und tippte ungeduldig mit dem Finger gegen seinen Kaffeebecher.

«Vier Monate», antwortete Julia. Vier Monate, eine Woche und einen Tag, um genau zu sein. Vier Monate zu lang. Sie straffte die Schultern und setzte zu ihrer Verteidigung an. «Farley wollte die Verhandlung –»

Doch Rifkin schnitt ihr das Wort ab. «Darum geht es hier nicht.»

Sie wusste nicht, ob sie erleichtert oder beunruhigt sein sollte. Mit einer fast feierlichen Geste zeigte Rifkin auf Rick Bellido, und seine Miene schien noch finsterer zu werden. Julia spürte, wie ihr das Blut ins Gesicht schoss – ein weiteres Erbe ihrer Mutter, die die helle Haut ihrer irischen Vorfahren an sie weitergegeben hatte. *Bitte lass es nichts mit Rick und mir und der Firmenpolitik zu tun haben …*

«Gestern ist in Coral Gables eine Familie ermordet worden», sagte Rick. «Wahrscheinlich haben Sie davon gehört.»

Julia hatte den Atem angehalten, und als sie nun Luft holte, klang es wie ein Seufzer. «Ja, natürlich habe ich davon gehört. Es ist überall in den Nachrichten», antwortete sie schnell. Sie hoffte, dass ihr die Erleichterung nicht anzuhören war. «Eine Mutter mit ihren Kindern, richtig?» Die grauenhafte Geschichte war ausführlich in den Abendnachrichten ausgewalzt worden und heute Morgen auf den Titelseiten von *Miami Herald* und *Sun Sentinel* gelandet. Eine ganze Familie im schicken Coral Gables, anscheinend einem wahnsinnigen Schlächter zum Opfer gefallen. Doch bis auf die Namen hatten die Reporter nicht viel zu berichten gehabt. Die Einzigen, die sich interviewen ließen, waren die Nachbarn, und jeder, der wirklich etwas hätte sagen können, hielt offensichtlich den Mund. Dafür schürte die Presse unter der Bevölkerung die Angst vor einem nächtlichen Serienmörder und warnte, Türen und Fenster zu schließen und sofort die Polizei zu rufen, falls jemand irgendetwas Auffälliges beobachte. Julia konnte sich denken, dass auf eine solche Warnung hin in Miami die Notrufleitungen heißlaufen würden.

«Jennifer Marquette und ihre drei Kinder Emma, Danny und Sophie, keins älter als sieben Jahre, ermordet in ihren Betten. Das kleinste, Sophie, war noch ein Baby, gerade mal ein paar Wochen alt», sagte Rick kopfschüttelnd, während er mit seinem Montblanc nachdenklich auf den Spiralblock tippte, den er auf dem Schoß hatte. «Schlimme Sache.»

«Nur der Vater hat überlebt. Er liegt drüben im Ryder auf der Intensivstation», bemerkte Rifkin.

«Das haben sie in den Nachrichten gebracht», sagte Julia. «Er ist Arzt, oder? Schafft er es?»

In diesem Moment öffnete die Sekretärin die Tür. Sie hielt es noch nicht mal für nötig, vorher anzuklopfen – anscheinend legte sich mit Oma wirklich keiner an. «Ruth Solly ist auf dem Weg zum Gericht, Charley. Sie braucht die Akten.»

«Okay, okay. Ich will mit ihr reden, bevor sie geht», sagte Rifkin, stand auf und griff nach seiner Kaffeetasse. «Entschuldige, ich bin gleich wieder da, Rick.» Als die Sekretärin ihm aus dem Büro folgte, fiel Julias Blick auf ihren kurzen Rock und die schwarzen Stöckelschuhe, die so gar nicht zu ihrem Bild einer «Oma» passten.

Also gut. Jetzt war sie vollkommen verwirrt. Offenbar ging es hier weder um Farley und ihre Streitlust im Fall Powers, noch um irgendeinen anderen Kollegen, dem sie auf die Füße getreten war. Den Namen Marquette hatte sie vorher noch nie gehört, und ihr fiel auch sonst keine Verbindung ein, die sie mit dem Massaker in Coral Gables haben könnte, es sei denn, es wurde gegen einen ihrer 102 Angeklagten als möglichem Verdächtigen ermittelt. Glücklicherweise war es wohl auch nicht der Verhaltenskodex, was Sex mit Vorgesetzten betraf, weswegen sie hier war.

«Weißt du, warum ich herkommen sollte?», fragte sie Rick ein wenig verlegen, als Rifkin und seine Sekretärin außer Hörweite waren.

Rick nickte. «Ich hatte gestern Nacht Bereitschaft», sagte er.

«Oh», erwiderte Julia. Sie wusste nicht, ob das die Frage beantworten sollte oder erklären, warum er sich seit Freitagabend nicht gemeldet hatte. Plötzlich musste sie an ihren Kuss unter der Dusche denken und wandte den Blick ab. Wieder schoss ihr das Blut in die Wangen, und sie konzentrierte sich auf einen grauen Fleck auf dem grauen Teppich. «Wo in Coral Gables ist es passiert?», fragte sie und hoffte, dass ihre Stimme sie nicht verriet.

«Sorolla Avenue, in der Nähe der Uni. Ach, ich vergaß», fügte er lächelnd hinzu, als sie schließlich aufsah und den Blick seiner dunkelbraunen Augen erwiderte, «du bist nicht aus der Gegend.»

Es war nichts zu machen. Sie wurde rot wie eine Tomate. Die Dusche, unter der sie sich geküsst hatten, befand sich in ihrer Wohnung in Broward County, in einem Ort namens Hollywood, zwanzig Meilen nördlich von Miami.

«Ecke Sorolla und Granada, um genau zu sein», fuhr er fort, als sie schwieg. «Das ist der alte Teil von Coral Gables. Ein Haufen teurer alter Villen steht dort. Aber heutzutage, wo schon ein Wohnwagen in Leisure City eine sechsstellige Summe kostet, ist teuer wohl ein relativer Begriff.»

«Ist es dein Fall?»

«O ja. Gestern war ich den ganzen Tag am Tatort.»

«Welche Dienststelle ermittelt?», fragte sie.

«John Latarrino vom Morddezernat Metro-Dade und Steve Brill vom Coral Gables Police Department. Kennst du die beiden?»

Die Polizeidienststelle Miami-Dade hieß früher Metro-Dade, bis vor ein paar Jahren, als sowohl das County als auch das Police Department umbenannt wurden. Doch auch wenn der Briefkopf sich geändert hatte, war der neue Name bei den Oldies nicht hängengeblieben. Und nach zwanzig Jahren bei der Staatsanwaltschaft gehörte Ricardo Bellido eindeutig dazu, obwohl er erst 45 Jahre alt war.

Julia schüttelte den Kopf. «Nein, ich glaube nicht.» Natürlich kannte sie die beiden Detectives nicht. Auf einmal kam sie sich furchtbar jung und unerfahren vor. Die alten Hasen unter den Anwälten kannten die Detectives aus den Morddezernaten fast alle mit Namen, da sie so gut wie ständig mit ihnen zusammenarbeiteten. Es war ein exklusiver, eingeschworener Club. Und die oft harten und aufwühlenden Fälle, an denen sie gemeinsam arbeiteten, schweißten sie zusammen, sodass sich aus beruflichen Beziehungen oft Freundschaften entwickelten, die sogar Jobwechsel und Pensionierungen überdauerten. Fröhliche Grillabende, Familienfeste, die Hochzeiten der Kinder wurden gemeinsam begangen. Doch Julia hatte noch keinen Fuß in diese Welt gesetzt. Oft kannte sie nicht einmal den Namen, der unten auf dem Verhaftungsprotokoll stand.

«Mit Lat habe ich schon einmal zusammengearbeitet», erklärte Rick. «Ein guter Mann. Und Brill ist ein echtes Original.»

«Und warum braucht die Polizei von Coral Gables die Hilfe von Miami-Dade?»

«Mord kommt in den Gables nicht häufig vor. In den Gables gibt es nicht einmal ein eigenes Morddezernat. Metro-Dade hat die nötige Erfahrung und genug Leute. Und die Ausrüstung.»

Erstes Fettnäpfchen. Sie hätte wissen müssen, dass es in Coral Gables kein Morddezernat gab. Sie räusperte sich. «Was genau ist denn passiert?»

«Das versuchen wir rauszufinden.» Ungeduldig warf er einen Blick auf die Tür.

«Gibt es einen Verdächtigen?»

In diesem Moment kehrte Rifkin zurück, mit einem frischgefüllten, dampfenden Kaffeebecher.

«Letzten Monat haben Sie einen Fall von fahrlässiger Tötung verhandelt – Trunkenheit am Steuer», sagte er zu Julia, als er sich setzte. «Haben Sie noch mehr Erfahrungen mit Totschlag, Unfällen mit Todesfolge und so weiter?»

«Nein», antwortete Julia. «Ellie Roussos, unsere A-Anwältin, hat mir den Fall übertragen, weil ich Trunkenheit am Steuer bereits am Amtsgericht verhandelt hatte.»

«Als Verkehrsdelikt?», fragte Rifkin ungläubig.

Nervös rutschte Julia auf ihrem Stuhl herum. «Ja, dafür ist das Amtsgericht zuständig.»

«Verkehrsdelikt», wiederholte er. «Wie ist die Verhandlung letzten Monat ausgegangen?»

«Schuldig im Sinne der Anklage.»

«Und was hat Farley dem Unfallverursacher gegeben?»

Julia räusperte sich wieder. «Zwei Jahre und eine Strafpredigt.»

Rifkin warf Rick einen Blick zu, dann lehnte er sich zurück und begann, wieder auf seiner Kaffeetasse herumzutrommeln.

«Es war die erste Straftat des Angeklagten», erklärte Julia. Auf einmal fühlte sie sich wie ein Insekt unter dem Brennglas. Egal, wo sie hinlief, sie fand keine Deckung.

Das Schweigen schien ewig zu dauern. Dann endlich, als sie schon daran dachte, dass sie gern einen zweiten Anwalt auf ihrer Seite gehabt hätte, lehnte Rick sich vor, die Ellbogen auf den Knien, mit verschränkten Händen wie ein Baseballtrainer. «Um Ihre Frage von vorhin zu beantworten – ja, wir haben einen Verdächtigen.»

«Ich habe übrigens gerade mit Marchionne in Miami-Dade telefoniert. Unser Verdächtiger ist aus dem OP», warf Rifkin verächtlich ein. «Sieht tatsächlich aus, als würde er durchkommen.»

Rick schüttelte den Kopf, doch seine dunkelbraunen Augen ruhten immer noch auf Julia. «Deswegen haben wir Sie hierhergebeten, Julia», sagte er. «Ich will, dass Sie mir helfen, den kranken Mistkerl festzunageln, der am Sonntagmorgen seine Frau und seine drei Kinder getötet hat.»

KAPITEL 6

JULIA WAR sprachlos. Wenn sie richtig verstanden hatte, bot man ihr gerade an, als zweite Anwältin in einem Mordfall zu assistieren. *Einem Mordfall der Abteilung Major Crimes.*

«Richter Farley ist vielleicht nicht Ihr größter Fan», fuhr Rick fort, «aber Ihre Statistik ist beeindruckend. Bei sechsunddreißig Geschworenengerichten in den letzten vier Monaten haben Sie vierunddreißig Schuldsprüche erreicht. Ihre Abteilungsleiterin lobt Sie in den höchsten Tönen. Sie scheuen sich nicht vor der Arbeit, und obwohl Ihre Abteilung bekanntermaßen den vollsten Kalender von allen hat, sind Sie mehrmals bei anderen Verhandlungen eingesprungen. Sie haben Teamgeist. Und mir gefällt der Mut, mit dem Sie schwierige Fälle zur Verhandlung bringen – wie heute zum Beispiel, häusliche Gewalt ohne Opfer. Außerdem haben Sie einen Draht zu den Geschworenen, was ehrlich gesagt den wenigsten Staatsanwälten gegeben ist. Und Ihre vielleicht bemerkenswerteste Leistung», schloss Rick mit einem Lächeln, «Sie gehen Farley dermaßen auf die Nerven, dass es Gerüchte gibt, Ihretwegen hängt er den Job bald an den Nagel. Sie haben dafür gesorgt, dass er in den letzten vier Monaten mehr zu tun hatte als in den gesamten zwei Jahrzehnten, die er auf seinem Posten sitzt.»

Rick schwieg einen Moment.

«Ich will offen sein, Julia», sagte er dann. «Ich habe hier einen wirklich brutalen Mord, vier Leichen und einen jungen, prominenten Chirurgen in der Rolle des Vaters, Ehemanns und Hauptverdächtigen. Ich weiß, das hier wird ein aufwendiger, zeitraubender und komplizierter Fall, und er wird die Schlagzeilen beherrschen. Deshalb will ich, dass derjenige, der mir in diesem Fall zur Seite steht, von Anfang an dabei ist – bevor die Spurenermittlung die letzten Blutflecken aufgewischt und die Putzkolonne die Fingerabdrücke beseitigt hat. Charley und ich haben heute Morgen über die Kandidaten gesprochen.» Er warf Rifkin einen Blick über den Tisch zu. «Aber in dieser Abteilung hat jeder genug mit seinen eigenen Fällen zu tun. Und deshalb», sagte er schließlich und lehnte sich in seinem Stuhl zurück, «habe ich an Sie gedacht. Ich glaube, Sie sind die Richtige für den Job.»

Julia konnte ein einfältiges Grinsen nicht unterdrücken. «Danke», sagte sie leise.

«Was meinst du, Charley?», fragte Rick.

Charley Rifkin lehnte sich in seinem Ledersessel vor und stellte bedächtig die Kaffeetasse auf den Tisch. Mit dünnen, knochigen Fingern spielte er mit einer Büroklammer. «Rick Bellido traut Ihnen anscheinend einiges zu», bemerkte er schließlich, doch er sah nicht glücklich aus. «Es ist dein Fall, Rick, also ist es deine Entscheidung. Aber», jetzt legte er die Büroklammer zurück auf den Tisch und sah Julia an, «lassen Sie mich Klartext reden, Ms. Valenciano. Ich will nicht, dass Sie mit Ihren eigenen Fällen in Verzug geraten, wenn Sie hier mit von der Partie sind, aber das versteht sich von selbst. Sonst hätte ich Ihre Abteilungsleiterin und Ihren Richter gleichzeitig am Hals, denn Ihre Abteilung untersteht letztlich auch meiner Leitung, wie Sie wissen. Die Fälle hier oben werden von mir vergeben, und auch wenn Rick seinen Beisitzer selbst aussucht – die Entscheidung muss letztlich von mir verantwortet werden. Und während ich volles Vertrauen habe, dass Ricardo Bellido mit zwanzig Jahren Berufserfahrung und siebzehn Todesurteilen mehr als qualifiziert ist, einen vierfachen Mord mit der Presse im Nacken und einer Meute hochbezahlter Verteidiger am

Hals zu verhandeln, bin ich mir bei Ihnen nicht so sicher, ob Sie sich an diesem Fall nicht die Milchzähne ausbeißen.»

Autsch. Julia fühlte sich, als hätte sie einen Schlag in die Magengrube bekommen, und ihr Lächeln erstarb. Sie wusste, dass nichts, was sie jetzt sagte, Charley Rifkins Meinung ändern würde. Es würde nur verzweifelt klingen. Also schwieg sie, starrte auf das Stanford-Diplom hinter Rifkin an der Wand und wünschte sich zum zweiten Mal an diesem Morgen nach Hawaii.

«Ach, komm schon, Charley», protestierte Rick gereizt. «Das ist doch Blödsinn. Es kommt ständig vor, dass Anwälte aus anderen Abteilungen an Fällen von *Major Crimes* mitarbeiten, und es hat noch nie ein Hahn danach gekräht, du eingeschlossen. Ich mag es nicht, wenn du mein Urteilsvermögen in Frage stellst.»

«Dieser Fall ist eine große Nummer, Rick. Wir reden von drei kleinen Kindern, die von ihrem eigenen Vater im Schlaf erschlagen und erstochen wurden. Angenommen, nach Abschluss der Ermittlungen sieht immer noch alles nach vorsätzlichem Mord aus, dann gibt es einen gewaltigen Medienrummel. Wenn Dr. David Marquette der nächste Bill Bantling ist, zeltet die Presse so lange in euer beider Vorgärten, bis die Todesspritze in seinem Arm steckt.» Mit sichtlicher Enttäuschung deutete Rifkin auf Julia. «Sie hat noch nie einen Mord verhandelt, und du glaubst wirklich, sie kann zwölf Geschworene von der Todesstrafe überzeugen?»

Rifkins Worte hingen wie Blei in der Luft. Rick stand auf und stützte beide Hände auf den Schreibtisch. Seine Stimme war eiskalt. «Ich glaube, es wäre klug, eine Frau dabeizuhaben, Charley. Die Geschworenen wollen jemand Junges, Hübsches sehen, jemand, der die junge, hübsche tote Mutter und ihre Kinder repräsentiert.»

«Du willst eine Frau?», sagte Rifkin. «Dann nimm doch Karyn Seminara. Sie hat zumindest ein bisschen Erfahrung zu bieten. Lisa Valentine? Priscilla Stroze? Ich kann dir noch etliche andere nennen.»

«Ich habe Julia vor Gericht erlebt. Du auch? Letzten Monat hatte ich eine Anhörung vor Farley, und zufällig habe ich ihre Eröffnung mitbekommen. Sie gibt den Opfern eine Stimme, Charley, und ein Gesicht – nicht nur ein paar Zahlen und Daten auf einem Formular. Sie macht Menschen aus ihnen. Und sie sorgt dafür, dass die Geschworenen bei der Sache sind, auch dann, wenn es langweilig wird und sich alles nur noch um Fingerabdrücke und DNA dreht. In ihren drei Jahren im Amt hat sie eine ganze Menge Prozesse geführt, Charley – mehr als der Durchschnitt vieler A- und B-Anwälte zusammen. Und bis auf zwei Jurys, die sich nicht einig werden konnten, hat sie keinen einzigen Fall verloren. Sie ist gut, Charley. Und außerdem», fügte er hinzu und ließ sich langsam wieder auf seinen Sessel sinken, «sind ihre Milchzähne ziemlich scharf. Und genauso wie ich hat sie keine Angst, sie zu benutzen.»

Charley Rifkin sah seinen Kollegen einen Moment lang schweigend an. Dann hob er abwehrend die Hände. «Wie ich schon sagte, Rick – es ist dein Fall. Such dir aus, wen du willst, aber schieb es hinterher nicht auf mich. Nach siebenundzwanzig Jahren im Amt rieche ich üble, komplizierte Fälle auf eine Meile gegen den Wind. Der Fall stinkt, Rick. Gut möglich, dass der Gestank haftenbleibt – an dir und an unserer Abteilung. Es braut sich ein übler Sturm zusammen. Und wenn hier was schiefgeht, verfolgt es dich bis ans Ende deiner Laufbahn.» Er kniff die Augen zusammen. «Vergiss das nicht, Ricky. Vergiss das nicht.»

Rick nickte und strich sich das Jackett glatt. «Danke für die Warnung, Charley.» Dann wandte er sich an Julia: «Aber vielleicht waren wir auch zu voreilig. Nach alldem weiß ich nicht, ob Julia überhaupt noch mitarbeiten will.»

Julia löste ihren Blick von dem Diplom an der Wand und

sah Rick an. Bei diesem Kampf wollte sie nicht zwischen King Kong und Godzilla geraten. Natürlich war es schmeichelhaft, bei einem Fall von *Major Crimes* um Mitarbeit gebeten zu werden, und es konnte ihre Karriere weit nach vorn katapultieren. Aber vom Chef der *Major Crimes* höchstpersönlich in der Luft zerrissen zu werden, war doch ziemlich niederschmetternd. Auch wenn Türen wie diese sich nicht jeden Tag öffneten, zögerte sie. Wer weiß, ob man sie ihr nicht wieder vor der Nase zuschlug – mit ein paar Fingern dazwischen. Vielleicht war sie wirklich noch nicht erfahren genug für einen Mordfall. Vielleicht waren ihre Milchzähne doch nicht scharf genug, und die ganze Welt würde im Fernsehen zusehen können, wie sie versagte.

Vor ein paar Jahren hätte Julia Anne Valenciano sich nicht träumen lassen, dass sie je in eine solche Lage geriet. Sie hatte gar nicht unbedingt Staatsanwältin werden wollen. In ihrer Familie gab es keine Juristen, und keiner der Freunde ihrer Eltern war bei Gericht. Die meisten ihrer Freunde in Staten Island, New York, wo sie den Großteil ihrer Jugend verbracht hatte, waren nicht mal aufs College gegangen. Aber auch wenn es in ihrer Familie keine Akademiker gab, war es keine Frage, dass Julia studieren würde. Nach ein paar verbummelten Semestern an der Rutgers University im benachbarten New Jersey wechselte sie zu Jura, weil sie gehört hatte, dass Anwälte in New York schwindelerregende Gehälter bezogen. Sie stellte allerdings fest, dass die lukrativen Bereiche des Fachs sie zu Tode langweilten. Und dann, im letzten Semester, kurz bevor sie die Kellnerschürze an den Nagel hängte, um ihre Seele an eine der langweiligen Wirtschaftskanzleien in Washington zu verkaufen, hatte sie einen Kurs in Strafrecht belegt und war von der ersten Minute an fasziniert gewesen. Von da an verpasste sie keine Folge von *Law & Order* mehr. Verteidigung war nicht ihr Ding – sie würde niemals jemanden rauspauken können, von dem sie wusste, dass er schuldig war. Also hatte sie sich bei den Staatsanwaltschaftsbüros im ganzen Land beworben.

Nach Miami war sie gegangen, weil sie sich von der Großstadt viel Sonne, ein aufregendes Nachtleben und eine hohe Verbrechensrate versprach. Chicago war ihr zu kalt, Phoenix zu alt, L. A. zu weit weg – und New York, nun, an New York hingen zu viele Erinnerungen. Der ausschlaggebende Grund für den Süden waren natürlich Tante Nora und Onkel Jimmy, die vor ein paar Jahren ganz in ihre Ferienwohnung in Fort Lauderdale übergesiedelt waren. Nach ein paar Monaten stellte Julia fest, dass das, was als Stippvisite geplant war, um auf Staatskosten Erfahrung vor Gericht zu sammeln, zu einem langfristigen Aufenthalt werden würde. Auch wenn es kitschig klang, sie hatte eine Art Berufung gespürt. Die Bezahlung war erbärmlich und die Arbeitszeiten noch schlimmer, egal, was man über die Beamten sagte. Es gab kaum ein Wochenende, an dem sie nicht vor dem Computer saß, und abends kam sie fast nie vor sieben Uhr nach Hause. Wenn sie Verhandlungen hatte, wurde es meist noch später. Trotz all der Nachteile – gereizte Richter, skrupellose Verteidiger, unkooperative Zeugen, undankbare Opfer –, sie hatte am Ende eines Tages oft das Gefühl, dass sie etwas bewegte, und sei es noch so gering. Und manchmal, wenn sie einen wirklich bösen Menschen hinter Gitter brachte, dachte sie, dass sie damit vielleicht ein Leben gerettet hatte, indem sie einen Mord in der Zukunft verhinderte. Als Staatsanwältin lag es in ihrer Macht, die grausame Welt um sie herum zu ändern, und sie glaubte nicht, dass ein Prozess um eine Schmerzensgeldforderung nach einem Einkaufswagenzusammenstoß ihr eine ähnliche Befriedigung verschafft hätte, egal, wie viel Geld dabei für sie raussprang.

Nun hatte sie die Chance, mehr aus ihrer Karriere zu machen. Es war ein Angebot, nach dem sich jeder Ankläger aus ihrer Abteilung die Finger geleckt hätte, und noch vor einer

Stunde hätte sie keinen Augenblick gezögert. Doch plötzlich war sie unsicher. Der erste Mordprozess war eine Sache; aber der erste Mordprozess vor laufenden Kameras, skeptischen Kollegen und Vorgesetzten, die nur auf einen Patzer lauerten, war etwas anderes. Und dann fiel Julia noch etwas ein. Vielleicht war es naiv von ihr zu glauben, dass ihre kürzlich eskalierte Freundschaft mit Rick Bellido bei diesem Angebot keine Rolle spielte. Bisher wusste niemand davon, aber in der Staatsanwaltschaft wurde viel geredet. Was, wenn die Affäre bekannt wurde? Schlimmer noch – was, wenn sie endete? Und wenn sie ein schlechtes Ende nahm? Tausend Fragen kreisten in ihrem Kopf, tausend Zweifel wollten beschwichtigt werden. Und die ganze Zeit spürte sie die Blicke der beiden Männer, die auf eine Entscheidung warteten, wie in einer schlechten Quizshow, während die Sekunden langsam abliefen. *Deine Angst vor dem Versagen darf nie größer sein als die Angst, es nicht versucht zu haben,* hatte Onkel Jimmy ihr eingebläut. Onkel Jimmy, der Müllmann aus Great Kills, der nebenbei Philosoph war. Was würde er ihr jetzt raten? Gott, sie wollte nicht versagen, vor allem nicht in aller Öffentlichkeit. Doch eine Chance wie diese konnte sie sich nicht entgehen lassen. Schließlich straffte sie die Schultern. Zum Teufel mit Rifkin und seiner Meinung. Sie würde es schon schaffen.

«Ich verstehe Ihre Bedenken, Mr. Rifkin», sagte sie und sah dem Leiter der *Major Crimes* in die Augen. «Aber ich würde diesen Fall gern verhandeln. Und ich versichere Ihnen, meine übrigen Fälle werden nicht darunter leiden.»

Rick lächelte. «Großartig.» Er stand auf und ging zur Tür. «Bringen Sie Ihre Akten weg. Wir treffen uns in zehn Minuten in der Lobby. Ich möchte Ihnen den Tatort zeigen.»

Rifkin schwieg.

Wieder machte sich das Frühstück in ihrem Magen bemerkbar, doch sie nickte erwartungsvoll, als hätte sie alle Aufgaben für heute bereits erledigt. Jetzt oder nie. Sie musste ins kalte Wasser springen. Es war keine Zeit, erst ihren Standpunkt zur Todesstrafe auszuforschen, ein paar Episoden CSI nachzuholen oder all den Zweifeln auf den Grund zu gehen, die ihr durch den Kopf tanzten. Es war keine Zeit, ihre Meinung zu überdenken. Sie dankte beiden Männern noch einmal, und dann zog sie los, um ihren Klappwagen wegzubringen. Als sie hörte, wie die Tür sich hinter ihr schloss, atmete sie auf, auch wenn sie wusste, dass das Gespräch dahinter noch lange nicht vorüber war.

KAPITEL 7

SIE SCHOB den Klappwagen an die Wand neben das große Regal mit den überfüllten Kisten – all die lästigen Abschlussberichte, die sie noch ausfüllen musste. Dann nahm sie ihre Handtasche aus der Schreibtischschublade, stieg über weitere Kartons und ging eilig hinaus. «Ich komme wieder!», rief sie ihrer Sekretärin Thelma zu, die auf ihrem tragbaren Fernseher die *Jerry Springer Show* sah und sich wenig dafür interessierte, was Julia tat oder sein ließ. Auf dem Weg zum Aufzug hörte sie ihren Anrufbeantworter ab und trug hastig Lipgloss auf. Es war noch nicht elf, die meisten der Staatsanwälte, waren drüben am Gericht auf der anderen Straßenseite, und die Türen zu ihren leeren Büros standen offen. Als sie an der Sekretärin von Richter Stalders Abteilung vorbei um die Ecke ging, entdeckte sie ihre beste Freundin Dayanara, die an ihrem Schreibtisch saß und telefonierte.

«Gut, dass du da bist», flüsterte sie, während sie das Handy und das Lipgloss in der Handtasche verstaute und in Dayanaras Büro trat. Sie fischte den *Herald* aus dem ordentlichen Eingangskorb. Wie immer roch es nach Zitrone, Glasreiniger und kubanischem Kaffee. Bei Dayanara gab es keine wartenden Abschlussberichte, keine Kisten, die der Archivierung harrten – nichts stand herum bis auf eine Radiouhr, eine Plastikdose mit Pilon-Kaffee und einen Seifenspender. Selbst der kleine Beistelltisch, auf dem Dayanara jeden Nachmittag Café cubano für zwanzig Leute kochte, war blitzsauber – keine Espressobohne, kein Zuckerkörnchen war zu sehen. Wären die beiden

Frauen nicht seit so langer Zeit so gut befreundet gewesen, hätte Days Ordnungsfimmel Julia Angst gemacht, aber bis auf die Tatsache, dass sie Day um ihren umgänglichen Richter beneidete, gab es zwischen den beiden keine Konkurrenz. «Darf ich mir die ausleihen?», flüsterte sie und machte auf dem Absatz kehrt, ohne Days Antwort abzuwarten.

«Einen Moment bitte, Sir …» Day hielt die Hand auf den Hörer. «Hey, ich habe die Witze noch nicht gelesen. Pass bloß auf, dass du sie nicht zerfledderst.»

«Ja, ja», sagte Julia und winkte ihrer Freundin zu. «Lass dich nicht stören.»

«Gehen wir Mittag essen?»

«Kann nicht. Nicht heute.»

«Gerichtstermin?»

«Morgen. Möchtest du eine Anklage wegen häuslicher Gewalt mit mir verhandeln? Auf Grundlage einer Äußerung unter Stress?»

«Nein danke. Wo willst du dann hin?»

«Erzähl ich dir später», rief Julia ihr über die Schulter zu, als sie den Flur hinunter zur Sicherheitstür ging, die zu den Fahrstühlen führte. «Du wirst es nicht glauben.»

KEINE VERDÄCHTIGEN BEIM MASSAKER IN CORAL GABLES verkündete die Schlagzeile in ihrer Hand reißerisch. Morgens vor der Arbeit hatte sie sich nicht die Zeit genommen, den Artikel zu lesen, doch jetzt war jedes Detail wichtig; sie musste sich jeden Namen, jeden Titel merken und im Kopf katalogisieren. Nervös sah sie sich unter den Wartenden vor den Fahrstühlen um und nickte ein paar ihrer Kollegen zu. Irgendwie fühlte sie sich deplatziert – wie ein Trainer, der jetzt schon wusste, dass nach dem großen Spiel heute Abend das Management den Quarterback absägen würde, und der trotzdem zuversichtlich in die Kameras blicken musste. Hier stand sie, im Kreis ihrer nichtsahnenden Teamkollegen, und wusste von dem traurigen, schockierenden Geheimnis, das in Kürze die Schlagzeilen auf den Kopf stellen würde. Und doch erfüllte sie auch noch etwas anderes – die Aufregung vor dem Spiel.

Ihr Blick flog über die Zeilen: Jennifer Leigh Marquette, 32, Emma Louise Marquette, 6, Daniel Elan Marquette, 3, Sophie Marie Marquette, sechs Wochen. Ein kleines grobkörniges Schwarzweißbild zeigte eine lächelnde Jennifer. Der Abzug war schlecht, aber sie konnte sehen, dass Jennifer eine hübsche Frau gewesen war, mit einem strahlenden, ansteckenden Lächeln. Wie immer hatte die Presse es geschafft, ein glückstrahlendes Foto des Opfers aufzutreiben, um es effektvoll neben der Geschichte des grausamen Mordes zu platzieren.

… wurden nach einem Notruf bei der Polizei am frühen Sonntagmorgen tot aufgefunden … brutal ermordet in der geräumigen Villa in einem ruhigen, gutsituierten Viertel von Coral Gables … der langjährige Polizeichef Elias Vasquez lässt keine weiteren Details verlauten … beschreibt das Szenario am Tatort als eines der «schlimmsten, das er je gesehen hat» … Spurenermittlung des Miami-Dade Police Department den ganzen Tag vor Ort … bisher keine Verdächtigen … Benachrichtigung der Familie in Pennsylvania steht noch aus … noch kein Termin für eine Gedenkfeier …

Ein kalter Schauer lief ihr über den Rücken, als sie den fett gedruckten Zwischentitel weiter unten auf der Seite las:

ZUSTAND DES VATERS WEITERHIN KRITISCH:
GEMEINDE UND KRANKENHAUSMITARBEITER BETEN

Vom nächsten grobkörnigen Bild, einem Passfoto, lächelte ihr Dr. David Alain Marquette, 34, entgegen. Er wirkte sehr jung, vielleicht war es das offizielle Foto von seinem Examen. Irgendwie sah er beunruhigend normal aus, nicht wie die wahnsinnige Fratze, die man hätte erwarten können, wenn man berücksichtigte, unter welchem Verdacht er stand. Wie seine Frau war David Marquette attraktiv, selbst auf dem Foto. Ihre Kinder mussten zum Anbeißen gewesen sein, dachte Julia unwillkürlich. Wieder lief ihr ein Schauer über den Rücken. Sie rieb sich über die Gänsehaut an den Armen und las weiter.

... wurde mit lebensgefährlichen Verletzungen im Haus gefunden ... musste sofort operiert werden ... junger Chirurg aus Chicago mit erfolgreicher Praxis in Miami Beach ... Mitarbeiter des OP-Teams im Mount Sinai Hospital ... prominente Patienten aus dem Sport wie der Pitcher-Star der Florida Marlins ... liebender Vater und Ehemann ... viele Freunde und Kollegen noch immer unter Schock ... die Familie bereitet sich auf einen weiteren Trauerfall vor ...

Als sich die Fahrstuhltür öffnete, steckte sie die Zeitung ein und nahm sich vor, für Day später eine neue Ausgabe zu besorgen.

In der bevölkerten Lobby wartete Rick bereits auf sie. Bei ihm standen der Leiter des Drogendezernats und Pete Walsh von der Personalabteilung. «Fertig?», fragte er, als sie auf ihn zukam, und rasselte mit seinen Autoschlüsseln. «Wir nehmen meinen Wagen. Ich stehe gleich hier auf dem Parkplatz.»

«Klingt gut», sagte sie und spürte, wie die beiden Männer ihnen hinterhersahen, als sie das Gebäude verließen. An komische Blicke und hochgezogene Augenbrauen würde sie sich wohl gewöhnen müssen, jetzt, wo sie zum Team gehörte. Und bald würden die Gerüchte hochkochen.

«Musst du nochmal ins Gericht zurück?», fragte Rick, als sie auf der Straße standen. Miamis pessimistische Wetterfrösche hatten einen weiteren Hurrikan im Visier, der sich möglicherweise auf dem Atlantik zusammenbraute, doch im Moment leuchtete der Himmel blau, die Sonne strahlte, und es war nichts Bedrohliches zu erkennen. Stürmische Böen trieben die feuchte Luft davon und hätten unter anderen Umständen für einen perfekten Tag gesorgt.

«Nein, am Nachmittag steht nichts mehr an», antwortete sie.

«Gut. Ich weiß nicht, wie lange wir brauchen. Vielleicht können wir im Anschluss noch bei der Gerichtsmedizin vorbeifahren.» Er ging auf einen glänzenden schwarzen BMW 525i zu. Dann stellte er die Alarmanlage ab und öffnete die Beifahrertür für sie. «Bist du bereit für deinen ersten Mordfall?»

Ein verstörendes Bild tauchte vor ihren Augen auf. *Drei kleine Kinder, im Schlaf ermordet von ihrem eigenen Vater ...* «Sind die Leichen noch da?», fragte sie zögernd, als sie in den Wagen stieg.

Rick sah sie spöttisch an. «Das will ich nicht hoffen. Der Geruch wäre nicht sehr erfreulich. Immerhin sind sie schon gestern früh gefunden worden», erklärte er und schloss ihre Tür.

«Ach ja», sagte sie zu sich selbst. Das zweite Fettnäpfchen. Kaum fünf Minuten an diesem Fall, und schon stand sie da wie ein Trottel.

Als er sich ans Steuer setzte, sah er sie mit einem besorgten Blick an, bevor er den Motor anließ. «Warum? Hättest du damit ein Problem?»

Natürlich, hätte sie am liebsten erklärt. *Natürlich hätte ich ein Problem mit vier Leichen in einem blutbespritzten Haus, wo mein spektakulärster Tatort bis jetzt eine Straßensperre am Nationalfeiertag war.* «Nein», log sie stattdessen und schüttelte den Kopf. «Ich wollte nur wissen, was mich erwartet.»

Rick Bellido faszinierte sie, beeindruckte sie, reizte sie, ja, er machte ihr sogar Angst. Lange bevor sie ihm persönlich begegnet war, kannte sie seinen Ruf. Jeder, der in Miami Strafrecht praktizierte, kannte ihn. Als bester Prozessanwalt der Behörde hatte er schon nach knapp sieben Jahren den begehrten Posten bei *Major Crimes* erreicht, und es ging das Gerücht, dass ihm noch Größeres als der prestigeträchtige Titel des leitenden Staatsanwalts bevorstand. Er hatte die berüchtigtsten Fälle in Miamis jüngerer Geschichte verhandelt, darunter auch der Fall Ronnie Sikes, bekannt als Dr. Jekyll der Polizei von Miami-Dade, der die Überreste seiner untreuen Ehefrau im Gartenteich an die Piranhas verfüttert hatte. Hofiert von verschiedenen General-staatsanwälten im Lauf der Jahre, hatte Rick mehr als einmal die Chance ausgeschlagen, zum angesehenen Bundesstaats-anwalt aufzusteigen, weil er, so hieß es, lieber handfeste Mor-de verhandelte als bürokratische Lappalien auf Bundesebene. Doch es war nicht nur sein Geschick vor Gericht, weswegen ihn die Generalstaatsanwälte immer noch zum Essen einluden und der Gouverneur seinen Namen auf den richterlichen Er-nennungslisten suchte. Groß, dunkelhaarig und attraktiv, mit einem sinnlichen kubanischen Einschlag, war er mit seiner Er-fahrung und seinem spanischen Nachnamen für jeden Wahl-kreis in Südflorida ein Gewinn.

Julia war sich nicht sicher, ob es sein Ruf oder sein selbst-sicheres Auftreten waren, das ihm Respekt verschaffte, wenn er einen Gerichtssaal betrat, jedenfalls hatte sie das Phänomen oft genug selbst beobachtet. Und sie spürte diese Wirkung auch bei sich selbst. Normalerweise ließ sie sich nicht von Äußerlichkeiten beeindrucken, doch Rick Bellido besaß eine hypnotische Ausstrahlung. Sein Wort hatte vor Gericht Gel-tung; die Geschworenen hörten für gewöhnlich auf ihn. Doch inzwischen waren die Tage, da er sich auf dem Parkett vor der Richterbank die Ledersohlen schmutzig machte, längst vor-über, und er hatte nur noch mit Kollegen aus den Chefetagen, Politikern, Polizeichefs und hochbezahlten, prominenten Ver-teidigern zu tun. Umso erstaunter war Julia gewesen, als er vor ein paar Wochen eine Unterhaltung mit ihr angefangen hatte, während er bei Gericht auf seinen Angeklagten wartete. Erstaunt und geschmeichelt. Und auch, wenn er siebzehn Jahre älter war – oder vielleicht deswegen –, fühlte sie sich eindeutig zu ihm hingezogen. Aus dem gelegentlichen gemeinsamen Kaffee war hier und da ein Mittagessen geworden und schließlich, unerwartet, Freitagnacht.

Dass sie seitdem nichts von ihm gehört hatte, machte diesen ersten Moment unter vier Augen allerdings ziemlich unbehaglich. Obwohl es so viel gab, über das sie reden mussten, wusste Julia nicht, was sie sagen sollte, und so blickte sie schweigend aus dem Fenster.

«Lass dir von Charley nicht zusetzen», sagte Rick, als er vom Parkplatz auf die 14th Street fuhr. «Er will nur, dass du weißt, wer das Sagen hat. Das macht er bei jedem.»

Irgendwie bezweifelte sie das, doch es tat gut, es zu hören. «Ich werde es mir merken», sagte sie leise.

Wieder herrschte peinliches Schweigen.

«Übrigens bin ich nicht wegen dem, was zwischen uns läuft, auf dich gekommen», sagte er dann, als er an einer roten Ampel bremste. «Das wollte ich klarstellen.» Er drehte sich zu ihr, stützte den Ellbogen auf die Konsole und nahm die Sonnenbrille ab. «Was ich in Rifkins Büro gesagt habe, meine ich ernst. Mir gefällt, was ich vor Gericht sehe, Julia. Mich fasziniert dein Talent. Du hast diese wilde Entschlossenheit, diesen rebellischen Dickkopf. Ein bisschen erinnerst du mich an C. J. Townsend, eine Staatsanwältin, die früher bei *Major Crimes* war. Als dieser Fall auf meinem Tisch gelandet ist, habe ich sofort an dich gedacht. Ich glaube», er hielt einen kurzen Moment inne, «ich glaube, mit dir könnte diese Geschichte interessant werden.» Er lächelte. Krähenfüße kräuselten sich um seine braunen Augen und milderten seinen intensiven Blick. «Und ich habe ein Faible für interessante Geschichten.»

«Danke.» Mehr brachte sie nicht heraus, doch sie lächelte zurück.

«Der Abend neulich hat mir natürlich auch gefallen. Und ich finde eindeutig, dass wir das wiederholen sollten.» Die letzten

Worte hatte er geflüstert, und dann lehnte er sich zu ihr herüber und küsste sie ohne Vorwarnung auf den Mund. Er legte ihr die Hand in den Nacken, griff in ihre langen, dunklen Locken und zog sie fester an sich. Sie dachte an Freitagnacht, daran, wie sich sein nasser Körper unter der Dusche an sie geschmiegt hatte, an seine erfahrenen Hände, die sie zärtlich einseiften. Der Augenblick fühlte sich verboten an und machte sie verlegen, doch es war genauso aufregend wie zuvor, und so erwiderte sie seinen Kuss, schob die Hand unter sein Jackett und ließ die Fingerspitzen über sein gestärktes Hemd gleiten. Erst das Hupen hinter ihnen brachte sie in die Gegenwart zurück.

«Ich werde mein Bestes geben», flüsterte sie und legte den Finger an die Lippen. «Das verspreche ich dir.»

Er setzte die Sonnenbrille wieder auf. «Gut», sagte er lächelnd, und dann fuhr er los. Und das war alles, was sie hören wollte.

D AS HAUS ist bereits auf Video aufgezeichnet worden»,
sagte Rick, als er den BMW vor einer hübschen hellgrünen Villa mit einer vornehmen geschnitzten Eichentür
parkte. An einem Flügel der Tür flatterte Polizeiband. Eine
der verzierten Glasscheiben fehlte und war mit Teerpappe
zugeklebt. Unter dem ausladenden Vordach standen ein paar
Polizisten des MDPD, die den Eingang bewachten und sich
unterhielten. Zwei typische Undercover-Wagen – ein Chevy
Impala und ein Ford Taurus – flankierten den Van der Spurenermittlung in der Einfahrt, und mehrere Streifenwagen
der Dienststellen Coral Gables und Miami-Dade standen bis
zu den Grundstücksgrenzen auf der Straße. Auf der anderen
Seite entdeckte Julia einen Übertragungswagen von *Channel 7*,
dessen riesige Satellitenschüssel sich unter den Telefonmasten,
einem majestätischen alten Eukalyptusbaum und den schatten-
spendenden Feigenbäumen duckte.

«So wissen wir, wie es hier aussah, bevor die Spurensicherung
alles platt gewalzt hat», fuhr Rick mit einem Blick auf das Haus
fort. «Aber ich wollte, dass du den Tatort mit eigenen Augen
siehst. Videos und Fotos genügen nicht. Erst wenn du selbst
vor Ort gewesen bist, weißt du, wovon die Detectives, die als
Erste am Tatort waren, im Zeugenstand reden – durch welche
Tür sie kamen und was sie getan haben. Nur wenn du weißt,
was sich hinter einer Tür verbirgt, wenn du die Räumlich-
keiten vollständig vor Augen hast, kannst du den Tathergang
auch den Geschworenen verständlich machen. Du weißt, wie

es im Haus gerochen hat und ob man die Nachbarn streiten hören kann. Jeder Tatort hat seinen eigenen unverkennbaren Geschmack. Erst wenn du zusammennimmst, was du gesehen, geschmeckt, gehört und gefühlt hast, bist du in der Lage, den Geschworenen zu beschreiben, was sie wissen müssen, mit genau den Details, die wichtig sind.»

Im Garten vor dem Haus hingen selbstgemachte Geister-puppen von den Ästen einer alten Eiche. Halloween-Dekora-tion. Während Rick sprach, sah Julia zu, wie sie sich im Wind drehten und tanzten. Vorn auf dem ordentlichen Rasen ent-deckte sie ein Dreirad und einen riesigen Hüpfball, der im Gestrüpp lag. Das grüne Zeltdach eines aufwendigen Klet-tergerüsts ragte über einen schwarzen Eisenzaun hinter dem Haus. Dort gab es wahrscheinlich noch mehr Spielzeug. Spiel-zeug, das nie mehr benutzt werden würde. In ihrem Magen rumorte es, als hätte sie etwas Schweres verschluckt. Es war schwer vorstellbar, dass diese idyllische Villa der Schauplatz mehrerer Morde sein sollte. Es war schwer vorstellbar, was sich innerhalb der Mauern verbarg, das so viele Polizisten auf den Plan gerufen hatte.

Noch etwas anderes machte Julia zu schaffen. Auch wenn sie noch nie bei einem «echten» Mordfall mitgearbeitet hatte, wie Charley Rifkin es ausdrücken würde, wusste sie, wie die Er-mittlungen abliefen. Alles Persönliche, alles Private in diesem Haus würde von völlig Fremden uneingeschränkt unter die Lupe genommen werden. Schubladen wurden herausgezogen, Schränke durchwühlt, Schachteln geöffnet, Briefe und Notizen gelesen. Und obwohl sie Jennifer Leigh, die nur vier Jahre älter war als sie, nie kennengelernt hatte, wusste Julia, dass es Dinge in der hübschen hellgrünen Villa gab, die für niemandes Au-gen und Ohren bestimmt waren. Jede Frau hatte Geheimnis-se – Liebesbriefe, ein anzügliches Negligé, Fotos, Tagebücher. Jetzt kramten Dutzende von Händen – auch Julias – durch all die kleinen Dinge, fingerten daran herum, fotografierten, bewerteten, interpretierten. Und das Zynische war, dass selbst dann, wenn der Fall endlich abgeschlossen sein würde, all die privaten Geheimnisse für immer in einer Asservatenkammer landeten, offiziell katalogisiert und nach dem Gesetz von Florida öffentlich zugänglich als Teil des Staatsarchivs. Julia nahm sich vor, noch heute Abend ihre vollgestopften Schränke aufzuräumen.

«Bist du bereit?», fragte Rick, als er den Schlüssel aus dem Zündschloss zog.

Plötzlich klopfte es gegen die Fahrertür, und sie zuckte zusammen. Vor Ricks Fenster stand in einer zerknitterten blauen Hose und einem rosafarbenen Poloshirt Edward «Teddy» Brennan von *Channel 7*. Julia kannte ihn von den Zehn-Uhr-Nachrichten, auch wenn er im wahren Leben kleiner wirkte als im Fernsehen und dank den metrosexuellen Wundertaten der Maske viel braungebrannter.

«Hey, Leute! Teddy Brennan, für die *Channel-7*-Nachrichten», rief er. «Kann ich euch ein paar Fragen stellen?»

Hinter Brennan stand ein Willie-Nelson-Verschnitt mit einer großen teuren Kamera auf der Schulter. Mit seinem langen vergilbten Bart, dem passenden Zopf, der ihm über den Rücken hing, den altmodischen zerrissenen Jeans und einem *Dark Side of the Moon*-T-Shirt sah er aus wie von der Pink-Floyd-Tour 1973, nur ohne Gitarre.

«Ich hätte mir denken können, dass der sich hier rumtreibt», knurrte Rick. «Pass auf, wenn du mit ihm zu tun hast, Julia. Brennan ist ein Arschloch. Überlass die Presse in diesem Fall mir», warnte er flüsternd und öffnete die Tür. Das hier war kein Rendezvous, und so stieg Julia aus, ohne zu warten, dass er ihr die Tür aufhielt.

«Mr. Bellido, sind Sie jetzt offiziell mit dem Fall betraut?», fragte Brennan und folgte Rick, als er an der Polizeiabsperrung vorbei auf den Bürgersteig trat. «Haben Sie einen Verdächtigen? Haben Sie schon einen Haftbefehl ausgestellt? Muss die Bevölkerung sich Sorgen machen, dass ein Mörder frei herumläuft? Sollte die Öffentlichkeit nicht gewarnt werden? Wie wäre es mit einer Beschreibung des Täters, ein paar Details vielleicht?»

«Zurückbleiben», sagte einer der Uniformierten, der ihnen über den Rasen entgegengekommen war. Er zeigte auf Brennan und seinen Kameramann. «Hinter die Absperrung, Jungs. Dafür ist sie da.»

Doch Brennan ignorierte ihn, und plötzlich rannte er auf Julia zu. «Gehören Sie auch zur Staatsanwaltschaft?», fragte er.

Überrumpelt nickte sie.

«Wie sind die Opfer gestorben? Ist es wahr, dass sie gefoltert wurden? Handelt es sich um einen Ritualmord? Was ist mit dem Vater? Konnten Sie ihn schon vernehmen? Wird er sterben? Warum hat Ihre Behörde noch keine Presseerklärung herausgegeben?» Erschrocken wandte Julia ihm den Rücken zu und beeilte sich, Rick über den gepflasterten Weg zur Tür zu folgen. Sie achtete darauf, Brennan nicht in die Augen zu sehen. Wahrscheinlich hatte sie ihm durch ihr Nicken schon zu viel verraten. Sie wusste, dass sie kein Pokerface zustande brachte, und es war nicht auszudenken, was los wäre, wenn sie den Medien durch einen Blick verriet, dass David Marquette der Hauptverdächtige war. Verdammt. Hoffentlich sahen Charley Rifkin und der Generalstaatsanwalt nicht in den Nachrichten, wie sie idiotisch in die Kamera nickte.

Auf dem von Blumenbeeten gesäumten Weg zum Haus entdeckte sie ein mit Kreide gemaltes Hüpfkästchen-Spiel. Spielsteine und Kronkorken lagen noch herum, als wäre die Partie noch in vollem Gang. Daneben war ein schiefes Herz mit den Worten «Emma lipt Tiler» gekritzelt. Offenbar hatte jemand versucht, «Emma» wegzuwischen und «Vicki» darüberzuschreiben. Sie machte einen Schritt über das Blumenbeet und ging quer über den Rasen.

«Sie sind hier nicht auf einer Pressekonferenz, Mr. Brennan», rief Rick, ohne sich umzudrehen. Sie betraten die hohe marmorne Eingangshalle. «Ich lasse Sie wissen, wenn ich eine gebe.» Dann schlug er die Tür zu.

«Mistkerl», murmelte er, als er die Stufen in das weitläufige Wohnzimmer hinunterging. Aus einem der Flure hörten sie Stimmen. «Latarrino?», rief er, dann verschwand er um eine Ecke.

Julia sah sich ehrfürchtig um. Sie war noch nie in einer so großen Villa gewesen. Alles war perfekt. Die beeindruckende Freitreppe mit dem gusseisernen Geländer, die in einem großzügigen Bogen ins obere Stockwerk führte. Der Fußboden aus poliertem Marmor mit Intarsien aus dunklem Tropenholz. Eine antike Vitrine barg kostbare Exponate, und auf einer großen Anrichte standen Familienfotos. Bis auf das feine schwarze Puder, das die Oberflächen und Fensterbänke bedeckte, sah alles aus wie in *Architectural Digest*.

«Kommst du?», rief Rick und kam ihr entgegen.

Julia nickte gedankenverloren. Unter ihren Füßen knirschte etwas.

«Vorsicht. Um ins Haus zu kommen, mussten die Polizisten eine Scheibe einschlagen. Offensichtlich wurde noch nicht aufgeräumt.»

Dann folgte Julia Rick in eine gutausgestattete Küche, die ganz in Weiß gehalten war. Auf den marmornen Arbeitsflächen stand aller mögliche technische Schnickschnack, daneben Körbe voller Utensilien und stapelweise Kochbücher und Magazine. Offensichtlich war Jennifer eine begeisterte Köchin gewesen – zumindest sah es so aus. Julia schaffte es gerade mal, Wasser zum Kochen zu bringen. Neben dem Waschbecken waren saubere Babyfläschchen sorgfältig auf Papierhandtüchern aufgereiht, und auf dem Abtropfgestell stand das Geschirr für das Frühstück bereit. Für einen Morgen, der niemals kam, schoss es Julia durch den Kopf. Von einem Kinderbuch auf der Theke lächelten ihr fröhliche Gesichter entgegen, daneben lag ein Stapel transparenter Beweismitteltüten und eine Rolle rotes Klebeband. Auf einem Barhocker entdeckte sie den kleinsten Baseballhandschuh, den sie je gesehen hatte, zusammen mit einem Wiffle-Ball und einem Plastikschläger.

In der Küche hatten sich zwei Männer in den Poloshirts der Spurenermittlung versammelt, ein uniformierter Polizist und ein Detective in Zivil, die Ärmel hochgekrempelt, seine Dienstwaffe lässig im Holster. Aus dem Schrank unter der Spüle ragten zwei Beine hervor.

«Hat Probleme mit dem Siphon», erklärte der Mann in Zivil belustigt, als Rick sich neben ihn stellte. «Als bräuchte man einen Abschluss in Raketentechnik, um einen beschissenen Siphon abzuschrauben! Satty, soll ich den Klempner rufen, damit er deine Arbeit macht?»

«Leck mich am Arsch, Brill», erklang es dumpf unter der Spüle.

«Hey, Leute», sagte Rick und deutete auf Julia. «Reißt euch ein bisschen zusammen.»

«Oh, Entschuldigung», sagte der Mann in Zivil und drehte sich um. Er war klein und untersetzt und hatte einen riesigen buschigen Schnurrbart. Am Hinterkopf lichtete sich sein Haar, und Julia musste unwillkürlich an das tote Stück Gras auf dem Rasen denken, wenn man am Ende des Sommers das aufblasbare Schwimmbad wegräumte. Er musterte Julia mit einem Lächeln, das sowohl Anerkennung als auch Enttäuschung bedeuten konnte. «Hatte nicht mitgekriegt, dass du in Begleitung da bist, Ricky.»

«Steve Brill – Julia Valenciano. Julia unterstützt mich bei

diesem Fall. Julia, Steve ist Detective beim Coral Gables Police Department.»

«Sind Sie die neue Praktikantin?», fragte Brill.

«Sie ist Staatsanwältin, du Vollidiot», entgegnete Rick.

«Hoppla, tut mir leid», sagte der Detective und hielt entschuldigend die Hände hoch. «Ich halte ab sofort lieber den Mund.»

«Endlich!», sagte die Stimme unter der Spüle.

«Hast du's?», fragte Brill.

«Nein, endlich hältst du die Klappe.» Die Anwesenden grinsten.

«Das reicht. Ich rufe den Klempner, du unfähiger –» Brill sah Julia an, zögerte und beendete den Satz schließlich mit: «Trottel.» Ein verlegenes Schweigen machte sich breit. Julia tat so, als würde sie aus der Glastür in den Garten mit dem Swimmingpool sehen. Dort draußen waren noch mehr Uniformierte bei der Arbeit.

Sie stellte sich vor, dass sich ungefähr so die erste weibliche Sportreporterin in der Männerumkleide gefühlt haben musste. Sie war nicht nur die einzige Frau vor Ort, sondern auch mindestens zehn Jahre jünger als alle anderen. Natürlich gab es Frauen in diesem Bereich, doch egal, was die Quoten sagten, im Großen und Ganzen war es immer noch ein Männerclub. Vor allem in den südlichen Staaten. Und wenn es das Gesetz erlauben würde, hätten die Jungs hier nur allzu gern ein «Mädchen verboten»-Schild draußen an die Tür gehängt. Obendrein war sie Staatsanwältin, und auch wenn Polizisten und Staatsanwälte auf derselben Seite des Gesetzes standen, machte sie das noch lange nicht zu Freunden. Staatsanwälte hatten oft die undankbare Aufgabe, schlechte Nachrichten zu überbringen. *Tut mir leid, der geständige Berufsverbrecher, den ihr gerade auf frischer Tat ertappt habt, muss wegen eines Formfehlers auf freien Fuß gesetzt werden.* Dann ernteten die Staatsanwälte den Unmut und das

Misstrauen der Cops, vor allem, da ihnen eine gewisse Machtposition zukam – zumindest aus der Sicht der Polizisten. Noch dazu als Frau und zehn Jahre jünger, konnte die Zusammenarbeit schnell ziemlich heikel werden.

«Was macht ihr da eigentlich?», brach Rick das Schweigen.

«Wonach sieht es denn aus? Wir bauen die Siphons von diesem Arschloch aus, um nachzusehen, ob wir was finden», sagte Brill. Er sah zu Julia hinüber. «Scheiße. Entschuldigen Sie die Kraftausdrücke.»

Julia schüttelte den Kopf. «Schon gut. Auf mich brauchen Sie keine Rücksicht zu nehmen.»

«Da wir gerade vom Abfluss reden …», erklang es unter der Spüle.

«Schön dranbleiben, Satty», sagte Brill und verpasste dem Bein vor ihm einen leichten Tritt. «Vergiss nicht, du hast auch noch 'nen anderen Job.»

«Schon klar», sagte die Stimme grummelnd. «So, ich hab das Ding. Gib mir mal 'nen Beutel.»

«Wo ist Latarrino?», fragte Rick.

«War auch schön, dich zu sehen, Ricky. Freundlich wie immer», gab Brill zurück. «Oben im Elternschlafzimmer, soweit ich weiß.»

«Du siehst gut aus, Steve.» Rick klopfte dem Detective auf die Schulter. «Das Haarwuchsmittel scheint zu wirken.»

«Das ist schon besser», erwiderte der Detective lachend.

«Okay, Julia, wir gehen hoch», sagte Rick. «Dort wurden die Leichen gefunden. Ich zeige dir alles.»

«Hey, Rick, können wir das Arschloch schon festnehmen?», rief Brill hinter ihnen her.

«Bald», gab Rick zurück. «Warten wir ab, was er zu sagen hat, wenn er aus der Narkose aufwacht. Außerdem sehe ich nicht ein, warum wir auch noch die Krankenhausrechnung übernehmen sollen.» Der Staat Florida war dafür verantwortlich, dass jede Person in Gewahrsam medizinisch versorgt wurde. Zu diesem Zeitpunkt wäre Marquettes Verhaftung zwar ein netter Aufhänger für die Fünf-Uhr-Nachrichten gewesen, doch damit würde der Staat auch auf den Kosten für seine Operation und den Krankenhausaufenthalt sitzenbleiben. Und in einer Klinik, wo bis zu zwölf Dollar für eine Dosis Aspirin abkassiert wurde, konnte diese Summe schwindelerregend ausfallen. Julia war sich ziemlich sicher, dass der Steuerzahler in Miami-Dade County davon nicht besonders begeistert wäre.

«Scheiße», hörte sie Brill in der Küche schimpfen. «Ich hab schon wieder geflucht.»

«Mein Sohn lässt mich für jeden Fluch einen Dollar zahlen», sagte jemand.

«Da muss er ja inzwischen steinreich sein, Ed», witzelte ein anderer.

«Das College ist abbezahlt.»

Alle lachten.

«*Sind Sie die neue Praktikantin?* – Du bist echt ein Vollidiot, Brill», sagte Satty.

«Was willst du? Ich habe Anzüge, die älter sind als die.»

«Das sieht man.»

«Leck mich am Arsch, Prisko», sagte Brill. «Dafür trage ich kein Toupet. Entweder liebst du mich, wie ich bin, oder du fliegst aus meinem Bett.» Dann schrie er: «Hey, Julie, entschuldigen Sie die Kraftausdrücke!»

«Kein Problem!», rief Julia und seufzte leise.

Dann folgte sie Rick nach oben.

KAPITEL 9

SIE HATTE noch nicht einmal den Treppenabsatz erreicht, als sie die großen quadratischen Löcher im cremefarbenen Veloursteppich sah. Es war klar, dass die Spurenermittlung hier oben noch nicht fertig war: Plastikständer, die aussahen wie kleine Staffeleien mit schwarzen Nummern darauf, markierten die Stellen, wo Teile des Teppichs für das Labor herausgetrennt worden waren. Ein scharfer chemischer Geruch hing in der Luft, den Julia nicht einordnen konnte. Es schien eine Art Reiniger zu sein, nur fehlte der handelsübliche Zitronenduft. Es roch wie im Altersheim, nach Desinfektionsmittel und Tod.

«Hier wurden zwei Sorten blutiger Fußspuren gefunden.» Rick war im Flur stehen geblieben. «Eine gehört wahrscheinlich einem der Officer. Er ist aus Versehen in das Blut getreten und hat es bis vor das letzte Zimmer links verteilt. Das Zimmer des kleinen Mädchens. Emma Louise, die Sechsjährige.»

Julia sah der Phantomfußspur hinterher, den blassgelben Flur hinunter. Vor einer geschlossenen Tür hörten sie auf. An den Wänden hingen Familienfotos. Jemand hatte die untere Hälfte der Tür mit bunten Wachsstiften vollgemalt – jemand, der kleiner als einen Meter gewesen war.

«Die anderen stammen womöglich vom Vater», fuhr Rick fort. «Aber hier ging alles drunter und drüber, als die Officer die Leichen fanden. Es war eine Menge Blut da und eine Menge Leute. Die verdächtigen Spuren sehen irgendwie verwischt aus, und dass der Teppich so hochflorig ist, macht es auch nicht einfacher. Jedenfalls habe ich darauf geachtet, dass der Durchsuchungsbefehl auch Marquettes Kleidung einschließt, Badelatschen und Hausschuhe inklusive. Wenn wir damit nicht weiterkommen, lasse ich Abdrücke von seinen Füßen nehmen, aber dafür brauchen wir eine weitere Genehmigung.»

«Man sollte nicht glauben, dass man für den Tatort eines Mordes einen Durchsuchungsbefehl braucht», sagte Julia, während ihr Blick über die bemalte Tür und die lächelnden Fotos glitt. Eine strahlende blonde Jennifer mit einem Baby auf dem Arm. Ein kleines Mädchen mit Zahnlücke unter dem Weihnachtsbaum vor einem künstlichen Feuer im Kamin. Ein Baby in hellblauen Decken. Das Porträt von David Marquette, das am Morgen in der Zeitung gewesen war.

«Denk nach», sagte er und warf ihr einen Blick zu. «Eine Leiche rechtfertigt es vielleicht, in ein Haus einzudringen, das Gebäude zu sichern und auf das Team von der Gerichtsmedizin zu warten, aber es gibt dir lange nicht das Recht, eine Hausdurchsuchung vorzunehmen, selbst wenn das Opfer – oder in diesem Fall die Opfer – hier gelebt haben. Ich habe erlebt, dass selbst hochkarätige Polizisten vergessen haben, dass man am Tatort eines Mordes einen Durchsuchungsbefehl braucht. Sie sehen eine Leiche und denken, mehr brauchen sie nicht. Aber sobald es noch einen Eigentümer oder Bewohner gibt – einen Mieter, Mitbewohner oder auch nur Gast –, brauchen sie entweder dessen Einwilligung oder eine richterliche Verfügung. Denn sollte sich der Mitbewohner am Ende als Täter herausstellen, können sie ohne die Befugnis die Mordwaffe, die sie gerade in der gemeinschaftlich genutzten Küchenschublade gefunden haben, direkt auf den Müll werfen. Zack – Formfehler, und der ganze Fall ist geplatzt.»

Und zum Dritten. *Wenn du keine Ahnung hast, halt den Mund.* Noch einer von Onkel Jimmys Sprüchen, an den sie hätte denken sollen.

Rick drehte sich um und ging voraus durch einen weiteren Flur, der von der Treppe wegführte. Am Ende befand sich eine Flügeltür. Und weitere Phantomspuren auf dem Teppich.

«Gehen wir die Morde der Reihe nach durch, so wie wir sie rekonstruiert haben», sagte er und streifte sich ein paar Latexhandschuhe über. Er reichte ihr ebenfalls ein Paar. «Auch wenn die Spurensicherung schon da war, zieh dir immer Handschuhe an, bevor du etwas anfasst. Ich hoffe, du bist nicht empfindlich.» Dann öffnete er die Tür. «Hier hat man die Mutter gefunden.»

Julia schluckte und versuchte, sich auf das gefasst zu machen, was sie erwartete, doch irgendetwas in ihr sträubte sich dagegen. Es war eine Sache, in der Theorie über einen Tatort zu sprechen, über die genaue Position der Leichen, die Eintritts- und Austrittswunden und die Todesursache; doch zusammen mit den Geistern der Toten durch blutverschmierte Flure zu gehen, war etwas ganz anderes. Am liebsten hätte sie sich umgedreht und wäre davongelaufen, die Treppe hinunter, hinaus aus diesem unheimlichen, perfekten Haus, zu ihrem Auto, in ihr Büro, nach Hause. Sie würde sich von Charley Rifkin eine Standpauke abholen und sich von der aufkeimenden Beziehung mit Rick Bellido verabschieden, wenn es sein müsste. Das unbeschreibliche Grauen, das sie beschlich, würde sie ihrer Unerfahrenheit anlasten. Bloß nicht hinsehen, Julia. Geh nicht da rein. *Lass die Toten ruhen.*

Doch dafür war es längst zu spät.

Dunkelrote Blutspritzer verliefen in hohem Bogen an den weißen Wänden, die Decke war mit Tausenden von winzigen Tröpfchen übersät. Die Stellen, an denen sich Blut und andere Körperflüssigkeiten auf dem dunklen Mahagonifußboden gesammelt hatten, waren mit weißem Klebeband markiert. Über dem antiken Himmelbett hing ein Hochzeitsfoto in einem kostbar verzierten Rahmen, von dem David und Jennifer lächelnd auf die nackte blutverschmierte Matratze herunterblickten. Das Blut war überall. Es war durch die dünnen Kissenbezüge gesickert und hinterließ Zickzacklinien auf dem Bett, die die Matratze stellenweise mehrere Zentimeter tief zu tränken schienen. Julias Blick kehrte zu dem glücklichen, nichtsahnenden Foto zurück, das erst ein paar Jahre alt sein konnte. Blut war auch auf das Glas gespritzt, wo es geronnen war und dicke Nasen gebildet hatte, wie Farbe an einer eilig gestrichenen Wand.

Es sah aus, als weinten die Geister Blut, während in Julias Kopf die stummen Schreie der Toten gellten. Es war, als wäre sie in dem Teil eines Horrorfilms gelandet, wo alle zu kreischen anfingen.

KAPITEL 10

M AN HAT die Leiche auf dem Bett gefunden», sagte Rick. «Die Spurensicherung hat schon ein bisschen sauber gemacht. Die Bettwäsche haben sie mitgenommen. Der Blutspurenexperte von Metro-Dade war gestern hier und heute Morgen wieder. Du siehst ja die Flecken am Kopfende und an den Wänden. Das Blut ist fast drei Meter hochgespritzt. Die Spuren fangen hier unten an und reichen bis da rüber», sagte er und zeigte von der blutigen Matratze an die Wand neben den Nachttisch. «Anscheinend lag Jennifer im Bett, als sie angegriffen wurde. Was du an der Decke siehst, nennt man Satellitenspritzer. Höchstwahrscheinlich hat er die Schlagader getroffen. Wir gehen davon aus, dass sie geschlafen hat.»

Im Schlaf. «Was war die Todesursache?», fragte Julia leise, ohne den Blick von der Matratze abwenden zu können. Die Flecken bedeckten nur eine Hälfte des Doppelbetts und beschrieben im Großen und Ganzen die Umrisse eines Körpers. Sie brauchte keine Tatortfotos, um Jennifer Marquette vor sich zu sehen, das hübsche Gesicht verzerrt, die Augen offen und leer, starr zur Decke gerichtet. Selbst wenn ihre Augen bei ihrem letzten Atemzug geschlossen waren – Julia kannte ein paar der makabren Geheimnisse, die der Tod bereithielt. Wenn das Herz aussetzte und der Körper die Lebensfunktionen einstellte, öffneten sich die Lider unwillkürlich, und sie blieben offen, so lange, bis der Bestatter sie später im Keller seines Instituts mit Sekundenkleber zuklebte.

Es tut uns so leid, Julia …

Du hättest sie so nicht sehen dürfen.

Sie schloss die Augen, um dem Grauen in ihrem Kopf zu entrinnen, doch sie konnte die hellgelben Röschen und die zarte rosa Schleife am Ärmel des Nachthemds nicht ausblenden und die glänzende Blutlache am Boden. Und ihre Augen – ihre schönen grünen Augen –, sie waren weit aufgerissen, für immer in Angst erstarrt …

«Stumpfe Gewalteinwirkung und zahlreiche Stichwunden», erklärte Rick und holte Julia aus ihren Gedanken zurück.

«Zweiunddreißig, um genau zu sein», meldete sich plötzlich eine tiefe Stimme. Julia zuckte zusammen und fuhr herum. Vor ihr stand ein unrasierter Zivilbeamter Mitte dreißig, der Hemd und Krawatte zu ausgewaschenen Jeans und Nike-Turnschuhen trug. Er hatte klare blaue Augen und blondes Haar, das ihm weit über den Kragen reichte, und mit dem sonnengebräunten Gesicht sah er aus wie ein Surfer, der irgendwann wider Willen einen richtigen Job angenommen hatte. Um den Hals trug er eine goldene Dienstmarke.

«Der Mann der Stunde», sagte Rick. «Julia – Detective John Latarrino vom Morddezernat Miami-Dade. Lat, das ist Julia Valenciano. Sie ist Staatsanwältin und unterstützt mich in diesem Fall.»

Latarrino nickte ihr zu. «Nett, Sie kennenzulernen.»

«Mit Brill hat sie bereits Bekanntschaft gemacht», sagte Rick.

«Mein herzliches Beileid», erwiderte Latarrino trocken.

«Ich zeige ihr gerade den Tatort. Gibt es schon etwas Neues?»

«Nur den vorläufigen Autopsiebericht. Da wir gerade davon sprechen – wo hast du dich letzte Nacht herumgetrieben, Bellido?»

«Ich hatte noch einen Termin, den ich nicht absagen konnte. Als ich heute Morgen anrief, war Nielson noch nicht da. Torie hat mir eine kurze Zusammenfassung gegeben.» Rick sah zu

Julia und erklärte: «Joe Nielson ist der Gerichtsmediziner. Er hat gestern Nacht die Autopsien durchgeführt. Torie ist seine Assistentin.»

«Dann weißt du ja schon alles Wichtige», sagte Lat. «Stumpfes Schädeltrauma, hat wahrscheinlich dafür gesorgt, dass Jennifer Marquette bewusstlos wurde. Hoffen wir zumindest. Am Hinterkopf hat sie ein dickes Hämatom und schwere Blutungen. Außerdem zweiunddreißig Stichwunden in Brust und Hals. Mindestens drei davon sind bis in die Matratze gegangen.»

Rick pfiff leise durch die Zähne und fuhr sich durchs Haar. «Der Mistkerl war wohl ziemlich wütend.»

«Wütend ist noch untertrieben. Ein Stich hat die Aorta, ein zweiter die Jugularis getroffen, und das war's dann.» Latarrino schüttelte den Kopf. «Mrs. Marquette ist letzte Woche dreiunddreißig geworden. Die Jungs haben noch ein paar kaputte Luftballons mit ‹Happy Birthday, Mom› im Müll gefunden. Hübsche Frau. Sie hat auf dem Bett auf dem Rücken gelegen, mit zerrissenem Nachthemd. Ansonsten keine Hinweise auf sexuelle Handlungen. Nielson hat Gewebeproben genommen, das Ergebnis ist aber noch nicht zurück. Im Schwarzlicht waren Spuren zu erkennen, die wie Sperma aussahen.»

«O nein», sagte Rick. «Das hat Torie am Telefon nicht erwähnt. Wo waren die Spuren?»

«Auf dem Nachthemd. Wir können nicht sagen, wie alt sie sind, aber wir machen eine DNA-Analyse. Hoffentlich stammen sie von ihrem Mann. Wenn nicht …» Latarrino formulierte den Gedanken nicht zu Ende. «Wir glauben, dass er sie im Schlaf überrascht hat. Es gibt keinerlei Hinweise auf einen Kampf, keine Haut unter den Fingernägeln. Kein Hinweis, dass ihre Leiche bewegt wurde. Sie schläft, er kommt rein, schlägt sie auf den Kopf, zerreißt ihr das Nachthemd, damit es wie eine Vergewaltigung aussieht, und dann bearbeitet er sie mit dem Küchenmesser.»

«Haben Sie Tatwaffen gefunden?», fragte Julia. Sie machte ein paar Schritte weg von der grausigen Szene, ohne sich noch einmal umzublicken.

Hinter Detective Latarrino stand eine Spiegelkommode mit weiteren Familienfotos, doch sie vermied es, in den Spiegel zu sehen. Sie hatte plötzlich das Gefühl, alle Luft wäre aus dem Raum entwichen, und ihr wurde eiskalt. Es fiel ihr schwer zu atmen. *Sieh es ganz nüchtern. Konzentrier dich auf die Fakten. Bleib hier, im Zimmer. Lass dich nicht davontragen.*

«Im Zimmer des Jungen haben wir einen Baseballschläger gefunden. Es war kein Blut zu sehen, aber er hätte genug Zeit gehabt, den Schläger abzuwaschen. Das Ding ist im Labor. Wenn was dran ist, finden wir es.»

«Was ist mit dem Messer?», fragte sie.

«Wir glauben, es ist dasselbe, das in Marquettes Bauch gesteckt hat. Trotzdem haben wir vorsichtshalber alle Messer mitgenommen, die wir finden konnten. Wir vergleichen die Klingen mit Mrs. Marquettes Stichwunden. Nielson tippt auf eine glatte Klinge, mit der sie und die Kinder angegriffen wurden, weil die Wundränder nicht eingerissen sind. Aber mehr kann er zu diesem Zeitpunkt noch nicht sagen. Das Messer, das die Ärzte rausgezogen haben, war ein Ausbeinmesser von Zwilling. Schmale Klinge, einundzwanzig Zentimeter.»

«Kann euer Labor die Analyse durchführen, oder müssen wir uns dafür an das FBI wenden?», fragte Rick.

«Wir haben unseren eigenen Messerexperten – John Holt. Wenn der nicht weiterkommt, können wir immer noch das Florida Department of Law Enforcement in Orlando fragen. Das FBI halten wir schön aus dem Fall raus. Die Jungs haben hier nichts verloren. Brill nimmt die Siphons mit und untersucht sie auf Blutreste. Aber wir haben Bleiche unter den Waschbecken gefunden, und falls der Kerl wusste, was er tat, gibt es nichts mehr, das wir finden können. Die Leichenstarre war noch nicht eingetreten, und nach Jennifer Marquettes Körpertemperatur, Blässe und Mageninhalt zu schließen, trat der Tod irgendwann zwischen zwei und halb sechs am Morgen ein.»

«Genauer kann Nielson es nicht sagen?»

«Offenbar nicht. Du bist ihm wohl mit deiner charmanten Art mal gehörig auf die Nerven gegangen, denn er lässt ausrichten, dass du ihn bloß nicht wieder nach dem Sekundenzeiger fragen sollst.»

«Blödmann», brummte Rick.

«Soweit wir wissen, hätte der Ehemann eigentlich auf einem Ärztekongress in Orlando sein sollen. Wir haben bestätigt bekommen, dass im Marriott World Center bis zum Sonntag ein Zimmer auf den Namen Dr. David Marquette reserviert war. Es hat schon gereicht, die Stichworte ‹Ermittlungen› und ‹Mordfall› zu erwähnen, und der Empfangschef ist nervös geworden. Aber Theresa kümmert sich trotzdem um einen Gerichtsbeschluss.»

«Das Hotelzimmer darf keiner anrühren, Lat!», knurrte Rick.

Obwohl die beiden etwa gleich groß waren, wirkte John Latarrino bulliger. Er hob abwehrend die Hände. «Ich habe alles beantragt, was wir brauchen. Du kannst gern einen Blick auf den Beschluss werfen, bevor ihn die Kollegen in Orlando dem Richter zur Unterschrift vorlegen. Ich kenne die Spielregeln, Rick.»

Einen Moment lang herrschte peinliches Schweigen. «So habe ich es nicht gemeint», sagte Rick dann.

«Ich weiß», erwiderte Latarrino und ließ seinen Kaugummi knallen.

Die Spannung löste sich, als ein Handy klingelte. «Da muss ich ran», sagte Rick, nahm das Telefon vom Gürtel und verschwand im angrenzenden Badezimmer.

«Na schön», sagte Latarrino und sah mit einem ungeduldigen Seufzen auf die Uhr. Julia spürte, dass die beiden Männer etwas auszufechten hatten, aber es war noch zu früh zu sagen, wer angefangen hatte. Nach einer halben Minute drehte sich der Detective um. «Bellido hatte seine Führung schon. Wenn Sie mir also folgen, Frau Staatsanwältin, bringen wir die Sache hinter uns.» Als er das Schlafzimmer verließ, fügte er hinzu: «Ab hier wird es nur noch schlimmer, also machen Sie sich auf etwas gefasst.»

KAPITEL 11

HABEN SIE sich schon die Aufnahme von der Notruf-zentrale angehört?», fragte Latarrino draußen auf dem Flur.

«Nein.» Julia schüttelte den Kopf. «Ich habe gelesen, dass ein Notruf einging, aber was gesprochen wurde, weiß ich nicht.»

«Na gut, dann kläre ich Sie mal auf. Das Police Department von Coral Gables erhielt um vier Uhr siebenundvierzig einen Notruf. Der Anrufer klang wie ein Kind. Wir nehmen an, dass es die sechsjährige Emma gewesen ist, aber sie hat ihren Namen nicht genannt. Sie bat um Hilfe, dann sagte sie, es würde jemand kommen. Die Leitung war tot, bevor das Gespräch zu Ende war. Am Ende des Bandes waren noch gedämpfte Geräusche zu hören. Über die digitale Nachbearbeitung konnten wir eine Männerstimme rausfiltern, die nach Emma rief, dann fing das Mädchen an zu weinen und sagte: ‹Daddy, nein!› Aufgrund des Timings glauben wir, dass der Vater seine Frau zu diesem Zeitpunkt bereits ermordet hatte. Dann verließ er das Schlaf-zimmer und ging durch diesen Flur, wobei er wahrscheinlich Fußspuren hinterließ. Wenn die DNA-Analyse fertig ist, wis-sen wir, von wem welches Blut stammt. Im Moment haben wir nur Theorien, was die Chronologie angeht. Dann ging der Typ entweder in das Zimmer des Babys oder in das des kleinen Jungen. Emma wachte auf, hat wahrscheinlich gesehen, was passierte, dann nahm sie das schnurlose Telefon von der Station und ging zurück in ihr Zimmer, wo sie sich versteckte und den Notruf alarmierte. Und dann kommt Daddy rein und ruft nach ihr, als er sie nicht im Bettchen findet. Als er sie entdeckt, ruft sie ‹Daddy, nein!› und legt auf.» Vor einer geschlossenen Tür blieb Latarrino stehen. Er runzelte die Stirn und rieb sich die Augen. «Wie seine Mutter wurde auch Danny im Bett gefunden. So Gott will, hat der Kleine nichts mitbekommen. Er hat einen Gutenachtkuss bekommen und ist nie wieder aufgewacht», sagte er und öffnete die Tür.

Julia hielt die Luft an. Die blau-rot gestreifte Tapete war mit Rennwagen verziert, und in den weißen Regalen standen Dutzende von Matchboxautos. Auf dem Boden waren eine Autowerkstatt und eine Carrerabahn aufgebaut. Ein rot-gelbes Kinderbett in der Form eines Rennwagens stand an der gegenüberliegenden Wand. Genau wie im Schlafzimmer der Eltern hatte die Spurensicherung auch hier Bettzeug und Laken mitgenommen.

«Das Bett sieht sauber aus», stellte Julia fest.

«Wir haben Blutspritzer an der Wand gefunden, aber wegen der roten Tapete, und weil sie hier schon sauber gemacht haben, ist nicht mehr viel zu sehen. Die Todesursache war ein stumpfes Schädeltrauma. Mehrere Einstiche in den Brustkorb, aber es gab weniger Blut, was Nielson darauf zurückführt, dass die Stichwunden dem Jungen post mortem beigebracht wurden. Es hat nicht gespritzt, weil das Herz nicht mehr pumpte. Meine Theorie? Auf den Sohnemann war er weniger sauer als auf seine Frau. Er war zurückhaltender, wenn Sie wissen, was ich meine.»

«Ich sehe es», sagte sie leise.

«Aber das macht ihn in meinen Augen umso mehr zum Monster. Das Schwein hat sein Kind wieder zugedeckt, nachdem er es getötet hat, dann ist er rausgeschlichen, um seine Tochter zu suchen», sagte Latarrino und kehrte auf den Flur zurück.

«Warum ist kein Blut auf der Matratze?», fragte sie, als sie ihm folgte.

«Für eine Juristin sind Sie ziemlich aufmerksam», sagte Lat mit einem schwer zu deutenden Lächeln. «Gummilaken. Der Kleine war noch nicht stubenrein», erklärte er dann.

O Gott, sie hatte das Gefühl, sie musste hier raus. Und wenn es nur ein paar Minuten waren. Sie brauchte frische Luft, um wieder einen klaren Kopf zu bekommen. *Jeder Tatort hat seinen eigenen Geschmack.* Und sie schmeckte ihn – schwer und bitter und scharf – auf ihrer Zunge. Der widerliche Geruch nach Tod und Desinfektionsmittel, nach Teppichreiniger und altem Fisch. Ein Geruch, den sie nie wieder würde vergessen können. Doch Julia wusste, schon ein Besuch im Badezimmer würde von Latarrino und seiner Truppe in der Küche sicher als Zeichen von Schwäche gewertet werden. Also schwieg sie und folgte dem Detective zu der Tür am Ende des Flurs. Die Tür mit den Zeichnungen. Als er die Hand auf die Klinke legte, merkte sie, wie sich alles in ihr dagegen sträubte herauszufinden, was dahinterlag.

«Das ist Emmas Zimmer», sagte er schließlich und stieß die Tür auf. «Wir haben sie in der Ecke gefunden, hinter einer Kiste mit Barbiepuppen und einem Hello-Kitty-Stuhl.»

Obwohl die Spurensicherung die Barbies und den Stuhl eingepackt und mitgenommen hatte, wusste Julia sofort, in welcher Ecke Emma sich vor ihrem Vater versteckt hatte. Der rosa Teppich war voller Blut, genau wie die fliederfarbenen Tapeten. Die Spritzer sahen aus wie eine letzte unheimliche Kinderzeichnung. Die Geschichte, die Emma am Telefon verzweifelt zu erzählen versucht hatte – dort stand in grausigen Hieroglyphen das bittere Ende.

Die mühevoll aufrechterhaltene Fassade der kühlen, sachlichen Staatsanwältin begann zu bröckeln. Julia rang nach Luft. Jetzt ging die Phantasie mit ihr durch, und vor ihrem geistigen Auge sah sie das kleine, ängstliche Mädchen. Die Toten in ihrem Kopf begannen wieder zu schreien, und sie spürte die

Angst, die Emmas Herz ergriff, als ihr Vater sie in ihrem Versteck aufspürte. Und das bodenlose Grauen des entsetzlichen Verrats, als sie das Messer sah und genau wusste, was er damit vorhatte. Wahrscheinlich konnte sie es einfach nicht glauben. Und liebte ihn immer noch. Julia hielt sich die Ohren zu und wandte sich ab.

Latarrino sah sie mitfühlend an. «Manchmal ist der Job einfach beschissen», sagte er leise. Er stellte sich vor das vorhanglose Fenster und sah in den Garten. Glasäugige Stoffhunde und Bären saßen auf der Fensterbank auf einem rosakarierten Kissen. «An so was gewöhnt man sich nie, egal, wie viele Tatorte man gesehen und wie viele Geschichten man gehört hat. Immer hofft man, dass man in miese Gassen oder Drogenhäuser geschickt wird, um den Mord an irgendeinem Dealer aufzuklären, der selber Dreck am Stecken hatte.» Er hielt inne. Draußen standen seine uniformierten Kollegen in der Sonne, lachten und unterhielten sich. Das gedämpfte Gemurmel ihrer Stimmen war durchs Fenster zu hören und füllte die Leere des gequälten Schweigens. «So was wie hier will niemand erleben», sagte er schließlich und seufzte. Dann drehte er sich wieder zu ihr um und sah sie besorgt an. «Das reicht. Wir gehen jetzt lieber. Sie sehen nicht gut aus.»

Sie fühlte sich auch nicht gut. Tapfer kämpfte sie gegen den Brechreiz an, der ihr Frühstück wieder nach oben zu befördern drohte. «Was ist mit dem Zimmer des Babys?», fragte sie halbherzig und wischte sich den Schweiß von der Oberlippe. Die Latexhandschuhe klebten an ihrer Haut, und sie schmeckte das bittere Talkum auf den Lippen. Ihr war so schwindelig, dass sie hoffte, falls sie in Ohnmacht fiel, erst im Krankenwagen wieder zu sich zu kommen.

«Da gibt es nichts zu sehen», sagte Latarrino und führte sie behutsam hinaus auf den Flur. «Das Kleine hat er nur erstickt.»

KAPITEL 12

JULIA SASS auf dem Deckel der Toilette und lehnte den Kopf gegen den kühlen Marmor der Fensterbank. In den Nacken hatte sie sich ein Stück nasses Klopapier gelegt. Als sie den Kopf hob, sah sie den Reporter und seinen Kameramann auf der anderen Straßenseite, die vor ihrem Übertragungswagen die Stellung hielten. Glücklicherweise hatten sie sie hier oben noch nicht entdeckt.

«Geht es Ihnen besser?», fragte Latarrino und blickte sich betreten im Badezimmer um.

«Ja.» Julia atmete tief durch und straffte die Schultern. «Viel besser. Danke. Wahrscheinlich habe ich mir eine Erkältung eingefangen.»

«Ach so.»

Sie hoffte, dass der Detective nicht bemerkte, dass ihre Knie immer noch zitterten. «Wollen wir uns den Rest des Hauses ansehen?», fragte sie und sah zu ihm auf.

«Sie sind immer noch ziemlich blass. Sie sollten sich noch ein paar Minuten lang ausruhen. So etwas kann jedem passieren», sagte Latarrino achselzuckend. «Der Anblick von so was ist nicht leicht zu verdauen, selbst ohne die Leichen.»

Julia schwieg. Und blieb sitzen.

«Darf ich fragen, wie Sie zu diesem Fall gekommen sind?», erkundigte sich Latarrino. Er lehnte mit den Händen in den Hosentaschen am Waschbecken. «Ich habe Sie noch nie bei der Staatsanwaltschaft gesehen, und ich bin sicher, dass dieser Fall in der Abteilung *Major Crimes* verbleiben wird. Außerdem ist Bellido nicht der Typ, der Erfolg und Ruhm gern teilt. Hat man Sie von irgendeiner anderen Staatsanwaltschaft ausgeliehen, oder waren Sie bisher oben im Turm der Weisheit eingesperrt?» Im vierten Stock des Graham Building hatte die Rechtsabteilung ihren Sitz, die den Prozessanwälten bei komplizierten Rechts- und Berufungsfragen zur Seite stand.

Instinktiv schaltete Julia auf Abwehr. «Ich bin Richter Farley unterstellt. Rick Bellido und Charley Rifkin haben mich heute Morgen gebeten, bei diesem Fall zu sekundieren.» Was nicht ganz stimmte, aber Rifkin war zumindest im Raum gewesen, als Rick die Entscheidung traf.

«Ich habe in ein paar Fällen ermittelt, die bei Richter Farley gelandet sind. Der Mann ist so alt, dass jeder schon mit ihm zu tun hatte. Ist er immer noch so ein Arschloch?»

Julia musste lächeln. Ihre Anspannung ließ nach. «Das kann man wohl sagen. Und wie billiger Wein ist er mit dem Alter erst richtig ungenießbar geworden.»

«Ich dachte immer, je älter ein Wein ist, desto besser.»

«Nicht bei billigem Wein. Der wird zu Essig.»

Latarrino zuckte die Schultern. «Ich trinke sowieso lieber Bier. Ich dachte, Karyn Seminara ist die Abteilungsleiterin in Farleys Truppe.»

«Das stimmt.»

«Ach. Und wer sind Sie dann? Die A-Anwältin?»

Sie räusperte sich. «Die B-Anwältin.»

«Die B-Anwältin? Wow.» Er pfiff leise durch die Zähne. «Dann müssen Sie Bellido vor Gericht ganz schön beeindruckt haben. Er stellt hohe Ansprüche an seine Mitarbeiter, und, wie gesagt, ich erinnere mich nicht, dass er jemals das Rampenlicht mit jemand geteilt hätte.» Latarrino musterte sie. Vielleicht war sie zynisch, aber Julia vermutete, er zog gerade den Schluss, dass sie ihre weiblichen Waffen eingesetzt hatte, um auf der Karriereleiter voranzukommen.

Trotz und verletzter Stolz vertrieben den letzten Rest von Übelkeit. Julia stand auf, nahm das feuchte Klopapier aus dem Nacken und spülte es die Toilette herunter. Dann schloss sie das Fenster. «Warum glaubt eigentlich jeder, dass es der Vater war?», fragte sie, um das Thema zu wechseln. «Warum sind alle so überzeugt, dass David Marquette es getan hat?»

«Na ja, zum einen traf die Polizei knapp sechs Minuten nach dem Notruf am Tatort ein und verschaffte sich zwanzig Minuten später Zutritt. Außerdem war die Alarmanlage aktiviert, es gab keine Hinweise auf einen Einbruch, und niemand sonst wurde im Haus gefunden.»

«Warum haben sie so lange gewartet, bis sie reingegangen sind?»

«Gute Frage. Eine, die sich die Jungs inzwischen vermutlich ebenfalls stellen. Sie dachten, es sei ein dummer Kinderstreich, in dem Haus war noch nie etwas passiert, und auch draußen ließ nichts auf einen Einbruch schließen. Im Nachhinein ist man immer klüger, Frau Staatsanwältin.»

«Oh», sagte Julia und schwieg. Sie wollte nicht schon wieder etwas Falsches sagen, und so behielt sie für sich, dass sie an JonBenét Ramsey denken musste, das sechsjährige Mädchen aus Boulder, Colorado, das am ersten Weihnachtstag aus dem Bett geholt und im Keller seines Elternhauses stranguliert worden war. Ihr Bruder und ihre Eltern schliefen in ihren Zimmern am Ende des Flurs. Polizei und Staatsanwaltschaft hatten sofort die Eltern im Visier, doch das Verbrechen wurde nie aufgeklärt. Später wurden die ermittelnden Beamten wegen ihres Tunnelblicks kritisiert. Weil sie sich nur auf die Eltern konzentrierten, hatten sie andere Hinweise möglicherweise ignoriert. «Hätte der Täter irgendwie ins Haus kommen können, ohne den Alarm auszulösen? Vielleicht durch ein offenes Fenster? Wenn die Fliegengitter nicht festgeschraubt sind …»

«Jetzt spielen Sie die Verteidigerin.»

«Man sollte alle Möglichkeiten in Betracht ziehen.»

«Es gab keine Anzeichen für ein gewaltsames Eindringen. David Marquette hätte in seinem Hotelzimmer im Bett liegen müssen, fast vierhundert Kilometer von Miami entfernt, weil er am nächsten Tag auf dem Ärztekongress einen Vortrag halten sollte. Aber er war hier. Er ist der einzige Überlebende des Blutbads. Er hatte zwar ein Messer in den Eingeweiden, aber auch, wenn es schlimm klingt, im Vergleich zum Rest der Familie hatte er ansonsten auffällig wenige Verletzungen. Wenn wir tief genug graben, finden wir mit Sicherheit noch ein paar andere interessante Dinge. Das ist immer so.»

«Zum Beispiel eine Geliebte?»

«Zum Beispiel. Oder einen Ehestreit. Geldprobleme.»

«Versicherungspolicen …»

«Jetzt argumentieren Sie wieder auf der richtigen Seite des Gesetzes, Frau Staatsanwältin.»

«Bitte nennen Sie mich Julia. Halten Sie es für möglich, dass Marquette Selbstmord begehen wollte?»

«Könnte sein. Mord und versuchter Selbstmord. Wäre nicht das erste Mal. Vielleicht hatte er gar nicht vor, sich umzubringen, sondern fasste den Entschluss erst, als er merkte, dass seine Tochter die Polizei gerufen hatte und ihm die Zeit ausging, weil sein Alibi Hunderte von Kilometern weit weg war.»

«Wo hat man ihn gefunden?», fragte Julia.

Latarrino sah sich im Bad um. «Hier drin.»

Sie folgte dem Blick des Detectives in die Ecke neben der Duschkabine.

«Die Spurenermittlung hat sauber gemacht. Die Dusche war noch nass. Man hat ihn bewusstlos und nackt hier gefunden. Nur ein Handtuch lag neben ihm auf dem Boden.»

«Was für Verletzungen hatte er? Er musste operiert werden, oder?»

«Eine kollabierte Lunge und eine Stichwunde im Unterleib. Er hat viel Blut verloren. Die Verletzung hätte tödlich sein können, war es aber nicht. Allerdings hatte er gestern Nacht eine Lungenembolie, deshalb haben sie ihn operiert.»

«Das klingt nicht gut.»

«Er wird es überleben.»

«Und Sie gehen davon aus, dass er sich die Wunde selbst beigebracht hat?»

«Garantiert. Die Verletzungen sind viel zu ordentlich für das, was hier im Haus passiert ist.»

Julia runzelte die Stirn. «Eins verstehe ich nicht: Warum? Wenn der Selbstmordversuch spontan war, wie Sie sagen, warum in aller Welt hat er seiner Familie das angetan? Seiner Frau? Seinen Kindern? Einem kleinen Baby? Ich meine, der Mann war Arzt …»

«Lassen Sie sich nicht von einem Doktortitel blenden, Frau Staatsanwältin. Es hat schon viele kaltblütige Mörder in der Geschichte gegeben, die schlau genug für die Uni waren. Und je schlauer sie sind, desto mehr Chancen rechnen sie sich aus, damit davonzukommen.»

«Na gut, von seinem Beruf mal abgesehen. Aber Sie haben selbst gesagt, das hier ist kein normaler Tatort – es war ein richtiges Blutbad.»

«Warten wir das Ende der Ermittlungen ab. Vielleicht finden wir eine Antwort auf Ihre Frage. Aber machen Sie sich nicht allzu große Hoffnungen, *Julia*», sagte er leise. «Willkommen bei den großen Fällen. Hier gibt es nicht immer ein schlüssiges Motiv. Deswegen müssen wir vor dem Gesetz auf das Warum auch keine Antwort finden. Manchmal drehen Menschen einfach durch. Der Grat zwischen Liebe und Hass ist schmal. Wenn er überschritten wird, ist ein Mensch zu allem fähig.»

Durch die Schwingtür hörte sie Klappern aus der Küche. Die Leute an den anderen Tischen unterhielten sich. Der vertraute Geruch von gebratenem Speck, frischgebackenen Waffeln und Kaffee hing in der Luft. Sonntagmorgendliche Geräusche und Gerüche, die normalerweise tröstlich waren – doch heute war alles anders. Dass das Leben der anderen immer noch seinen gewöhnlichen Gang gehen konnte, entsetzte sie so, dass sie schreien wollte.

«Manche Menschen sind einfach nicht normal, Julia», sagte Onkel Jimmy, während Tante Nora leise weinte. «Nur Gott weiß, warum sie tun, was sie tun. Es ist für uns alle das Beste, wenn wir gar nicht erst versuchen zu verstehen, weißt du? Denn wir können es nicht verstehen. Die Vorstellung, dass ein Mensch zu so etwas fähig ist, ist einfach zu schrecklich … Zu schrecklich, um wahr zu sein …»

Rosey, die Kellnerin, unterbrach den Gedanken, als sie an den Tisch kam, um ihnen die Tageskarte vorzulesen. Mit einem müden, unverbindlichen Lächeln entschuldigte sie sich für die lange Wartezeit. Sie sagte, sie hätte heute einfach einen schlechten Tag.

Plötzlich hatte Julia das Gefühl, der Raum um sie würde schrumpfen. All die grässlichen Informationen schienen über ihr zusammenzubrechen. Sie holte tief Luft und versuchte, die Fetzen der lähmenden Erinnerungen aus ihrem Kopf zu verscheuchen. Sie konzentrierte sich darauf, bis zehn zu zählen. Es war, als würde jemand ihre Lungen zusammendrücken, und ihr Herz raste. Tief einatmen und bis fünf zählen. Tief ausatmen und bis sechs zählen. Das letzte Mal, dass sie eine Panikattacke hatte, war Jahre her. *Bitte, nicht ausgerechnet jetzt!* Sie musste sich darauf konzentrieren, ruhig zu bleiben. Und diesen Raum verlassen. «Ich hoffe, Sie graben diese interessanten Dinge aus, Detective Latarrino», sagte sie langsam, keuchend. «Denn die Geschworenen wollen wissen, warum all dies geschehen ist. Und ich will nicht, dass man uns später vorwirft, wir wären mit Tunnelblick an die Ermittlung herangegangen.»

Gnädigerweise schien der Detective nichts von ihrer Panikattacke mitzubekommen. Er hatte ihr den Rücken zugekehrt.

«Ich weiß, worauf Sie anspielen. Aber glauben Sie mir, keiner hier will die Sache verbocken. Vor allem ich nicht. Wenn Marquette mit uns reden will, reden wir mit ihm. Sobald die Ärzte uns grünes Licht geben. Keiner hier verlässt sich auf die einfachste Lösung. Ach, übrigens, Julia», sagte er dann und drehte sich wieder zu ihr um, «bitte, nennen Sie mich Lat. Oder John. Alles, nur nicht Detective Latarrino. Das können Sie sich für den Gerichtssaal aufheben.»

Julia nickte. Langsam normalisierte sich ihr Herzschlag, und ihr Atem wurde wieder gleichmäßiger. Innerlich zählte sie immer noch die Atemzüge mit und schloss und öffnete die Fäuste, während sie vorgab, sich umzusehen. «Fertig?», fragte sie schließlich.

«Nach Ihnen», sagte Latarrino und sah sie aufmerksam an. Dann endlich öffnete er die Tür.

KAPITEL 13

DA SEID ihr ja», sagte Rick, als er die Treppe heraufkam. «Ich habe schon nach euch gesucht. Alles in Ordnung?» Er sah Julia besorgt an. Offenbar war sie immer noch ein wenig blass.

«Ja», antwortete Latarrino, bevor Julia etwas sagen konnte. «Ich habe ihr nur gezeigt, wo wir Marquette gefunden haben.» Außerdem hatte er ihr gezeigt, wie man den Kopf auf die Knie legte, damit die Übelkeit verschwand, aber den Teil verschwieg er glücklicherweise.

«Hast du dir die übrigen Zimmer angesehen?», fragte Rick.

«Ja. Detective …», sie korrigierte sich, «Lat hat mir die Kinderzimmer gezeigt. Es war – hart.» Eine gnadenlose Untertreibung.

«Warte, bis du die Videoaufzeichnung siehst. Na schön, fahren wir zurück ins Büro.» Er sah auf die Uhr. «Eigentlich wollte ich bei Nielson vorbeifahren, aber eben habe ich einen Anruf bekommen, dass ich heute Nachmittag einen Zwischenbericht wegen eines Klagabweisungsantrags bei Richter Gilbert einreichen muss.»

Es war schon Viertel vor drei. Siedend heiß fiel Julia der Fall ein, den sie nicht hätte vergessen dürfen. Der Fall, den Farley auf morgen früh gelegt hatte. Der Fall, dessen Zeugen Mario hätte kontaktieren sollen, was sie ihm aufzutragen vergessen hatte. Mario, der die Vorladung von Zeugen und Opfern koordinierte, machte jeden Tag um Punkt vier Uhr Feierabend, auf den Fuß gefolgt von ihrer Sekretärin Thelma, die sich ohnehin weigerte, für sie herumzutelefonieren. *Verdammt.* Sie hätte sich am liebsten geohrfeigt. Als sie ihr Büro verlassen hatte, war sie so in Eile gewesen – so unter Schock. Jetzt dachte sie an all die Arbeit, die sie zu erledigen hatte – zwischen jetzt und morgen früh um neun. «Ich muss zurück, Rick. Ich muss mich noch auf die Verhandlung vorbereiten», erklärte sie. In den Tiefen ihrer Handtasche fand sie zwei Paracetamol, die sie ohne Wasser hinunterschluckte, bevor ihr die Stressmigräne in alle Glieder fuhr.

«Bearbeitest du nicht mit Gilbert den Fall der Verfolgungs-jagd in Overtown letztes Jahr, Rick?», schaltete sich Latarrino ein.

«Ja», sagte Rick. «Bist du auf dem Laufenden?»

«Gus Perikles war an der Sache dran, als er in Rente ging. Ich habe mich schon gefragt, an wen sie den Fall weitergeben, nachdem seine Stelle nicht wieder besetzt wurde. Blöde Sache. Aber die Jagd war sauber.»

«Gus der Grieche», Rick lachte. «Ist wieder in die alte Hei-mat zurückgekehrt, wie ich hörte. Ziegen melken und Wein anbauen oder so was Verrücktes. Tim Sweeney haben sie an den Fall Estevez gesetzt.»

Lat schüttelte den Kopf, doch er lächelte. «Dort sind Cohibas legal, glaube ich. Gus wird sich freuen. Tim ist ein guter Mann, aber denk ja nicht, dass er sonntags arbeitet, wenn die Dolphins spielen. Er wohnt im gleichen Viertel in Fort Lauderdale wie der Coach.»

Julia versuchte einen Moment lang, an dem Gespräch, bei dem sie nicht mitreden konnte, Interesse zu heucheln. Doch sie fühlte sich wie die Neue an der Schule nach den Sommer-ferien, wenn die anderen sich so viel zu erzählen hatten. Sie trat einen Schritt zurück und ließ den Blick über die Familien-fotos wandern, die an den blassgelben Wänden hingen.

Ein altes Schwarzweißfoto zeigte jemandes Großeltern. Auf

einem anderen drückte ein kleiner Junge zwei Hände voller Spielzeugautos an seine Brust. Danny, wie sie inzwischen wusste.

Fotos waren eine seltsame Sache, dachte sie, während sie die lächelnden Gesichter betrachtete – Gesichter, die ihr mit jeder Minute vertrauter wurden. Schnappschüsse hielten nur einen kleinen Augenblick fest, doch für die meisten Menschen steckte darin viel mehr. Ein aufregender Abend. Ein ganzer Urlaub. Die ersten Wochen mit dem Neugeborenen. Eine Epoche am College. Die Teenagerzeit. Und die Ironie dabei war, dass auf den meisten Fotos das Grinsen gestellt war, gehorsam aufgelegt, bis die Blende zugeschnappt war oder jeder Haltung angenommen hatte.

Emma Louise beim Halloweenfest als geflügelte Fee. Die hochschwangere Jennifer mit Nikolausmütze. David mit Danny und Emma in Disney World, dahinter Feuerwerk über einem funkelnden Cinderella-Schloss – der perfekte Hintergrund für den perfekten Urlaub.

Das Lächeln wirkte so echt, aber das konnte es nicht sein, in diesem Fall, oder doch? Wenn all die erfahrenen Polizisten recht hatten, wie konnte solch ein Monster – ein Mann, der später der Reihe nach seine ganze Familie auslöschte –, wie konnte er bei ihnen stehen und lächeln und es ehrlich meinen? Sie wusste, dass so etwas nicht möglich war.

David Alain Marquette, Northwestern University, Feinberg School of Medicine, Jahrgang 1994.

Er war attraktiv, mit markanten Wangenknochen, lockigem blonden Haar und einem sympathischen Lächeln. Seine Patienten fassten sicher leicht Vertrauen zu seinem weichen, runden, frischgeschrubbten Gesicht. Vor allem die Frauen, musste Julia aus irgendeinem Grund denken. Außerdem hatte er die hellsten grauen Augen, die sie je gesehen hatte. Augen, die das glänzende Fotopapier zu durchdringen schienen, als würde er sie in diesem Moment ansehen. Sein jungenhaftes gutes Aussehen war so vertrauenerweckend, dass ihr ein Schauer über den Rücken lief. Das Böse, dachte sie, sollte hässlich sein. «Wenn du jemanden anlügen willst, musst du zuerst sein Vertrauen gewinnen», hatte Onkel Jimmy einmal gesagt. «Das zeichnet einen wirklich guten Lügner aus.»

«Also gut», sagte Rick und ging zurück zur Treppe. «Wir müssen los. Bist du so weit, Julia?»

Sie nickte. Doch bevor sie die Treppe erreichten, knisterte Latarrinos Funkgerät. «Lat? Bist du da? Bitte melden.» Steve Brills typischer New Yorker Akzent schallte durch den Flur.

«Was gibt's denn, Steve?», fragte Lat.

«Bist du noch im ersten Stock?»

«Ja. Schau einfach persönlich nach. Bisschen Treppensteigen würde deinem Bierbauch nicht schaden.»

«Leck mich am Arsch, du Anabolika fressender Mistkerl. Oh, Scheiße – sind Bellido und die Biene von der Staatsanwaltschaft noch bei dir?»

«Die stehen direkt neben mir. Möchtest du schnell hallo sagen, oder soll ich erst jemanden runterschicken, der dich aus dem Fettnapf zieht?»

«Am besten bewegst du deinen Hintern hier runter», entgegnete Brill hörbar verärgert.

«Was gibt's denn?»

«Der Mistkerl ist gerade aufgewacht.»

KAPITEL 14

JULIA SASS an ihrem Schreibtisch, seufzte tief und starrte den Telefonhörer an. Die Frauenstimme schrie immer noch.

«Erzählen Sie mir nich, was ich machen muss! Ich muss gar nichts. Und jetzt sage ich Ihnen mal was, Lady: Seit Letray mich aufgeschlitzt hat, hat sich keiner 'nen Dreck um mich geschert. Und jetzt kommen Sie und reden und wollen meine Freundin sein?»

«Was soll ich Ihrer Meinung nach tun, Pamela?», fragte Julia zähneknirschend, während sie versuchte, ruhig und verständnisvoll zu klingen. «Ich habe dafür gesorgt, dass Letray die letzten vier Monate hinter Gittern gesessen hat. Aber damit er auch dortbleibt, müssen Sie morgen vor Gericht erscheinen.»

Eine Weile herrschte am anderen Ende der Leitung Schweigen. Dann sprach Pamela Johnson zögerlich weiter. «Was, wenn ich gar nicht will, dass er im Knast sitzenbleibt?»

Julia schloss die Augen. «Pamela, er ist mit einer Rasierklinge auf Sie losgegangen.»

«Ich hab Kinder. Eins is grade erst geboren.»

«Wir können Ihnen helfen, eine Unterkunft zu finden.»

«Einen Scheiß könnt ihr!» Sie begann wieder zu schreien. «Das is genau, was ich meine – keiner kümmert sich einen Dreck! Ich brauch was zu essen, Lady. Meine Kinder brauchen was zwischen die Zähne. Und sie brauchen ihren Daddy, das isses, was sie brauchen!»

«Ich weiß, wie schwierig diese Situation für Sie ist, Pamela.

Aber überlegen Sie mal: Was hätten Ihre Kinder von einem Vater, der im Gefängnis sitzt, weil er Mommy umgebracht hat? Wer würde Ihre Kinder dann ernähren?»

«Das is doch scheiße!», schrie Pamela.

Okay, vielleicht war sie ein bisschen zu weit gegangen. «Ich kann dafür sorgen, dass jemand –», begann sie, aber es war zu spät. In der Leitung war nur der Amtston zu hören.

Julia legte auf und rieb sich die Augen. Dann drehte sie ihren Stuhl zum Fenster und sah durch die regennassen Scheiben über die schmutzigen Luftschächte hinweg zum Bezirksgefängnis und dem Gerichtsgebäude gegenüber. Die Straße vor dem Graham Building war wie leer gefegt. Auf dem Parkplatz standen Pfützen, die zu kleinen Seen anwuchsen, seit der Himmel vor ein paar Stunden die Schleusen geöffnet hatte. Wieder einmal war sie eine der Letzten, die heute Abend das Gebäude verließen.

Nachdem Mario ihr sein Mitgefühl für ihre missliche Lage bekundet hatte, hatte er das dicke Telefonbuch der örtlichen Polizeidienststellen herausgesucht und es ihr zusammen mit Pamela Johnsons letzter bekannter Telefonnummer auf den Tisch gelegt, bevor er um zehn nach vier in seinen Bus nach Hialeah stieg. Thelma und die anderen Verwaltungskräfte waren kurze Zeit später ebenfalls verschwunden, eine wilde Horde, die zu den Fahrstühlen galoppierte, doch um 17 Uhr 04 war alles wieder still. Nachdem sie die Termine für morgen durchgegangen war, hatte Julia allen möglichen Zeugen und Polizeibeamten hinterhertelefoniert, in der Hoffnung, dass sie nach der Auswahl der Geschworenen wenigstens einen Kandidaten in den Zeugenstand rufen könnte. Um acht hatte sie endlich Pamela Johnson, Letray Powers' Freundin, erreicht. Und nun, fünf Minuten später, stand sie mit leeren Händen da. Sie konnte Richter Farleys wutentbranntes faltiges Gesicht vor sich sehen, wie er im leeren Gerichtssaal drohend mit dem

Finger auf sie zeigte und versprach, ihr das Leben zur Hölle zu machen. Wieder kramte sie nach den Kopfschmerztabletten, dann griff sie nach dem Ordner, in dem das Fallrecht zum Thema «Äußerung unter Stress» versammelt war. Ihre Nachtlektüre würde alles andere als aufregend sein.

Das Bezirksgefängnis starrte sie mit wandernden Suchscheinwerfern durch den trübseligen Nieselregen an wie ein unheimlicher Nachtclub, massig und dunkel und nur einen Steinwurf von ihrem Fenster entfernt. Sogar um diese Zeit kauerten unter dem Betonvorbau noch ein paar unerwünschte schräge Vögel, rauchten Zigaretten oder tranken heimlich aus braunen Papiertüten, während sie darauf warteten, dass ein Freund oder Verwandter auf Kaution rausgelassen wurde. Hinter dem acht Meter hohen Stacheldrahtzaun und den mit schweren Gittern verwehrten Fenstern saßen einige der gewalttätigsten Männer im ganzen Staat; die Frauen saßen ein paar Ecken weiter ein, im Women's Detention Center, oder im TGK, dem Turner Guilford Knight Center, im Westen der Stadt. Mörder, Räuber, Pädophile, Vergewaltiger – zusammengepfercht nur ein paar Meter weg von ihrer Tür, wo sie auf ihren Prozess oder die nächste Anhörung warteten, oder auf die Nachricht, an welchem Ort sie die nächsten paar Jahrzehnte verbringen würden.

Nie hatte ihr Beruf ihr so zugesetzt wie heute. Nie hatte ein Fall, ein Täter oder Opfer an den schrecklichen, schmerzhaften Erinnerungen gerührt, die sie seit so langer Zeit zu verdrängen versuchte. Erinnerungen, aus denen Albträume gemacht wurden. Erinnerungen, die selbst an einem strahlenden Sonnentag bodenlose Panikattacken auslösen konnten.

Sie legte den Kopf in die Hände und schloss die Augen. Das Leben war eine komische Sache. Glückliche Kindheitserinnerungen schienen immer so wahllos, so beliebig, wie Schnappschüsse in einem Fotoalbum. Keiner konnte sagen, warum man sich an manche Dinge erinnerte und an andere nicht. Wie sie auf dem Klettergerüst in der Chestnut Street Wassermelone aß und die Kerne in den Sand spuckte. Wie ihre Mutter ihr die Haare schnitt, am Küchentisch mit der Resopalplatte, die mit winzigen Glitzerpunkten übersät war. Wie sie an einem kühlen Sommerabend mit den Nachbarskindern Verstecken spielte und in Mrs. Rummos Büschen die Glühwürmchen beobachtete. Schöne Kindheitserinnerungen waren wie ein impressionistischer Bilderstrom – die Gesichter darin waren immer ein bisschen verwischt, oder sahen seltsam gealtert aus, wenn man mit den Leuten heute noch zu tun hatte. Doch die schlimmen Erinnerungen waren wie ein gestochen scharfer Film im Kopf, jede Sekunde in Echtzeit festgehalten, kristallklar in jedem Detail, noch Jahrzehnte später. Und selbst die harmlosesten Momente oder Wortwechsel, die einem schrecklichen Ereignis vorausgegangen oder ihm gefolgt waren – Augenblicke, an die man sich nie erinnert hätte –, wurden plötzlich ein Teil dieses *Film noir*, wie ein unheilvolles Vorspiel oder ein trauriger Nachtrag.

«Wann kommst du morgen früh heim?»

Julia stellte ihre flauschige lila Tasche mit dem Schlafanzug und der Zahnbürste auf die Küchentheke. «Wann muss ich denn da sein?»

«Hast du Hausaufgaben für Montag auf?»

«Nur den Sozialkunde-Aufsatz. Aber der ist ganz leicht.»

«Dann sei um zehn da», sagte ihre Mutter und rollte die Frauenzeitschrift zusammen, die sie in der Hand hielt. Sie hatte sich gerade die Nägel lackiert, in zartem Rosa. Julia fand die Farbe zu hell, zu langweilig.

«Aber morgen ist Sonntag, Mom!»

«Und du musst noch deinen Aufsatz schreiben. Sag Carly, dass ihr nicht mehr so lange fernsehen sollt. Du brauchst deinen Schlaf. Außerdem ist es Mrs. Hogan bestimmt lieber, wenn du ins Bett gehst, wenn sie es tut.»

«Aber, Mama – schon um zehn?»

«Du hast gehört, was ich gesagt habe. Außerdem vermisse ich dich.»

Ein Gespräch, an das sie sich nie erinnert hätte. Das einfach im verschwommenen Pool der guten Erinnerungen versunken wäre. Sie biss sich auf die Lippe und versuchte, die Tränen zurückzuhalten. Das einzig Gute, was sich über Letray Powers sagen ließ, war, dass er sie die letzten Stunden abgelenkt hatte – von Orten, an die sie nicht gehen, und Menschen, an die sie sich nicht erinnern durfte. Von den dunklen, dunklen Erinnerungen, die heute Nachmittag am Schauplatz des Grauens plötzlich und ohne Vorwarnung wieder auf sie eingeprasselt waren. Es war schwer zu glauben, dass sie noch vor zwölf Stunden so aufgeregt und glücklich gewesen war, an diesem Fall mitzuarbeiten, so stolz, dass man sie darum gebeten hatte. Sie hatte es kaum abwarten können, loszulegen, und jetzt … Sie bemerkte, dass ihre Hände zitterten.

Julia seufzte tief und begann, ihre Aktentasche zusammenzupacken. Sie musste mit dem Grübeln aufhören. Es war Zeit, nach Hause zu fahren und mit dem armen Moose Gassi zu gehen – ihrem Beagle-Mischling, dem wahrscheinlich schon ein Malheur passiert war. Dann würde sie ein Fertiggericht in die Mikrowelle stellen und sich ein wohlverdientes Glas Rotwein einschenken. Sie hatte eine lange Nacht vor sich. So viel war sicher.

Sie zog den zerknitterten *Herald* aus der Tasche und starrte die Schlagzeile an, die schon bald überholt sein würde. Von Rick hatte sie nichts mehr gehört, und sie war mehr als neugierig, was die Detectives im Krankenhaus herausfinden würden. Vielleicht hatte Marquette bereits gestanden. Vielleicht war er schon verhaftet worden. Vielleicht wurde der Fall ganz schnell gelöst, wie neunzig Prozent aller Verhaftungen. Vielleicht wäre das eine gute Sache … Sie spielte mit dem Gedanken, Rick anzurufen, doch sie entschied sich dagegen. Das war sein

Fall – wenn er sie anrufen wollte, hätte er es getan. Vielleicht waren ihm Zweifel gekommen, was sie anging. Sie fuhr sich durchs Haar und seufzte wieder. Weiß Gott, da wäre er nicht der Einzige.

Als das Telefon auf ihrem Schreibtisch klingelte, zuckte sie zusammen – nicht zum ersten Mal an diesem Tag. Die Außenwelt ging recht in der Annahme, dass die meisten Regierungsbeamten spätestens um 16 Uhr 30 Feierabend machten, und normalerweise hatte das Telefon ab 18 Uhr endgültig zu klingeln aufgehört. Wahrscheinlich war es Dayanara, hungrig und auf der Suche nach Gesellschaft, die wissen wollte, wo ihre Witzseite geblieben war. Auch Day blieb oft länger im Büro, auch wenn Julia sie heute nicht mehr gesehen hatte. Wahrscheinlich ging sie ihr aus dem Weg, damit Julia sie nicht doch zur Mithilfe beim Powers-Fall überreden konnte. Wie die meisten Staatsanwälte verlor Day die Geduld bei Frauen, die sich von ihrem Mann schlagen ließen und dann vor Gericht nicht gegen ihn aussagen wollten. Es gab zu viele andere Gewaltopfer, die gehört werden wollten und die es sich nicht gefallen ließen, als Sparringspartner missbraucht zu werden, nur weil das Essen nicht pünktlich auf dem Tisch stand. Julia versuchte, mit dem Locher die Falten aus der Zeitung zu bügeln. «Staatsanwaltschaft Miami», meldete sie sich.

«Julia? Hey, du bist noch da?» Es war Rick, und er klang überrascht, dass sie abgehoben hatte.

«Ich wollte gerade gehen. Ich bereite mich auf meine Verhandlung morgen vor.»

«Die ohne Zeugen?»

«Die ohne Opfer. Ich hoffe, dass sie ihre Meinung noch ändert, aber es sieht nicht gut aus. Am Telefon hat sie mitten im Gespräch aufgelegt.» Julia stand auf und ging zum Fenster. Sie suchte den Parkplatz vor dem Graham Building nach seinem Wagen ab. «Wo bist du?»

«Auf dem Weg nach Hause. Ich habe gerade mit John Latarrino gesprochen.»

«Gibt es was Neues? Hat er mit Marquette geredet?»

«Nein, die Jungs sind nicht einmal in das Krankenhaus hineingekommen. Mel Levenson hat sie gleich auf dem Parkplatz abgefangen.»

«Oje», erwiderte Julia.

Mel Levenson war der Johnnie Cochran von Miami – ein Staranwalt, der berühmten Persönlichkeiten für horrende Geldsummen half, den Kopf aus der Schlinge zu ziehen. Früher hatte er selbst als Staatsanwalt und später als Richter am Bezirksgericht gearbeitet, und er nutzte seinen Ruf und seine dreißig Jahre Berufserfahrung geschickt aus, um unerfahrene und erfahrene Staatsanwälte gleichermaßen einzuschüchtern. Wenn man Levenson vor Gericht gegenüberstand, war das wie ein Boxkampf gegen Mike Tyson – er mochte nicht mehr so fit sein wie früher, aber trotzdem hatte niemand Lust, mit ihm in den Ring zu steigen und ein blaues Auge zu kassieren, nur um die Probe aufs Exempel zu machen.

«Du sagst es: Oje», wiederholte Rick.

«Dann geht es Marquette also gut. Oder zumindest gut genug, dass er einen Anwalt anrufen konnte», sagte sie, während sie ihre Tasche packte.

«Marquettes Vater hat Levenson engagiert. Er ist selbst ein prominenter Arzt, oben in Chicago. Ich weiß nicht einmal, ob Marquette junior schon sprechen kann. Levenson hat alle Fragen abgeblockt. Ich habe eine Nachricht in seinem Büro hinterlassen, aber ich glaube kaum, dass er mich heute noch zurückruft.»

«Und was machen wir jetzt?», fragte Julia.

«Dass Lat keine Aussage von ihm bekommen hat, ist echter Mist.» Er schwieg einen Moment, und nur das Rauschen in der Leitung war zu hören. «Wir warten auf die DNA-Analyse.

Und ich bin gespannt, was die Jungs in Marquettes Hotelzimmer in Orlando finden. Wir dürfen uns keinen Fehler erlauben. Im Moment sieht es gut für uns aus. Sobald es zu einer Verhaftung kommt, wird sich die Presse auf den Fall stürzen. Ich will am Ende nicht wie ein Esel dastehen, weil wir überstürzt gehandelt haben.»

«Wenigstens wissen wir, wo Marquette ist, und vorläufig wird er sich wohl kaum von der Stelle rühren», sagte sie.

«Das kann sich schnell ändern. Und bevor er uns im Rollstuhl davonfährt, will ich einen Haftbefehl gegen ihn haben.» Rick hielt inne und fuhr dann mit weicherer Stimme fort: «Wie hast du den Tatort deines ersten Mordfalls verkraftet?»

«Es war furchtbar», erwiderte Julia leise und fragte sich, ob Lat ihm die peinlichen Details ihres kleinen Zusammenbruchs geschildert hatte. *Es war unerträglich,* hätte sie am liebsten gesagt. *Dabei sollte ich von allen Leuten wohl am besten darauf vorbereitet sein …*

Vor ihr auf dem Schreibtisch lag das Tonband, das Latarrino ihr gegeben hatte, eine Kopie der Notrufaufzeichnung von Sonntagmorgen. Gedankenverloren fuhr sie mit dem Finger darüber. «Ich frage mich immer wieder, warum er das getan hat.»

«Überlass das Latarrino und Brill. Sie finden schon ein Motiv. Es gibt immer eins.» Julia hörte einen Rums am anderen Ende der Leitung, dann war es einen Moment lang still. «Tut mir leid. Ich bin gerade zu Hause angekommen», erklärte er. «Machst du auch bald Feierabend?»

«Ja», sagte sie. «Ich muss noch mit dem Hund raus. Wenn er überhaupt noch mit mir redet.»

«Gut, dass ich eine Katze habe. Hör mal, ich bekomme gerade einen anderen Anruf rein. Lass uns morgen früh beim Kaffee weiterreden.»

«Okay, gute Nacht», sagte Julia und legte auf, bevor Rick

noch etwas sagen konnte. Sie hasste neue Beziehungen. Sie hasste es, wie sie sich gerade fühlte, unsicher wie ein Teenager, der sich in den Footballstar der Schule verliebt hatte. Oder in den Footballtrainer. Rick schuldete ihr keinen Anruf oder auch nur ein Abschiedswort, wenn er abends nach Hause ging – es gab noch keine Erwartungen, die er enttäuschen konnte. Doch sie hasste es einfach, dauernd an jemanden denken zu müssen, der nicht an sie dachte.

Sie stellte die Aktentasche auf den Boden, legte die Kassette noch einmal in den Recorder und drückte auf die Abspieltaste. Ein leises Knistern ertönte, bevor die Aufnahme begann. Ein Tuten signalisierte den Anfang des Anrufs.

«Notrufzentrale. Um was für einen Notfall handelt es sich?»

Schweigen. Nur leises Atmen in der Leitung

«Hier ist der Notruf neun-eins-eins. Haben Sie einen Notfall zu melden? … Hören Sie, Sie haben neun-eins-eins gewählt. Möchten Sie einen Notfall melden?»

Wieder Schweigen. Dann plötzlich mit zaghafter Stimme: «Helfen Sie uns, bitte.»

Julia schloss die Augen. Sie war wieder in dem Haus, roch den Gestank, sah die Blutspritzer an den Wänden, auf dem Teppich, überall. Es gab Ecken und Winkel, die selbst eine Putzkolonne nicht sauber bekam, Stellen, wo das Blut einsickerte und sich festsetzte, in Wände und Böden drang und schließlich zum Teil des Gebäudes wurde. Und wenn die Sonne unterging und die Lichter gelöscht wurden, hörte man immer noch die Schreie, die für immer in den Mauern gefangen waren. Egal, wie gründlich man schrubbte, sie wusste, dass das Blut und die Schreie nie mehr rausgingen. Das Haus würde für immer ein Totenhaus sein.

«… Ich helfe dir, Kleines. Aber du musst mir genau sagen, was passiert ist.»

«Ich glaube, er kommt zurück.»

«Wer kommt zurück? Bist du verletzt? Wie heißt du?»

… Die kalte Luft drückte ihr auf den Brustkorb. Sie atmete den Tod ein, spürte, wie er ihre Lungen füllte. Er machte ihr Seitenstechen, als sie über den gefrorenen braunen Rasen lief, über vereiste Pfützen, schneller und schneller auf das zweistöckige Haus zu. Obwohl sie nicht sehen wollte, was sie darin erwartete, was sich hinter all den blinkenden blauen und roten Lichtern verbarg, rannte sie, so schnell sie konnte. Sie wusste, dass sie schnell sein musste, um an den Polizisten vorbeizukommen, denn sie würden versuchen, sie aufzuhalten …

«… Wer kommt zurück? Ist jemand verletzt? Braucht ihr einen Arzt?»

«O nein, nein … Daddy, nein!»

Julia drückte die Stopp-Taste und öffnete die Augen. Sie war wie betäubt. Durch das Fenster schaute sie hinaus zum Bezirksgefängnis, das von den Suchscheinwerfern in gespenstisches graues Licht getaucht wurde.

Es war Zeit, nach Hause zu gehen.

KAPITEL 15

JULIA?»

«Tante Nora?» Julia hatte den Blick auf ihr Handy gerichtet und verpasste beinahe die Ausfahrt auf den Dolphin Expressway. Sie hatte es nicht einmal klingeln hören.

«Das hoffe ich doch», antwortete ihre Tante kichernd. «Du hast mich angerufen. Es sei denn, du hast dich verwählt.»

«Nein, nein, ich wollte dich anrufen», antwortete Julia verlegen. «Aber es hat gar nicht geklingelt. Woher wusstest du, dass ich es bin?»

«Ich habe Jimmy heute zum Elektrohandel geschickt. Er hat mir eins dieser Telefone besorgt, bei denen man sieht, wer anruft», verkündete sie stolz. «Ich hatte die Nase voll von den Typen, die einem mit ihren Telefonumfragen das Abendessen verderben.»

«Wunderbar. Willkommen im einundzwanzigsten Jahrhundert, Tante Nora», sagte Julia und fragte sich, wie Onkel Jimmy es wohl geschafft hatte, ihre Tante endlich davon zu überzeugen, dass das zwanzig Jahre alte Micky-Maus-Telefon mit der dreißig Meter langen Strippe ausgedient hatte. Jetzt würde sie ihre Tante nur noch an das Handy gewöhnen müssen, dass sie ihr vor zwei Jahren zu Weihnachten geschenkt hatte.

«Werd bloß nicht frech.»

«Wenn dich das Telefonmarketing nervt, kannst du offiziell Beschwerde einlegen. Es gibt eine Liste mit Telefonnummern, wo sie es nicht mehr versuchen dürfen.»

Nora lachte. «Ich lasse mich auf keine offiziellen Listen setzen, vielen Dank. Im Kleingedruckten gebe ich damit dem Weißen Haus wahrscheinlich die Erlaubnis, meine Gespräche mitzuhören. Ach, stimmt ja, unser Präsident braucht gar keine Erlaubnis dafür. Hat wohl mal wieder die Verfassung verlegt, in seinem großen weißen Haus.»

Tante Nora hasste Präsident Bush, und mit ihr über Politik zu reden, war wie ein Ringkampf mit einem Stachelschwein. Selbst wenn man am Ende gewann, trug man Pikser und blaue Flecken davon – Julia versuchte es also gar nicht erst. «Keine Chance, Tante Nora. Du verwickelst mich nicht in eine Diskussion.»

«Schön. Ich mag es, wenn sich keiner mit mir anlegt. Das heißt, dass ich recht habe.»

«Ich halte lieber den Mund.»

«Schlaues Mädchen.» Wieder lachte sie. «Und was verschafft mir das Vergnügen deines Anrufs?»

Julia hörte, wie im Hintergrund der Mixer betätigt wurde.

«Ich wollte nur hallo sagen. Und hören, wie es Onkel Jimmys Rücken geht.»

«Keine Sorge, dem geht's gut. Aber er macht mich wahnsinnig. Er schaut mir den ganzen Tag über die Schulter, weil ihm so langweilig ist. Die Nachbarn macht er auch schon ganz verrückt, wenn sie friedlich am Pool in der Sonne liegen wollen. Mach dir also lieber Sorgen um mich. Willst du vorbeikommen? Ich weiß, dass du noch nicht gegessen hast, Kleines. Ich mach dir was warm.»

Unwillkürlich musste Julia lächeln. Ihre Tante überraschte sie immer wieder. Sie hatte Instinkte wie eine Katze. «Ach ja? Und woher willst du das wissen?»

«Ich höre es an deiner Stimme.»

«Tante Nora, du bist der einzige Mensch auf der Welt, der Kohldampf hören kann. Ich bin auf dem Heimweg, aber ich brauche noch eine halbe Stunde, und es ist jetzt schon halb neun.»

«Von wo kommst du?»

«Von der Arbeit.»

«Ach du liebe Zeit. Und ich hatte gehofft, du hast was Schönes gemacht. Ein Rendezvous oder so was. Warum musst du so lange arbeiten? Sperren sie die Verbrecher über Nacht nicht mehr ein?» Nora hasste Julias Beruf, und sie hielt mit ihrer Meinung nicht hinterm Berg. Als Julia Nora und Jimmy damals von ihren Studienplänen erzählte, hatten sie gehofft, sie wollte Notarin oder Steuerberaterin werden.

«Ich habe morgen früh eine Verhandlung.» Sie seufzte. «Und die Zeugin spielt nicht mit. Es ist ein Trauerspiel.» Über die anderen unerfreulichen Ereignisse des Tages schwieg sie lieber. Eigentlich hatte sie ihre Tante nur angerufen, um ihre vertraute, dunkle Stimme zu hören. Worüber sie sprachen, spielte keine Rolle.

«Und …?», fragte Tante Nora und stellte den Mixer ab.

«Und was?»

«Und was hast du noch auf dem Herzen?»

Wieder ihre erstaunlichen Instinkte. Julia schwieg einen Moment, dann sagte sie: «Nichts. Ehrlich.»

«Du bist eine schlechte Lügnerin, Kleines. Und ich weiß, dass du Hunger hast. Jetzt hör mal gut zu. Ich habe deinen kleinen Hund hier, und ich behalte ihn als Geisel, bis du herkommst und was Warmes zu dir nimmst. Du isst viel zu viel aus dieser Mikrowelle, Julia. Davon bekommt man Haarausfall und schuppige Haut, und es ist krebserregend. Die Leute haben es so eilig heutzutage, dass sie sich mit der Mikrowelle noch ins Grab garen. Eine Schande. Habe ich dir erzählt, dass letzten Freitag wieder eine von uns das Zeitliche gesegnet hat?»

Das Durchschnittsalter der Bewohner von Tante Noras

Apartmentanlage war 85. Mit 60 und 64 waren ihre Tante und ihr Onkel die jungen Hüpfer, die den Durchschnitt drückten. Alle paar Wochen segnete jemand das Zeitliche. «Was? Moose ist bei euch?»

«Jimmy ist auf dem Rückweg von der Rennbahn bei dir vorbeigefahren und hat ihn auf einen Spaziergang mitgenommen. Du kennst doch Jimmy und Moose.»

«Und aus dem Spaziergang ist ein Übernachtungsausflug geworden?» Wenn Julia viel arbeitete, nahmen Nora und Jimmy Moose zuweilen mit. Seit Jimmy in Rente war, ging er gern mit Moose im Park oder auf der Hollywood-Beach-Promenade spazieren, wenn er nicht gerade den Tag auf der Rennbahn verbrachte oder ihrer Tante auf die Nerven fiel. Julia wohnte zwanzig Minuten südwestlich von Fort Lauderdale und zwanzig Minuten nordwestlich der Gulfstream-Rennstrecke – im Epizentrum der Aufregung, wie es der Bürgermeister von Hollywood gern ausdrückte. Tante Nora hatte den Verdacht, dass Jimmys ausgedehnte Spaziergänge bis Broward County unter anderem mit der Aufmerksamkeit zusammenhingen, die Moose bei einsamen Hundesittern und Mädchen in Bikinis erregte, denn daheim brachte Jimmy nicht mal den Müll runter, ohne zu murren. Gelegentlich nahm er Moose dann einfach mit nach Hause. Nicht, dass Moose etwas dagegen hätte – in Fort Lauderdale war das Essen viel besser, und auch die Aussicht von Onkel Jimmys Ohrensessel war hübscher als der Blick auf die Aktenberge auf Julias Fußboden.

«Was hast du? *Du* fütterst ihn ja nicht», jammerte ihre Tante. «Armes Kerlchen.»

«Er soll kein Menschenessen essen, Tante Nora. Keine Lasagne.»

«Von mir hat er keine Lasagne bekommen.»

«Gut.»

«Ich habe Ravioli gemacht. Komm vorbei, bevor dein kleiner Hund alles aufisst und sich in eine Dänische Dogge verwandelt. Er ist ganz süchtig nach Peperoni.»

Julia verzog das Gesicht. «Oh, nein. Bitte gib Moose keine Peperoni. Davon juckt ihm der Po.» Sie wusste, wie es aussah, wenn ein traurig dreinblickender Moose den Moonwalk machte und jaulend mit dem Hintern über den Teppich rutschte. Vielleicht sollte sie ihn lieber die ganze Nacht bei ihrer Tante lassen.

«Zu spät. Er hat gebettelt, und Jimmy hat nachgegeben, der Feigling. Es reicht nicht mal mehr für Peperoni-Hühnchen, wenn ich heute Nacht nicht nochmal zum Supermarkt will.»

Tante Nora war eine richtige Nachteule, immer schon. Ihre Mutter hatte ihr erzählt, dass sie als Kind mit der Taschenlampe unter der Decke Comic-Hefte gelesen hatte. Als Teenager in Sheepshead Bay, einem Teil von Brooklyn, brachte Nora Julias Mutter bei, wie man in Stöckelschuhen die Feuerleiter herunterkletterte. Heute waren es nicht mehr Comics oder Kneipen, sondern das Kochen, mit dem Nora sich die Nächte um die Ohren schlug. Wahrscheinlich sah sie deshalb aus wie ihr eigenes Lieblingsgericht: Gnocchi. Weich und rund und klein und gekrönt von einem roten Lockenschopf, der aussah wie Tomatensoße. Aus irgendeinem Grund verspürte sie die meiste Inspiration am Herd zwischen Mitternacht und drei Uhr morgens – dann bereitete sie blechweise Auberginenrollatini zu, selbstgemachte Manicotti und Osso buco, das einem auf der Zunge zerging. Während andere Menschen schnarchend im Bett lagen, maß Tante Nora Ricotta für den Käsekuchen ab, setzte Brotteig an, füllte Teigtaschen «Stromboli» mit Broccoli und Wurst. Sie war eine echte Bilderbuch-Italienerin, auch wenn sie in Wirklichkeit deutsch-irische Wurzeln hatte, was sie heute nicht mehr zugeben würde. Onkel Jimmy war der mit den neapolitanischen Wurzeln und dem Stammbaum, an dem man lieber nicht allzu fest rüttelte.

«Es ist schon spät», versuchte Julia einzuwenden. «Vielleicht behaltet ihr Moose einfach über Nacht bei euch, und ich hole ihn morgen nach der Arbeit ab.»

«Im Leben nicht. Er hat jetzt schon Blähungen. Für einen so kleinen Hund macht er ganz schön viel Wind. Deswegen ist er drüben bei Jimmy, und ich bin hier. Die zwei Strolche haben einander verdient.»

«Tante Nora, bitte keine Details.»

Lachend stellte Tante Nora den Mixer wieder an. «Komm und hol deinen Pinscher ab, Kleines. Er vermisst dich. Und wenn du schon da bist, lass mich dich mit Ravioli füttern. Es ist auch noch Schweinefilet da und Polenta. Und danach erzählst du mir, was dir so zu schaffen macht.»

«Weißt du, was ich glaube?», fragte Perry. «Ich
glaube, wir haben eine Schraube locker. Dass
wir zu so was fähig gewesen sind.»
Dick hatte es satt. Mehr als satt. Warum
konnte Perry nicht endlich den Mund halten?
Verdammt noch mal, was brachte es, ständig in
der alten Geschichte herumzurühren.
«Man muss doch eine Schraube locker haben,
wenn man so was durchzieht», sagte Perry.
«Halt mich da raus, Baby», sagte Dick. «Ich bin
völlig normal.»
Truman Capote, Kaltblütig

KAPITEL 16

JOHN LATARRINO rieb sich die Augen, gähnte und
versuchte, sich auf die Straße zu konzentrieren. In der Dunkelheit hatten das Prasseln des Regens und das Geräusch des
Scheibenwischers eine hypnotische Wirkung, und in seiner
momentanen Verfassung war er dafür besonders anfällig. Er
trank einen Schluck des inzwischen kalt gewordenen Kaffees,
den er sich an einer Tankstelle gekauft hatte, schaltete einen
Sender mit Countrymusic ein und drehte die Lüftung auf die
kälteste Stufe, damit er nicht einschlief. Steve Brill, der neben
ihm auf dem Beifahrersitz saß, regte sich nicht. Seitdem sie
Miami verlassen hatten, schnarchte er selig vor sich hin, das
Gesicht an das Seitenfenster gelehnt.

Im Grunde war es keine besonders gute Idee gewesen, noch
an diesem Abend nach Orlando zu fahren – schließlich hatte
Lat in den vergangenen zwei Tagen fast nicht geschlafen. Aber

eines hatte er in vierzehn Jahren als Detective gelernt: Wenn man wollte, dass eine Arbeit richtig gemacht wurde, musste man sie selbst erledigen. Denn letzten Endes würde er den Kopf dafür hinhalten müssen, wenn jemand die Sache vermasselte. Also fuhr er selbst nach Orlando, anstatt dem dortigen Police Department oder irgendeinem Kollegen vom MDPD die Durchsuchung im Marriott Hotel zu überlassen. In Orlando hatte schließlich die Nacht begonnen, die in Coral Gables mit Gewalt und Tod geendet hatte. Und nachdem Mel Levenson ihn und Brill auf dem Parkplatz des Jackson Memorial abgefangen und ihnen mit einem selbstgefälligen Lächeln zu verstehen gegeben hatte, dass sein Mandant zwar theoretisch bereit sei zu kooperieren, dies praktisch jedoch nicht der Fall sein würde, hatte Lat beschlossen, sich besser heute als morgen in Marquettes Hotel umzusehen.

Obwohl er während der vierstündigen Fahrt nicht unbedingt Gesellschaft brauchte, hatte er Steve Brill aus mehreren Gründen mitgenommen. Zum einen waren die ersten achtundvierzig Stunden einer Ermittlung in einem Mordfall sehr zermürbend, und eine zweite Person konnte bei einer längeren Autofahrt nützlich sein. Zweitens – und das war das Entscheidende – gehörte der Fall immer noch in den Zuständigkeitsbereich von Coral Gables. Offiziell war das Miami-Dade Police Department nur um Unterstützung gebeten worden, weil es weitaus mehr Erfahrung in Mordfällen besaß und besser ausgerüstet war. In Wahrheit hatte Miami-Dade die Ermittlungen natürlich bereits vollständig übernommen, und die Verantwortung lastete nun auf ihm. Das wussten sowohl Lat als auch Steve Brill, und beide hatten sich stillschweigend in ihre neuen Rollen gefügt.

Doch aufgrund seiner Erfahrungen mit anderen Departments – wie dem Homestead oder dem Sunny Isles PD – war Lat auch klar, dass dieser Führungswechsel die gute Zusammenarbeit nicht gerade förderte. Selbst wenn eine Dienststelle mit einem Mordfall völlig überfordert war, wollte dort niemand, dass sich ein anderes Department einmischte. Das galt auch für Elias Vasquez, den Polizeichef von Coral Gables, der am Sonntagmorgen beim MDPD angerufen hatte. Ob es ihnen gefiel oder nicht, Steve Brill und Lat würden für die nächsten Wochen und vielleicht sogar Monate Partner sein. Lat brauchte Brill und Coral Gables, da ihm das MDPD außer einem Ermittler und den Jungs von der Spurensicherung keine weiteren Mitarbeiter zur Verfügung stellen konnte. Und die gemeinsame Fahrt nach Orlando war eine gute Gelegenheit, seinen neuen Partner ein bisschen besser kennenzulernen. Brill schien jedoch eher darauf bedacht zu sein, Schlaf nach-zuholen.

Lat hatte bereits eine Menge von Steve Brill gehört. «Hitz-köpfig», «schwierig» und «unausstehlich», so lauteten die harmlosesten Beschreibungen. Eine Kollegin bei Miami-Dade, die einmal mit Brill zusammen gewesen war, bezeichnete ihn als «Arschloch, das jeden bescheißt», aber das nahm Lat nicht besonders ernst – er wusste auch nicht, was seine eigene Exfrau oder seine Exfreundinnen hinter seinem Rücken über ihn er-zählten. Was allerdings jeder ihm bestätigt hatte, war, dass Brill ein fähiger Polizist war. Seit drei Jahren leitete er die *Persons Crime Squad*, und seine Akte quoll über vor Belobigungen. Zu-vor war er zehn Jahre lang Sergeant bei der Florida Highway Patrol gewesen. Eine ganz ansehnliche Laufbahn, dachte Lat und warf einen skeptischen Blick auf den untersetzten Klotz mit den ausgeprägten Geheimratsecken, der neben ihm ganze Wälder zersägte.

Zwei Streifenwagen des Orlando Police Departments und ein Van der Spurensicherung warteten vor dem Eingang des riesigen Hotelkomplexes, vor dem selbst um halb zwölf in der Nacht noch reger Betrieb herrschte. «Aufwachen, Dornrös-chen», sagte Lat und parkte hinter einem der Streifenwagen.

Dann stieg er aus und knallte die Tür hinter sich zu. Das sollte ihn wecken, dachte er, während er sich zu den uniformierten Kollegen aus Orlando stellte. Eine kleine Menschenmenge mit Micky-Maus-Luftballons und erschöpften Kindern an der Hand hatte sich vor dem Hotel versammelt – wahrscheinlich hofften die Leute, dass gleich ein Verhafteter in Pyjama und Handschellen aus dem Fahrstuhl geführt wurde. «Schau mal, Jimmy!», würden die Eltern rufen, genau wie den ganzen Tag in Disney World, wenn Goofy oder Donald Duck vorbeiwatschelten. «Ein Verbrecher!»

Albert Plante war der Leiter der Nachtschicht, und seinem Gesichtsausdruck nach zu urteilen hatte er noch nie eine Hausdurchsuchung miterlebt. Er sah aus wie eine Trickfigur aus einem Tim-Burton-Film: groß, dürr, mit teigig-blasser Haut und hervorquellenden Augen. Als Lat ihm den Durchsuchungsbefehl aushändigte, zuckte er zusammen, als hätte er einen Schlag bekommen, und verzog unwillig den Mund. Dann führte er Lat, Brill, der sich inzwischen dazugesellt hatte, die drei uniformierten Polizisten und die Techniker von der Spurensicherung durch die Marmorlobby zu den gläsernen Aufzügen, wobei er unablässig flüsterte, so etwas sei in diesem Hotel noch nie vorgekommen. Als Albert auf dem Weg nach oben mit einem angestrengten Lächeln fragte, ob sie wenigstens im Gästebereich die Funkgeräte ausstellen könnten, gähnte Brill und sagte, er könne ihn mal kreuzweise. Die Polizisten aus Orlando lachten in sich hinein.

Das Zimmer 1223 befand sich direkt neben den Aufzügen. Am Türknauf hing ein Schild mit der Aufschrift «Wegen Renovierung geschlossen». Lats Magen krampfte sich zusammen. In diesem Zimmer hatte sich Marquette aufgehalten, bevor er mitten in der Nacht zweihundertfünfzig Meilen nach Hause gefahren war, um seine Familie zu töten. Womöglich befand sich das fehlende Puzzleteil auf der anderen Seite dieser Tür –

mit rotem Lippenstift quer über den Badezimmerspiegel geschrieben wie in einem schlechten Horrorfilm.

«Nennen Sie das eine Absperrung?», fragte Lat und schaute sich ungläubig im Flur um.

«Durch Absperrband und Polizeibeamte könnten sich unsere Gäste belästigt fühlen», erwiderte Albert und steckte mit zitternder Hand die Keycard in das Schloss. «Vor allem in einem Hotel wie diesem. Wir sind auf das Wohl unserer Gäste bedacht. Keine Sorge, Detective, lediglich die Geschäftsführung hat Zugang zu diesem Zimmer. Der Zugangscode wurde sofort nach dem Anruf der Polizei heute Morgen geändert. Es wurde nicht mal sauber gemacht, weil wir das ‹Wegen Renovierung geschlossen› an die Tür gehängt haben.»

«Ach so, der Zugangscode wurde geändert. Dann bin ich ja beruhigt», sagte Brill mit sarkastischem Unterton. «Ihnen ist bewusst, dass es hier um vierfachen Mord geht, oder? Nochmal langsam zum Mitschreiben: Vier Menschen wurden umgebracht.»

Albert schluckte. «Nein, das wusste ich nicht, Detective.»

Offenbar war es Brill vollkommen egal, was Albert Plante oder irgendwer sonst über ihn dachte, und genau diese Eigenschaft machte ihn Lat sympathisch. Steve Brill nahm kein Blatt vor den Mund. «Drei kleine Kinder sind tot. Und in diesem Zimmer hat sich ihr Daddy aufgehalten, bevor er sie abgemurkst hat. ‹Mörder verkroch sich in Horrorhotel mitten in Disney World› – würde 'ne schöne Schlagzeile abgeben, oder?»

Albert Plante wurde noch blasser. Er öffnete zögerlich die Zimmertür und sah aus, als würde er jeden Moment ohnmächtig werden. Wahrscheinlich befürchtete er, dass eine Leiche von der Zimmerdecke baumelte und ein Geständnis am Spiegel klebte. Und darüber hinaus rechnete er wohl mit seiner Kündigung.

Doch leider gab es kein Schuldeingeständnis. Während Lat

den Raum inspizierte, wandelte sich seine Anspannung in Enttäuschung. Das Bett war unberührt. Im Kleiderschrank hingen zwei Anzüge und einige Freizeithosen, neben dem Waschbecken im Badezimmer standen Rasierzeug und andere Toilettenartikel. Außer einem Notizblock und einem Laptop lagen Broschüren und Faltblätter von Herstellern medizinischer Geräte, Pharmaunternehmen und einer Webdesign-Firma auf dem Schreibtisch. Die Unterlagen stammten offensichtlich von der Messe, die im Rahmen des Ärztekongresses stattgefunden hatte. Das war alles. Keine Drogen. Keine leeren Bier- oder Schnapsflaschen. Kein Abschiedsbrief. Kein Hinweis auf eine Geliebte, einen Geliebten oder eine Prostituierte. Lat wusste nicht, was er eigentlich erwartet hatte, aber gerade weil Marquette so schnell mit einem Anwalt zur Hand gewesen war, hatte er gehofft, irgendetwas Spektakuläres vorzufinden.

In den folgenden Stunden befragten Lat und Brill das Hotelpersonal, das am Wochenende Dienst gehabt hatte, doch niemand konnte Marquette identifizieren, geschweige denn sich daran erinnern, wann er am Samstagabend das Hotel verlassen hatte. Der Ärztekongress, auf dem er am Sonntag einen Vortrag hätte halten sollen, war am Nachmittag zu Ende gegangen, und die 500 Teilnehmer waren längst abgereist und wieder über das ganze Land verstreut. Das hieß, dass sie jeden Einzelnen aufspüren und befragen mussten, zumindest telefonisch. Dazu kam die Überprüfung von Marquettes Telefonrechnungen und Geschäftsunterlagen und die Auswertung der Laborergebnisse. Außerdem mussten seine Familienmitglieder, Freunde und Kollegen ausfindig gemacht und befragt werden.

Der schwierigste Teil einer Mordermittlung bestand normalerweise darin, den Täter zu finden. Man besah sich Tatort und Leiche und begann, nach Hinweisen zu suchen. Die Überlegung, aus welchem Grund das Opfer getötet worden war, führte normalerweise zu einem Verdächtigen. *Wurde das*

Opfer ausgeraubt? Vergewaltigt? Könnte es sich um eine Gang-An-gelegenheit handeln? Hat es Eheprobleme gegeben? Doch dieser Fall lag anders. Hier gab es von Anfang an einen Verdächtigen, aber kein Motiv. Die Staatsanwaltschaft war zwar juristisch nicht verpflichtet, ein Motiv zu nennen, aber wie Julia Valenciano ganz richtig angemerkt hatte, wollten die Geschworenen bestimmt gern eine Antwort auf die Frage nach dem Warum hören, bevor sie den lächelnden Vater von dem Ferienfoto zum Tode verurteilten.

«Tja, das war wohl nichts», sagte Brill, als sie drei Stunden später mit Marquettes Laptop und einem Beutel voller Überwachungsvideos das Hotel verließen.

«Was hältst du davon?», fragte Latarrino.

«Ich glaube, wir haben ein Problem.»

Lat seufzte. «Das wird eine Scheißarbeit, seine letzten Stunden hier zu rekonstruieren.»

«Vielleicht ist er einfach mitten in der Nacht nach Hause gefahren, weil er seine Frau vermisst hat, und dann ist irgendwas schiefgelaufen», sagte Brill achselzuckend.

«Jetzt hör aber auf!», sagte Lat und schüttelte mit einem trockenen Lachen den Kopf. «Keiner vermisst seine Ehefrau. Zumindest nicht, wenn er schon länger als ein Jahr mit ihr verheiratet ist. Aber vielleicht hatte Marquette den Verdacht, dass seine Frau *ihn* nicht besonders vermissen würde. Wenn der Spermafleck auf Jennifers Nachthemd von jemand anders ist, hatte sie offenbar einen Geliebten. Könnte sein, dass Marquette nach Hause gefahren ist, um sie auf frischer Tat zu ertappen.»

«Das würde die ganze Sache verkomplizieren. Allerdings gäbe es dann wenigstens ein Motiv, und das können wir gut gebrauchen, Boss.»

Lat nickte. «Womöglich wäre es sogar vorsätzlicher Mord.»

«Dann müssten wir nur noch den Bill Clinton finden, der sein kleines Mitbringsel hinterlassen hat.»

«Warten wir erst einmal die Laborergebnisse ab», wandte Lat ein.

Sie überquerten den Parkplatz des Hotels. Die Luft war kühl, aber es hatte aufgehört zu regnen. Der Himmel wurde bereits grau, und die ersten Vögel zwitscherten; bald würde die Sonne aufgehen. In ein paar Stunden, dachte Lat, würden Busse voller fröhlicher, nichtsahnender Touristen an der Kasse von Disney World vorfahren und für siebenundsechzig Dollar am Tag ihre Sorgen vergessen – zuzüglich all der Scheine, die für Hot Dogs und Pommes frites, Pinocchio Burger und Jurassic Park Nuggets über den Tisch gehen würden. Er wünschte, er wäre einer von ihnen. Dann gähnte er wieder und schüttelte den Kopf. Wahrscheinlich war es nicht klug, gleich nach Miami zurückzufahren, aber sie hatten so viel zu tun, dass an Schlaf ohnehin nicht zu denken war.

«Ach übrigens – nenn mich bloß nicht Boss!», sagte Lat.

«Aber so ist es doch», erwiderte Brill.

Lat blieb stehen. «Ich bin nicht dein Boss.»

Auch Brill war stehen geblieben. «Das ist dein Fall, oder etwa nicht?», fragte er mit einem Lächeln, das nicht sehr freundlich war.

«Ist nicht meine Entscheidung.»

«Nee», sagte Brill und ging weiter. «Aber jetzt ist es eben so. Und damit bist du mein Boss.» Er kaute auf dem Zahnstocher herum, den er aus dem Restaurant hatte, und keiner von beiden sagte etwas. Schließlich fragte Brill: «Hast du dich über mich erkundigt?»

«Klar», antwortete Lat, ohne zu zögern.

«Und?»

«Willst du's hören?»

«Raus damit.»

«Hitzköpfig, schwierig, unausstehlich – und, ich zitiere: ‹ein Arschloch, das jeden bescheißt›.»

«Das Letzte ist garantiert von Patti Corderi», sagte Brill. «Darauf solltest du nichts geben. Die hat sie nicht mehr alle.»

«Keine Sorge.» Überraschenderweise lief das Gespräch lockerer, als Lat gefürchtet hatte. Obwohl Brill tatsächlich all die Charakterschwächen aufwies, vor denen man ihn gewarnt hatte, mochte er ihn. Anders als Sonny Crocket und Riccardo Tubbs oder Starsky und Hutch arbeitete man im Morddezernat von Miami-Dade nicht mit einem festen Partner zusammen. Daher war es eine nette Abwechslung, von Anfang an jemanden an der Seite zu haben. Als sie den Wagen erreichten, steuerte Lat auf die Beifahrertür zu und sagte drohend: «Diesmal wird nicht geschlafen, Schnarchsack.»

«Hat mir besser gefallen, als du mich dein Dornröschen genannt hast», erwiderte Brill.

«Ich habe dich nie *mein* Dornröschen genannt.»

«So hab ich's aber verstanden. Schade.»

«Diesmal fährst du», erklärte Lat gähnend und zog die Autoschlüssel aus der Tasche. Für jemanden, der normalerweise unter Schlaflosigkeit litt, war er hundemüde.

«Ist der Wagen neu?», fragte Brill und strich über die Motorhaube des Chevrolet Impala.

«Brandneu. Ich habe drei Jahre lang auf der Warteliste gestanden. Vorher hatte ich einen alten Taurus, eine absolute Schrottkarre.» Er warf Brill die Schlüssel zu. «Fahr vorsichtig. Abgesehen davon, dass ich an meinem Leben hänge, sind andere Fahrer nicht versichert.»

«Wow», sagte Brill und fing die Schlüssel mit einer Hand auf. «Seit meinem Unfall kriege ich keinen richtigen Dienstwagen mehr, immer nur beschlagnahmte Dealerautos. Du weißt schon, diese Flintstones-Karren mit durchgerostetem Unterboden. Keine Schlitten wie bei *Miami Vice*. Ich weiß noch nicht mal, wie ein Lamborghini aussieht.»

«Was für ein Unfall?»

«Das wusstest du nicht?»

Lat seufzte und ging mit ausgestreckter Hand um den Wagen herum zur Fahrerseite. «Du bist ein Arsch. Gib mir die Schlüssel und steig ein.»

«Ich wäre gefahren, Lat, wirklich. Ich bin sehr für Arbeitsteilung.» Brill ließ lachend die Schlüssel in Lats Hand fallen.

«Wenn du einschläfst, kannst du dich auf was gefasst machen», knurrte Lat und stieg in den Wagen. «Notfalls spiele ich die ganze Zeit John Denver.»

«Du verarschst mich. Von dem hat keiner 'ne CD im Auto – außer seine eigene Mutter vielleicht», sagte Brill gähnend, zog seine Jacke aus und rollte sich auf dem Sitz zusammen. «Übrigens – mit ‹hitzköpfig› und ‹schwierig› kann ich leben. Und von dieser Spinnerin ist ‹Arschloch› ein richtiges Kompliment.» Er knüllte die Jacke zusammen und benutzte sie als Kopfkissen.

«Schön, dass du es so aufnimmst», sagte Lat und stellte das Radio an.

Brill schloss die Augen und lächelte. «Immer noch besser als das, was ich über dich gehört habe …»

KAPITEL 17

RICHTER FARLEY stand auf und stürmte mit wallen-
der Robe aus dem Gerichtssaal. Als die Tür mit einem
lauten Knall hinter ihm ins Schloss fiel, herrschte Totenstille
im Saal. Julia starrte ungläubig zum Richtertisch und ignorierte
das aufgeregte Flüstern, das plötzlich um sie herum ausbrach.

Letray Powers jubelte laut, als Scott Andrews, sein Verteidiger, ihm sagte, er sei frei und könne gehen. Da keine Verwandten oder Freunde zu seiner Unterstützung im Gericht
erschienen waren, klatschte er stattdessen seinen Verteidiger
ab. Nach ein paar Minuten Jubelgeheul stolzierte er zum Tisch
der Staatsanwaltschaft und blieb vor Julia stehen.

Sie spürte Letrays eisigen Blick, als er darauf wartete, dass
sie ihm in die Augen sah. «Pech gehabt, Schlampe», zischte er.
Sein Grinsen war alles andere als freundlich und entblößte eine
ganze Reihe von Goldzähnen. Ihr war unangenehm bewusst,
dass er keine Handschellen mehr trug.

«Wir sind noch nicht fertig», sagte sie kühl und erwiderte
seinen Blick, ohne zu blinzeln. «Ich bezweifle, dass sie es lange
draußen aushalten, Mr. Powers.»

«Kommen Sie, Letray, wir gehen. Sie hatten schon genug
Ärger», warnte Scott und zog seinen Mandanten am Ärmel
des viel zu weiten Jacketts, das er ihm für die Verhandlung
ausgeliehen hatte, zu seinem Platz. Kurz darauf wurde der
pfeifende Letray von zwei Gefängnisbeamten den Weg zurück
begleitet, den er gekommen war. Doch er würde nicht wieder
einchecken, drüben im Regierungshotel. Diesmal überquerte

er die Brücke über die Straße zum Bezirksgefängnis nur, um die Kleider abzuholen, in denen er verhaftet worden war. Danach war er ein freier Mann.

«Wir sehen uns», hörte Julia ihn noch rufen, als er den Gerichtssaal verließ. «Und sagen Sie Pamela, dass sie bald mit meinem Besuch rechnen kann.» Dann fiel die Tür hinter ihm ins Schloss.

Julia war fassungslos. Es hatte sie einen ganzen Tag gekostet, die sechs Geschworenen auszuwählen, und einen weiteren, ihr Eröffnungsplädoyer zu halten und die Zeugen aufzurufen. Und Richter Leonard Farley hatte nur fünf Minuten gebraucht, um Letray freizusprechen.

Normalerweise entschieden die Geschworenen über Freispruch oder Verurteilung des Angeklagten. Der Richter hatte nur den Vorsitz über die Verhandlung. Er stellte sicher, dass ausschließlich Aussagen und Beweismittel zugelassen wurden, die rechtlich relevant waren. Der Richter sorgte dafür, dass sich alle an die Spielregeln hielten. Doch für den Fall, dass keine geeigneten Geschworenen gefunden werden konnten, hatte die Legislative von Florida ein Hintertürchen in das Gesetz eingebaut – eins, das so gut wie nie benutzt wurde. Falls ein Richter nach den Darlegungen der Staatsanwaltschaft der Ansicht war, dass kein halbwegs vernünftiger Geschworener den Angeklagten für schuldig befinden würde, konnte er den Geschworenen viel Zeit und Ärger ersparen, indem er den Angeklagten eigenmächtig freisprach. In ihrem Fall jedoch, da war sich Julia sicher, ging es Farley nicht um Vernunft oder Zeitersparnis, sondern um persönliche Rache. Und das Schlimmste an einem richterlichen Freispruch war, dass man keine Berufung einlegen konnte. Sie konnte nur danebenstehen und winken, wenn Letray in den Sonnenuntergang von Miami hinausspazierte.

Julia saß einige Minuten lang ratlos an ihrem Tisch und wich dem neugierigen Blick aus, den Farleys selbstgefällige Gerichtsschreiberin Ivonne ihr zuwarf. Wahrscheinlich wartete sie nur darauf, dass Julia in Tränen ausbrach oder sich in einer Schimpftirade über Farley erging, von der sie dem Richter brühwarm berichten würde. Dann blieb Scott Andrews auf seinem Weg aus dem Saal vor Julia stehen, gab ihr die Hand und bekundete mit den üblichen Floskeln sein Bedauern. Leise fügte er hinzu: «Ich hätte ihn nicht freigesprochen.» Julia biss sich auf die Lippe. Das machte die Sache auch nicht besser.

Letray Powers hatte das Gesicht seiner Freundin mit einer Rasierklinge verunstaltet und außerdem ein ellenlanges Vorstrafenregister wegen gewalttätiger Übergriffe. Aber das schien außer Julia niemanden zu interessieren. Selbst ohne die Aussage des Opfers hatte sie bewiesen, dass Powers schuldig war. Sie wusste es, Farley wusste es, Scott Andrews wusste es – selbst Letray Powers wusste es. Aber offenbar bedeutete das nichts, dachte Julia verbittert.

Als Ivonne enttäuscht abzog, erhob sich Julia, packte die beiden Kisten mit Akten und Gesetzbüchern auf ihren Klappwagen und steuerte auf den Ausgang zu. Erst in diesem Moment entdeckte sie John Latarrino an der Tür.

«Sie sehen nicht besonders glücklich aus», begrüßte er sie.

«Was machen Sie denn hier?», fragte Julia überrascht und sah sich im Saal um, ob noch weitere Überraschungsgäste da waren.

«Ich komme gerade aus der Gerichtsmedizin», erwiderte er. «Eigentlich wollte ich zu Bellido, aber seine Sekretärin sagte mir, er ist gar nicht in der Stadt.» Er griff nach dem Klappwagen. «Darf ich Ihnen den abnehmen?»

«Gern, danke», sagte sie und überließ ihm die Akten. «Rick ist auf einer Konferenz in Atlanta. Ich glaube, er kommt erst morgen zurück.» Es war kurz vor fünf, und die Flure des Gerichtsgebäudes hatten sich bereits geleert.

Plötzlich hatte sie wieder das unangenehme Gefühl im Magen. Lats Besuch war kein Zufall. Es hatte offensichtlich etwas mit dem Fall Marquette zu tun. Nach der Tatortbegehung am Montag hatte sie sich Hals über Kopf in den Powers-Fall gestürzt, um die Geister in ihrem Kopf wieder loszuwerden, doch der Detective hatte sie kalt erwischt. Hier war sie nicht dagegen gewappnet.

Am Montag hatten die Erinnerungen sie eingeholt – lebhafte, schmerzhafte Erinnerungen, die sie vor langer Zeit verdrängt hatte –, aber damit würde sie zurechtkommen. Das musste sie. Das alles lag in der Vergangenheit, und es ließ sich nicht mehr ändern. Sie durfte nicht zulassen, dass sie wieder in Selbstmitleid versank oder nach Antworten suchte. Die Schatten von damals würden sie verschlingen.

Julia wollte diesen Fall. Sie brauchte den Erfolg, wollte sich als Staatsanwältin einen Namen machen. Außerdem musste man sich den eigenen Ängsten stellen, oder nicht? War das nicht der Grund, aus dem missbrauchte Kinder später Schulpsychologen wurden und ehemals Leukämiekranke später Ärzte? Ein Seelenklempner hätte sicher erklären können, warum Julia heute hier war, warum sie tat, was sie tat, tagein, tagaus – gegen Drachen kämpfen, die immer wieder zum Leben erwachten. In den letzten Tagen hatte sie wieder ein wenig Distanz gewonnen. Und mit der Distanz war sie wieder zu der Überzeugung gelangt, dass sie weitermachen musste. Und wenn sie sich in diesem Fall profilieren wollte – und nebenbei die Vergangenheit hinter sich lassen –, war es wichtiger denn je, dass sie vorbereitet und selbstbewusst wirkte. Und sie wollte auf keinen Fall, dass Detective Latarrino immer, wenn ihr Name fiel, daran denken musste, wie sie mit weichen Knien über der Kloschüssel hing.

«Ja, Marisol hat mir gesagt, dass Rick unterwegs ist. Deswegen bin ich bei Ihnen im Büro vorbeigegangen. Ihre Sekretärin meinte, dass Sie eine Verhandlung haben.»

«Hatte ich. Sie ist vorbei.»

«Das sehe ich.» Lat drückte auf den Fahrstuhlknopf.

«Waren Sie hier, als –», begann Julia.

«Als Farley den Angeklagten freigesprochen hat? Ja. Ihre Beweisführung war gut, aber er hat Ihnen überhaupt nicht zugehört. Verstehen Sie mich nicht falsch», sagte er, während sie den Aufzug betraten, «aber ich glaube, er mag Sie nicht besonders.»

«Was Sie nicht sagen.»

«Nehmen Sie es nicht persönlich. Ich glaube, er hat generell ein Problem mit Frauen.»

«Das ist mir auch schon aufgefallen.»

«Ihr Opfer wollte nicht aussagen?»

«Nein. Also habe ich es ohne sie versucht. Und daran ist es wohl gescheitert.»

Beide schwiegen für einen Augenblick, dann sagte Lat: «Ich muss einiges mit Ihnen besprechen. Sie müssen ein paar Entscheidungen treffen.»

Oje. Trotz ihrer neuerlichen Entschlossenheit war Julia sich nicht so sicher, ob sie in diesem Fall Entscheidungen treffen wollte. Schließlich war Rick erster Anwalt. Sie runzelte die Stirn. «Haben Sie das mit Rick abgesprochen?»

«Ich erreiche ihn nicht. Ich habe eine Nachricht auf seinem Pager hinterlassen, aber bisher hat er nicht zurückgerufen. Sie sind doch noch die zweite Anwältin, oder?»

Julia nickte.

«Dann können Sie auch Entscheidungen treffen.»

«Na gut», sagte sie langsam und nickte wieder. «Worum geht es denn?»

«Um die ersten Ergebnisse der Laboruntersuchungen. Die Fußabdrücke auf dem Teppich – ein Paar stammte von dem Polizeibeamten, der als Erster am Tatort eintraf. Das andere Paar, tja – das ist nicht identifizierbar.»

«Was soll das heißen?»

«Die Abdrücke sind zu verschmiert für einen Vergleich. Greg Cowsert, unser Spezialist für Fußabdrücke und der Beste auf diesem Gebiet, schätzt die Schuhgröße auf sechsundvierzig – das würde zu Marquette passen. Aber Cowsert glaubt, dass der Täter OP-Schuhe oder etwas Ähnliches getragen hat, nur konnte er keine Fasern in den Abdrücken finden, die diesen Verdacht bestätigen. Immerhin würde das zumindest die Verformungen erklären.»

«Am Tatort wurden keine blutigen OP-Schuhe gefunden, richtig? Ich schätze, das war nicht die gute Nachricht», sagte Julia und verließ mit Lat den Aufzug.

«Keine Sorge, die kommt jetzt.» Lat versuchte ein Lächeln. «Eine OP-Schwester, die seit ein paar Jahren mit Marquette zusammenarbeitet, hat seine Stimme auf dem nachbearbeiteten Band der Notrufzentrale identifiziert. Sie ist sich hundertprozentig sicher. Das ist zwar kein kriminaltechnischer Vergleich, aber genug für einen hinreichenden Verdacht.»

«Hinreichender Tatverdacht» war die juristische Schwelle, die genommen werden musste, um einen Verdächtigen verhaften zu können. Wie wahrscheinlich war es, dass das Verbrechen von dem Verdächtigen begangen wurde?

«Das ist gut», sagte sie.

«Dann zurück zu den weniger guten Nachrichten. Bis jetzt haben wir im Haus Fingerabdrücke von sechzehn verschiedenen Personen gefunden, die alle noch identifiziert werden müssen. Drei davon in der Nähe der Fensterbänke. Wahrscheinlich stammen sie von einem Handwerker oder einer Putzfrau, die ihre Arbeit nicht ordentlich gemacht hat, aber man weiß nie. Die Verteidiger reiten immer gern auf so was herum, und ich möchte, dass Sie darauf vorbereitet sind.»

«Sind die Ergebnisse der DNA-Analyse des Spermas schon da?»

«Das dauert noch mindestens bis Ende der Woche. Genau

wie der Speichelabstrich, den wir Marquette gestern für die DNA-Analyse entnommen haben.»

«Glauben Sie, dass die Sache mit dem Sperma eine Rolle spielen wird?»

«Fragen Sie das im Ernst? Wenn es nicht Marquettes Sperma ist, auf jeden Fall. Auch wenn es sich nicht auf den Haftbefehl auswirken sollte.»

«Den wollte Rick bis Ende der Woche durchhaben, bevor Marquette aus dem Gefängnis entlassen wird.» Sie ging auf den Hinterausgang des Gerichtsgebäudes zu.

Latarrino blieb stehen. «So viel Zeit haben wir nicht», sagte er ernst.

«Wie bitte?» Sie drehte sich um und starrte ihn an.

«Deswegen bin ich ja hier. Marquette wird schon heute entlassen», erklärte Lat. «In drei Stunden. Sein Vater lässt ihn ins Chicago Northwestern Memorial verlegen.»

KAPITEL 18

D AS IST nicht Ihr Ernst.» Julia starrte Lat ungläubig an.
Die Uhr in der Lobby des Gerichts hing genau über dem
Kopf des Detective. Die Ziffern schienen sie anzuspringen. 16
Uhr 58.

«Ich habe es erfahren, als ich in der Gerichtsmedizin war. Eine
Krankenschwester aus der Klinik hat meinen Boss angerufen.
Wenn Marquette unseren Zuständigkeitsbereich verlässt, wird
es verdammt schwer, ihn nach Miami zurückzuholen. Wir
müssten uns mit der Auslieferungsprozedur herumschlagen,
ganz zu schweigen von dem hohen Fluchtrisiko. Marquettes
Vater ist nicht nur der Chefarzt der Neurologie drüben am
Northwestern, er hat auch ein ziemlich dickes Scheckheft.»

«Also hat er Einfluss.»

«Und keinen geringen. Wir müssen ihm zuvorkommen.»

«Na gut», sagte Julia. «Aber warten Sie. Ich kann Ihnen kein
grünes Licht geben, bis ich Rick erreicht habe.» Sie hatte gedacht, dass der Tag nicht schlimmer werden konnte, doch sie
hatte sich getäuscht. «Kommen Sie mit in mein Büro. Ich versuche es auf dem Handy. Wenn ich ihn nicht erreiche, sehen
wir weiter.» Julia kramte ihr Telefon heraus, drückte die Kurz-
wahltaste und betete, dass er ranging.

Nach einer Verhaftung galt es, mehrere Fristen einzuhalten.
Zuallererst gab es das Recht auf eine baldige Verhandlung, die,
falls der Angeklagte oder die Verteidigung nicht darauf ver-
zichtete, innerhalb von hundertachtzig Tagen zustande kommen musste. Falls es nicht zu einer Anklage kam, musste die

festgenommene Person am hunderteinundachtzigsten Tag wieder auf freien Fuß gesetzt werden. Endgültig – denn aufgrund des Doppelbestrafungsverbots durfte niemand zweimal wegen der gleichen Tat festgenommen werden, auch nicht, wenn die Mordwaffe oder der fehlende Zeuge nach der Frist plötzlich auftauchte. Im Strafrecht begünstigten die Spielregeln und die Ergänzungen der Verfassung den Angeklagten, und der Ankläger war unter großem Druck, den richtigen Schritt zum richtigen Zeitpunkt zu unternehmen. Und obwohl Julia schon Haftbefehle ausgestellt hatte, war es nie um Mord gegangen.

«Wie läuft es, Julia?»

Es gab einen Gott. «Hallo», sagte sie ins Telefon und versuchte, ruhig zu bleiben. «Ich komme gerade aus dem Gericht.»

«Wir haben Pause, aber ich muss gleich wieder in den Konferenzsaal», sagte Rick.

«Detective Latarrino ist bei mir. Wir haben ein Problem. Der Detective soll es dir erklären. Ich stell dich auf Lautsprecher.» Sie übergab Latarrino das Telefon. «Wir sind unter uns», setzte sie nach.

«Danke für den Rückruf», sagte Lat.

«In der Konferenz habe ich den Piepser aus. Ich bin gerade seit fünf Minuten draußen, und du warst der Nächste auf der Liste, Lat.» Er klang gereizt.

«Na gut, ich verzeihe dir. Hör zu, deine Kollegin hier kann dir die Details später erklären, aber die Fußabdrücke sind unbrauchbar. Außerdem haben wir die Fingerabdrücke von sechzehn bisher unidentifizierten Personen gefunden, drei davon im Bereich der Fenster. Die DNA-Analyse läuft noch und ist nicht vor nächster Woche fertig.»

«Na toll. Hast du auch gute Neuigkeiten für mich?», seufzte Rick.

«Marquette wird heute Abend entlassen», sagte Latarrino.

«Das darf doch nicht wahr sein!»

«Und es kommt noch schlimmer.»

«Was soll das heißen?»

«In drei Stunden wird er mit einem privaten Krankentransport nach Chicago geflogen.»

Am anderen Ende der Leitung blieb es still. Nur das leise Rauschen verriet, dass Rick noch nicht aufgelegt hatte. Julia und Lat blieben vor dem Graham Building stehen, um die Verbindung nicht zu verlieren. In einer Ecke vor ein paar Betonbänken und Blumentöpfen lagen Zigarettenkippen am Boden. Hier trafen sich täglich die Raucher, in den Pausen oder auf dem Weg zum und vom Gericht. Die Nichtraucher nannten die Ecke die Krebsstation. Jeden Tag, wenn Julia hier vorbeikam, waren mindestens ein Dutzend Süchtige versammelt, und für eine Gruppe von Todkranken schienen sie meistens bester Laune zu sein. Julia hatte seit dem College keine Zigarette mehr angerührt, doch plötzlich sehnte sie sich danach.

«Den Teufel wird er», sagte Rick schließlich. «Ich schätze, der Staat Florida muss doch die Krankenhausrechnung übernehmen. Scheiß auf den schriftlichen Beschluss; wir haben genug. Nagel ihn fest, Lat.»

KAPITEL 19

LATARRINO WARTETE, bis die Krankenschwester den Rollstuhl aus den Türen des Ryder Trauma Center herausgeschoben hatte, bevor er auf die kleine Gruppe zutrat.

«David Alain Marquette?», fragte er den Mann im Rollstuhl.

«Du lieber Himmel! Doch nicht hier!», rief ein älterer Herr und stellte sich schützend vor den Rollstuhl. Er sprach mit einem leichten Akzent, den Lat allerdings nicht einordnen konnte. Wahrscheinlich handelte es sich um Marquettes Vater, der es geschafft hatte, der Polizei von Miami seit seiner Ankunft vor ein paar Tagen erfolgreich aus dem Weg zu gehen. Eine gutaussehende ältere Frau stand neben dem Rollstuhl, wahrscheinlich Marquettes Mutter. Sie trug ein teures Kostüm und hatte das gepflegte silberweiße Haar zu einem straffen Chignon frisiert. Sie wirkte elegant und reserviert, aber auch verängstigt. Der Mann stellte sich schützend vor den Rollstuhl.

Der Wagen eines privaten Krankentransportdienstes wartete vor dem Eingang. Die beiden Krankenpfleger, die sich genähert hatten, um Marquette in den Wagen zu helfen, blieben zögernd stehen. Steve Brill zeigte ihnen seine Dienstmarke. Er hatte zwar außerhalb von Coral Gables keinerlei Befugnis, aber das wusste abgesehen von Lat niemand. «Mr. Marquette und seine Familie benötigen eure Hilfe nicht mehr, Jungs», sagte Brill. In diesem Moment fuhren drei Streifenwagen mit Blaulicht vor. «Wie ihr seht, haben wir einen anderen Transport organisiert.»

«Sind Sie Alain Marquette?», fragte Lat den älteren Herrn.

«Fahren Sie zur Hölle!»

«Treten Sie von dem Rollstuhl zurück», forderte Brill den Mann auf.

«Ich bin Detective John Latarrino vom Miami-Dade Police Department», sagte Lat.

«Sehen Sie denn nicht, dass er krank ist?», rief der Mann verzweifelt.

«Treten Sie zurück, Sir», wiederholte Brill, und Marquette senior kam seiner Aufforderung schließlich nach.

Der Mann im Rollstuhl war blass, und seine hellgrauen Augen huschten unruhig umher. Ein Schlauch führte von seiner Nase zu einer Sauerstoffflasche an der Seite des Rollstuhls. An einem fahrbaren Ständer hingen Infusionsflaschen.

Lat betrachtete Marquette ungerührt. Er konnte kein Mitleid aufbringen. Bilder vom Tatort schossen ihm durch den Kopf – Emmas kleiner gekrümmter Körper auf dem rosa Teppichboden hinter dem Hello-Kitty-Stuhl, wo sie Zuflucht gesucht hatte. Sein Leben lang würde er das zarte, angstverzerrte, geschwollene Gesicht nicht vergessen, die weitaufgerissenen blauen Augen, während die warme Morgensonne das Blutbad in goldenes Licht tauchte. Und das Gesicht dieses Mannes war das Letzte, was sie in ihrem kurzen Leben gesehen hatte. Vor ihm, der sie hätte beschützen müssen, war sie in panischer Angst davongelaufen, hatte sich versteckt. Lat nickte einem Polizisten zu, der den Platz der Krankenschwester hinter dem Rollstuhl einnahm. Auf der anderen Seite des Jackson Memorial im Gebäude neben dem Trauma Center gab es eine Station für Strafgefangene, die medizinische Betreuung benötigten, und genau dorthin würden sie Marquette bringen.

«Ich will auf der Stelle mit Mr. Levenson sprechen!», schrie der ältere Mann.

«Beruhige dich doch, Alain», sagte seine Frau beschwichtigend.

«Ich will mich nicht beruhigen, sondern mit dem Anwalt meines Sohnes sprechen!»

«Sein Anwalt wird ihm leider nicht helfen können», warf Brill ein.

In diesem Augenblick bog ein Übertragungswagen von *Channel 7* mit hohem Tempo in die Auffahrt des Krankenhauses ein und blieb hinter dem letzten Streifenwagen stehen. Die Türen öffneten sich, und Teddy Brennan sprang heraus, das Mikrophon in der Hand und seinen Kameramann im Schlepptau. «Dr. Marquette!», rief er, während er auf die kleine Gruppe zugelaufen kam. «Haben Sie Ihre Familie umgebracht? Warum haben Sie es getan? Wie fühlen Sie sich jetzt? Oder waren Sie es gar nicht?»

«Verdammt nochmal!», schrie Lat und winkte die Polizisten heran. «Schafft mir diesen Kerl vom Hals!»

Nur eine Handvoll Leute vom MDPD, von der Staatsanwaltschaft und vom Coral Gables Police Department wussten von Marquettes Verhaftung, und Lat hatte ausdrücklich verboten, Informationen an die Presse weiterzugeben. Nicht einmal im Polizeifunk war darüber gesprochen worden, damit kein Unbefugter etwas aufschnappen konnte. Lat ärgerte sich, dass es irgendwo eine undichte Stelle gegeben hatte. Wie aufs Stichwort fuhr nun auch noch ein Übertragungswagen von *Channel 6* vor.

«Angeblich hat er schon ein Geständnis abgelegt – stimmt das?» Brennan ignorierte die Polizisten einfach und rückte näher, um der Konkurrenz zuvorzukommen.

«Wurde Jennifer Marquette vor ihrer Ermordung vergewaltigt?», wollte der Neuankömmling wissen.

«Führt Miami-Dade jetzt die Ermittlungen?»

«Plädieren Sie auf die Todesstrafe?»

«Wo ist der Haftbefehl? Ich will verdammt nochmal den Haftbefehl sehen!», brüllte Marquette senior Lat wütend an und stellte sich wieder vor den Rollstuhl.

Ein weiterer Übertragungswagen bremste am Bordstein. Ein weiter Reporter lief herbei.

«Treten Sie zurück, Sir», befahl Brill und griff nach seiner Elektroschockpistole. «Treten Sie zurück, habe ich gesagt! Das gilt auch für dich, Geraldo!», rief er Brennan zu.

«Unser Sohn ist krank. Bitte, lassen Sie ihn doch in Ruhe», flehte die Frau. Ihr Gesicht war aschfahl geworden.

«Schon mal was von Pressefreiheit gehört, Detective? Wir haben das Recht, hier zu sein!», rief Brennan und richtete sein Mikrophon auf die Frau. Inzwischen war er Brill so nahe, dass es nur eine Frage der Zeit sein würde, bis dieser handgreiflich wurde.

Lat beschloss, die Sache zu beschleunigen. «David Marquette, hiermit verhafte ich Sie wegen Mordes an Jennifer, Emma, Daniel und Sophie Marquette», erklärte er laut. «Sie haben das Recht zu schweigen. Alles, was Sie sagen, kann vor Gericht gegen Sie verwendet werden. Sie haben das Recht auf einen Anwalt, aber das wissen Sie ja bereits.» Brill und dem Polizisten hinter dem Rollstuhl sagte er leiser: «Gehen wir. Nichts wie weg von hier.»

Das war der Moment, in dem die ältere Frau zusammenbrach und mit dem Gesicht auf dem Asphalt aufschlug, worauf Alain Marquette einen Tobsuchtsanfall bekam und vor dem Jackson Memorial vor laufenden Kameras die Hölle losbrach.

KAPITEL 20

DAS WÜTENDE Geschrei aus Gerichtssaal 5.3 hallte durch den gesamten Flur der fünften Etage. Mel Levenson hatte das Mondgesicht von Luca Brasi, dem Vollstrecker des *Paten*, und wahrscheinlich hatte er auch dessen Persönlichkeit. Levenson war ein großer, schwerfälliger Mann mit Doppelkinn und äußerst kräftiger Stimme. Und er war zornig, was zur Folge hatte, dass er sich weder bei der Lautstärke noch beim Inhalt seiner Vorwürfe zurückhielt.

«Das war ein Hinterhalt, Euer Ehren!», beschwerte er sich bei Richter Irving Katz. «Anstatt in meiner Kanzlei anzurufen und die Auslieferung meines Mandanten mit mir abzusprechen, wie es üblich ist» – er zeigte anklagend mit dem Wurstfinger auf Rick Bellido, John Latarrino und den mürrisch dreinblickenden Steve Brill –, «stellen ihm die Police Departments von Miami-Dade und Coral Gables eine Falle – mit dem Segen der Staatsanwaltschaft, wie ich vermute. Sie nehmen meinen Mandanten fest, während er hilflos im Rollstuhl sitzt. Noch dazu vor den Augen seiner betagten Eltern. Und ohne jedwede Rücksicht auf das verheerende emotionale Trauma und die lebensgefährlichen Verletzungen, von denen sich mein Mandant zurzeit erholt, vom Verlust seiner Familie ganz zu schweigen», fuhr Mel Levenson fort und hielt die Freitagsausgabe des *Herald* hoch: VATER BEI FLUCHTVERSUCH WEGEN MORDES VERHAFTET lautete die schreiende Schlagzeile, «informieren diese Detectives auch noch die Presse – nur um sich im Rampenlicht zu sehen und nebenbei die gesamte Öffentlichkeit mit ihren verdammten Lügen über Dr. Marquette zu beeinflussen. Außerdem wurde er auf die Gefangenenstation gebracht, obwohl er qualifizierte medizinische Betreuung benötigte.» Levenson wischte sich über das feiste Gesicht und trat vom Richtertisch zurück, wobei er beinahe gegen einen Kameramann und Stan Grossbach, seinen Assistenten, stieß.

In Lat kochte die Wut hoch. Er sah zu Rick Bellido, der neben ihm saß, und wartete darauf, dass dieser sich zu Levensons Beschwerden äußern würde. Doch Rick schwieg. Derweil hörte Lat von der anderen Seite das Knacken von Fingerknöcheln. Anscheinend wartete Steve Brill auf dasselbe.

Da die Menschen an Wochenenden noch mehr Unsinn anstellten als an den übrigen fünf Tagen der Woche, war die Liste von Richter Katz' Verhandlungen montagmorgens immer besonders lang. Diesmal glich sein Gerichtssaal jedoch einem Irrenhaus. Normalerweise befanden sich bei der Ersten Anhörung nur der Richter, der Gerichtsdiener, ein Staatsanwalt und ein Verteidiger im Saal. Die Häftlinge wurden per Monitor aus dem Gefängnis zugeschaltet. Das ganze Procedere dauerte nicht länger als 30 Sekunden: Der Richter las den Haftbefehl, entschied, ob ein hinreichender Verdacht vorlag, und bestimmte die Kaution. Die Erste Anhörung war normalerweise erledigt, bevor der Häftling überhaupt gemerkt hatte, wo in der Zelle die Kamera hing. Richter Irving W. Katz war ausschließlich für Erste Anhörungen zuständig, seitdem der Oberste Richter ihn in grauer Vorzeit strafversetzt hatte, und im Laufe der Jahre war er entweder dermaßen effizient oder dermaßen gleichgültig geworden, dass er in weniger als einer Stunde hundert Häftlinge abfertigte.

Jetzt schüttelte der Richter den Kopf. «Eine großartige Rede, Mr. Levenson, und sie wird ordnungsgemäß im Protokoll festgehalten. Aber Ihr Mandant wird des Mordes beschuldigt. Des vierfachen Mordes, um genau zu sein. Sie wissen doch, dass ich jemanden, der unter Mordverdacht steht, nicht auf Kaution freilassen kann.» Katz nickte in Richtung des Monitors, auf dem ein bleicher David Marquette in orangefarbener Gefängniskleidung zu sehen war, der mit gesenktem Kopf reglos neben einem Rollstuhl stand. «Ich prüfe hier lediglich, ob hinreichender Verdacht für eine Festnahme bestand. Und wenn ich mir die Fakten ansehe», fuhr der Richter fort und wedelte mit dem rosafarbenen Haftbefehl, «gibt es daran keinen Zweifel. Ich kann also nichts für Sie tun, als mir Ihre Beschwerden anzuhören, Mr. Levenson, und ich habe ehrlich gesagt keine Lust, den Kummerkasten zu spielen. Außerdem haben die Detectives Ihren Mandanten keineswegs in eine Betonzelle zu den Ratten geworfen. Er liegt auf Station D des Jackson Memorial und wird dort bestens versorgt.»

«Die Betreuung auf der Gefangenenstation ist nicht ansatzweise angemessen, Euer Ehren», widersprach Levenson und wies auf den Bildschirm. «Schauen Sie ihn sich doch an!»

David Marquette verharrte regungslos und schien gar nicht zu registrieren, dass über ihn gesprochen wurde. Lat konnte nicht einmal sagen, ob der junge Arzt in den letzten Minuten geblinzelt hatte. Er stand da, hielt sich mit weißen Knöcheln am Geländer des Podiums fest und starrte vor sich hin, der Blick leer und ausdruckslos. Hinter ihm stand eine Reihe gelangweilt aussehender, tätowierter Verdächtiger in verschiedenen Stadien der Verwahrlosung, die darauf warteten, dass sie an die Reihe kamen. Die Schlange zog sich durch den überfüllten, erbsengrünen Saal bis zur Tür. Drei Wachmänner lehnten an der hinteren Wand, zwei weitere sorgten dafür, dass sich die Schlange ordnungsgemäß vorwärtsbewegte. Da die Erste Anhörung innerhalb von vierundzwanzig Stunden nach der Verhaftung stattfinden musste, trugen viele der Häftlinge Schlafanzüge oder Boxershorts – die Kleidung, in der sie in der Nacht zuvor festgenommen worden waren. Nun wurden die Männer langsam unruhig und fingen an, sich zu unterhalten.

«Sorgen Sie gefälligst für Ruhe!», schnauzte Richter Katz die Wachmänner über den Monitor an. «Man versteht ja sein eigenes Wort nicht. Werfen Sie jeden, der quasselt, raus und bringen Sie ihn morgen wieder.»

Der Wachmann im Vordergrund nickte. Dann drehte er sich um und schrie: «Maul halten!»

«Das hätte ich auch gekonnt», murmelte Katz verdrießlich.

«Dr. Marquette sollte in einem Krankenhausbett liegen», meldete sich Levenson erneut zu Wort. «Sein Gesundheitszustand ist immer noch sehr schlecht, und er hätte für diese Anhörung niemals ins Gefängnis gebracht werden dürfen.»

«Ach, ich bitte Sie», sagte Katz entschieden. «Er konnte sich das ganze Wochenende lang erholen.»

«Mr. Levensons Mandant fühlte sich offenbar bereits am Donnerstag gesund genug, um einen Fluchtversuch zu unternehmen, Euer Ehren», warf Rick ein.

«Mein Mandant sollte lediglich in ein anderes Krankenhaus verlegt werden», protestierte Levenson und starrte wütend in den Saal.

«In ein Krankenhaus in Chicago», fügte dieser hinzu.

«Ich habe die Verlegung veranlasst.» Alain Marquette erhob sich wie ein großer Schatten von seinem Platz in der ersten Reihe. «In meinem Krankenhaus kann ich dafür sorgen, dass mein Sohn die Betreuung bekommt, die er braucht. Er wollte keineswegs flüchten.»

«In Ihrem Krankenhaus?», fragte Richter Katz.

«Das ist Dr. Alain Marquette, Euer Ehren», erklärte Levenson. «Er leitet die Neurologische Abteilung des Chicago Northwestern Memorial.»

«Ach ja, jede Geschichte hat mehrere Seiten», sagte Katz. «Dr. Marquette, wie Mr. Levenson Ihnen sicherlich erläutert hat, können wir für Ihren Sohn momentan nichts weiter tun. Mr. Levenson kann während des Arthur Hearings oder später beim verhandlungsführenden Richter erneut eine Freilassung auf Kaution beantragen, aber für heute sind wir fertig.»

«Diese Anhörung war äußerst unprofessionell. Sie hätte von Anfang an anders gehandhabt werden müssen», grummelte Levenson.

«Wenn ich jedes Mal einen Cent dafür bekäme, wenn etwas nicht so läuft, wie ich es gern hätte, dann wäre ich ein reicher Mann, Mr. Levenson.» Katz blickte auf den Monitor und rief, als wäre David Marquette taub: «Der Antrag auf Kaution wird abgelehnt! Und jetzt schaffen die Damen und Herren Reporter bitte all diese Gerätschaften hinaus und räumen meinen Gerichtssaal – es sei denn, auf meiner Prozessliste steht heute Morgen noch ein Fall von öffentlichem Interesse, über den man mich nicht informiert hat.» Dann fügte er mit einem eisigen Blick in Richtung der Staatsanwaltschaft hinzu: «Mr. Bellido, ich nehme an, die gehören alle zu Ihnen.» Katz wartete, bis die Reporter ihre Kameras und Mikrophone zusammengepackt hatten und zur Tür eilten. Dann wandte er seine Aufmerksamkeit wieder dem Wachmann auf dem Monitor zu. «Holen Sie den Nächsten nach vorn!», zischte er. «Und sorgen Sie da drüben gefälligst für Ruhe!»

KAPITEL 21

LATARRINO FING Marquettes Vater an den Türen
des Gerichtssaals ab. «Dr. Marquette? Ich würde mich
gern einen Moment mit Ihnen unterhalten.»

«Sie machen Witze, oder?», bellte Mel Levenson, der sich
drohend hinter ihm aufbaute.

Alain Marquette drehte sich zu Lat um, seine dunkelblauen
Augen funkelten zornig und unversöhnlich. Er wirkte älter als
ein paar Tage zuvor. Tiefe Sorgenfalten hatten sich um seinen
Mund und in seine Stirn eingegraben. Er starrte Lat für einen
Moment schweigend an, dann erklärte er: «Ich habe Ihnen
nichts zu sagen. Absolut nichts.»

Da Lat weder eine Vorladung noch ein anderes Druckmittel
hatte, um Marquette zum Reden zu bringen, musste er tatenlos
zusehen, wie der alte Mann mit Levenson und Stan Grossbach
den Gerichtssaal verließ.

Weniger als dreißig Sekunden später trat ein eleganter Rick
Bellido im teuren Maßanzug mit finsterer Miene an seine Seite. «Lass uns gehen», sagte er und steuerte auf die Tür zu.

«Was ist mit Brill?»

Bellido sah ihn finster an. «Er sagt, er kommt nach.»

Keine schlechte Idee, dachte Lat, als er Rick aus dem Gerichtssaal folgte. Das ganze Gebäude wimmelte von Reportern,
und Brill hatte nach dem Zwischenfall vor dem Jackson Memorial, der natürlich im Fernsehen gesendet worden war, von
seinem Boss die unmissverständliche Anweisung bekommen,
sein Gesicht von Kameras fernzuhalten.

Eine Horde wild durcheinanderschreiender Reporter hatte sich um Levenson und sein Lager versammelt, der vor den Fahrstühlen eine spontane, tränenreiche Presseerklärung abgab. Eine weitere Horde lauerte auf das Team der Staatsanwaltschaft. Lat hatte andere prominente Fälle gehabt, aber das hier stellte alles in den Schatten. Kaum hatten sie die Türen geöffnet, explodierten Blitzlichter, und auf dem Weg zu den Fahrstühlen wurden sie von einer Parade aus Reportern, Kameras und Mikrophonen verfolgt und mit Fragen bombardiert, auf die sie heute sowieso keine Antwort bekommen würden. Zumindest nicht von Lat.

«Muss Dr. Marquette in Untersuchungshaft bleiben? Wann ist das Arthur-Hearing? Wann setzen Sie ihn wieder auf freien Fuß?»

«Werden Sie die Todesstrafe verlangen?»

«Wie hat er die Kinder umgebracht? Was war die eigentliche Todesursache? Warum gibt die Polizei keine Informationen heraus?»

«Wurden die Kinder sexuell missbraucht? Hatte die Mutter etwas damit zu tun? Gibt es Hinweise auf einen rituellen Hintergrund?»

«Stimmt es, dass Emma Marquette noch am Leben war, als die Polizisten eintrafen? Hätte sie gerettet werden können?»

«Detective Latarrino, fühlt sich Ihr Department für die Verletzungen verantwortlich, die Nina Marquette bei der Verhaftung ihres Sohnes letzten Donnerstag erlitten hat?»

Manche der Fragen waren vollkommen grotesk, genau wie die Reporter, die sie stellten. Ganz vorne in der Reihe entdeckte Lat wieder Teddy Brennan, das Arschloch von *Channel 7*. Er knirschte mit den Zähnen. Rick blieb vor den Fahrstühlen stehen und beantwortete mit dem perfekten Auftreten des zuversichtlichen Anklägers voll gerechtem Zorn ein paar der unbedeutenderen Fragen, während Lat natürlich schwieg. Er hatte Rick Bellido schon vorher vor der Kamera gesehen und musste zugeben, das Rampenlicht stand ihm gut. Und er wusste, dass Ricardo Carlos Bellido, der Star der Staatsanwaltschaft, sich darin sonnte.

Als sich die Aufzugtüren öffneten, hob Rick bedauernd die Hände, und wie bei einer päpstlichen Audienz wurde es sofort still in der Menge. «Mehr können wir zurzeit leider nicht sagen. Wir hoffen – ich hoffe –, dass Sie das akzeptieren. Unser Mitgefühl und unsere Gebete gelten im Moment der Familie der Opfer. Und natürlich sorgen wir uns um die Sicherheit der Bevölkerung, denn um nichts anderes ist es bei dieser Anhörung gegangen. Selbstverständlich halten wir die Öffentlichkeit über den Stand der Ermittlungen auf dem Laufenden. *Das hat oberste Priorität für mich.*» Dann wiederholte er dasselbe auf Spanisch für die hübsche Reporterin des *Telemundo* und wurde – wie in einer perfekt inszenierten Filmszene – genau in dem Moment fertig, in dem sich die Aufzugtüren schlossen.

Lat konnte sich bildhaft vorstellen, wie Tausende von Großmüttern vor dem Fernseher verzückt seufzten. *Das hat oberste Priorität für mich.* Als ob Rick Bellido die ganze Arbeit allein machen würde …

Mit Ausnahme des Cupido-Falles ein paar Jahre zuvor hatte es bei einer Ersten Anhörung noch nie ein derartiges Medieninteresse gegeben. Da diese Anhörungen auf Video aufgezeichnet wurden, gab es für die Presseleute eigentlich gar keinen Grund, selbst im Gerichtssaal aufzutauchen. Normalerweise schickten sie zwanzig Minuten vor dem Sendetermin irgendeinen Redaktionsboten vorbei, der die Aufzeichnung abholte. Normalerweise. Es sei denn, sie erhofften sich eine handfeste Sensation.

«Die Kameras lieben dich», sagte Lat anerkennend, sobald er und Rick allein waren.

«Was am Donnerstag gelaufen ist, war ein Desaster, Lat», gab Rick kühl zurück, ohne ihn anzusehen. «Ich habe heute lediglich Schadensbegrenzung betrieben.»

Die Ereignisse vor dem Krankenhaus waren von sämtlichen lokalen Sendern gebracht worden. Alain Marquette wollte zwar nicht mit der Polizei reden, hatte aber dafür Teddy Brennan umso mehr zu sagen gehabt. In einem verzweifelten Zwei-Minuten-Interview hatte er die blutbefleckte Kostümjacke seiner Frau in die Kameras gehalten und die Police Departments von Miami-Dade und Coral Gables heftig attackiert. Und anstatt Marquettes Vorwürfe als stressbedingte Schimpftirade abzutun, bezeichnete der Leiter des MDPD den Vorfall als Marketing-technischen Albtraum.

Langsam wurde Lat sauer. Wieso gab Rick als stellvertretender Leiter von *Major Crimes* hier eine zweisprachige Pressekonferenz und klopfte sich dabei selbst auf die Schulter, machte aber den Mund nicht auf, wenn es vor Gericht darauf ankam? «Warum hast du Mel Levenson nicht die Meinung gegeigt?», fragte er. «Warum haben die Detectives keine Priorität, die rund um die Uhr an dem Fall arbeiten? Du weißt genau, dass keiner von uns die Presse informiert hat. Und ohne die Reporter hätte es nie ein solches Chaos gegeben.»

«Du solltest inzwischen wissen, wie man mit der Presse umgeht, John. Lass dich nicht von ihr manipulieren.»

Der Aufzug hielt in der dritten Etage. «Ich habe gehört, dass Jerry Tigler bald seinen Stuhl räumt. Dasselbe gilt für Charley Rifkin. Da oben wird also über kurz oder lang ein Stuhl frei», sagte Lat, dann hielt er inne. «Wusstest du, dass die Presse hier sein würde, Bellido?»

Endlich sah Rick Lat in die Augen. «Ich habe heute nur meine Arbeit gemacht», sagte er, und die Temperatur im Raum sank gegen null, «und die Presse war hier, um ihre zu machen. Weiter nichts. Was Tigler und Rifkin betrifft – diese Gerüchte sind mir neu.» Die Aufzugtüren öffneten sich, und Rick stieg aus. «Deine Vernehmung ist nächste Woche. Ruf mich sofort an, wenn die DNA-Analyse eintrifft, und mach John Holt Druck, damit er die Untersuchung der Stichwundenmuster noch heute abschließt. Wenn du das nicht hinkriegst, telefoniere ich selbst mit ihm. Ich will die Ergebnisse nicht wieder auf den letzten Drücker bekommen. Schließlich verhandeln wir vor der Grand Jury.»

Die Aufzugtüren schlossen sich, sodass Lat keine Gelegenheit mehr hatte, Rick Bellidos telegenem Gesicht den erhobenen Mittelfinger zu zeigen.

KAPITEL 22

S IND WIR fertig, Ms. Seminara?», fragte Richter Farley ungeduldig, schlug mit der Hand auf den Tisch und drehte sich auf seinem Stuhl in Richtung des nächsten Ausgangs.

«Ich glaube schon, Euer Ehren», erwiderte Karyn und blätterte durch die Prozessliste. Neben ihr stand etwas eingeschüchtert Farleys neue C-Anwältin. Der Gerichtssaal war so gut wie leer.

«Schön. Dann machen wir Pause.» Er wandte sich an die Gerichtsschreiberin. «Das ist jetzt nicht fürs Protokoll gedacht», sagte er, und das leise Klicken der Stenographiermaschine verstummte. «Ich möchte Ihnen einen Rat geben, Ms. Gleeson», fuhr er in scharfem Tonfall fort und drohte der verschreckten Anwältin mit dem Finger. «Hören Sie auf, so viele Einsprüche zu erheben. Mich ärgert das nur, und Ihnen hilft es auch nicht weiter. Wir sollten nicht direkt auf dem falschen Fuß anfangen.» Bei diesen Worten blickte Farley finster zu Julia hinüber, die an der Wand lehnte und zusah, wie die Uhr über der Richterbank langsam die Minuten abzählte. Dann erhob er sich hastig von seinem Stuhl und verschwand mit wehender Robe durch die Tür hinter dem Richtertisch, noch bevor der Gerichtsdiener «Erheben Sie sich!» gerufen hatte.

«Das Gericht wird vertagt», brachte Jefferson kleinlaut heraus, als die Tür zuschlug.

Endlich. Julia klemmte sich die Akten unter den Arm, eilte an Karyn und Janet vorbei aus Saal 4.10 und stieß im Gang prompt mit Rick Bellido zusammen.

«Genau die, die ich gesucht habe», sagte er verdrießlich. «Du hast das Feuerwerk verpasst. Wo warst du heute Morgen?»

«Tut mir leid. Ich wollte gerade rüberkommen», begann Julia.

«Sie war bei mir», schaltete sich Julias Abteilungsleiterin ein und trat auf den Gang, gefolgt von der immer noch verwirrten Janet Gleeson, die einen Klappwagen voller Akten hinter sich herzog. «Guten Morgen, Rick», sagte Karyn dann heiter, aber etwas abgespannt. «Mach Julia keine Vorwürfe. Montagmorgens geht es bei Farley zu wie im Irrenhaus. Da brauche ich all meine Anwälte im Gerichtssaal, selbst wenn sie keine Prozesswoche haben – für den Fall, dass irgendetwas Unvorhergesehenes auf der Prozessliste auftaucht. Auch wenn Julia dir bei deinem Fall unter die Arme greift, ich kann hier einfach auf keinen Kopf verzichten.»

Rick sah Julia fragend an, doch sie zuckte nur unbehaglich mit den Schultern. Sie würde ihrer Abteilungsleiterin unter keinen Umständen in den Rücken fallen. Das Leben in ihrer Abteilung war schwer genug.

«Sie sekundiert mir als *zweite Anwältin* in diesem Fall, Karyn», knurrte Rick. «Und ein Mordfall hat wohl Vorrang vor den Unwägbarkeiten deiner Prozessliste. Ruf mich das nächste Mal an, wenn sich die Termine überschneiden. Aber damit das klar ist: So was will ich nicht noch einmal erleben. Sonst hast du ganz andere Sorgen, als Farley bei Laune zu halten.»

Karyns Gesichtsausdruck verhärtete sich. Julia spürte, wie die Temperatur fiel. «In Ordnung», erwiderte Karyn kühl, «ich verstehe.» Sie sah Julia scharf an und brachte etwas gepresst heraus: «Wir sehen uns im Büro, Julia. Vergiss nicht, dass du noch einen Stapel Abschlussberichte zu schreiben hast.»

Als Janet und Karyn verschwunden waren, wandte sich Rick an Julia: «Deine Priorität ist Marquette, Julia. Wenn ich dir einen Rat geben darf – eine Menge Leute würden bei dem Fall gern selbst mitmischen. Nimm ihre Enttäuschung nicht persönlich.» Er nickte in Richtung der Rolltreppe. «Komm, wir gehen Kaffee trinken», sagte er mit einem Blick auf die Uhr. «Ich habe schon Entzugserscheinungen.»

«Wie ist die Anhörung gelaufen?», erkundigte sich Julia auf dem Weg.

«Es gab ein großes Presseaufgebot, womit ich gerechnet hatte. Natürlich wurde der Antrag auf Kaution abgelehnt. Levenson hat die ganze Zeit gejammert, wie ungerecht das Leben doch ist. Marquettes Vater war da, aber zum Glück ohne seine Frau. Und Latarrino und Brill sind offensichtlich immer noch auf jeden außer sich selbst wütend wegen der Scheiße, die letzte Woche vor dem Jackson passiert ist.»

Julia schwieg. Auch sie hatte am Donnerstagabend die Nachrichten gesehen. Es hatte ihr leidgetan – die Umstände hatten den frühen Zugriff notwendig gemacht, aber die Medien hatten alles verdreht.

«Wenn du sehen willst, wie es unserem Angeklagten geht, musst du nur mittags den Fernseher anstellen. Heute Morgen wurde er vom Jackson rüber ins Gefängnis gebracht, im Rollstuhl. Er sieht aus wie der Tod.» Er stieg auf die Rolltreppe. «Ich hoffe, er fühlt sich beschissen. Jedenfalls bringt Yars den Fall am Zweiten vor die Grand Jury.»

Martin Yars war bei der Staatsanwaltschaft für die Fallpräsentationen vor der Grand Jury verantwortlich. Bei vorsätzlichem Mord und bei vom Jugendgericht weitergereichten minderjährigen Straftätern entschied im Staat Florida die Grand Jury, ob Anklage erhoben werden sollte. In allen anderen Fällen – Totschlag eingeschlossen – genügte ein vereidigtes Dokument, das die Anklagepunkte auflistete und vom Staatsanwalt unterschrieben war. Doch egal, wie die Anklage erhoben wurde, die magische Zahl war immer die Einundzwanzig. Innerhalb von einundzwanzig Tagen nach der Festnahme musste eine

Anklage erwirkt werden, sonst konnte das Gericht den Verdächtigen auf freien Fuß setzen. Das bedeutete keine Kaution, keine Fußfessel, keinen Hausarrest – nichts als das aufrichtige Versprechen, zum Prozess vor Gericht aufzutauchen.

Julia zählte stumm die Tage. «Marquettes Anklageerhebung ist am –»

«Dritten November. Aber die Grand Jury tritt immer nur mittwochs zusammen. Das verschafft uns Zeit, uns vorzubereiten. Ich habe diese Woche einen überfälligen Klagabweisungsantrag bei Richter Gilbert, und nächste Woche fängt ein Mordprozess an, sodass du dich bitte um die Vernehmungen und Zeugen kümmern musst. Spring ins kalte Wasser. Wer weiß, vielleicht übernimmst du auch vor Gericht das Verhör …», fügte er mit einem Lächeln hinzu.

Als B-Anwältin bei ihrem ersten Mordfall hatte Julia sich ausgerechnet, dass sie, wenn sie Glück hatte, im Coral Gables Police Department die Berichte einsammeln durfte. Allein mit am Tisch der Staatsanwaltschaft zu sitzen, war eine einmalige Erfahrung; selbst einen Zeugen ins Verhör oder sogar ins Kreuzverhör zu nehmen, wäre der absolute Hammer. Und all die aufreibenden Vorbereitungen zu übernehmen war die Fahrkarte dahin.

«Heißt das, du wirst auf jeden Fall die Todesstrafe fordern?», fragte sie. Plötzlich erinnerte sie sich an Charley Rifkins düstere Vorhersage von letzter Woche. Damals hatte sie es irgendwie geschafft, nicht darüber nachzudenken, weil es ihre so schon schwierige Entscheidung noch schwieriger gemacht hätte. *Wenn Dr. David Marquette der nächste Bill Bantling ist, zeltet die Presse so lange in euer beider Vorgärten, bis die Todesspritze in seinem Arm steckt.*

Als eher konservative Republikanerin hatte Julia es immer mit dem Rechtssatz Auge um Auge gehalten, doch andererseits hatte es bisher nie eine Rolle gespielt, wie sie zur Todesstrafe stand. Doch das würde sich jetzt ändern. Wenn es so weit kam, wäre sie tatsächlich an einem Prozess beteiligt, der letzten Endes einen Menschen das Leben kosten würde. Und plötzlich war sie nicht mehr sicher, wie überzeugt sie von ihrer Einstellung war.

Rick hielt inne und sah sie aufmerksam an. «Wir müssen uns nicht gleich festlegen. Die offizielle Entscheidung fällt erst, wenn wir uns zusammengesetzt und uns die erschwerenden Umstände angesehen haben.»

Um in Florida einen Angeklagten wegen Mordes zu verurteilen, musste man ihm einen bewussten Vorsatz nachweisen; um ihn zum Tode zu verurteilen, wog man erschwerende Umstände mit etwaigen mildernden Umständen ab. Auch wenn Rick es noch nicht offiziell gemacht hatte, kannte Julia die Antwort auf die Frage – zweiunddreißig Stichverletzungen und ein eingeschlagener Schädel waren das, was man auf dem Urteilsblatt als «brutal und abscheulich» bezeichnete. Ebenso, wie die eigene sechsjährige Tochter mitten in der Nacht mit einem Küchenmesser niederzumetzeln. Julia nahm an, Rick hatte wegen der Todesstrafe keine schlaflosen Nächte. Er hatte die meisten Mordfälle in seiner Behörde verhandelt, und er bekam immer, was er verlangte. Elf seiner Angeklagten saßen in der Todeszelle. Drei hatten es bereits hinter sich.

Die Rolltreppe führte vom ersten Stock hinab in die geschäftige, laute Lobby des Gerichts. Julia sah hinunter auf die zwei langen, ungeduldigen Schlangen vor den Metalldetektoren. Fast wie am Flughafen wanden sie sich durch ein Labyrinth von Absperrungspfosten, bis draußen vor der Glastür die Leute im chaotischen Menschenauflauf verschwanden, der unter dem Stahlbetonvorbau aus den siebziger Jahren herrschte. Gelangweilte gleichgültige Wachleute bellten Warnungen, dass alle Taschen durchsucht und alle Waffen konfisziert werden würden. Trotzdem ergänzte jeden Abend eine bunte Auswahl von Messern, Scheren, Schlagringen, Tränengas und gelegentlich eine Schusswaffe die schon beträchtliche Sammlung der Gefängnisbehörde.

Ihr Blick schweifte über die Polizisten, die durch eine eigene Schleuse geführt wurden, und die Anwälte, die mit ihren dunklen Anzügen und dicken Aktentaschen aus der Masse herausstachen. Vor dem Informationsschalter des Gerichts standen die Verwirrten und Verirrten und versuchten herauszubekommen, wo in dem neunstöckigen Irrgarten von Gerichtssälen und Behördenzimmern sie sich einfinden mussten. Die Stammgäste dagegen kannten sich aus und schlenderten entspannt zum richtigen Fahrstuhl oder zur Rolltreppe. Sie hatten sich in Schale geworfen für das Gericht: das beste T-Shirt und die besten zerschlissenen Jeans. Zerzauste Kinder klammerten sich an ihre Mütter und zappelten, stritten und schrien so lange, bis sie angebrüllt wurden oder einen Klaps auf den Hintern bekamen, was wiederum keinen interessierte. Das Gerichtsgebäude war eine Welt für sich, und daran würde sich so schnell nichts ändern.

«Werden die Fuß- und Fingerabdrücke vor der Grand Jury ein Problem sein?»

Rick schüttelte den Kopf. «Die kommen dort gar nicht erst zur Sprache. Und das hat auch seinen Sinn. Nur in Ausnahmefällen wird der Verdächtige durch Beweismittel entlastet; deshalb sind wir nicht verpflichtet, davon zu sprechen. Im Moment sind das bloß ärgerliche Kleinigkeiten, die der Verteidiger später in der Verhandlung zu einer großen Sache aufzublasen versucht. Soll sich Levenson später damit einen letzten Strohhalm basteln.»

Rick hatte recht. Trotz des ganzen Aufwandes war es nicht sehr schwer, die Grand Jury dazu zu bewegen, eine Anklage als rechtmäßig anzuerkennen. Schließlich wurde ihr bei der Anhörung nur eine Seite präsentiert – die Seite der Anklage. Es gab keinen Richter, keinen Verteidiger, der Einspruch einlegen konnte. Ein hinreichender Verdacht genügte für die Anklageerhebung, und selbst Beweise, die auf Hörensagen beruhten, waren zulässig.

Sie hatten das Bistro im Erdgeschoss erreicht. Rick bestellte zwei Tassen Kaffee und führte Julia zu einem Tisch in einer ruhigen Ecke. Sie bemerkte, dass mehrere Staatsanwälte und Verteidiger ihnen im Vorbeigehen Blicke zuwarfen. Einige zogen überrascht die Augenbrauen hoch, andere schauten eher skeptisch, und Julia fragte sich, an wie vielen Tischen Rick und sie heute Mittag wohl das Gesprächsthema sein würden. Plötzlich fühlte sie sich merkwürdig befangen und dachte daran, dass sie dringend eine Maniküre benötigte und die Absätze ihrer Schuhe ein wenig schief abgelaufen waren. Dinge, die ihr bisher nichts ausgemacht hatten.

«Ich habe Marisol, meiner Sekretärin, mitgeteilt, dass du die Vorvernehmung der Polizisten und Spurensicherungsleute übernimmst, die als Erste am Tatort waren. Du musst nur noch die Termine mit ihr absprechen.» Er setzte sich in eine der Nischen, dann hielt er inne und lächelte. «Kennst du Marisol eigentlich?»

Sie schüttelte den Kopf. «Ich kenne noch nicht viele der Sekretärinnen bei *Major Crimes*. Wahrscheinlich haben sie nicht sehr viel Ausgang.»

«Mari kann man gar nicht übersehen, glaub mir», sagte Rick grinsend. «Und warnen sollte ich dich auch: Sie ist sehr leicht reizbar. Ich habe davon zwar noch nicht viel mitbekommen, aber C. J. Townsend schwört, dass Marisol der leibhaftige Teufel ist. Als C. J. ging, habe ich Marisol sozusagen von ihr geerbt.»

«War C. J. Townsend nicht die Staatsanwältin, die vor ein paar Jahren den Cupido-Fall verhandelt hat?»

Er nickte. «Genau die. Warst du damals schon bei uns?»

«Nein, ich war noch auf der Uni. Aber die Zeitungen waren voll davon, auch in Washington. Ich habe sogar manchmal die

Liveübertragung aus dem Gerichtssaal angesehen. Seit wann ist sie nicht mehr da?»

«Oje, ich fühle mich uralt», seufzte Rick und schüttelte lächelnd den Kopf. «Aber von den Rolling Stones hast du schon mal gehört?»

«Sehr witzig.»

«Ich frage ja nur. C. J. ging etwa vor einem Jahr. Hat geheiratet und sich eine Auszeit genommen. Der Prozess um Bantling hat ihr zugesetzt, nach allem, was passiert ist. Sie war immer hart im Nehmen, aber Bantling scheint ihr ganz schön an die Nieren gegangen zu sein.»

«Die Berufung hat er gewonnen, nicht wahr?»

«Ja. Wir warten darauf, dass sie zurückkommt und den Fall neu aufnimmt. Allerdings wird die Sache dauernd verschoben. Richter Chaskel ist bei einem Motorradunfall auf der Überführung der I95 ums Leben gekommen. Dann hat Bantling ein paarmal den Anwalt gewechselt. Es hat mehrere Anfechtungen gegeben. Ich glaube, jetzt soll sich im Frühling Richter Stalder damit befassen. Na ja, jedenfalls waren sich C. J. und Marisol nicht sonderlich grün …» Er schwieg, dann sagte er: «Jedenfalls, lass dich nicht von ihr ärgern. Ich habe ihr gesagt, dass du anrufst, und sie gebeten, nett zu dir zu sein. Ich hoffe, du denkst nicht, ich würde alle Arbeit auf dich abwälzen, aber deswegen brauchte ich schließlich deine Unterstützung. Latarrinos und Brills Vernehmungen finden nächste Woche statt, wenn die beiden aus Philadelphia zurück sind. Wenn ich es zeitlich schaffe, können wir das zusammen erledigen.»

«Philadelphia?»

«Jennifer Marquette stammt aus Cherry Hill in New Jersey, was mehr oder weniger ein Vorort von Philadelphia ist. Die Gerichtsmedizin hat die Leichen heute freigegeben, sie werden am Abend überführt. Lat und Brill wollen Jennifers Familie befragen.»

«Verstehe. Dann sollte ich gleich mal mit Marisol telefonieren», sagte Julia und trank ihren Kaffee aus. «Wünsch mir Glück.» Sie griff nach ihren Akten.

«Wie war eigentlich dein Wochenende?», fragte Rick, als sie schon aufstehen wollte.

«Phantastisch», erwiderte Julia lächelnd. Hoffentlich hatte sie nicht zu enthusiastisch geklungen und sich dadurch verraten. «Ich war die ganze Zeit unterwegs. Und ehe man sich's versieht, ist schon wieder Montag, und man hat einen gewaltigen Kater.»

«Oh. Tut mir leid. Ich wollte dich am Samstag anrufen, aber ich habe es einfach nicht geschafft.»

«Kein Problem. Wie gesagt, ich war die ganze Zeit auf Achse. Außerdem ist doch alles wunderbar, so wie es ist.» Sie sah ihm direkt in die Augen und verkniff sich die Worte, welche die meisten Männer nicht hören wollten. «Ich erwarte nichts, also musst du dich auch nicht rechtfertigen.»

Seit jenem weinseligen Freitag war mehr als eine Woche vergangen, und Julia hatte immer noch keine Ahnung, wie sie zueinander standen – weder privat noch vor Gericht. Jeden anderen Kerl hätte sie längst abgeschrieben. Sie hielt nicht viel von One-Night-Stands, und sie wollte keine Freundschaft mit Extras. Oder in ihrem Fall – eine Zusammenarbeit mit Extras. Sie war nicht der Typ, der Männern hinterherlief – sie hasste Spielchen, hasste es, wie ein Teenager herumzusitzen und zu warten, dass er anrief. Doch Rick Bellido war nicht wie die meisten Männer, und in seinem Fall … Er hatte alles auf den Kopf gestellt. Sie konnte ihn unmöglich einfach abschreiben. Und daher hatte ihr «phantastisches Wochenende» darin bestanden, dass sie mit Moose beim Tierarzt und im Hundepark war, dann im Supermarkt, im Fitnessstudio und anschließend in der Reinigung. Und am Sonntag war sie im Einkaufszentrum gewesen, um ihrem Onkel und ihrer Tante ein Geschenk zum Hochzeitstag zu besorgen. Dann hatte sie bis zum Abend den Rest der Süßigkeiten für Halloween in sich hineingestopft, die sie ein paar Wochen zu früh gekauft hatte, und war später mit dem Fahrrad durch Hollywood gekurvt, um die Kalorien wieder loszuwerden. Während der vergangenen zwei Tage hatte sie bestimmt zehnmal Ricks Nummer ins Telefon getippt, aber letzten Endes hatte sie doch nicht angerufen. Rick war also nicht ganz allein dafür verantwortlich, dass sie nicht miteinander telefoniert hatten. Immerhin hatte sie verstanden, dass eine heiße Nacht nicht für eine regelmäßige Samstagabendunterhaltung sorgte. Vielleicht änderten sich die Regeln für Verabredungen, wenn man die vierzig überschritten hatte. Vielleicht war es ganz normal, dass man miteinander ins Bett stieg und anschließend wieder zur Tagesordnung überging.

«Ich suche gerade ein Pflegeheim für meinen Vater», sagte Rick und starrte in seine Kaffeetasse. «Damit habe ich das Wochenende zugebracht.»

«Oh», stieß Julia hervor.

«Alzheimer. Tja, so spielt das Leben.» Er zuckte mit den Schultern.

Julia wurde von Schuldgefühlen überwältigt. «Das tut mir leid. Das wusste ich nicht», stammelte sie. «Hast du denn eines gefunden?»

«Noch nicht. Es ist ein langer Prozess, und meine Mutter macht es nicht besser. Sie will unbedingt selbst für ihn sorgen, auch wenn es bedeutet, dass sie ihn nachts ans Bett fesseln muss, weil er schlafwandelt. Aber das wird schon. Hör mal», sagte er dann und senkte die Stimme. Er tastete unter dem Tisch nach ihrer Hand und drückte sie kurz. «Ich würde gern wieder mal mit dir essen gehen.» Er zögerte. «Es war wirklich schön. Vielleicht sollte ich das nicht sagen, aber ich habe dich vermisst.»

Julia spürte, wie ihr das Blut ins Gesicht schoss. Sie wünsch-

te, ihr würde eine geistreiche oder schlagfertige Antwort einfallen. Eine Antwort, die nicht verriet, wie erleichtert sie war,
dass Rick das Wochenende nicht mit einer anderen Frau verbracht hatte. Aber sie sagte nichts, sondern nickte bloß und
lächelte. Zu spät merkte sie, dass ihr Lächeln alles preisgab, was
sie vor Rick hatte verbergen wollen.

«Wissen wir eigentlich schon, welchen Richter wir bekommen?», fragte sie verlegen und stand auf.

Rick lachte mit blendend weißen Zähnen. «Oje. Vielleicht
solltest du dich nochmal setzen.»

Julias Handflächen wurden feucht. Sein Gesichtsausdruck
ließ keinen Zweifel offen, um welchen Richter es sich handelte. «Bitte sag jetzt nicht, es ist der, an den ich denke», sagte
sie und sank zurück auf den Stuhl. «Sag, dass es Henghold ist.
Oder Gibbons. Oder irgendein anderer.»

Rick schüttelte bloß den Kopf. «Tut mir leid.»

Julia seufzte und sank zurück auf ihren Stuhl. «Es ist Farley,
nicht wahr?»

Er lächelte.

KAPITEL 23

SCHAU MICH an!», rief Emma quietschend, während sie in ihrem glitzernden blau-weißen Prinzessinnenkleid in der Küche um die eigene Achse wirbelte. Es war das Kleid, das Jennifer ihr vor wenigen Monaten bei dem Ausflug nach Disney World gekauft hatte. Den Kassenbon hatte sie aufbewahrt, in einem Umschlag mit der Aufschrift *«Kreditkartenabrechnungen»*, ordentlich archiviert in einer Schreibtischschublade, wo die Detectives ihn schließlich fanden. Emma hatte das Kleid über ihren Pyjama gezogen, in der Nacht, in der sie ermordet wurde. Die Detectives vermuteten, dass sie es heimlich anzog, nachdem ihre Mom sie ins Bett gebracht hatte. «Mommy! Schau doch!», rief sie wieder.

«Bist du aber hübsch», sagte Jennifer Marquettes weiche Stimme aus dem Off. Die Kamera schwenkte durch die Küche zu der attraktiven blonden Frau hinter der Küchentheke. Sie hatte einen Schokoladenkuchen vor sich stehen und hielt einen Löffel mit Glasur in der Hand. «Aber mach es nicht schmutzig, Emmi. Wir brauchen es noch für das Schulfest und Halloween. David, bitte», sagte sie dann und schüttelte den Kopf, als sie die Kamera bemerkte. «Halt das Ding auf Emma.»

Folgsam schwenkte die Kamera wieder durch den Raum.

«Wenn ich mich drehe, fliegt es», rief Emma. Sie machte eine Pirouette und sang dabei einen Popsong, den Julia nicht gleich erkannte. Vielleicht etwas von Hillary Duff oder Christina Aguilera. Emmas langes blondes Haar war zu einem Bauernzopf geflochten, der auf ihrem Rücken hin und her hüpfte. Julia sah, dass sie versuchte, sich den Zopf über die Schulter zu schleudern – als Kind hatte Julia das Gleiche getan.

Das Baby lag in einem Tragekörbchen auf der Küchentheke und fing an zu weinen. «Sch, sch, Sophie. Ich bin ja gleich fertig. Mommy ist gleich bei dir», sagte Jennifer, und die Erschöpfung war ihr anzuhören.

Plötzlich sprang ein kleiner barfüßiger Junge in Windeln und einem verschmierten Supermann-T-Shirt herein. «Ich hab Huuunger!»

«Du hast gerade zu Abend gegessen, junger Mann. Vielleicht willst du noch ein paar Karotten, wenn du so viel Hunger hast.»

Danny schüttelte wild den Kopf. Dann stellte er sich auf Zehenspitzen an die Küchentheke und versuchte zu erkennen, was Mommy machte. «Kann ich die Schüssel auslecken?»

«Danny! Ich tanze. Geh weg», verlangte Emma mit einer Schnute und stemmte die Hände in die Hüften.

«Ich will Kuchen», rief Danny, rieb sich die Nase und zog am Hosenbein seiner Mutter. Das zerzauste braune Haar klebte ihm an der verschwitzten Stirn.

«Kommt sofort», rief Jennifer. «Alle mal herhören, der Kuchen ist fertig! Pünktlich zur Geisterstunde. Aber zuerst wird gesungen. Dave, bist du fertig? David?»

Die Kamera wurde wieder auf Jennifer gerichtet, und das Bild wackelte, als der Mann hinter der Kamera nickte. Als die kleine Gruppe in der Küche Happy Birthday sang, folgte die Kamera Jennifer, die den Schokoladenkuchen zum Küchentisch trug und dabei versuchte, den bunten Luftballons auf dem Boden auszuweichen. Dann blies sie die Kerze aus, und alle klatschten Beifall. «Jippie! Ich will Kuchen! Ich will ein großes Stück!», rief Danny. Die kleine Sophie begann wieder zu jammern. Jennifer nahm sie auf den Arm und versuchte, ihr die Flasche zu geben und gleichzeitig mit der anderen Hand ein Stück Kuchen zu essen.

«Guck mal», rief Emma in die Kamera und drehte wieder eine Pirouette, ohne auf das Stück Kuchen zu achten, das Jennifer ihr abgeschnitten hatte. «Guck mal, Daddy. Guck!»

«O nein, nein … Daddy, nein!»

Die Kamera filmte Emma ein paar Minuten lang, bevor die Aufnahme plötzlich abbrach. Schwarzweißes Schneegestöber flimmerte über Julias Bildschirm.

Die Polizei von Coral Gables hatte neunzehn Videokassetten aus dem Haus der Marquettes mitgenommen. Julia hatte jede einzelne kopieren lassen und sich in den letzten Tagen zu Hause auf dem Sofa jedes Band angesehen. Sie hatte gesehen, wie die hübschen Babys eins nach dem anderen aus dem Krankenhaus nach Hause kamen, sorgfältig eingepackt in den Armen der stolzen Mutter. Sie hatte gesehen, wie Danny und Emma Sitzen, Krabbeln, Laufen und Schwimmen lernten. Wie Emma Lesen und Schreiben und Fahrradfahren lernte. Geburtstage und Weihnachten unter einem großen geschmückten Plastiktannenbaum. Sie hatte die Toten gesehen, wie sie atmeten und lachten. Die Bänder waren ihre einzige Verbindung zu einer Familie, die sie nie kennengelernt hatte. Eine Familie, die sie zu sehr an ihre eigene erinnerte …

Wie Danny hatte ihr großer Bruder Andrew als kleiner Junge Matchboxautos gesammelt. Feuerwehrautos vor allem. Einen kleinen roten Feuerwehrtruck nahm er überall mit hin. Einmal hatte er im Kaufhaus etwas angestellt. Hatte er eine Schaufensterpuppe umgeworfen? Sich versteckt? War er ausgerissen? Mama hatte ihn neben den Umkleidekabinen in die Ecke geschickt. Und da stand er, für immer in Julias Erinnerung eingebrannt, mit sieben oder acht Jahren, das rote Feuerwehrauto in der Hand, still und unglaublich stoisch, selbst nach dem festen Klaps auf den Popo, den er von Mom kassiert hatte. Keine Tränen in dem trotzigen, sommersprossigen, von dunklen Locken eingerahmten Gesicht. Als Mama sich wieder der Verkäuferin zuwandte, hatte er Julia mit einem frechen Grinsen zugewinkt, bevor er das Feuerwehrauto unter dem Vorhang in die Umkleidekabine rollte.

Julia schloss die Augen, versuchte, die Erinnerungen auszublenden. Es war lange her, dass sie sich erlaubt hatte, an Andy zu denken. Auch wenn er vier Jahre älter war, hatten sie einander sehr nahegestanden. Mit seinem schiefen Grinsen konnte ihr Bruder die komischsten Grimassen machen. Und er war mutig. Er balancierte auf Eisenbahnschienen, klingelte bei Mrs. Crick an der Tür, obwohl jeder wusste, dass sie eine Hexe war, aß die matschigen roten Beeren von dem unbekannten Busch neben der Garage. Wenn sie mitten in der Nacht von einem Sturm aufwachte, war es Danny, zu dem sie lief. Sie wusste immer noch, wie sein Atem roch, süß von der Zahncreme und der Schokolade, die er nach dem Zähneputzen heimlich aß, wenn er ihr im Dunkeln Geschichten erzählte, um sie abzulenken.

«Heute beim Baseball habe ich einen Homerun geschlagen. Und der Trainer sagt, beim Pitchen bin ich sogar noch besser. Keiner hat den Bogen raus wie ich, hat er gesagt. Er meint, nächstes Jahr soll ich bei den Großen mitspielen. Das wäre so cool …»

Er hatte von einer Zukunft geträumt, die es nie geben würde. Es nutzte nichts, die Erinnerungen waren genauso bittersüß – genauso schmerzhaft – wie damals, als sie begonnen hatte, sie zu verdrängen.

Leise trommelte der Regen gegen die Fenster ihres Wohnzimmers und verwandelte die Straßenbeleuchtung in verschwommen glitzernde, gelbe Streifen. Moose, der Julias Sorgen spürte, sprang zu ihr auf die Couch, rollte sich auf ihrem Schoß zusammen und fiel augenblicklich in tiefen Schlaf. Sie sah zu, wie sich sein Brustkorb unter ihren Fingern hob und senkte. Vor sechs Jahren hatten sie einander gefunden, als er noch ein Welpe war und sie Studentin am College. Er irrte durch den tiefen Schnee, als sie von einem langweiligen Jurakurs zurückkehrte. Er hatte sich die Pfote verletzt, und sein kurzes Fell war räudig, doch seine braunen Augen waren voller Seele. Wahrscheinlich hatte er schlimme Dinge erlebt. Verloren und vollkommen allein in der großen Stadt, wollte er nur eins – überleben, genau wie sie. Zuerst hatte er Angst, doch mit Geduld schaffte sie es, ihn zu sich zu locken. Und als sie ihn endlich hochhob, kuschelte er sich in ihren Schal, als würde er hoffen, dass er endlich am Ende seiner Reise angekommen war. Sie nahm ihn mit nach Hause, badete und fütterte ihn. Der Rest war Geschichte. Seitdem hatte er sich nie mehr als einen Steinwurf von ihr entfernt, wenn es sich vermeiden ließ. Moose war so vertrauensvoll, so verwundbar, dachte sie, als sie ihn jetzt ansah, vor allem, wenn er schlief. Wie ein Kind. Ein Schauer lief ihr über den Rücken, als das Band zu Ende war und der Bildschirm blau wurde.

Sanft schob sie Moose von ihrem Schoß und ging zum Videorecorder. Sie drückte EJECT, und das letzte Band schob sich heraus. Mit dem Handrücken wischte sie sich die Tränen aus dem Gesicht, die ihr über die Wangen liefen, und schob das Video in die Hülle mit der Aufschrift: *Mommys Geburtstag 4. 10. 05.* Dann legte sie es zurück zu den anderen in den Karton mit Beweisstücken.

Jennifer und die Kinder hatten nur noch eine Woche zu leben gehabt, an diesem Tag.

KAPITEL 24

DREI TAGE nach David Marquettes Erster Anhörung und zehn Tage nach ihrer Ermordung wurden Jennifer Marquette und ihre drei Kinder nach Cherry Hill überführt und endlich beerdigt.

Lat und Brill fuhren an der Menschenmenge auf der Treppe der St.-Mary's-Church vorbei, stellten den Mietwagen ab und schlossen sich dem Trauerzug an, als die drei kleinen weißen Särge der Kinder gerade hinter dem der Mutter in die Kirche getragen wurden. Drinnen versuchten vom Kummer gezeichnete Angehörige und Freunde, sich gegenseitig zu trösten. Jennifers Vater hielt eine kurze Ansprache und erinnerte sich, wie er seine Tochter Jahre zuvor an genau diesem Altar dem Mann anvertraut hatte, der jetzt im Verdacht stand, sie ermordet zu haben. Lat, in seinem besten schwarzen Anzug, stand unbehaglich neben Brill. Was Jennifers Vater durchmachte, konnte er sich nicht einmal ansatzweise vorstellen. Er hatte keine Kinder, aber eines wusste er: Wenn er an der Stelle dieses Mannes gewesen wäre, hätte man ihm die Dienstwaffe abnehmen müssen.

Ein paar Stunden später saßen die beiden Detectives auf seidenbespannten Stühlen im Wohnzimmer von Renny und Michael Prowse. Auf dem Tisch vor ihnen lag ein Stapel Fotoalben, daneben standen zwei Tassen mit dampfend heißem Kaffee. Eine alte Kuckucksuhr in der Ecke tickte laut. Die Prowses hatten auf dem Klavier einen Altar für ihre Tochter und ihre Enkelkinder errichtet, mit Fotos und brennenden Kerzen, über den ein gekreuzigter Jesus aus Keramik wachte.

Wie im Haus der Marquettes hingen auch hier überall Familienfotos. Eine lange Reihe von Porträtaufnahmen zeichnete die Entwicklung der drei Prowse-Töchter nach – vom Kindergarten über die Highschool bis zum College-Abschluss. Überhaupt schien jedes wichtige und weniger wichtige Ereignis auf Fotopapier gebannt, gerahmt und aufgehängt worden zu sein, ganz egal, ob die Fotos gelungen waren oder nicht.

Lat ließ seinen Blick durch den Raum schweifen. Hummel-Figuren drängten sich in einer Vitrine, im Wandschrank saß eine Sammlung von Beanie-Babys mit Etikett, und auf dem Kaminsims befand sich ein mit rotem Samt ausgeschlagener Schaukasten voller winziger Kristallfigürchen. Offensichtlich waren die Prowses Sammler. Eine Familie, die sich nicht gern von Erinnerungsstücken trennte.

Anscheinend hatte die gesamte Nachbarschaft ihre Aufwartung gemacht und etwas zu essen vorbeigebracht. Platten, Schüsseln und Töpfe fanden in der Küche keinen Platz mehr und mussten im Wohnzimmer gelagert werden. Der Geruch von Lasagne, Knoblauch, Kaffee und Würstchen erfüllte das Haus. Und offensichtlich riss der Besucherstrom nicht ab, denn es klingelte in einem fort.

«So geht es schon seit einer Woche», sagte Renny Prowse abwesend und stellte eine Platte mit Keksen und Apfelkuchen auf den Tisch. Sie war eine gepflegte Frau Ende fünfzig, trug ein schwarzes Kostüm und hatte die blonden Haare mit einer Spange zurückgebunden. Doch ihr Make-up konnte die dunklen Ringe unter ihren Augen und die vom Weinen gerötete Haut nicht kaschieren. «Die Leute sind so nett zu uns. Dabei kennen wir einige von ihnen nicht mal – oder, Mike?»

«Nein», sagte Mike Prowse, Jennifers Vater, der Lat und Brill gegenüber auf der mit Plastik überzogenen Couch saß, «einige kennen wir nicht mal.»

Jennifers ältere Schwester Joanne saß neben ihrem Vater und

hielt seine Hand. Die jüngere Schwester Janna lehnte schweigend im Türrahmen. Beide waren blond und blauäugig, genau wie ihre Schwester und ihre Mutter. Doch Joanne schien das hässliche Entlein der Familie zu sein. Sie war ungefähr Mitte dreißig, ungeschminkt und trug ein sackartiges Kleid und eine Hornbrille. Janna hingegen war das genaue Gegenteil – Anfang zwanzig, schlank und mit hübschen, ein wenig kokett anmutenden Gesichtszügen.

«Bitte, greifen Sie zu, Detectives», sagte Renny, setzte sich neben ihren Mann und faltete die Hände im Schoß.

Lat hasste diesen Teil des Jobs. Er hatte keine Probleme mit dem Anblick blutiger, verstümmelter Leichen – selbst wenn sie schon verwesten –, aber die Gespräche mit den Familien der Opfer nagten an ihm. So sehr, dass er am Ende immer das Gefühl hatte, ein Stück von sich selbst verloren zu haben. Irgendwann würde seine Seele vollständig aufgezehrt sein. Dann würde er seinen Job an den Nagel hängen und sich mit einer Flasche Whiskey in eine einsame Hütte in den Bergen von Montana zurückziehen, wo die größten Sorgen, mit denen er zu kämpfen hatte, heftiger Schneefall und ein früher Wintereinbruch waren.

In seinen Anfängen als Streifenpolizist in Miami hatte John Latarrino gelernt, sich von seinem Beruf und den Menschen, die er verhaftete, zu distanzieren. Die Verbrecher waren keine normalen Menschen mehr, sondern Täter, Kriminelle, Stricher, Wichser, Arschlöcher. Seine Exfrau Trish, die im Nebenfach Psychologie studiert hatte, erklärte ihm einmal, dass Polizisten die Guten von den Bösen und die Arbeit von ihrem Privatleben trennen, indem sie Menschen mit abfälligen Ausdrücken belegen. Der Gedanke *Wir gegen sie* helfe ihnen, ihre Schicht zu überstehen und selbst in einer Situation, in der sie sich machtlos vorkämen, die Kontrolle wiederzuerlangen. Als Lat vor ein paar Jahren zum Morddezernat versetzt worden war, hatte er begonnen, sich eine professionelle Distanz auch gegenüber dem Tod aufzubauen. Ganz egal, wie grausam die Tat gewesen sein mochte, die Leichen waren keine Menschen, sondern tote Körper. Und seine Aufgabe bestand darin, herauszufinden, wie es dazu gekommen war. Ab diesem Zeitpunkt hatte Trish aufgehört, ihn zu analysieren, und ihn nur noch als kalt und gefühllos bezeichnet. Sechs Monate später hatte sie die Scheidung eingereicht.

Lat wünschte sich weit weg von hier – an einen Tatort, in ein Meeting oder selbst zum verfluchten Zahnarzt. Irgendwo anders, nur nicht hier. Die Familie der Opfer, die verwirrten, rotgeränderten Augen von Renny Prowse, die Fotoalben, die sie hervorgeholt hatte, machten die toten Körper wieder zu Menschen.

«Uns ist klar, dass dies eine schwierige Zeit für Sie alle ist», sagte er leise. «Aber wir müssen versuchen, zu ergründen, warum das alles passiert ist.»

Renny schüttelte hilflos den Kopf. «Wir wissen es nicht, Detective. David ist – er schien solch ein anständiger Mann zu sein. Solch ein guter Vater. Aber …» Sie wischte sich mit einem Taschentuch die Tränen vom Gesicht.

«Aber?», fragte Brill mit vollem Mund. Kekskrümel fielen zu Boden, und Lat warf ihm einen vorwurfsvollen Blick zu.

«Jennifer war schon so lange fort, Detective. Im Gegensatz zu unseren anderen beiden Töchtern lebte sie weit von uns entfernt. Ich konnte ihr nicht helfen, wenn sie mich brauchte. Ich konnte nicht für sie da sein … Ich erinnere mich noch an den Tag, an dem sie aus unserer Einfahrt fuhr – der Wagen voll mit all den Teddybären, die sie über die Jahre gesammelt hatte. In dem Augenblick wusste ich, dass ich sie nicht hätte gehen lassen sollen. Sie war noch nicht bereit für das Erwachsenenleben, verstehen Sie …»

«Jen hat David vor sieben Jahren in der Notaufnahme des

Temple University Hospital kennengelernt», schaltete sich Joanne ein. «Sie war beim Inlineskaten gestürzt, und David machte gerade seine Assistenzzeit. Nach ein paar Monaten beschlossen sie zu heiraten. Jeder mochte David. Er war Arzt, er sah gut aus, er war ...» Sie hielt kurz inne. «Er war einfach großartig. Jen war total verrückt nach ihm.»

«Ja, verrückt», murmelte ihr Vater.

«Sie haben in der St.-Mary's-Church geheiratet, kurz bevor Davids Zeit als Assistenzarzt vorüber war. Meine Eltern haben die ganze Stadt zur Hochzeit eingeladen, und es ist auch fast jeder gekommen», fuhr Joanne fort.

«Genau wie heute», warf Renny ein, beinahe stolz.

«Zwei Wochen später sind sie nach Miami gezogen. Letztes Jahr haben sie sich das Haus in Coral Gables gekauft. Es war ziemlich teuer.»

«Wie oft haben Sie einander gesehen?»

«Zwei- oder dreimal im Jahr. Jennifer versuchte immer, es so einzurichten, dass sie Weihnachten bei uns verbringen konnte», sagte Joanne. «Für uns war es schwierig, zu ihr zu fahren. Wir müssen schließlich arbeiten.» Lat hatte den Eindruck, dass sie großen Wert auf das ‹Wir› legte.

«Wann waren Jennifer und David zum letzten Mal hier?», fragte Brill und nahm sich noch einen Keks.

«Ende Mai. Mom und Dad haben ein Grillfest gegeben.»

«Haben sich die beiden gut verstanden?», fragte Lat.

«O ja», erwiderte Joanne schnell und nickte. «Sie haben sich immer gut verstanden.»

Lat wusste bereits, dass David Marquette seine Assistenzzeit im Oktober 1998 beendet hatte. Emma wurde am 31. März 1999 geboren. Es war also nicht schwer, eins und eins zusammenzuzählen. «Als sie geheiratet haben, war Jennifer schwanger.»

Renny schaute verlegen zu Boden, und Mike schloss kurz die Augen. «Ja, das stimmt», sagte Joanne. «Aber das war nicht der Grund für die Hochzeit. Sie hätten so oder so geheiratet. Emma kam eben nur ein bisschen früher als geplant.»

Offenbar hatte er ein heikles Thema angesprochen. Lat dachte an die Christusfigur auf dem Klavier. «Was ist mit David? Können Sie uns etwas über seine Familie erzählen?», fragte er.

«Nein», sagte Mike verbittert. «Die ist zur Hochzeit nicht erschienen. Sein Vater ist ein angesehener Arzt in Chicago. Angeblich hatte er einen Notfall und konnte deswegen nicht kommen. Aber es kam *niemand* aus der Familie. Absolut niemand.»

«Fanden Sie das nicht merkwürdig?», fragte Brill.

«Mein Vater hat jahrelang kein Wort mit seinem eigenen Vater gesprochen, Detective», erklärte Joanne ruhig und mit einer Spur von Herablassung in der Stimme. «So merkwürdig ist das also gar nicht. In jeder Familie gibt es Zwistigkeiten. Aber wir mochten David, und keiner von uns kann glauben, was passiert ist. Keiner von uns hat es kommen sehen, falls Sie darauf hinauswollen.»

«War David manchmal in gereizter Stimmung? Haben Sie mitbekommen, wie sich die beiden stritten? Hat Jennifer Ihnen jemals von einem Streit erzählt?», fragte Lat.

«Das ist es ja gerade, Detective – die beiden waren das perfekte Paar. Sie haben sich nie gestritten.»

«Oder sie hat es Ihnen nicht erzählt», meldete sich Brill zu Wort.

«Oder das», räumte Joanne zögerlich ein und warf ihm einen kalten Blick zu.

«Wann haben Sie alle zum letzten Mal mit Jennifer gesprochen? Mrs. Prowse?», fragte Lat.

«Zwei Tage bevor sie …» Renny biss sich auf die Lippen. «Normalerweise haben wir dreimal in der Woche miteinander telefoniert. David war nicht in Miami, und sie wollte mit

Emma und Danny Schuhe kaufen. Das war das Letzte, was ich von ihr gehört habe.»

Joanne schüttelte den Kopf. «Ich hatte ein paar Tage vorher mit ihr telefoniert. Sie hat keine Probleme erwähnt.»

Michael Prowse zuckte mit den Schultern. «Ich bin mir nicht ganz sicher. Ich glaube, es war eine Woche vor ihrem Tod. Sie wollte wissen, wie es meinem Fuß geht. Ich war beim Joggen umgeknickt.»

«Und wie ist es mit Ihnen?», fragte Brill Janna.

Janna starrte ihn erschrocken an. «Ich weiß nicht», stotterte sie und verschränkte die Arme vor der Brust. «Vielleicht vor ein paar Wochen.»

«Janna studiert an der Syracuse University, Detective Brill», sagte Joanne in scharfem Tonfall. «Sie ist extra den weiten Weg nach Hause gekommen. Sie hat wirklich viel zu tun.»

Lat seufzte. So kamen sie nicht weiter. «Gibt es irgendetwas, von dem Sie glauben, dass es uns weiterhelfen könnte? Ganz egal, was?»

«Da gibt es schon etwas», begann Jennifers Vater, und seine Stimme zitterte leicht.

«Nein, gar nichts», unterbrach Renny ihn und griff nach seiner Hand. «Hör auf, dich zu quälen, Mike, bitte.» Sie fing wieder an zu weinen.

«Ganz egal, was», wiederholte Lat.

«Verdammt, ich will darüber reden! Endlich will ich es mal aussprechen», rief Michael Prowse laut und bestimmt. Er hielt kurz inne und fuhr dann fort: «David hatte etwas Merkwürdiges an sich.» Tränen traten in seine Augen, und sein Blick schien sich nach innen zu richten, auf eine Gestalt seiner Erinnerung.

Lat vermutete, dass Michael Prowse in den vergangenen anderthalb Wochen um mindestens zehn Jahre gealtert war.

«Irgendetwas stimmte nicht mit ihm», begann Michael

Prowse noch einmal. «Aber ich kann Ihnen nicht genau erklären, was es war. David hatte die Angewohnheit, einen unverwandt anzusehen. Er schaute einfach nicht mehr weg. Wenn er sich mit jemandem unterhielt, hörte er immer ganz genau zu – es war, als würde er einen regelrecht studieren. Und er fand für alles die passenden Worte. Die *absolut richtigen* Worte.»

«Und?», drängte Lat.

Michael blickte Lat in die Augen. Tränen liefen über sein Gesicht. «Genau das meine ich. David Marquette war – er war ...» Er suchte verzweifelt nach dem richtigen Wort. «Er war einfach *zu* perfekt. Und er hat uns alle zum Narren gehalten.»

KAPITEL 25

RENNY BEGANN zu schluchzen und bebte am ganzen Körper. «Hör auf, Mike! Ich will nichts mehr davon hören. Ich ertrage das nicht.»

Lat war unbehaglich zumute. «Möchten Sie, dass wir eine Pause machen, Mr. und Mrs. Prowse? Wir sind auch bald fertig.»

Michael nickte und stand auf. Er schaute sich geistesabwesend um, als müsste er sich daran erinnern, wo er war. «Komm, Liebes, lass uns für einen Moment nach draußen gehen», sagte er zu seiner Frau und führte sie aus dem Wohnzimmer.

Es klingelte an der Tür, und Joanne sprang auf. «Ich kümmere mich darum. Bitte, geben Sie uns allen ein paar Minuten Zeit.» Dann folgte sie ihren Eltern.

Janna stand noch immer neben der Tür zur Küche. Ein unbehagliches Schweigen breitete sich im Raum aus.

«Janna?», begann Brill nach einer Weile. «Könnten Sie mir wohl noch ein paar von den leckeren Keksen besorgen? Ich habe heute Mittag nichts gegessen.»

«Sicher», erwiderte sie und verschwand in der Küche.

Lat starrte Brill an, als hätte er drei Köpfe. «Noch mehr Kekse? Was zum Teufel soll das?»

«Sie hat mit ihrem Schwager gevögelt», verkündete Brill mit einem breiten Grinsen.

«Was?»

«Die kleine Schwester – da ist was im Busch, Boss. Sie weiß was, sie hat irgendwas gesehen, gehört oder getan. Ich bin nicht hundertprozentig sicher, aber ich könnte wetten, dass der Doc ihr Nachhilfe in Anatomie gegeben hat.»

Lat blickte zur Küchentür. «Glaubst du wirklich?»

«Wenn ich mich mit was auskenne, dann mit weiblicher Körpersprache. Sie steht so weit weg von der harmonischen kleinen Familie wie möglich. Hat die Arme verschränkt. Knabbert an ihrer süßen Unterlippe. Schaut wie ein verängstigtes Kaninchen. Und die ältere Schwester übernimmt das Sagen, weil die Mutter langsam zusammenbricht. Niemand soll den guten Namen der Familie in Verruf bringen, auch wir nicht. Daher fürchte ich, dass unsere Unterhaltung mit den Prowses jetzt beendet ist, Boss. Die haben nur das gesehen, was sie sehen wollten. Selbst im Nachhinein geht ihnen kein Licht auf.»

Lat nickte langsam. Er musterte Brill von Kopf bis Fuß, als sähe er ihn zum ersten Mal. «Und weil du mir das sagen wolltest, hast du sie in die Küche geschickt.»

«Nein, weil ich noch Hunger habe. Am liebsten würde ich ja was von dem deftigen Zeug essen», sagte er und deutete auf die Schüsseln und Töpfe auf dem Tisch. «Aber es wäre ziemlich unverschämt, danach zu fragen. Übrigens – du hast diesen Verhörkram wirklich drauf, Sherlock. Rede du mit der Kleinen. Du hast 'nen Draht zu den Leuten, das spür ich.»

In diesem Moment kehrte Janna mit einem Teller voller Kekse in das Wohnzimmer zurück. «Möchten Sie dazu auch noch eine Tasse Kaffee, Detective Brill?»

«Nein danke. Wir möchten, dass Sie sich zu uns setzen, Janna», sagte Lat freundlich, aber bestimmt. Er hoffte, dass Brills sechster Sinn ihn nicht getrogen hatte, denn andernfalls würde er sich am Ende des Tages wie ein Arschloch vorkommen. «Vielleicht gibt es ja etwas, das Sie uns mitteilen wollen, bevor die anderen wiederkommen.»

Janna ließ sich auf die Couch sinken. «Ich – ich weiß gar

nichts», stammelte sie leise und sah sich mit angsterfüllten Augen um.

«Haben Sie mit Ihrem Schwager geschlafen? Oder vielleicht Ihre Schwester?», fragte Brill und griff nach einem Keks.

«Wie bitte?», erwiderte Janna. Sie wirkte zwar überrascht, aber keineswegs entrüstet, dass Brill eine solche Frage überhaupt stellte.

Trotzdem – der Mann besaß einfach kein Taktgefühl. Lat schüttelte den Kopf. «Wir würden gern wissen, ob zwischen Ihnen und David etwas vorgefallen ist. Irgendwas, das uns hilft, aus dieser ganzen Geschichte schlau zu werden. Es hilft uns nicht, wenn wir von allen nur hören, wie wundervoll der Mann war. Wenn Sie beide eine Beziehung hatten, wäre es besser, wenn Sie uns das sagen, bevor wir es von jemand anders erfahren.»

«Er war nicht so toll», sagte Janna nach kurzem Zögern. «Aber ich habe nicht mit ihm geschlafen. Und Joanne auch nicht. Nein, niemals. Joanne ist furchtbar religiös. Sie glaubt, dass sie in der Hölle schmoren wird, wenn sie nicht als Jungfrau in die Ehe geht.»

«Und warum war David nicht so toll, wie alle behaupten?», fragte Lat.

Janna schwieg. Sie verschränkte nervös ihre Finger und blickte sich erneut um. Dann senkte sie die Stimme. «Er wurde mir gegenüber zudringlich. Im Mai, auf dem Grillfest.»

«Hat Jennifer davon gewusst?»

«Ja. Sie sah, dass wir uns unterhielten, und kam zu uns herüber. Sie hörte gerade noch, wie er mich fragte, ob ich mit ihm ausgehen würde, sobald Jennifer im Bett lag.»

«Das war ein Annäherungsversuch?», fragte Lat.

Sowohl Brill als auch Janna warfen ihm einen Blick zu.

«Und wie hat Jennifer reagiert?»

«Sie lief weinend in ihr Zimmer. Sie war gerade schwanger mit Sophie, und alle dachten, es wären die Hormone. Ich habe niemandem etwas davon erzählt, und am nächsten Tag ist David ohne sie zurück nach Miami geflogen.» Janna schwieg für eine Weile. «Offenbar war es nicht das erste Mal. Bei mir schon, aber Jen wusste auch von anderen.»

«Es gab andere Frauen?»

Janna nickte. «Ja, aber ich kenne weder Namen noch Einzelheiten. Es könnten sogar Prostituierte gewesen sein. David ist wohl abends manchmal sehr spät nach Hause gekommen und hat nach Parfüm gerochen. Ich glaube, Jen hat mir die Schuld für das gegeben, was auf dem Grillfest passiert ist. Danach haben wir nie mehr richtig miteinander geredet.»

Endlich. Der perfekte Ehemann war doch nicht so perfekt, sondern ein ziemliches Arschloch.

«Wollte sie ihn verlassen?», fragte Brill. «War vielleicht sogar von Scheidung die Rede?»

Janna schüttelte den Kopf. «Meine Schwester war Männern gegenüber immer unsicher und schüchtern. Als sie David kennenlernte, war sie schon bald wie besessen von ihm. Sie konnte nicht fassen, dass sie tatsächlich solch einen Mann abbekommen hatte. Meinen Eltern und meiner Schwester ist das Ganze nie aufgefallen, nur mir.»

«Und die erste Schwangerschaft?»

Janna zuckte mit den Schultern. «Sie hat nie angedeutet, dass sie es darauf angelegt hätte, schwanger zu werden, damit David sie heiratet. Und so was hätte sie auch nie getan.» Dann stand sie vom Sofa auf und schaute nervös zur Tür. Sie flüsterte: «Ich habe genug gesagt. Aber wenn Sie mich fragen, ob sie ihn verlassen wollte, sage ich Ihnen Folgendes: Jennifer war völlig verrückt nach David. Ganz gleich, was er getan hat, sie hätte ihn niemals verlassen. Niemals. Er wäre sie nicht losgeworden, selbst wenn er es versucht hätte.»

KAPITEL 26

DIESE FAMILIE ist doch total krank», sagte Brill, als Lat und er in den Mietwagen stiegen, um zum Flughafen zu fahren. «Ich bin wirklich froh, dass meine Eltern mir immer nur kräftig den Arsch versohlt haben.» Er zündete sich eine Zigarette an.

Lat sah zu ihm hinüber und runzelte die Stirn. «Ja, stell dir vor, was sonst aus dir geworden wäre. Aber vergiss nicht, dass die Prowses trauern.»

«Sie verdrängen, Boss. Und zwar eine ganze Menge.»

«Natürlich verdrängen sie. Sie durchleben jede Erinnerung an ihre Tochter, ihre Enkelkinder und ihren Schwiegersohn noch einmal und fragen sich, ob alles nur eine Illusion war. Und sie gehen jede Unterhaltung der letzten sieben Jahre durch auf der Suche nach verborgenen Anzeichen dafür, dass ihr Schwiegersohn ein kaltblütiger Psychopath war. Sie fragen sich, ob sie die Katastrophe hätten vorhersehen müssen, ob sie sie hätten verhindern können. Sie verdrängen eine Menge. Denn wenn sie es verdrängen, ist es nie passiert, und sie müssen sich nicht schuldig fühlen.»

Brill starrte Lat verblüfft an. Dann stieß er eine dicke Qualmwolke aus. «Oh, Mann, jetzt wirst du aber tiefgründig.»

«Das sind die fünf Stadien der Trauer. Meine Exfrau hat Psychologie studiert.» Lat wedelte mit der Hand den Qualm fort. «Blas die Scheiße aus dem Fenster, Mann! Ich hab vor sechs Monaten aufgehört.»

«Meine Güte, du hattest es wirklich schwer. Seelenklempner

als Exfrau. Ich nehme das meiste von dem zurück, was ich bisher über dich gedacht habe, Nitschy.»

«Der hieß Nietzsche, du Idiot.»

««Und wenn du lange in den Abgrund blickst, blickt der Abgrund auch in dich hinein.» Pass auf, wen du hier einen Idioten nennst.»

Nun war es Lat, der seinen Partner anstarrte.

«Warum hat eure Ehe nicht funktioniert?», fragte Brill.

«Könntest du mit mir zusammenleben?»

«Gutes Argument.» Brill blinzelte nicht einmal.

Lat seufzte. «Es hat einfach nicht gepasst. Was ist mit dir? Exfrauen? Kinder?»

«Eine Exfrau und ein Exkind.»

«Scheiße.»

«Nur das mit dem Exkind. Lisa, die Exfrau, hat unserer Tochter eine Gehirnwäsche verpasst, also hasst die mich jetzt auch. Mein Geld nimmt sie trotzdem gern. Ich bezahle ihre Collegegebühren, aber sie tut, als gäbe es mich gar nicht. Wenn sie irgendwann aus Transsilvanien auszieht, merkt sie hoffentlich, dass ihre Mutter eine beschissene Blutsaugerin ist. Vielleicht ruft sie ihren alten Herrn dann ja mal an.» Brill pustete den Rauch aus dem offenen Fenster. «Hast du irgendeinen weisen Rat für mich, Nietzsche?»

«Vergiss Nietzsche. Du brauchst Freud.» Lat lachte. «Wie heißt deine Tochter denn?»

«Nicole – Nicky. Sie ist achtzehn. Ich habe sie seit fünf Jahren nicht mehr gesehen, aber damals war sie ein niedliches Ding. Janna Prowse hat mich ein bisschen an sie erinnert.» Er seufzte. «Hey, das ist 'ne ganz schön trübsinnige Unterhaltung, Boss. Hast du eigentlich schon dein Testament gemacht?»

«Lass uns das Thema wechseln. Wenigstens haben wir jetzt ein Motiv für die Tat.»

«Yep. Wenn er versucht hat, ihre jüngere Schwester zu vögeln, wäre sie nicht die erste Frau, die ihre Krallen ausfährt. Und zum Anwalt rennt. Vielleicht wollte sich Jennifer doch scheiden lassen, und David hatte einfach keine Lust, sein sauerverdientes Geld mit ihr zu teilen.»

Lat nickte. «Besonders, wenn er durch einen Trick zur Heirat gezwungen wurde.»

«Dann ist da noch die Lebensversicherung. Auf welche Summe war die Police ausgestellt, die du gefunden hast?»

«Zwei Millionen.»

«Weitere zwei Millionen Gründe.»

«Das Haus hat einiges gekostet, und Marquette muss noch 1,2 Millionen Dollar an Hypotheken abzahlen. Gar nicht so viel, wenn man bedenkt, dass der Typ Chirurg ist.»

«Ich habe einen Freund aus der Grundschule, der oben in Connecticut Chirurg ist. Vor ein paar Jahren haben wir uns auf einem Klassentreffen gesehen. Er meint, dass mit Medizin heute nicht mehr viel zu holen ist. Jedenfalls nicht so viel, wie die Leute denken. Er sagt, die hundert Mille für die Uni haben sich nicht ausgezahlt.»

«Vielleicht ist dein Freund ein schlechter Chirurg.» Lat schwieg einen Moment. «Aber selbst, wenn er knapp bei Kasse war und beschlossen hat, die Lebensversicherung seiner Frau zu kassieren, warum die Kinder? Das will mir nicht in den Kopf.»

Auf eine Ehefrau konnte man vielleicht wütend genug sein, um zuzustechen. Aber auf einen Dreijährigen in Windeln? Das ist einfach verrückt. Auf einen Säugling? Auf ein kleines Mädchen im Cinderella-Kostüm?

Brill zuckte mit den Schultern. «Vielleicht wollte er die Vergangenheit auslöschen. Vielleicht hatte er einfach keinen Bock mehr auf den Vater-Job. Wäre ja nicht das erste Mal. Erinnerst du dich noch an Wesson, diesen Freak aus Kalifornien, der seine neun Kinder durch Kopfschüsse getötet hat?

Oder an den Typen, der seine Frau so sehr hasste, dass er mit seinen zwei Kindern quer durchs Land gefahren ist, sie umgebracht, irgendwo vergraben und sich schließlich selbst erschossen hat, nur damit seine Frau die Leichen nicht findet? Nicht zu vergessen Jeffrey McDonald. Er hat ebenfalls seine Frau und seine drei Kinder abgemurkst, und der war auch Arzt. Aber ich muss dich nicht über die ganzen verdammten Irren dieser Welt aufklären. Du brauchst bloß die Zeitung aufzuschlagen.» Brill schnippte seine Zigarette aus dem Fenster. «Ich hasse Ärzte», fuhr er fort. «Ich traue ihnen nicht, und deswegen gehe ich auch nicht hin. Die haben doch alle einen Gotteskomplex. Mein Dad war mal bei einem – das erste Mal in zwanzig Jahren, dass er sich durchchecken lässt. Er geht lachend zur Tür rein, gesund wie ein Pferd. Dann schleift ihn dieser Idiot in Weiß zu so 'ner Tretmühle und lässt ihn laufen, als ob der Teufel hinter ihm her wäre. Zwei Stunden später liegt mein Dad im Krankenhaus. Zwei Tage später ist er tot. Das ist doch unfassbar, oder nicht?»

In diesem Moment klingelte Lats Handy.

Brill zündete sich eine weitere Zigarette an und sah aus dem Fenster. Sie fuhren gerade an einer riesigen Fabrikanlage vorbei, deren Schornsteine weißen Rauch in den Himmel stießen, zu einer riesigen giftigen Wolke über der Stadt. Brill war noch nie in Philadelphia gewesen, und jetzt wusste er auch, warum. Die kahlen Bäume, der graue Himmel und der Dauerregen deprimierten ihn. Brill, wie so viele zugereiste New Yorker, war lange genug in Florida, um unter Entzugserscheinungen zu leiden, sobald er weg war. Er brauchte das grüne Gras, den blauen Himmel und die weißhaarigen Golfer in ihren karierten Hosen.

Zwei Minuten später legte Lat auf. «Unsere schöne Theorie ist dahin», sagte er seufzend. «Das war das Labor.»

Brill sah Lat an. «Das Messer passt nicht?»

«Doch, das Messer passt. Aber etwas anderes passt nicht.»

«Das gibt's doch nicht», sagte Brill und setzte sich ruckartig auf.

Lat schlug mit der Hand auf das Lenkrad. «Das Sperma, das auf Jennifers Nachthemd gefunden wurde, stammt nicht von ihrem Mann.»

KAPITEL 27

NORAS UND Jimmys Apartmentblock stand einge-
klemmt zwischen zwei Hochhäusern am südlichen
Ende des übervölkerten Strands von Fort Lauderdale, das Galt
Mile genannt wurde. Julia parkte ihren Honda auf dem Parkplatz mit der knallgelben Markierung NUR FÜR GÄSTE.
Nachdem sie den Motor abgestellt hatte, blieb sie einen Augenblick sitzen, um den Wellen des Atlantiks zu lauschen, die
im Schatten des Gebäudes sanft an die Küste rollten. Die Sonne stand bereits tief und tauchte den Himmel über dem Intra-
coastal Waterway im Westen in warmes, orangerotes Licht, das
von kupferroten Streifen und einem zarten Schleier violetter
Wolken durchzogen war. Die Luft schmeckte nach Salz und
Kokosnussöl – wie Pina Coladas und Margaritas. Julia liebte
diese Tageszeit, und sie liebte den Strand. Noch dazu war endlich Freitag. Sie spürte, wie der Stress der letzten Woche allmählich von ihr abfiel. Dann griff sie nach der Macy's-Tüte auf
dem Beifahrersitz und der Flasche mit dem Lieblings-Chianti
ihres Onkels und überquerte den Parkplatz.

Während des verrückten Immobilienbooms im Süden Floridas in den letzten fünf Jahren hatten reiche und prominente
Investoren wie Donald Trump viele der älteren, heruntergekommenen Hotels und Hochhäuser aufgekauft. Sie reno-
vierten die Gebäude oder rissen sie ab, um neue Anlagen zu
bauen, genau wie sie es ein paar Jahre zuvor in Miami Beach
getan hatten. Das lange überfällige und sündhaft teure Face-
lifting verwandelte Fort Lauderdale allmählich in eine mo-

derne, schicke Stadt am Meer. Das amerikanische Venedig, wie es der Bürgermeister nannte, in der Hoffnung, der vielversprechende Spitzname möge sich durchsetzen.

An der Galt Mile jedoch war diese Entwicklung spurlos vorübergegangen. Während anderswo die Immobilienpreise in die Höhe schossen und sich die Makler nach jungen, trendigen Käufern umsahen, schien in diesem Teil von Fort Lauderdale die Zeit stehengeblieben zu sein. An der Mile wohnten seit eh und je Rentner – Haustiere, Untermieter und Kinder verboten.

Mit ihrem Gehalt und viel Glück konnte sich Julia gerade mal die Einzimmerwohnung westlich der Autobahn leisten, und falls sie nicht im Lotto gewann, würde ein Zuhause direkt am Strand auf absehbare Zeit ein Wunschtraum bleiben. Julias Tante und Onkel dagegen hatten ihre Wohnung schon vor zwanzig Jahren als Ferienwohnsitz gekauft – für einen Apfel und ein Ei. Innerhalb von einer Woche hatten sie es mit Hilfe von Julias Eltern eingerichtet, bis hin zu den Tischsets aus dem Katalog. Dann, als Julia später auszog, um zur Uni zu gehen, und Onkel Jimmy seinen Bandscheibenvorfall hatte, waren Jimmy und Nora schließlich ganz in den Süden übergesiedelt.

Julia war sieben oder acht Jahre alt gewesen, als Tante Nora und Onkel Jimmy die Eigentumswohnung kauften, aber sie erinnerte sich noch gut an die Zeit, bevor es in den Korridoren nach Kohl roch und das dunkelrote Blumenmuster der Tapeten in der Lobby verblichen war. Vielleicht war ihr der erste Besuch in Tante Noras Feriendomizil deshalb so lebhaft in Erinnerung geblieben, weil ihre Eltern ihn mit einem Ausflug nach Disney World kombiniert hatten. Ein paar verschwommene Schnappschüsse aus glücklichen Zeiten. Sie erinnerte sich an die schier endlose Fahrt im Familienkombi, der nach saurer Milch stank, weil ihr Bruder Andrew eine Woche zuvor eine ganze Tüte

Kakao auf dem Rücksitz ausgeschüttet hatte. Das Frühstück bei *McDonald's*. Die Pausen an der Interstate 95, damit ihr Vater alle möglichen Pflanzen sammeln konnte. Die Kämpfe mit Andy, weil jeder von ihnen den Kopf zum Schlafen auf die Mittelkonsole legen wollte. Abendessen bei *Stuckey's* oder *Denny's* oder *Shoney's*. Wie sie in den Motel-Pools Haifisch und Marco Polo und Qualle gespielt hatten. Aber die deutlichste Erinnerung war die an ihre Mutter. Lächelnd, in Jeans und einem orangefarbenen T-Shirt, wie sie mit einem Strauß Plastikblumen durch McCrorys Kaufhaus lief. «Die sind perfekt, Nora!», rief sie ihrer Schwester zu. «Einfach perfekt.»

Das Billigkaufhaus gab es längst nicht mehr, und ihre Mutter war tot, doch immer, wenn Julia an sie dachte, sah sie diese Szene vor sich. Ihre Mutter war nur wenige Jahre älter als Julia jetzt, sie trug ihr langes, braunes Haar offen und roch nach dem zitronigen Duft von Jean Nate und Bubblegum. Jener Augenblick hatte sich mit jedem Detail fest in ihr Gedächtnis eingebrannt – nur an eines konnte Julia sich seltsamerweise nicht erinnern: an die Farbe der Blumen in ihrer Hand. Merkwürdig, denn der Strauß stand heute noch in Noras Badezimmer, und Julia sah ihn jedes Mal, wenn sie zu Besuch kam.

Sie schüttelte die Erinnerungen ab, durchquerte die muffige, warme Eingangshalle und nickte dem weißhaarigen Sicherheitsmann zu, der sich auf einem tragbaren Fernseher eine Gerichtssendung anschaute und wahrscheinlich nicht einmal aufgesehen hätte, wenn sie mit einem Tarnanzug und einer Skimaske bekleidet gewesen wäre. Im Aufenthaltsraum wurde an einigen Tischen Bridge gespielt, an anderen heftig gezankt. Für den späten Freitagnachmittag war erstaunlich viel los.

Julia nahm den Fahrstuhl in den zehnten Stock. Sobald sich die Türen öffneten, hörte sie aus jeder Wohnung das Geplärr von Nachmittagstalkshows oder Gerichtssendungen. Heute roch es in dem neonbeleuchteten Korridor nach Hühnersuppe, Kohl und gekochten Eiern. Vor der Tür zu Wohnung 1052 stieg ihr der Duft von Würstchen, Paprika und brutzelndem Knoblauch in die Nase. Noch bevor sie klingeln konnte, wurde die Tür aufgerissen, und Moose kam herausgerannt, kläffte glücklich und führte ein kleines Tänzchen auf.

«Onkel Jimmy», sagte sie lächelnd und streichelte Moose, bevor sich die Nachbarn an seinem Kläffen stören konnten. «Alles Gute zum Hochzeitstag! Woher wusstest du, dass ich vor der Tür stehe?»

«Hallo, Kleines», sagte Jimmy und warf wie immer einen prüfenden Blick in den Korridor. Julia hatte keine Ahnung, warum. Vielleicht erwartete er, dass sie jemanden mitgebracht hatte, oder wollte sichergehen, dass ihr niemand gefolgt war. «Freddy hat Bescheid gesagt.»

Sie sah ihn fragend an. «Wer ist Freddy?»

«Fred. Der Wachmann in der Eingangshalle. Er hat angerufen und gesagt, dass du unterwegs bist.»

Gut, dass sie die Skimaske im Auto gelassen hatte. «Wo ist Tante Nora?», fragte sie, gab ihrem Onkel einen Kuss und betrat das in Mauve und Grau gehaltene Wohnzimmer, dass sich in den letzten dreiundzwanzig Jahren kein bisschen verändert hatte. In einer Ecke stand sogar ein malvenfarbener Hundekorb für Moose und eine Kiste mit Hundespielzeug, das dem Vergleich mit Paris Hiltons Chihuahua-Ausrüstung standgehalten hätte.

Wie aufs Stichwort kam Tante Nora mit einem Kochlöffel in der Hand aus der Küche. «Da bist du ja endlich!», rief sie, drückte Julia an ihren stattlichen Busen und gab ihr einen festen Kuss auf die Wange. «Wir haben uns schon Sorgen gemacht.» Julia erwiderte die Umarmung.

Nora war die ältere und einzige Schwester von Irene, Julias Mutter. Nach dem Tod ihrer Eltern vor vierzehn Jahren hatten Tante Nora und Onkel Jimmy Julia bei sich aufgenommen. Sie war dreizehn Jahre alt gewesen – alt genug, um zu begreifen, was um sie herum geschah und dass sie ab sofort bei dem Onkel und der Tante auf Staten Island leben würde, wo das Sonntagsessen mit einem Haufen schräger italienischer Verwandter immer den ganzen Tag dauerte. Auf der Heimfahrt nach Long Island hatte ihr Dad immer betont, dass die schrägen Vögel von Jimmys Seite kamen.

Ihr Vater hatte keine Familie. Sein einziger Bruder hatte als Teenager Selbstmord begangen, und seine Eltern waren beide gestorben, als Julia vier war. Sie erinnerte sich nicht einmal an sie.

Nora und Jimmy konnten selbst keine Kinder bekommen, und nachdem die Tragödie passiert war, nahmen sie Julia wie eine Tochter auf. Sie liebten und beschützten sie. Und behandelten sie wie ein zerbrechliches Porzellanpüppchen, das jeden Moment in tausend Stücke zerbrechen konnte. Doch bei Nora gab es auch Regeln. Verrückte Regeln. Von dem Tag an, als Julia in Great Kills die Schwelle übertrat – eine einzige flauschige lila Tasche mit ein paar Kleidern in einer Hand und einen Schuhkarton mit Schätzen in der anderen –, waren bestimmte Themen verboten. Fotos verschwanden einfach, und liebevoll gehütete Andenken wurden stillschweigend beiseitegeräumt. Tante Nora verarbeitete den Verlust ihrer einzigen Schwester, indem sie den Schmerz aus ihrem Haus verbannte. Bestimmte Andenken und Bilder wurden durch Schnickschnack ersetzt, Tante Nora hängte ausschließlich Fotos von Julia und ihrer Mutter aus glücklichen Tagen in der Wohnung auf.

Anders als ihre Tante hatte Julia über die Jahre nur gelernt, ihre Trauer zu verstecken. Mit Umarmungen, Küssen und Tonnen von Cannoli versuchte Tante Nora, Julias Kummer zu lindern, doch die Seelenqualen hatten nie aufgehört. Die Zeit hatte ihren chronischen Schmerz nur gedämpft. Und manchmal brach er sich mit zerstörerischer Wucht Bahn, und dann brauchte Julia all ihre Kraft, um nicht im gefährlichen Strudel des Selbstmitleids zu ertrinken. Oder eine gute Flasche Wein.

Sie konnte es ihrer Tante nicht einmal zum Vorwurf machen, dass sie versuchte, die Vergangenheit völlig aus ihrem Leben zu verbannen. Und wenn man bedachte, dass aus Julia eine erfolgreiche Anwältin geworden war, die weder rauchte noch Drogen nahm, noch zum Frühstück Psychopharmaka mit Bourbon herunterspülte, schien Tante Noras Prinzip Erfolg gehabt zu haben. Fast fünfzehn Jahre später war sie zumindest äußerlich immer noch heil, während andere längst zerbrochen wären.

«Komm mit», sagte Tante Nora und zog Julia hinter sich her in die Küche. «Und du hörst auf zu betteln», schalt sie Moose und schwenkte den Kochlöffel, während sie ihm einen Leckerbissen zuwarf.

«Warum hast du denn gekocht? Ich wollte euch doch zum Essen einladen», sagte Julia, obwohl sie wusste, wie lächerlich dieser Vorschlag war. Tante Nora glaubte, dass niemand auf der Welt so gut kochen konnte wie sie – und sie hatte recht.

«Wo kriegt man denn heutzutage noch Würstchen mit Paprika, die nicht zäh wie Schuhsohlen sind? Du solltest dein Geld lieber sparen, Kleines.»

Julia lächelte. «Alles Gute zum Hochzeitstag», sagte sie und überreichte ihrer Tante das Geschenk von Macy's.

Onkel Jimmy trat mit einem vollen Weinglas neben sie. «Wie läuft denn der große Fall, an dem du gerade arbeitest?», fragte er und reichte ihr das Glas. «Ich hab dich noch gar nicht im Fernsehen gesehen.»

«Er hält die ganze Zeit nach dir Ausschau», warf ihre Tante ein, während sie die Gurken für einen Salat schnitt, von dem die gesamte Etage satt geworden wäre. «Ich habe all unseren Nachbarn erzählt, dass meine Julia berühmt wird.»

Julia griff nach einem Stück Gurke und versuchte, einen beiläufigen Tonfall anzuschlagen. «Eigentlich sollte ich gar nicht darüber reden.» Als sie ihrer Tante neulich abends bei Kotelett und Ravioli erzählte, dass sie an einem richtig großen Fall mitarbeiten würde, hatte sie wie zufällig vergessen zu erwähnen, um welchen Fall es sich handelte. «Aber es ist wirklich aufregend. Mein erster Mordfall, Onkel Jimmy. Ein Staatsanwalt von *Major Crimes* hat mich gebeten, den Fall mit ihm zusammen zu verhandeln. Stell dir vor, ich habe den Tatort besichtigt, ich kümmere mich um die Zeugenvernehmungen und bereite den Fall für die Grand Jury vor, die nächste Woche zusammentritt.»

«Worum genau geht es denn? Was hat der Kerl angestellt?», fragte Jimmy.

Julia trank einen Schluck Wein. «Er bekommt vielleicht die Todesstrafe.»

«Ach du meine Güte!», rief Nora stirnrunzelnd.

«Was hat er getan?», fragte Jimmy erneut.

Julia zögerte und trank noch einen Schluck. «Es ist der Fall der Ärztefamilie, Onkel Jimmy. Du weißt schon, der Mann, der seine Familie umgebracht hat.»

Tante Nora erstarrte.

«Wirst du im Fernsehen auftreten?», fragte Jimmy und warf Nora einen verstohlenen Blick zu.

«Vielleicht, aber ich bin ja nur zweite Anwältin.»

«So so, zweite Garnitur», murmelte Onkel Jimmy und nickte geistesabwesend in Richtung des kleinen Fernsehers, der auf der Anrichte stand. Der Moderator sprach gerade über die Miami Dolphins.

«Ist das der Mann, über den sie in den Zeitungen schreiben?», fragte Tante Nora. «Der mit der Frau aus Jersey?»

Sowohl im *Herald* als auch im *Sun Sentinel* waren letzte Woche Bilder von der Beerdigung abgedruckt worden. «Ja», erwiderte Julia leise. Sie wich Noras Blick aus und starrte in ihr Weinglas.

Sie hatte vorgehabt, zur Beerdigung zu gehen, bis sie erfahren hatte, dass die Leichen nach Philadelphia überführt wurden. Aus irgendeinem Grund hattes sie das Bedürfnis, sich von der Familie zu verabschieden, deren Tod sie ahnden würde. Sie wollte Jennifers Familie und Freunde kennenlernen. Sie wusste, dass sich ein Staatsanwalt normalerweise nicht derart intensiv mit den Opfern beschäftigte – zumindest nicht in Miami –, aber für Julia war es kein normaler Fall. Für sie waren Jennifer, Danny, Emma und Sophie mehr als nur Namen auf einem Blatt Papier. Sie fühlte sich auf eigenartige Weise mit ihnen verbunden, und das war es, was ihr in den blutverschmierten Fluren am Tatort so zugesetzt hatte. Auf einmal waren die schrecklichen Erinnerungen wieder da, die Albträume, so schlimm wie seit Jahren nicht mehr. Wenn Julia kurz vor dem Morgengrauen schweißgebadet aufwachte, lag sie mit aufgerissenen Augen in der Dunkelheit und überlegte ernsthaft, ob es nicht besser wäre, den Fall abzugeben. Sich von all dem abzuwenden, das ihr jene eine Nacht wieder in Erinnerung rief. Sie wollte davonrennen mit dem dumpfen Pochen, das von ihrem Schmerz übriggeblieben war. Doch sie kam einfach nicht von dem Fall los. Je länger sie sich mit ihm beschäftigte und je größer ihre Angst wurde, desto stärker schlug er sie in seinen Bann. Und wenn schließlich das Tageslicht durch die Fenster fiel und die dunklen Schatten vertrieb, lösten sich ihre Zweifel in Luft auf.

«Heilige Mutter Gottes», sagte Nora, legte das Messer hin und stützte die Hände auf der Spüle ab.

Julia wandte sich wieder ihrem Onkel zu. «Wie gesagt, ich verhandle den Fall gemeinsam mit einem Staatsanwalt von *Major Crimes*. Sein Name ist Rick Bellido. Vielleicht bringe ich ihn mal mit und stelle ihn euch vor. Ich bin sicher, dass deine Soßen ihn begeistern würden, Tante Nora.»

«Ich mag es nicht, dass du mit solchen Leuten in Berührung

kommst, Julia.» Noras Stimme klang verbittert. «Du solltest nichts mit Kriminellen zu tun haben. Das ist nicht gut für dich.»

«Kriminelle sind für niemanden gut, Tante Nora. Und ich sorge dafür, dass sie für ihre Taten bestraft werden.»

«Das klingt nach etwas Ernstem», sagte Onkel Jimmy, den Blick immer noch auf den Fernseher gerichtet. «Ist dieser Staatsanwalt dein Freund?»

Andere mochten es seltsam und verwirrend finden, gleichzeitig zwei völlig unterschiedliche Unterhaltungen zu führen, doch Julia war daran gewöhnt. «Ehrlich gesagt weiß ich das nicht so genau, Onkel Jimmy. Vielleicht. Hoffentlich. Ich arbeite daran.»

«Du hast einen Freund?», fragte Nora mit hochgezogenen Augenbrauen. Jimmy verschwand ins Wohnzimmer.

«Ich sagte, vielleicht.» Julia hob abwehrend die Hände. «Wir sind einmal miteinander ausgegangen, das ist alles.» Als Rick sagte, er hätte sie vermisst, hatte er einiges wiedergutgemacht. Auch wenn sie sich immer noch nicht den Samstagabend für ihn freihielt. Morgen Abend hatte er sie offiziell zum Essen eingeladen – ins *Prime 112*, ein In-Lokal in Miami Beach.

«Ich will ihn kennenlernen», sagte Nora.

«Mal sehen», erwiderte sie und trank ihren Wein aus. Mal sehen, was ihre Tante sagte, wenn sie herausfand, dass Julias neuer Liebhaber nicht viel jünger war als Nora selbst. «Wann können wir denn essen? Das duftet wirklich verführerisch.» Sie nahm die Salatschüssel und wollte ins Esszimmer gehen.

Doch Tante Nora hielt sie am Arm fest. «Hör mal, Liebes. Jimmy und ich waren nie dafür, dass du zur Staatsanwaltschaft gehst. Was ist denn so schlimm an einem Posten in einer Anwaltskanzlei? Dort hast du nette Kollegen, verdienst viel Geld, findest vielleicht einen guten Mann … Ich mache mir schreckliche Sorgen um dich, jeden Tag. Du bist zwar erwachsen und musst selbst entscheiden, was du mit deinem Leben anfängst, aber» – sie senkte ihre Stimme zu einem Flüstern – «ich möchte, dass du die Finger von *diesem* Fall lässt. Ich habe darüber gelesen. Bitte, ich flehe dich an. Er ist zu nah dran, Julia. Er bringt nur –» Sie suchte nach dem richtigen Wort. Einem Wort, das ein ganzes Leben voller Tränen und Einsamkeit, Albträume und gestohlener Erinnerungen beschreiben konnte. «Er bringt nur – *Verzweiflung*.»

Julia biss sich auf die Lippen und blinzelte die Tränen fort, die ihr in die Augen traten. Sie nickte und wandte sich schnell ab, damit ihre Tante nichts bemerkte. Dann trug sie die Salatschüssel ins Esszimmer.

Tante Nora hatte keine Ahnung, wie recht sie hatte.

KAPITEL 28

ALS DIE Digitalanzeige des Weckers von 3 Uhr 59 auf 4 Uhr 00 sprang, gab Julia auf. Es war sinnlos, weiter mit geschlossenen Augen zu warten; der Schlaf würde heute Nacht nicht zurückkommen. Im Dunkeln stand sie auf, warf sich den Morgenmantel über und tappte in das kalte Wohnzimmer. Während sie ihr Haar zu einem Knoten schlang, blickte sie aus dem Fenster. Ihre Haut war feucht, weil sie wieder geschwitzt hatte, und sie schlang den Morgenmantel enger um sich. Unten begann die Sprinkleranlage gerade, den Rasen und die verschlungenen Fußwege zu wässern, die zu den verschiedenen zu dem Komplex gehörenden Gebäuden führten. Der Himmel war schwarz, die Straße menschenleer. Julia ging in die Küche und setzte Teewasser auf. Dann kehrte sie ins Wohnzimmer zurück und sank auf die Couch. Sie beneidete Moose, der in ihrem Bett irgendwo unter der Decke lag und tief und fest schlief.

Julia hasste es, darauf zu warten, dass die Welt um sie endlich erwachte. In den ersten Jahren bei Tante Nora und Onkel Jimmy war es am schlimmsten gewesen. Mit Glück schlief sie drei oder vier Stunden. Doch die meiste Zeit starrte sie aus dem Fenster auf die leere Straße und sah zu, wie betrunkene Nachbarn nach Hause kamen und andere zur Arbeit aufbrachen, lange bevor die Sonne aufging. Nacht für Nacht sah sie zu, wie aus Winter Frühling wurde, aus Frühling Sommer, aus Sommer Herbst, aus Herbst wieder Winter. Und jede Nacht wünschte sie, sie wäre einer dieser Nachbarn, mit einem anderen Leben, mit anderen Sorgen. Sorgen, die manchmal vielleicht schwer, ja, verheerend schienen. Aber Julia wusste, dass sie es nicht waren. In manchen Nächten, wenn die Einsamkeit und der Schmerz sie zu überwältigen drohten, schlich sie sich hinaus und wanderte trotzig durch die fremden Straßen von Staten Island oder nahm die Fähre nach Manhattan, in der Hoffnung, irgendein Räuber oder Vergewaltiger oder Mörder würde sie finden und endlich tun, was sie selbst nicht fertigbrachte. Doch der Wunsch ging nicht in Erfüllung.

Jetzt starrte sie auf den schwarzen Fernsehschirm und rieb gedankenverloren die Füße aneinander. Albtraumhafte Bilder schossen ihr durch den Kopf und jagten ihr eine Gänsehaut über den Rücken. Sie kniff die Augen zu und kämpfte mit den Tränen und ihren Erinnerungen, die immer wieder aufbrachen wie eine eitrige Wunde.

«Julia? Julia? Wach auf!»

Sie hörte die Worte, aber sie klangen so weit entfernt – zu weit, um real zu sein. Julia vergrub den Kopf im Kissen und streckte die Hand nach der Person aus, die ihren Namen gerufen hatte. Doch der Abstand zwischen ihnen schien sich mit jeder Sekunde zu vergrößern. Sie blinzelte und versuchte, das Gesicht der Person zu erkennen, das nur ein verschwommener Schatten war. Erst als sie die kalten Hände auf den Schultern spürte, die sie wach rüttelten, verstand sie, dass die Stimme kein Traum gewesen war.

«Du musst aufstehen, Julia.»

Ihre Augenlider waren schwer wie Blei, und es kam ihr vor, als sei sie erst vor wenigen Minuten eingeschlafen. Das Zimmer war eiskalt, und sie erinnerte sich, dass Schnee angekündigt war. Langsam öffnete sie die Augen. Der Mond schien auf die kahlen Äste der Ulme vor dem Fenster. Wie viel Uhr war es? War morgen nicht Sonntag? Dann musste sie erst um zehn wieder zu Hause sein. Julia blinzelte, setzte sich auf und sah hinüber zum Bett ihrer besten Freundin Carly. Carly kaute auf einer Strähne ihres braunen Haars herum und sah schnell weg, als sich ihre Blicke kreuzten. Sie wirkte irgendwie – ängstlich.

Mrs. Hogan, Carlys Mutter, stand über Julias Bett gebeugt, in Nachthemd und Bademantel. Sie hatte den gleichen eigenartigen Gesichtsausdruck wie ihre Tochter. Mit einer Hand hielt sie sich den rosa Frottémantel an der Brust zu.

«Was ist denn los?», fragte Julia. «Ist etwas passiert?»

Mrs. Hogan zögerte einen Moment. «Zwei Polizisten sind hier, Kleines. Unten im Wohnzimmer. Sie möchten gern mit dir reden.» Sie flüsterte, als hätte sie Angst, das übrige Haus aufzuwecken.

«Polizisten?» Julia nahm die Kleidungsstücke, die Mrs. Hogan ihr reichte, und schüttelte ungläubig den Kopf. Was hatte das zu bedeuten? Ihr Herz klopfte wie wild, und plötzlich hatte sie einen Kloß im Hals. Sie fühlte sich schuldig, obwohl sie wusste, dass sie nichts angestellt hatte. Sie drehte sich wieder zu ihrer Freundin um. Carly sah immer noch verängstigt aus, und diesmal war es Julia, die schnell wegschaute. Während sie die Jeans anzog, ließ sie ihren Blick durch das Zimmer schweifen. Es war blaulila gestrichen – Carly hatte sich die Farbe selbst aussuchen dürfen. U2-Poster bedeckten die Wände, und von der Decke hingen Mobiles aus neongelben und rosafarbenen Schmetterlingen. Außerdem hatte Carly ein eigenes Telefon. Julia beneidete ihre Freundin um ihr cooles Zimmer.

Sie zog den Pullover über ihr Schlafanzugoberteil und schlüpfte in die Turnschuhe. «Was wollen die Polizisten denn?», fragte sie, während sie sich die Schnürsenkel zuband. «Ich habe nichts angestellt, Mrs. Hogan, glauben Sie mir.»

Mrs. Hogan begann zu weinen. «Es geht nicht um dich, Julia, du hast nichts –» Sie verstummte und umarmte Julia fest. Dann wischte sie sich die Tränen von den Wangen und faltete den Schlafsack zusammen.

«Es ist etwas passiert, Liebes. Du musst nach Hause.»

Julia öffnete die Augen und sah sich hilflos im dunklen, stillen Wohnzimmer um. Ihr Herz raste.

In der Küche hatte der Wasserkessel angefangen zu pfeifen.

KAPITEL 29

MARISOL ALFONSO, die berühmt-berüchtigte Sekretärin, saß an ihrem Platz im Sekretariatsbereich der *Major Crimes* und telefonierte. Breit grinsend schwatzte sie vor sich hin und wickelte die Telefonschnur um weiß-pink gestreifte Fingernägel, die so lang waren, dass sie sich wie Klauen bogen. Rick hatte recht – sie war nicht zu übersehen. Obwohl sie bisher nur am Telefon mit ihr gesprochen hatte, erkannte Julia sie sofort. Marisol war von Kopf bis Fuß in verschiedene Pink-Töne gekleidet. Die Lippen waren mit pinkfarbenem Lipgloss geschminkt, ein mit pinkfarbenen Rosen gemustertes Haarband bändigte die schwarze, wildgelockte Mähne. Sie trug eine hautenge, pinkfarbene Cordhose, über deren Bund eine Hautfalte schwappte. Auf dem knallengen rosa T-Shirt, das ihre großen Brüste betonte, stand mit Strasssteinen die Aufschrift «*BRAD WHO?*» – wahrscheinlich Marisols Kommentar zu Brad Pitts Scheidung.

Die Vernehmungen von John Latarrino und Steve Brill waren für zehn Uhr angesetzt, doch es war schon Viertel nach, als Julia sich den Weg durch das Labyrinth der Schreibtische bahnte, um mit einem künstlichen Lächeln auf den Lippen Marisols farbenfrohe Ecke der Welt zu betreten. Geduldig wartete sie, bis Marisol sie endlich beachtete und den Hörer auflegte. Das einzige Geräusch in dem Raum voller Frauen – abgesehen vom Klingeln der Telefone und Faxgeräte – bestand aus den affektierten Lachsalven von Ricks Sekretärin.

Man benötigte keine neunzig Minuten Analyse, um zu

durchschauen, warum mit Marisol Alfonso niemand zurechtkam. Julia hatten schon die dreißig Sekunden des Telefonats
letzte Woche gereicht. Marisol hatte ihr mit selbstgefälligem
kubanischen Akzent klargemacht, dass sie auch so schon genug
zu tun habe und es daher überhaupt nicht einsehe, die Arbeit
für eine Staatsanwältin zu erledigen, die noch nicht einmal für
Major Crimes arbeitete und außerdem eine eigene Sekretärin
hatte. Und Marisol hielt Wort. Sie hatte keine Vorladungen
verschickt, keine Vernehmungstermine gemacht, keinen ihrer
perfekt manikürten Finger gerührt. Und da sie bereits seit
mehr als dreizehn Jahren auf der Gehaltsliste der Regierung
stand, konnte niemand sie zu irgendetwas zwingen – schon
gar nicht Julia.

Unter gewöhnlichen Umständen ließ Julia Valenciano sich
nicht auf der Nase herumtanzen, aber dies waren keine gewöhnlichen Umstände. Sie würde sich die Zunge abbeißen,
bevor sie sich bei Rick beschwerte, dass seine Sekretärin ein
unverschämtes, faules Stück war. Drei Jahre bei der Staatsanwaltschaft von Florida hatten Julia die ungeschriebenen Gesetze des alten Südens gelehrt – hier hielten die Sekretärinnen
das Zepter in der Hand. Praktisch immun gegen Rausschmiss,
lag es in ihrer Macht, einen Staatsanwalt zu unterstützen oder
bloßzustellen – vor Richtern, Kollegen, Abteilungsleitern. Und
Liebhabern. Und so etwas brauchte Julia wirklich nicht. Nein,
sie würde andere Methoden finden.

«Was kann ich für Sie tun?», fragte Marisol seufzend und
hielt die Hand über den Hörer. Das breite Lächeln war verschwunden.

«Guten Morgen», sagte Julia strahlend. «Ich wollte gar nicht
stören. Marisol, nicht wahr? Wir haben telefoniert. Ich bin
Julia Valenciano, aus Richter Farleys Abteilung. Ich bin wegen
der Zeugenvernehmungen mit Rick Bellido hier. Ist er da?»

Gelbe Post-its und Fotos von halbnackten, eingeölten Männern schmückten die Stellwände von Marisols Arbeitsplatz. Auf einem Ausschnitt aus *People en Español* saß Ricky Martin mit Antonio Banderas und ein paar Sternchen, die Julia nicht erkannte, am Pool. Andere dazumontierte Gesichter waren Julia allerdings allzu vertraut – darunter ein Ermittler aus dem Drogendezernat, den sie bisher gemocht hatte. Eine Weile hatten sie sich häufiger gesehen. Sie schluckte.

Es dauerte einen Augenblick, bis bei Marisol der Groschen fiel. «Ach ja», sagte sie argwöhnisch. «Gehen Sie einfach rein. Die Detectives sind schon seit einer ganzen Weile da.»

«Ich weiß, ich bin spät dran. Danke.» Julia wandte sich zum Gehen. Dann drehte sie sich noch einmal um und fügte hinzu: «Tolles T-Shirt. Die Farbe steht Ihnen ausgezeichnet. Ich selber halte zum anderen Team. Brangelina ist einfach ein süßes Paar.»

Marisol blickte an sich hinunter, als könne sie nicht glauben, was Julia gerade gesagt hatte. «Danke», erwiderte sie, und ihr frostiger Gesichtsausdruck taute auf. Dann fragte sie: «Hat das mit Ihren Vorladungen geklappt?» Noch bevor Julia antworten konnte, deutete sie auf das Chaos auf ihrem mit Chipskrümeln übersäten Schreibtisch und erklärte seufzend: «Ich hätte Ihnen wirklich gern geholfen, aber ich bin viel zu beschäftigt. Diese Woche geht es einfach drunter und drüber. Das habe ich Rick auch schon gesagt. Sehen Sie sich nur meinen Schreibtisch an.»

Julia biss sich auf die Zunge. «Wem sagen Sie das. Ich habe mir schon gedacht, dass Sie völlig überlastet sind. Die Sekretärin aus meiner Abteilung hat mir geholfen, und bis jetzt hat alles wunderbar geklappt.»

«Vielleicht habe ich ja das nächste Mal ein bisschen mehr Zeit.»

Das Eis begann zu schmelzen.

«Das wäre großartig.»

«Schicke Frisur», sagte Marisol.

«Vielen Dank! Wenn die Luftfeuchtigkeit ansteigt, sieht es allerdings scheußlich aus», erwiderte Julia. «In der Highschool haben sie mich Krauskopf genannt.» Sie lächelte und hielt kurz inne. «Ich muss los. Schön, dass wir uns endlich kennengelernt haben. Bis bald.» Sie winkte noch einmal fröhlich und schlug den Weg zu Ricks Büro ein. Doch kaum war sie außer Sichtweite, schüttelte sie sich. Der Plausch mit Marisol war wie Hustensaft – auch wenn er half, er schmeckte widerlich.

Verdammt, nun war sie zu spät. Julia klopfte zaghaft an, und jemand rief «Herein». Langsam öffnete sie die Tür. John Latarrino und Steve Brill saßen vor Ricks Schreibtisch, eine Kiste mit Akten zu ihren Füßen. Rick hatte ihnen den Rücken zugewandt und telefonierte. Die Atmosphäre im Raum war angespannt, und Julia konnte nur hoffen, dass es nichts mit ihr zu tun hatte.

«Hallo zusammen», sagte sie zögernd. «Habe ich viel verpasst?»

«Nein», erwiderte Lat. «Rick hat die ganze Zeit telefoniert.» Er stand auf und bot ihr seinen Platz an. «Bitte setzen Sie sich, Julia. Ich stehe sowieso lieber.»

«Ich kann mir einen Stuhl von draußen –»

Lat schüttelte den Kopf. «Setzen Sie sich. Wenn ich einen Stuhl brauche, hole ich mir einen.» Er deutete auf die Kiste. «Wir haben Ihnen ein Geschenk mitgebracht.»

«Ich dachte, Ihr Name wäre Julie», sagte Brill und kratzte sich am Kopf.

Lat schlug Brill mit der flachen Hand auf den Hinterkopf. «Glauben Sie mir, Julia, je länger man ihn kennt, desto unausstehlicher wird er. Aber mit der Zeit gewöhnt man sich daran. Wie an ein Furunkel.»

«Hey, ich hab ein Hühnerauge!» Brill streckte Lat seinen Fuß entgegen. «Ich darf nicht stehen.»

«Wie war es in Philadelphia?», fragte Julia. «Wie kommt die Familie zurecht?»

«Wir haben es Rick gerade erzählt. Offenbar hatte unser Angeklagter außereheliche Gelüste.»

«Besonders auf die kleine Schwester seiner Frau», fügte Brill grinsend hinzu.

«Und noch etwas. Das Sperma auf Jennifers Nachthemd stammt von einem anderen», sagte Lat und lehnte sich gegen eines von Ricks Bücherregalen.

«Wie bitte?», fragte Julia verblüfft. Das war das Letzte, womit sie gerechnet hatte. «Von wem denn?»

«Das ist die Preisfrage», erwiderte Lat und tippte mit dem Stift in seiner Hand abwesend gegen den Buchrücken von *Ermittlung bei Sexualverbrechen: theoretische und praktische Einführung*. «Wir haben die Probe sicherheitshalber zweimal überprüft. Seitdem wir aus Philadelphia zurück sind, suchen wir nach dem Gärtner, der unserer verzweifelten Hausfrau die Zeit vertrieben haben könnte, aber bislang will es niemand gewesen sein. Jennifer hatte zwar nicht viele Freundinnen hier, aber die Mütter, mit denen sie auf dem Spielplatz war, wissen von keinem anderen Mann. Anscheinend hat Jennifer sogar über ein viertes Kind nachgedacht. Den Ehemann haben sie allerdings nie kennengelernt.»

Julia hatte John Latarrino seit letzter Woche im Gerichtssaal nicht mehr gesehen. Sein dunkelblondes Haar wirkte etwas länger und heller, als sie es in Erinnerung hatte, und diesmal war er glatt rasiert. Er trug Jeans, Turnschuhe und einen schwarzen Rollkragenpullover, unter dem sich sein gutgebauter Körper abzeichnete. Gewohnheitsmäßig fiel Julias Blick auf seine Hand. Er trug keinen Ehering.

«Wurde Jennifer vergewaltigt?», fragte sie. «Haben wir uns geirrt?»

«Dafür gibt es keine Anhaltspunkte. Außerdem wissen wir

nicht, wie alt das Sperma ist. Es könnte seit Tagen, Wochen oder sogar Monaten auf dem Nachthemd sein», erklärte Lat.

«Seit Monaten?», fragte Julia skeptisch.

«Denken Sie an Monica Lewinsky, Jules», warf Brill ein.

Sie zog eine Grimasse.

«Falls Sie darauf hinauswollen, dass es doch ein Einbrecher war – es gibt immer noch keine Hinweise auf gewaltsames Eindringen», fuhr Lat fort, der sich an Julias hartnäckige Fragen im Haus der Marquettes erinnerte. «Wir müssen zwar noch ein paar Leute vernehmen, aber alles deutet auf Marquette: die Lebensversicherung über zwei Millionen Dollar, die aktivierte Alarmanlage, kein gewaltsames Eindringen, die Tochter, die ‹Daddy› schreit, während sie mit der Notrufzentrale telefoniert, und das Messer mit seinen Fingerabdrücken, das in seinem Bauch steckte und eindeutig als Tatwaffe identifiziert ist.»

«Jedenfalls reicht es, damit die Grand Jury der Anklageerhebung zustimmt», sagte Rick und drehte sich in seinem Stuhl zu ihnen um. «Wahrscheinlich wird die Verteidigung Jennifer Marquette bei der Verhandlung ganz schön durch den Dreck ziehen. Aber selbst, wenn sie ein Verhältnis hatte, heißt das noch lange nicht, dass sie ein schlechter Mensch war. Hallo, Julia», sagte er dann und lächelte ihr zu. Julia hoffte, die anderen im Zimmer durchschauten nicht, dass sie miteinander im Bett gewesen waren. Bevor sie rot wurde, blickte sie zu Boden.

«Ich bin vor Gericht aufgehalten worden», erklärte sie.

«Das habe ich mir gedacht», erwiderte Rick. «Dieser Richter. Wissen die Jungs schon, wer bei unserem Fall den Vorsitz hat?»

«Wer?», fragte Lat argwöhnisch.

«Len Farley», antwortete Julia niedergeschlagen.

«O Gott», rief Brill lachend. «Das wird ja immer besser! Zuerst kriegen wir dich, Bellido, und jetzt auch noch diesen alten Sack. Da fragt man sich, wer wohl den Kampf um die Fernsehkameras gewinnt.»

Lat fand Brill mit jedem Tag sympathischer. Er gab sich keine große Mühe, sein Lächeln zu verbergen.

«Sehr witzig», sagte Rick. «Na gut, bringen wir das hier hinter uns, damit wir für die Grand Jury vorbereitet sind. Wir haben noch eine Menge Arbeit vor uns.»

«Hast du irgendeine Vorstellung, wie Marquettes Verteidigung aussehen wird?», fragte Lat und holte eine Akte aus der Kiste.

«Selbst wenn er bei der Frau Totschlag oder Notwehr ins Spiel bringt, sind da immer noch die Kinder. Ich tippe auf den einarmigen Unbekannten, der die Alarmanlage wieder aktiviert hat, bevor er sich an den eintreffenden Polizisten vorbeischlich», sagte Rick.

«Wenn Mel Levenson von den Spermaspuren erfährt, wird ihm das nur in die Hände spielen. Ein einarmiger Unsichtbarer ohne Stehvermögen», fügte Brill schnaubend hinzu.

«Vielleicht plädiert er auf Unzurechnungsfähigkeit. Levenson ist schon eine ganze Weile dabei», fuhr Rick fort. «Er probiert gern etwas Unkonventionelles aus, wenn er auf dem üblichen Weg nicht weiterkommt. Er war derjenige, der Marvel Comics und Warner Brothers dafür verantwortlich gemacht hat, dass ein Zehnjähriger von seinem psychopathischen Freund zu Tode geprügelt wurde. Levenson hat argumentiert, der arme Junge hätte einfach zu viele Zeichentrickfilme gesehen – ‹Cartoon-Dementia› hat er es genannt. Der arme Kleine hätte geglaubt, es würde seinem Freund nicht wehtun, wenn er ihm mit dem Baseballschläger auf den Kopf schlägt.»

«Aber damit ist Levenson nicht durchgekommen», entgegnete Lat. «Ich erinnere mich an den Fall.»

«In dem Fall nicht. Aber trotzdem – denkt daran, es reicht,

wenn nur ein Geschworener auf nicht schuldig plädiert. Wir können nicht wissen, welche Strategie Levenson verfolgt. Unsere Aufgabe ist es, den Schlag zu erkennen, bevor er uns trifft.»

KAPITEL 30

AM MITTWOCH, den zweiten November, um 15 Uhr 30 stimmten die Geschworenen der Anklageerhebung wegen vierfachen Mordes gegen Dr. David Marquette zu. Die dreizehn Männer und acht Frauen der Grand Jury hatten sich knapp zwanzig Minuten beraten. Für eine Anklage waren nur zwölf Stimmen nötig, doch Martin Yars teilte Rick vertraulich mit, er wüsste aus sicherer Quelle, dass die Entscheidung einstimmig gefallen war. Nach dem Gesetz blieb alles, was hinter den geschlossenen Türen der Grand Jury geschah – sogar die Stimmenverteilung –, geheim.

Die Anklageerhebung fand am nächsten Morgen um neun Uhr vor Richter Farley statt, als es im ganzen Haus bereits drunter und drüber ging. In Saal drei verhandelte Richter Flowers den Fall eines Dreizehnjährigen, der seinem besten Freund auf dem Schulklo die Kehle durchgeschnitten hatte. In Saal fünf verurteilte Richter Macias einen Neunzehnjährigen zu lebenslänglich, der einen Drogendealer und dessen Mutter mit einer Schrotflinte erschossen hatte. Um elf Uhr würde sich Richter Houchens in 6.10 mit dem Klagabweisungsantrag eines Vaters auseinandersetzen, der seine zwei fünfjährigen Zwillingstöchter sexuell missbraucht und auf einer Kirchenfreizeit mit Gonorrhö angesteckt haben sollte. Brandstiftung in 2.6 vor Richter Johnson. Bewaffneter Raubüberfall in 2.10. Kokainhandel, 5.7. Egal, welche Tür man öffnete, dahinter wurden grauenhafte Delikte verhandelt. Doch als Julia im strömenden Regen über die Straße hastete – ein Spießrutenlauf durch riesige Pfützen –, wusste sie, dass keine dieser Tragödien den Presseauflauf vor dem Gerichtsgebäude verursachte. Die Medien waren wegen Marquette gekommen.

Als sie in ihren aufgeweichten Wildlederpumps an den Übertragungswagen vorbeilief, deren gigantische Satellitenantennen fünfzehn Meter hinauf in den Wolkenbruch ragten, dachte sie, wie seltsam es war, dass man nie voraussagen konnte, welcher Fall die Schlagzeilen beherrschen würde. Wie bei einem uralten Theaterstück, das plötzlich zum Kassenschlager wurde, oder einem Romandebüt, das auf der Bestsellerliste landete, ließ sich nicht prophezeien, welcher Fall den Nerv der Massen treffen würde und welcher nicht. Manchmal wurde am Anfang viel Aufhebens veranstaltet, doch mit Fortschreiten der Verhandlung ließ das Interesse nach, und das Urteil reichte nicht einmal mehr für den Lokalteil. Andere Prozesse fanden gar keine Erwähnung. Doch die unheimlichen Ausnahmen – Scott Peterson, O. J. Simpson, Michael Jackson, Bill Bantling – packten und hielten das nationale Interesse, lösten stundenlange Fernsehdiskussionen aus und füllten in kürzester Zeit ganze Regale in der Abteilung «Wahre Verbrechen» in den Buchhandlungen, noch bevor auch nur die Tinte auf den Verhaftungsprotokollen getrocknet war. Solche Fälle – die mit den großen Namen – konnten Karrieren machen oder ruinieren und ein ganzes Land von Workaholics in den Bann ziehen, die sich normalerweise nicht einmal die Zeit nahmen, mit ihren eigenen Kindern zu Abend zu essen. Jetzt saßen sie mitten am Nachmittag vor dem Fernseher, um live dabei zu sein, wenn das Urteil verkündet wurde.

Glücklicherweise war es heute noch nicht ganz so schlimm. Aber auch wenn David Marquette nicht im Newsticker von *Good Morning America* oder *CNN* gelandet war, hatte sich die unbarmherzige Lokalpresse von Miami bereits in den Fall verbissen. Und das reichte, um Julia nervös zu machen. Vor den

Mahagonitüren von Saal 4.10 hatten sich die vertrauten Gesichter aus den Abendnachrichten mit ihren Kamerateams postiert. Eine Sicherheitsschleuse war aufgebaut worden, mitsamt einem Metalldetektor und einer zusätzlichen Absperrung. Auf dem Gang hatte sich eine Gruppe von Schaulustigen versammelt, die den ohnehin überfüllten Korridor verstopfte.

Julia war etwas flau zumute. Sie hatte nie viel mit der Presse am Hut gehabt und nie davon geträumt, im Fernsehen aufzutreten, aber jetzt, wo es um *ihren* Fall ging, bekam sie regelrecht Lampenfieber. Mit Mühe brachte sie ein seriöses Stirnrunzeln zustande und übte im Stillen ihr «Kein Kommentar» für die letzten Meter vor der Tür. Es war fünf vor neun. Rick war wahrscheinlich noch drüben auf der anderen Straßenseite in seinem Büro, trank Kaffee und las die Zeitung. Er hasste es, im Gerichtssaal herumzusitzen und zu warten, bis die Verhandlung begann. Also musste Julia heute Morgen als erste Vertreterin des Staates an den Kameras vorbei, und sie wollte auf keinen Fall etwas Falsches sagen.

Sie hätte sich keine Sorgen zu machen brauchen. Als sie an den Reportern vorbeimarschierte, würdigte keiner von ihnen sie eines Blickes. Im Gerichtssaal herrschte bereits Hochspannung. Wachleute, Anwälte, Polizisten, Angeklagte und Zeugen redeten aufgeregt durcheinander. Heute war nicht nur Marquettes Anklageerhebung angesetzt, und die meisten von ihnen waren wegen eines anderen Falles da. Auf jedem verfügbaren Fleckchen hatte man Fernsehkameras aufgebaut, was die Aufregung weiter anheizte. Steve Brills Einschätzung ihres Richters war vollkommen richtig – Farley hatte kein Problem damit, sich selbst in den Abendnachrichten zu sehen. Wahrscheinlich war er noch backstage und überlegte, wem er heute vor versammeltem Fernsehpublikum den Tag versauen würde.

Julia blickte zur Geschworenenbank hinüber, aber die Untersuchungsgefangenen waren noch nicht hereingebracht worden. Sie ließ sich auf der Seite der Staatsanwaltschaft auf einem Platz an der Wand nieder. Karyn unterhielt sich am Podium mit einem anderen Ankläger, und Julia lächelte ihr zu, doch zur Antwort erhielt sie lediglich ein kurzes Nicken. Es fiel ihr schwer, es nicht persönlich zu nehmen, aber seit Karyns Auseinandersetzung mit Rick nach der Ersten Anhörung hatte sich ihr Verhältnis deutlich abgekühlt. Auch wenn sie nicht eng befreundet gewesen waren, war es kein schönes Gefühl, dass ihre Abteilungsleiterin sie plötzlich nicht mehr mochte. Wenigstens hatte sich die potenziell ansteckende Feindseligkeit, vor der Rick sie gewarnt hatte, im Büro noch nicht weiter verbreitet. Andererseits waren sie bis jetzt nur bei der Anklageerhebung und Julias Mitarbeit an dem Fall noch nicht in aller Munde. Was das fehlende Interesse der Neugierigen vor der Tür bewiesen hatte.

Nervös blickte sie wieder zur Geschworenenbank, die immer noch leer war. Sie kannte ihn bisher nur von Fotos und der Videoübertragung der Ersten Anhörung, doch in wenigen Augenblicken würde sie Dr. David Marquette in Fleisch und Blut vor sich sehen. Noch nie zuvor war sie so neugierig auf einen Angeklagten gewesen. Und so nervös. So ängstlich. So wütend. Sie spürte, wie das Adrenalin durch ihre Adern schoss.

Julia hatte schon viele Mörder gesehen. In Handschellen und Fußfesseln hatten sie nur wenige Schritte entfernt auf der Geschworenenbank oder hinter dem Tisch der Verteidigung gesessen. In den Gerichtssälen von Miami war das kein seltener Anblick. Aber obwohl sie bereits mehr als genug böse Menschen auf der Welt gesehen hatte, musste sie jedes Mal genau hinsehen, wenn ein Mörder in den Saal oder auf das Podium trat. Sie hatte das makabere Bedürfnis, die Person anzustarren, die einer anderen das Leben genommen hatte. Um zu sehen, ob es noch etwas Menschliches gab in diesen

Augen. Irgendwie erwartete sie, dass die Angeklagten – die Mörder – etwas Spezielles an sich haben müssten. Ein Mal oder Zeichen – irgendetwas, woran man sie sofort erkannte. Aber so war es nicht. Die wenigsten Täter waren so groß und böse wie die Taten, die sie begangen hatten – meistens war es einfach nur erschreckend, wie vollkommen normal ein Killer aussehen konnte.

Julia hörte, wie sich vor dem Gerichtssaal ein Tumult erhob und die Reporter jemanden mit Fragen bestürmten. Kurz darauf betraten Dr. Alain Marquette und seine Frau den Gerichtssaal, gefolgt von Mel Levenson und Stan Grossbach. Dr. Marquette hatte den Arm schützend um seine Frau gelegt und setzte sich mit ihr in die erste Reihe. Sie hielt den Kopf gesenkt, doch die blaue Färbung um ihre geschwollenen Augen und das weiße Pflaster auf der Nase waren nicht zu übersehen – die Andenken an ihren Sturz vor dem Krankenhaus. Julia sah sie lange an. Nina Marquette war eine elegante, stattliche Dame mit markanten Gesichtszügen und breiten Schultern. Sie war der Typ Frau, der einen Raum beherrschen konnte. Doch nicht heute. Heute sah sie furchtsam und erschöpft aus, zu klein für ihren Körper. Sie sah aus wie eine Frau, die tagelang, wochenlang geweint hatte.

Wie mussten sich die Eltern eines Mörders fühlen? Wie fühlte es sich an, einen so hassenswerten Menschen erschaffen zu haben – jemanden, der kaltblütig seine eigenen Kinder ermorden konnte? Sie fragte sich, ob sich die Marquettes verantwortlich fühlten für die Sünden ihres Sohns. Hatte es Hinweise gegeben, die sie über die Jahre ignoriert hatten? Hätten sie irgendetwas anders machen können, um das Geschehene zu verhindern? Stellten sich die Eltern von Mördern wie Eric Harris und Dylan Klebold – den Teenagern, die das Massaker an der Columbine Highschool angerichtet und sich dann selbst getötet hatten – noch immer diese Frage, Jahre danach? Für die

Marquettes war es doppelt schwer, wie sie vermutete – denn sie hatten auch noch ihre Enkelkinder und ihre Schwiegertochter verloren. Sie mussten gleichzeitig Trauerarbeit leisten, auch wenn Julia wusste, dass Jennifers Verwandte und Freunde gegen ihre Anwesenheit bei der Beerdigung protestiert hatten. Jetzt standen sie kurz davor, auch noch ihren Sohn zu verlieren. Und auch seinen Tod würden sie nicht angemessen betrauern können. Sie würden einfach schweigend mitansehen müssen, wie der Wärter den schwarzen Vorhang zuzog und die Menge vor dem Gefängnis zu jubeln begann.

In diesem Moment öffnete sich die Tür zum Geschworenenraum, und sie wurde aus ihren dunklen Gedanken gerissen. Eine Schlange von Untersuchungshäftlingen schlurfte mit rasselnden Ketten in den Saal, direkt aus dem Gefängnis gegenüber. Die meisten wirkten wie brutale Kraftprotze, waren mit Tätowierungen und Piercings übersät und verhielten sich äußerst provokativ. Nur einer fiel aus der Reihe. Ganz am Ende der Schlange und mit einigem Abstand zu seinem Vordermann ging ein schlanker Mann in rotem Overall. Er hielt den Kopf gesenkt, sodass sein Gesicht nicht zu erkennen war. Ein gespanntes Murmeln kroch durch den Saal, als die Zuschauer einander zuraunten: «Ist er das?»

Ohne Vorwarnung wurde die Tür hinter dem Richtertisch aufgerissen. Jefferson, der Gerichtsdiener, trat heraus, und noch bevor er etwas sagen konnte, stürmte ein griesgrämig dreinblickender Richter Farley an ihm vorbei in den Saal.

«Erheben Sie sich!», rief Jefferson etwas zu spät. «Keine Pager, keine Handys! Keine Kinder, keine Gespräche! Die Sitzung ist eröffnet! Den Vorsitz hat der Ehrenwerte Richter Leonard Farley. Setzen Sie sich und verhalten Sie sich ruhig!» Jefferson arbeitete noch nicht lange bei Gericht. Er warf Farley einen unsicheren Blick zu, doch dieser schien für eine aufmunternde Geste heute nicht in Stimmung zu sein.

Die Unterhaltungen wurden schnell eingestellt, während Farley in seinem Kaffee rührte und seine Untertanen musterte. Er tat, als würde er keine Notiz von den Kameras nehmen, doch Julia war überzeugt, dass er sich extra die Zähne mit Zahnseide gereinigt hatte. Selbst die Untersuchungsgefangenen verstummten, denn Farley war dafür bekannt, dass er sich nichts bieten ließ. An der Rückwand des Saales entdeckte Julia neben Dayanara, die zu ihrer Unterstützung gekommen war und ihr einen verschwörerischen Blick zuwarf, John Latarrino und Steve Brill. Lat lächelte ihr zu und winkte kurz. Sie lächelte zurück. Verbündete. Endlich.

«Na schön», sagte Farley schließlich und betrachtete die lange Reihe der Anwälte hinter dem Podium. «Sieht ganz so aus, als hätten wir heute ein volles Haus. Dann legen wir mal los. Wer ist der Erste, Ivonne?»

KAPITEL 31

WÄHREND IVONNE die Namen auf der Prozessliste aufrief und sich die Reihe der Verteidiger langsam
nach vorn bewegte, schickte Julia ein Stoßgebet zum Himmel, dass Rick rechtzeitig kommen würde. Farley hasste es,
wenn sein Ablauf durcheinandergeriet, und sie wollte nicht,
dass er seinen Zorn an ihr ausließ. Im Saal wurde es bereits
unruhig, und Stan Grossbach rückte an die dritte Stelle vor, als
sich draußen wieder die Rufe der Journalisten erhoben. Dann
öffneten sich die Türen des Saals, das Gemurmel verstummte,
und Rick schritt selbstsicher und gutgekleidet den Mittelgang
heran.

«Mr. Bellido», sagte Farley. Julia glaubte, den Anflug eines
Lächelns auf seinem Gesicht zu erkennen. «Lassen Sie mich
raten. Sie haben den Fall –»

«Der Staat gegen David Marquette. Seite neun. Guten Morgen, Euer Ehren», erwiderte Rick aalglatt und nahm den ersten Platz in der Schlange der Staatsanwälte ein, ohne dass sich
jemand beschwerte. Mit einem leichten spanischen Akzent,
den Julia noch nicht von ihm kannte, sagte er in Richtung der
Gerichtsschreiberin: «Ricardo Bellido für die Anklage.»

«Ich hörte, dass dieser Fall auf mich zukommen würde», sagte
Farley. Mit einer ungeduldigen Handbewegung verscheuchte
er den Pflichtverteidiger, den er mitten im Satz unterbrochen
hatte, und winkte Mel Levenson heran.

«Guten Morgen, Richter», sagte er forsch und lächelte Farley ungezwungen zu, während Grossbach zu Marquette an die

Geschworenenbank trat. «Mel Levenson und Stan Grossbach für den Angeklagten, Dr. David Marquette.»

«Schön, Sie wiederzusehen», sagte Farley. «Sieht so aus, als hätten wir heute ein paar Zuschauer.» Farley lehnte sich in seinem Stuhl zurück und verzog den Mund zu einem schiefen Lächeln. «Meine Herren – wir haben heute ein gutes Stück Arbeit vor uns. Fangen wir also an.»

«Seite neun, der Staat gegen David Alain Marquette, Aktenzeichen F05-43254», verkündete Ivonne. «Heute ist der zwanzigste Tag, Euer Ehren.»

«Ist der Angeklagte anwesend?», fragte Farley und blickte zur Geschworenenbank.

«Ja, Euer Ehren», sagte Levenson. «Und auch seine Eltern.»

Julia reckte den Hals, konnte Marquettes Gesicht aber immer noch nicht erkennen. Irgendjemand begann zu schluchzen. Es war Marquettes Mutter.

«Bitte, unterlassen Sie das», sagte der Richter genervt.

«Die Grand Jury hat der Anklage auf vierfachen Mord zugestimmt. Die Anklageschrift müsste der Akte beiliegen», erklärte Rick und sah sich suchend im Gerichtssaal um. Als er Julia entdeckte, forderte er sie mit einem diskreten Nicken auf, zu ihm zu kommen.

«Wir haben eine Kopie der Anklageschrift erhalten. Wir verzichten auf die Verlesung, plädieren auf nicht schuldig und verlangen die Offenlegung der prozesswichtigen Dokumente», erwiderte Levenson.

«Die Offenlegung hat innerhalb der nächsten fünfzehn Tage stattzufinden», sagte Farley und nahm einen Schluck Kaffee. «Ivonne, wie sieht mein Terminplan aus?»

Während die Gerichtsschreiberin nach einem Termin suchte, holte Julia Luft und ging nach vorn. Sie spürte die Blicke von Karyn und den anderen Staatsanwälten, von denen sich sicherlich einige fragten, was sie dort zu suchen hatte.

Aus dem Augenwinkel sah sie, dass David Marquette endlich den Kopf gehoben hatte.

Bei seinem Anblick stockte Julia der Atem. Nichts mehr war übrig von dem jungen attraktiven Arzt mit den weichen Zügen und dem lockeren, selbstbewussten Lächeln, den sie von den Fotos kannte. Marquette war nur ein Schatten seiner selbst. Innerhalb der kurzen Zeit hatte er Gewicht verloren. Seine Haut war fahl, das Gesicht eingefallen, das blonde Haar klebte strähnig an seinem Kopf, und graublonde Bartstoppeln bedeckten sein Kinn. Er klammerte sich am Geländer der Geschworenenbank fest, sodass Julia die Adern auf seinen gefesselten Händen hervortreten sah. Die unheimlichen hellgrauen Augen starrten ins Nichts, leblos und leer, wie bei einer Schaufensterpuppe – er sah alles, doch er nahm nichts wahr.

Stan Grossbach stand vor der Geschworenenbank und flüsterte ihm etwas ins Ohr. Wahrscheinlich erläuterte er den Ablauf der Anklageerhebung, doch Marquette reagierte nicht. Als Farley nach Levensons erneutem Antrag auf Kaution einige der grausigeren Punkte der Anklageschrift vorlas, blinzelte Marquette nicht einmal. Julia bekam Gänsehaut und wandte den Blick ab. Die ganze Szene erinnerte sie an einen Wanderzirkus aus dem letzten Jahrhundert, der seine Hauptattraktion vorführte: das grässliche menschliche Monster, die Missgeburt in einem Käfig. Und das entsetzte Publikum schnappte nach Luft – voller Abscheu und Faszination.

«Ich werde dem Antrag auf Kaution nicht stattgeben», sagte Richter Farley schließlich kopfschüttelnd. «Wenn Sie ein Arthur-Hearing wollen, dann tragen Sie Ihre Argumente Richterin Solly vor. Wenn sie Ihrem Antrag stattgibt, habe ich damit kein Problem. Allerdings bin ich ziemlich sicher», fügte er mit einem wissenden Blick in Ricks Richtung hinzu, «dass Mr. Bellido damit ein Problem hätte.» In diesem Moment fiel Farleys Blick auf Julia, und er runzelte die Stirn. Vielleicht war sie paranoid, aber sie hätte schwören können, dass die Falte zwischen seinen Brauen noch tiefer wurde.

«Das ist korrekt, Euer Ehren», erwiderte Rick kalt. Über den Mittelgang hinweg reichte er Levenson ein Blatt Papier. «Vor allem, weil die Staatsanwaltschaft in diesem Fall die Todesstrafe fordern wird. Ich habe den Beschluss bereits in den Akten vermerkt.»

«Ja, ich habe ihn hier.»

Ein elektrisiertes Raunen erhob sich in der Menge. Einer der Angeklagten kicherte, ein anderer rief: «Jiee-ha!» Farley brachte sie mit einem bösen Blick zum Schweigen. «Vielleicht sollte sich Ihr Mandant jemanden suchen, der sich längerfristig um seine Patienten kümmert und seine Topfpflanzen gießt, Mr. Levenson», sagte er, als sich die Menge etwas beruhigt hatte. «Nur so als Vorschlag. Na schön, dann suchen wir mal einen Termin für die Verhandlung. Gib mir etwas in Bälde, Ivonne. Diesen Prozess will ich noch erleben.»

«Der neunte Februar für den Bericht. Der dreizehnte für die Verhandlung», sagte Ivonne.

«Wessen Prozesswoche ist das?», fragte Farley.

«Es ist eine B-Woche.»

«Gut. Der neunte Februar für den Bericht –»

Julia sah Rick an. Die Bekanntmachung, dass die Staatsanwaltschaft die Todesstrafe forderte, hörte sie zum ersten Mal offiziell. «Julia Valenciano für die Anklage», unterbrach sie und trat einen Schritt vor. «Entschuldigen Sie bitte, Euer Ehren, aber das ist meine Prozesswoche. Ich möchte Sie bitten, die Verhandlung im Fall Marquette auf eine andere Woche zu verschieben.»

Wieder runzelte Farley die Stirn. «Ms. Valenciano, ich glaube kaum, dass diese Entscheidung Sie betrifft. Treten Sie zurück.»

Offensichtlich waren die Neuigkeiten noch nicht bei ihm

angekommen. Welche Ironie des Schicksals, dass das Zufalls-programm des Computers von den zwanzig Richtern am Bezirksgericht von Miami ausgerechnet den Ehrenwerten Richter Leonard Farley für den Fall ausgewählt hatte. Für einen Fall, der Julias Karriere in luftige Höhen katapultieren könnte, ausgerechnet den Richter, der es darauf abgesehen hatte, ihr das Leben zur Hölle zu machen.

«Ms. Valenciano ist zweite Anwältin in diesem Fall, Euer Ehren», erklärte Rick kühl. «Wir sollten einen Termin finden, der auch in ihren Terminkalender passt.»

Totenstille senkte sich über den Gerichtssaal. Farley schwieg. Julia hatte das Gefühl, als würden tausend Augenpaare sie anstarren. Nach einer halben Ewigkeit sah Farley schließlich auf seinen Kalender. «Okay, Ivonne, geben Sie mir einen anderen Termin. In einer A-Woche, bitte.»

«Der sechzehnte Februar für den Bericht. Der einundzwanzigste für die Verhandlung.»

«Dann sehe ich Sie alle am sechzehnten Februar wieder», sagte Farley. «Sämtliche Anträge müssen innerhalb von dreißig Tagen bei mir eingehen. Und es gibt keinen Aufschub.» Er spähte drohend über seine Brille hinweg in den Saal. «Wie Ms. Valenciano Ihnen gewiss bestätigen kann, habe ich alle Hände voll zu tun.»

KAPITEL 32

WOW, JETZT BIST du ein Star», sagte Dayanara lachend. «Darf ich dich anfassen?» Die beiden saßen in einer Nische des Diners in der Nähe des Jackson Memorial, ein paar Straßen entfernt von dem Chaos, das mit Sicherheit immer noch vor dem Gerichtsgebäude herrschte. «Denk dran, im Fernsehen sieht man immer vier Kilo dicker aus.»

«Sehr witzig. Vergiss nicht, mit wem Farley ausschließlich spricht und mit wem die Presse reden will. Mit mir wohl kaum, Day. Ich glaube, das Rampenlicht steht mir nicht.»

«Da wächst du rein.»

Julia verdrehte die Augen.

In der Zwischenzeit kramte Day in den Tiefen ihrer gigantischen Handtasche. Sie förderte eine Packung Einweg-Tischsets für Kinder zutage, legte eins davon vor sich auf den Tisch und arrangierte ihr Getränk, den Hamburger und die Pommes frites so darauf, dass man das grinsende Comicgesicht nicht sah. «Ich wünschte, die Dinger würde es auch ohne die blöden Bildchen geben», murmelte sie genervt. «Übrigens habe ich gesehen, wie deine Abteilungsleiterin dir böse Blicke zugeworfen hat. Was hat die Ziege für ein Problem?»

Julia lächelte und trank einen Schluck Eistee. «Keine Ahnung. Jedenfalls passt es ihr nicht, dass ich bei dem Fall mitmache. Und schiebt ihre Wut auf die Tatsache, dass ich mit meinen Berichten drei Monate hinterherhinke.»

«Wohl eher sechs. Ich habe das Chaos in deinem Büro gesehen.»

«Die Berichte bereiten mir im Moment die geringsten Sorgen.»

«Auch wahr», sagte Day, während sie das Plastikbesteck, das sie eben aus der versiegelten Packung genommen hatte, mit einem Sagrotantuch abputzte. «Als selbsternannte Workaholic-Kollegin muss ich allerdings sagen, dass ich mir langsam Sorgen mache. Du verbringst Tag und Nacht mit diesem Fall, Schätzchen. Ich habe schon fast vergessen, wie du aussiehst, so lange haben wir nicht zusammen zu Mittag gegessen. Wenigstens kann ich dich jetzt im Fernsehen bewundern.» Sie biss in den Burger, den sie in mit Papierservietten umwickelten Händen hielt. «Tut dein Freund eigentlich auch etwas, außer aufzustehen und die Lorbeeren einzuheimsen?»

Nach der Gerichtssitzung hatte die Presse wieder Antworten verlangt, und wieder hatte Rick eine spontane Pressekonferenz gehalten, diesmal unten in der Lobby. Als Julia heute Morgen neben ihn vor die Menge getreten war und die Kameras auch auf sie gerichtet waren, hatte sie die Aufregung einen oder zwei Momente lang genossen. Sie dachte an Onkel Jimmy und Tante Nora, die am Pool Bloody Marys mixten und stolz mit ihren Selleriestangen auf Jimmys tragbaren Sony Watchman zeigten, während die Nachbarn sie baten, die Lautstärke aufzudrehen. Doch der anfängliche Thrill legte sich schnell und wurde von dem unbehaglichen Gefühl verdrängt, dass das Rampenlicht einfach nicht ihr Element war. Jedenfalls nicht in diesem Fall. Als die Fragen auf sie einprasselten, löste sie sich bald von der Menge, die Rick umgarnte, und verdrückte sich im hinteren Treppenhaus. Lat und Brill hatten offensichtlich die gleiche Idee gehabt; auf dem Rückweg zum Graham Building sah sie die beiden ein paar Minuten später im Wagen davonfahren.

«Er ist nicht mein Freund», sagte Julia. «Zumindest nicht, dass ich wüsste. Ich schätze, das ist der Preis, wenn man bei einem Mordfall assistiert. Ich mache die Vernehmungen und die Knochenarbeit. Aber das ist schon okay. Ich lerne viel.»

«Nett gesagt. Aber lässt dein Liebhaber dich im Prozess auch irgendwas tun? Reden zum Beispiel?»

Day sagte immer, was sie dachte, und sie nahm dabei kein Blatt vor den Mund – eine Eigenschaft, die Julia ebenso schätzte wie fürchtete. Rick Bellido war nicht besonders beliebt unter den Staatsanwälten – sei es wegen seiner Arroganz und Selbstgefälligkeit oder aus Neid auf seinen Posten oder sein höheres Gehalt. Im Graham Building, im Gericht und selbst an den Wasserspendern der Polizeidienststellen erzählte man sich Legenden über seine amourösen Abenteuer. Außerdem kursierte das Gerücht, dass er einer Oberstaatsanwältin, mit der er einmal zusammenarbeitete, vorgeschrieben hatte, wie sie sich vor Gericht zu kleiden habe – bis hin zur Farbe ihres Lippenstifts und der Höhe ihrer Absätze. «Wenn du zulässt, dass er sich auch nur bei den Ohrringen einmischt, kannst du was erleben, Julia», warnte sie und schwang drohend ihre Plastikgabel.

«Keine Sorge. Bis jetzt ist es bei uns mehr ums Ausziehen gegangen.»

Day hob mit gespieltem Entsetzen die Hände. «O Gott. So genau wollte ich es gar nicht wissen.»

«Ich weiß nicht, ob er mich im Gerichtssaal etwas tun lässt», fuhr Julia fort, «aber ich sollte schon froh sein, dass er mich mit ins Boot geholt hat. Für die Chance bin ich dankbar. Und nenn ihn nicht meinen Liebhaber. Irgendwann rutscht es dir vor anderen Leuten raus. Bitte. Du hast geschworen, dass du es für dich behältst.»

«Glaub mir, er wäre geschmeichelt, wenn es rauskommt. Du bist eine bildhübsche Begleiterin. Und Männer, die sich in der Midlife-Crisis attraktive jüngere Freundinnen halten, geben gern mit ihnen an – es sei denn, es verstößt gegen die Firmenregeln. Ich sage es niemandem, wenn du drauf bestehst, aber glaub nicht, dass die meisten sich schon ihren Teil denken.»

«Vielleicht», sagte Julia und kaute nachdenklich auf einem Zwiebelring. «Aber ich werde es ihnen nicht auf die Nase binden. Ich will mir mit diesem Fall die Sporen verdienen. Mach eine junge attraktive *intelligente* Begleiterin daraus.»

«Ach, Schätzchen. Die Eigenschaft habe ich mit Absicht weggelassen. Nicht, weil du sie nicht hättest, sondern weil sie in diesem Job nicht gefordert ist. Im Gegenteil, es wird sogar davon abgeraten.»

«Danke», sagte Julia und zog die Brauen hoch.

«Bitte. Und von Zwiebeln kriegst du Mundgeruch. Wenn du einen Mann hast, ist es vorbei damit. Hat deine Mutter dir das nie gesagt?» Jetzt kramte sie eine Flasche Mundwasser und Zahnseide aus der Tasche und schob sie über den Tisch. «Du kannst mir danken, wenn die Kinder auf der Welt sind.»

«Du bist schrecklich.»

«Apropos Kinderkriegen, dein Detective ist echt süß. Nicht der, der aussieht wie eine Waschanlage. Der Rebell. Und einen italienischen Namen hat er auch. Genau mein Typ.»

Stirnrunzelnd griff Julia nach dem nächsten Zwiebelring. «Ich werde es ihm ausrichten.»

«Bitte.» Day schwieg kurz, dann fragte sie: «Wie fühlt es sich an, wenn es um die Todesstrafe geht? Geht es dir gut? Ziemlich heftig, oder?»

«Nein. Ja. Ich weiß nicht genau», antwortete Julia leise. «Ich wusste nicht, dass es schon heute kommt, Day. Ich kann dir die Frage nicht beantworten.» Julia dachte immer noch, sie könnte alles schwarz und weiß sehen, wie bisher. Doch ihre Gefühle waren nicht mehr so klar, nicht mehr so eindeutig wie früher.

Sie haben das Gesetz gebrochen, und dafür werden Sie bestraft. So steht es geschrieben. Ich habe die Gesetze nicht gemacht.

Nun schienen die Zeilen zu verschwimmen, und die grellen Farben, die die Grenzen markierten, verblassten. Alles, was sie sah, war grau – die Lieblingsfarbe der Verteidiger –, und sie fühlte sich nicht wohl dabei.

«Als wahrscheinlich einzige Demokratin in diesem Wahlkreis», sagte Day, «kann ich dir sagen, dass ich kein Befürworter der Todesstrafe bin. Aber dein Angeklagter ist ein verdammtes Ungeheuer. Schon von seinem Anblick bekomme ich Gänsehaut. Er erinnert mich an Danny Rolling, den Gainsville Ripper – wie er heute im Gerichtssaal saß, ohne jegliche Emotion. Und diese Augen – wie aus einem Horrorfilm. Tote Augen wie Michael Myers aus *Halloween*. Als der Richter beschrieb, was er den Kindern angetan hat …», sagte sie schaudernd und biss in den Hamburger. «Es wird jedenfalls nicht schwer werden, zwölf Geschworene zu finden, die für die Spritze stimmen. Sei also darauf vorbereitet.»

Schweigend nagte Julia an ihrem Strohhalm. Ein Übertragungswagen von *Channel 10* parkte auf dem vollen Parkplatz. Einen der drei Reporter, die ausstiegen, erkannte sie und drehte das Gesicht weg vom Fenster. «Zeit zu gehen», sagte sie zu Day.

«Und auch darauf solltest du vorbereitet sein.» Dayanara setzte ihre Sonnenbrille auf, während das Reporterteam sich in die Schlange an der Theke einreihte. «Ich habe so ein Gefühl, dass du ganz groß rauskommst. Vergiss den Liebhaber – besorg dir lieber einen Stylisten.»

«Ich werde darüber nachdenken», flüsterte Julia und duckte sich, als sie das Lokal durch die Hintertür verließen.

KAPITEL 33

CHARLEY RIFKIN öffnete die grauen Flügeltüren, die in das Büro des Generalstaatsanwaltes im dritten Stock führten. «Ich habe Rick Bellido dabei», sagte er.

In einem überdimensionierten Ledersessel, der seinen mageren Körper fast verschluckte, saß Jerry Tigler hinter einem wuchtigen Kirschholzschreibtisch und betrachtete durch die Fensterfront die Skyline von Miami. Die Stadt hüllte sich schon seit einer Woche in tristes Grau, und die oberen Etagen der Wolkenkratzer verschwanden hinter den dunklen Wolken. Immer wieder prasselten Regenschauer gegen die Fenster, und das Wasser lief in verschlungenen Bächen am Glas hinab, sodass die Scheiben auf den ersten Blick wie zerbrochen wirkten. «Sehr schön», sagte Tigler geistesabwesend, ohne sich umzudrehen. «Bring ihn rein, Charley.»

Rick rückte seine Krawatte zurecht und folgte Rifkin in Tiglers Büro. Er war zwar schon häufig zum Generalstaatsanwalt gerufen worden, doch diesmal spürte er, dass etwas anders war.

Das Graham Building war erst zwölf Jahre zuvor erbaut worden, und es würde mit Sicherheit weitere zwölf Jahre dauern, bis der Staat Geld für eine Renovierung bereitstellte. Das Zimmer wirkte müde: Der fliederfarbene Teppich war stellenweise abgewetzt, die graugestrichenen Wände sahen schäbig aus und hatten Macken. «Nehmen Sie Platz, Rick», sagte Rifkin und setzte sich in einen der beiden Ledersessel vor Tiglers Schreibtisch.

Einen Augenblick lang herrschte höfliches Schweigen. Schließlich drehte sich Tigler zu ihnen um und streckte Rick die Hand entgegen. Er lächelte, doch er wirkte zerstreut. «Schön, Sie zu sehen, Rick. Wie ist die Anklageerhebung heute Morgen gelaufen?»

«Gut», erwiderte Rick. «Haben Sie schon gehört, dass Farley den Vorsitz führt?»

Tigler zwinkerte ihm zu. «Ja, ich weiß. Und trotzdem sagen Sie, dass es gut gelaufen ist. Das klingt ermutigend.»

«Der Fall ist wasserdicht. Selbst Farley wird ihn nicht vermasseln können», sagte Rick lächelnd.

«Irgendwie müssen wir den Mann endlich loswerden.» Tigler kratzte sich am Hinterkopf. «Ich versuche gerade, Gene Putnam zu überreden, ihn ans Zivilgericht zu versetzen. Sollen die Jungs sehen, was sie mit ihm machen – die haben jedenfalls mehr Einfluss und Geld und mehr Geduld als ich. Aber viel machen kann Gene Putnam auch nicht. Lenny gehört schließlich zur Familie.»

«Was bedeutet, dass Len Farley nirgends hingeht, wo Len Farley nicht hinwill», schloss Rifkin resigniert. «Ich war heute Morgen kurz im Gerichtssaal. Der alte Streithammel hat wieder versucht, die Sache kompliziert zu machen, aber du hast trotzdem gute Arbeit geleistet, Rick. Glaubst du, Levenson strebt einen Vergleich an?»

Rick nickte. «Ganz sicher. Er wird versuchen, eine lebenslange Haftstrafe herauszuschlagen. Aber darauf lasse ich mich nicht ein, Charley. Marquette hat seine gesamte Familie umgebracht, und dafür soll er bezahlen.»

Rifkin pfiff leise durch die Zähne. «Du hast dich festgebissen, was?»

«Du sagst es. Und so schnell lasse ich nicht wieder los», erklärte Rick selbstsicher. Der Ausdruck in seinen Augen ließ keinen Zweifel daran, dass er auch meinte, was er sagte.

«Sie haben bereits heute Ihren Entschluss verkündet, die Todesstrafe zu fordern?», fragte der Generalstaatsanwalt.

«Es gab keinen Grund, länger zu warten», erklärte Rick. «Die Grand Jury hat nur zwanzig Minuten gebraucht, um der Anklage zuzustimmen – und Martin musste danach haufenweise Taschentücher an die schockierten Geschworenen verteilen. Die Fakten sprechen für sich. Die Morde an den Kindern wurden kaltblütig und mit Vorsatz begangen. Wenn irgendjemand die Todesstrafe verdient hat, dann Marquette.»

Tigler ließ einen Moment verstreichen. «Ich habe heute Morgen einen Anruf von der französischen Botschaft erhalten.»

Rick setzte sich auf. «Die französische Botschaft? Was hat die denn damit zu tun?»

«David Marquette ist französischer Staatsbürger», sagte Tigler leise.

Charley Rifkin schüttelte den Kopf, als wäre ihm gerade etwas eingefallen. «Ach du Scheiße», stieß er hervor.

Ricks Kehle war wie ausgetrocknet. Ein ungewohntes Gefühl. Er schluckte. «Wie bitte?»

«Marquettes Eltern sind Franzosen, und er hat die doppelte Staatsbürgerschaft. Irgendjemand hat die Botschaft angerufen und Stunk gemacht. Laut der Wiener Konvention über konsularische Beziehungen muss bei der Verhaftung eines ausländischen Staatsangehörigen die Botschaft des jeweiligen Landes innerhalb von vierundzwanzig Stunden nach der Festnahme informiert werden und Zugang zu dem Verhafteten bekommen. Die Bestimmungen wurden hier nicht eingehalten. Natürlich werden wir argumentieren, dass Marquette aufgrund seiner doppelten Staatsbürgerschaft behandelt wird wie jeder andere US-Amerikaner und dass die Konvention in diesem Fall nicht maßgeblich ist.»

Rick runzelte die Stirn. «Niemand wusste, dass er Franzose ist, Jerry. Auch er selbst hat keinen Ton davon gesagt.» Er schlug sich auf die Oberschenkel. «Verdammt nochmal! Und was passiert jetzt?»

«Es ist eine Grauzone», antwortete Tigler langsam. «Die Franzosen sind wahrscheinlich ziemlich sauer. In einigen Fällen haben Angeklagte vor liberaleren Bundesgerichten im Westen Anträge auf Unterdrückung der Aussage durchbekommen, aber da Ihr Bursche keine Aussage gemacht hat, gibt es auch nichts zu unterdrücken. Manche Angeklagten kamen frei, die Anklage wurde abgewiesen – es kam sogar zu einer Begnadigung durch den Präsidenten. Andere Gerichte haben sich einfach nur entschuldigt und hoch und heilig versprochen, es beim nächsten ausländischen Verbrecher besser zu machen. Sie argumentierten, das Übereinkommen würde dem verhafteten Täter keine Rechte übertragen, sondern es sei nur eine Richtlinie, wie ausländische Staatsangehörige bei einer Verhaftung behandelt werden sollten. Aber ich will ehrlich mit euch sein, Jungs: Das hier ist eine heikle Angelegenheit. Sehr heikel. Der Internationale Gerichtshof in Den Haag hat die Vereinigten Staaten letzten April verwarnt, die Verurteilung von über fünfzig mexikanischen Staatsbürgern zu überprüfen, die in US-amerikanischen Todeszellen sitzen, nachdem sich die mexikanische Regierung beschwert hatte, dass ihr Konsulat nicht über die Verhaftungen unterrichtet worden war. Kurz davor hatte der Weltgerichtshof festgestellt, dass die USA gegen internationales Gesetz verstießen, als sie sich weigerten, auf Anordnung des Gerichtshofs von 1999 die Hinrichtung eines paraguayischen Staatsbürgers in Virginia und zweier deutscher Brüder in Arizona zu stoppen, die ähnliche Konventionsverstöße geltend gemacht hatten. Nachdem Sie heute in aller Öffentlichkeit verkündet haben, dass wir wieder einmal die Todesstrafe für einen ausländischen Staatsbürger fordern, bin ich überzeugt, dass jemand richtig sauer wird, vor allem, da Frankreich wie der Rest der Europäischen

Union gegen die Todesstrafe ist. Im Grunde warte ich nur darauf, dass das Telefon klingelt und jemand mit französischem Akzent auf mich einschreit.»

Wäre Latarrino in der Nähe gewesen, hätte Rick ihm einen Tritt in den Hintern verpasst – obwohl er der Fairness halber zugeben musste, dass auch Lat unmöglich von Marquettes doppelter Staatsangehörigkeit gewusst haben konnte. Für die Polizei gab es zumindest auf lokaler Ebene keine Möglichkeit, an derartige Informationen zu gelangen. Aber Rick hasste es, unvorbereitet zu sein. Und in Anbetracht einer etwas unglücklichen Geschichte mit dem Detective – der immer noch sauer war wegen einer Entscheidung, die Rick vor ein paar Jahren getroffen hatte – bestand zumindest die Möglichkeit, dass Lat ihn ins Messer laufen ließ. «Ich rufe in der Botschaft an und kümmere mich um die Sache, Jerry.»

«Ausgezeichnet», erwiderte der Generalstaatsanwalt. Der Regen prasselte immer heftiger gegen die Fenster, und die Skyline war inzwischen ganz verschwunden. «Ist das nicht ein Sauwetter?», schimpfte Tigler und drehte sich wieder zum Fenster. «Ich habe das Gefühl, dass ich seit einem Monat nichts als Regen sehe. Wir hatten – wie viele? – acht Hurrikans in den letzten zwei Jahren? Wo zum Teufel bleibt die Sonne in unserem sogenannten Sonnenstaat?»

«Ich glaube, sogar *meine* Bräune lässt langsam nach», sagte Rick, froh, dass sie das Thema gewechselt hatten.

«Dann haben wir tatsächlich ein Problem», erwiderte Tigler und lachte leise.

«Ich sage euch mal, was wirklich ein Problem ist, Jungs: mein Golfschwung», warf Rifkin ein.

«Du hast bald genug Zeit, um deinen Schwung zu verbessern, Cowboy. Wie lange musst du noch?», fragte Tigler.

«Warte mal – ein Jahr, sechs Monate und zweiundzwanzig Tage», erwiderte Rifkin mit einem wehmütigen Unterton.

«Aber wer zählt schon die Tage? Was ist mit dir, Jerry? Besteht die Chance, dass wir in absehbarer Zeit gemeinsam auf dem Rasen stehen, oder machst du noch ein paar Jahre weiter?»

Jerry Tigler stieß einen Seufzer aus, und sein rotes, rundes Gesicht schien in sich zusammenzufallen. Auf einmal sah man ihm jedes seiner 67 Jahre an. Und vielleicht noch ein paar mehr. «Eigentlich reicht es mir, Charley», sagte er. «Dreißig Jahre sind wirklich genug.»

«Dreißig Jahre sind ein Vermächtnis», erklärte Rifkin.

«Da bin ich mir nicht so sicher.»

«Man wird Sie vermissen, Jerry», fügte Rick hinzu.

«Auch da bin ich mir nicht so sicher. Ich weiß nur, dass ich keine Wahlkampagne mehr durchstehe. Ich war schon bei der letzten am Ende meiner Kräfte.» Tigler sah Rick an. «Was uns direkt zu Ihnen bringt, mein Junge. Sie haben bei der Staatsanwaltschaft beispielhafte Arbeit geleistet. Das wissen Sie. Und Sie haben mein Vertrauen. Ich habe meinen Posten bereits meinem Freund und Golfpartner hier angeboten, doch er hat keine Lust, in dieser Phase seines Lebens noch einmal zur Zielscheibe zu werden.»

Rifkin winkte ab. «Mein oberstes Ziel in den nächsten fünf Jahren ist es, unter 77 Schlägen zu bleiben. Ich kann keine weiteren Kopfschmerzen gebrauchen. Davon macht meine Frau mir schon genug. Nochmals vielen Dank, Jerry, aber ich will den Job wirklich nicht.»

«Und ich möchte nicht, dass dieses Büro in die falschen Hände gerät», sagte Tigler und strich über sein Haar, wobei er unauffällig prüfte, ob sein Toupet noch richtig saß. «Ich will verhindern, dass es von einem hitzköpfigen Möchtegern-Pflichtverteidiger mit konservativem Anstrich geführt wird. Oder von einem Typen mit wohlklingendem Namen und dicker Brieftasche, der sich hier einkauft. Ich will die Zügel weitergeben, solange ich noch genug Einfluss besitze, meinen

Nachfolger selbst zu wählen. Und ich will, dass der Mann genug Zeit hat, den Bürgern unseres Countys, den Menschen in diesem Gebäude und den ach so wichtigen Geldsäcken oben in Tallahassee zu beweisen, was er draufhat – bevor sein Name 2008 auf dem Wahlzettel steht. Ich will ihm einen Vorsprung geben, damit die Wahl zur reinen Formsache wird.» Er hob den Zeigefinger. «Es gibt eine Menge Leute hier, für die Beständigkeit in diesem Amt wichtig ist, Rick. Das brauchen sie. Und sie brauchen einen Namen und ein Gesicht, mit dem sie sich identifizieren können – jemanden, der auf ihrer Seite steht. Diese Leute werden nicht auf ein unbekanntes Pferd setzen, das ihnen eine unsichere Zukunft verspricht.»

Rick nickte. Adrenalin schoss durch seinen Körper, und er fühlte sich wie kurz vor einer Urteilsverkündung; er sah es den Geschworenen immer an, ob sie den Angeklagten für schuldig befunden hatten, und jetzt blickte er in Jerry Tiglers faltiges Gesicht und wusste, was er als Nächstes sagen würde.

«Mit Ihren zwanzig Jahren bei der Staatsanwaltschaft haben Sie sich sowohl bei den Mitarbeitern als auch bei den Anwälten, Verteidigern und Richtern einen außerordentlich guten Ruf erworben, Rick», sagte Tigler. «Sie besitzen hervorragende Führungsqualitäten und sind ein großartiger stellvertretender Abteilungsleiter bei *Major Crimes*. Charley lobt Sie in den höchsten Tönen. Sie verstehen etwas von dem System, von der Politik und von den Menschen. Und Sie haben immer weise Entscheidungen getroffen. Ich glaube übrigens auch, dass es sehr klug von Ihnen war, im Fall Marquette Ms. Valenciano als zweite Anwältin ins Boot zu holen. Sie ist zwar noch ein bisschen grün hinter den Ohren, aber die Anwälte der anderen Abteilungen fühlen sich jetzt nicht mehr so isoliert. Die Arbeitsmoral hat in letzter Zeit ein bisschen gelitten, weil die Kollegen aus den anderen Abteilungen sich unterbezahlt und überarbeitet fühlen im Vergleich mit den Spezialeinheiten –

besonders mit dem Elite-Club von *Major Crimes*. Ihre Entscheidung lässt Ihre Truppe zugänglicher und greifbarer erscheinen. Vor allem *Sie* – und das wird 2008 das Wichtigste sein.»

«Danke, Jerry. Ich weiß Ihr Vertrauen zu schätzen», sagte Rick und holte Luft.

«Also, was sagen Sie? Sind Sie bereit für eine neue Herausforderung?», fragte Tigler schließlich.

«Mehr als bereit. Ich stelle mich gern allen Aufgaben, die dieser Posten mit sich bringt.»

«Sehr schön», sagte Tigler und nickte bedächtig. «Dann möchte ich gleich jetzt mit der Übergabe beginnen und Sie mit den Tagesgeschäften dieses Büros vertraut machen – mit den Kopfschmerzen, wie Charley es nennt. Ich will nächsten September meinen Abschied bekannt geben. Und ich würde Jeb Bush gerne schon einmal Ihren Namen nennen, damit es keine Missverständnisse gibt. Er ist nächste Woche in der Stadt, und wir gehen Mittag essen. Wie sieht der Zeitrahmen für den Fall Marquette aus?»

«Februar.»

«Aber die Verhandlung wird sich ziehen?»

«Das nehme ich an. Bei Farley weiß man nie. Wenn Levenson keinen Aufschub beantragt, wird er zumindest seine Vertagung ausschöpfen», erklärte Rick schulterzuckend. «Ich schätze, dass die Sache mindestens bis zum Sommer dauert.»

«Den Fall zu gewinnen wäre ein schöner Auftakt, Rick. Kostenlose Publicity verschafft Ihnen den Eintritt in mehr Haushalte, als bezahlte Werbespots es können. Also verstehen wir uns? Je schneller die Sache über die Bühne ist, desto besser.» Er stand auf und ging um seinen Schreibtisch herum.

«Herzlichen Glückwunsch, Ricky», sagte Rifkin mit einem breiten Grinsen und schüttelte ihm die Hand.

«Ganz recht», sagte Tigler und schüttelte Rick ebenfalls die Hand. «Ich gratuliere.»

KAPITEL 34

IRGENDWO IN der Ferne – irgendwo in dem kalten, fauligen Labyrinth, in dem er gefangen war – hörte er die klackenden Absätze des Wachmannes. Langsam bewegten sie sich über die leeren, grell erleuchteten Flure. *Klack, klack, klack.* Sie kamen näher. Sie kamen zu *ihm.*

Er richtete sich auf und lauschte angestrengt, bis sein Kopf zu schmerzen begann. Es waren zwei Paar Absätze, die beinahe – *beinahe* – im Gleichschritt nebeneinander herliefen. Das schwere *Klack, Klack* wurde zu einem Schlurfen und verstummte schließlich. Er erstarrte. Irgendwo auf der Strecke mussten sie stehen geblieben sein, um eins der Tiere zu betrachten, die sie in den Käfigen gefangen hielten.

Er stellte sich vor, wie sie durch die Gitterstäbe in die schmutzigen, mit gleißend hellem Licht erhellten Zellen schauten – Tag und Nacht – und mit ihren unförmigen Gürteln klimperten, um Aufmerksamkeit zu erregen. Sie hielten die Abwehrsprays griffbereit, und die schwarzen Schlagstöcke hingen wie dritte Arme bedrohlich an ihren Gürteln. Sie suchten misstrauisch nach einem Grund, die Zellen zu durchstöbern. Wenn sie etwas fanden, begann das Geschrei. Er wusste nie warum, es interessierte ihn auch nicht. Sadisten, jeder Einzelne von ihnen. Und während der ganzen Zeit drangen aus ihren Funkgeräten seltsame Krächzlaute, die niemand außer ihnen verstand.

In dem dichten Nebel, der durch seinen Kopf wirbelte, dauerte es Minuten, vielleicht Stunden, bis die Schritte ihren Rundgang beendeten. Für ihn hatte Zeit keine Bedeutung mehr, keinen Sinn, keine Grenzen. Und das war es, was ihm am meisten Angst machte, während er auf dem kalten Zementfußboden saß und darauf wartete, dass sie zu ihm kamen. Er schloss die Augen und ließ sich treiben.

Die Medikamente, die sie ihm gaben, ertränkten ihn bei lebendigem Leib. Sein Kopf fühlte sich an, als wäre er in einem gigantischen Wasserstrudel gefangen. Erst sah er alles klar, doch plötzlich gaben seine Knie nach, und er wurde hinunter in die Finsternis gezogen. An der Oberfläche befand sich die reale Welt, nur eine Handbreit von ihm entfernt. Er sah die wässrigen Schatten, die verschwommenen Gesichter, hörte die verzerrten, gedämpften Unterhaltungen, aber er schaffte es nicht, in diese Welt zurückzukehren. Er musste zusehen, wie das Leben um ihn herum weiterging, als würde er nicht vor ihren Augen ertrinken. Die Verzweiflungsschreie gellten allein in seinem Kopf.

Er öffnete die Augen und bemerkte erschrocken, dass das Klacken der Absätze näher gekommen war. Panik schnürte ihm die Kehle zu. *Wo waren sie?* Die Welle, die ihn erfasst hatte, war verebbt, doch er hatte jede Orientierung verloren.

Der Mann im Käfig nebenan begann zu schreien. Die durchdringenden Klagelaute schnitten in sein Gehirn wie ein scharfes Messer. Wie ein verwundeter Kojote steckte er mit seinem Heulen die anderen an. Überall schrie und wimmerte es plötzlich. Es war unmöglich zu denken, zu hören, zu atmen.

Die Schritte wurden wieder langsamer und kamen zum Stehen. Die Schlüssel rasselten, das Funkgerät krächzte. Er spürte, wie Augen ihn musterten, hörte gedämpften, schweren Atem.

«Ist er das?», fragte eine Stimme voller Abscheu.

«Ja. Hey, Marquette, hoch mit dir! Du hast schon wieder Ausgang!», rief eine andere Stimme. «Das kotzt mich echt an.

Erst heute Morgen mussten wir ihn fürs Gericht feinmachen, und jetzt wollen sie ihn schon wieder sehen.»

«Wo zum Teufel sind denn seine Klamotten?»

«Selbstmordgefahr», sagte derjenige mit dem klimpernden Schlüsselbund. «Nichts, was zur Schlinge taugt, auf diesem Stockwerk. Du hast wohl noch nie hier gearbeitet, was?»

«Wie soll er sich aus 'nem Overall eine Schlinge basteln? Und wo sollte er die dran aufhängen?»

«Du hast keine Ahnung, wie erfinderisch diese verrückten Arschlöcher sind. Ich hab mal einen gesehen, der sich seine eigene Scheiße ins Maul gestopft hat und daran erstickt ist. Deswegen sind die Typen ja hier, Mann. Und deswegen haben sie auch keine Klamotten an. Wir schützen sie vor sich selbst. Und davor, an den eigenen Unterhosen zu ersticken.»

Der Klimpermann räusperte sich geräuschvoll und spuckte dann einen dicken Schleimbatzen auf den Zellenboden. Die gelbgrüne Masse landete neben seinem Fuß. Er spürte Wut in sich aufschäumen wie eine Welle, die sich brach. Als der Schleim seinen Zeh berührte, wollte er aufspringen und schreien, wollte Klimpermann an seinem fetten Hals packen und ihn wie einen Hund so lange mit der Nase in seine eigene Spucke stoßen, bis sie blutete.

Aber er tat es nicht.

«Von mir aus könnte er sich ruhig umbringen», fuhr Klimpermann fort und wischte sich den Mund mit dem Ärmel ab. «Der Kerl hat seine ganze Familie ausgeknipst, sogar sein unschuldiges Baby. Der hat's nicht anders verdient. Wenn er es selbst macht, haben wir Steuergelder gespart. Das ist meine Meinung, aber ich hab hier ja nichts zu sagen.»

«Zum Glück», sagte der andere Wachmann schnaubend. «Aber so kann er jedenfalls nicht nach unten. Ist er gewalttätig? Brauchen wir zusätzliche Gurte?»

«Bis jetzt hat er noch keinen Ärger gemacht. Er sagt nichts, er tut nichts, er sitzt einfach nur da. Du kannst ihm ins Gesicht furzen – der bewegt sich nicht», erwiderte Klimpermann. «Was für ein Freak.»

«Na schön, dann ziehen wir ihn mal an», sagte der andere seufzend und warf einen Blick auf seine Uhr. «Schließlich soll sein Besuch ihn nicht so zu Gesicht bekommen.»

KAPITEL 35

ICH MUSS Sie vorwarnen, Alain», sagte Mel Levenson.
Er hatte gerade das Protokoll unterschrieben und wartete
darauf, dass der Wachmann ihm seinen Ausweis zurückgab.
«Wir sind hier in einem Gefängnis, nicht im Krankenhaus.
Sie haben ja schon heute Morgen vor Gericht gesehen, dass
sich David in einem sehr schlechten Zustand befindet. Es war
bisher auch nicht leicht, mit ihm zu kommunizieren.»

«Warum ist er immer noch hier, Mr. Levenson?», wollte
Alain Marquette mit einem ärgerlichen Stirnrunzeln wissen.
«Warum ist er noch nicht wieder im Krankenhaus?»

«Sie haben uns die ganze Zeit nicht zu ihm gelassen», sagte Nina Marquette leise, während sie über das Revers ihres
Mannes strich. «Es ist schlimm für uns, unseren eigenen Sohn
nicht sehen zu dürfen. Er ist schon seit Wochen hier, und wir
konnten nicht einmal mit David sprechen. Ich finde das nicht
richtig.» Sie wandte sich an ihren Mann und sagte leise: *«Alain,
l'homme essaie de nous faire plaisir. Nous devons être patients ou alors
nous ne reverrons jamais David. Les tribunaux Américains rendent les
choses très difficiles.»*

Keiner der beiden übersetzte für Levenson.

David Marquettes Mutter knüllte nervös das Papiertaschentuch zusammen, das sie in der Hand hielt. Im Eingangsbereich
des Dade County Jail standen allerlei zwielichtige, schmutzig
aussehende Leute herum, und sie wünschte, sie hätte nicht
den teuren Schmuck angelegt. Alle Augen waren auf sie gerichtet, und wahrscheinlich fragte sich jeder, wie viel Geld

sie bei sich trug, um jemandes Kaution zu zahlen. Geistes-abwesend fuhr sie mit dem Finger über ihre Nase, die noch nicht ganz verheilt war. Vielleicht glaubten die Leute ja, sie sei ein Verbrechensopfer. Über dem kugelsicheren Glas, das den Wartebereich von den uniformierten Wachleuten auf der anderen Seite trennte, verkündete ein Schild, dass das Mitfüh-ren von Waffen verboten war und jede Zuwiderhandlung zur Anzeige gebracht würde. Darunter befanden sich Abbildun-gen von Schusswaffen, Messern und Bomben, die mit dicken schwarzen Balken durchgestrichen waren – für die Leute, die nicht lesen konnten. Obwohl überall Wachmänner standen, fühlte Nina sich nicht sicher. Sie wusste, dass auch diese sie beobachteten. Sie erinnerte sich an die Warnung ihres Vaters: *Sieh nie auf ein Tier herab, Nina. Dann wird es böse und beißt.* Und so starrte sie auf den schmutzigen Boden und konzentrierte sich auf die Wasserflecken auf dem Wildleder ihrer Designer-stiefel.

«Es liegt im Ermessen des Wachpersonals, ob ein Häftling Besuch empfangen darf», erklärte Levenson geduldig. «Und David wurde dies nicht gestattet. Das ist ein Problem, aber ich kann es leider nicht ändern, Mrs. Marquette. Ich habe zumin-dest durchgesetzt, dass ich zu ihm kann, und das ist erst einmal das Wichtigste.»

Mel Levenson konnte beinahe drei Jahrzehnte Erfahrung mit dem Rechtssystem vorweisen, und es bestand kein Zwei-fel daran, dass er in Miami der Beste auf seinem Gebiet war. Er gab sich schon lange nicht mehr mit Kleinkriminellen und Ladendieben ab – es sei denn, ihr Name lautete Winona Ry-der. Mel Levenson konnte sich seine Mandanten aussuchen, doch dieses Privileg brachte auch Nachteile mit sich, wie er festgestellt hatte. Die meisten seiner Auftraggeber hatten kei-ne Erfahrung mit der Polizei und dem Rechtswesen, daher musste sich Levenson häufig mit verstörten und entrüsteten

Verwandten befassen. Sie empörten sich über ein System, das bei Onkel Joey eine Leibesvisitation vorschrieb, nachdem er wegen Wertpapierbetrugs festgenommen worden war. *Glaubten die etwa, dass er in seinem Hintern Aktienzertifikate versteckte? Er war doch kein richtiger Krimineller!* Sie waren schockiert, wenn sie entdeckten, dass die Haftbedingungen tatsächlich furchtbar waren und zahnlose Zellengenossen namens Bubba wirklich existierten. Sie fanden es ungerecht, dass Billy nicht auf Kaution freikam oder Cousin Lou – der betrunken drei Teenager totgefahren hatte – in dasselbe Gefängnis gesteckt wurde wie die *echten* Mörder. Im Laufe der Jahre hatte Levenson gelernt, ihrer Entrüstung Gehör zu schenken, schließlich waren es die Verwandten, die seine Rechnung bezahlten. Doch bei diesem Fall war es anders. In Anbetracht der Umstände fiel es ihm schwer, Ärger darüber vorzutäuschen, dass Marquette nicht auf Kaution freigekommen war und Mama und Papa ihn nicht besuchen durften.

Als das Schweigen unbehaglich wurde, öffneten sich endlich die Stahltüren, und Mel Levenson führte die Marquettes aus dem Eingangsbereich, vorbei an den Plastikkabinen der Wachmänner und durch einen Metalldetektor. Die Pfeile auf den mintgrünen Betonwänden leiteten sie den Gang entlang zu einer weiteren massiven Stahltür. Er hielt seinen Ausweis in die Videokamera über der Tür, die daraufhin summend aufsprang. Schweigend durchmaßen sie den Korridor und gelangten zu einer Tür mit einem kleinen, drahtverstärkten Fenster, neben der ein gelangweilt dreinblickender Wachmann stand. Er gähnte hinter vorgehaltener Hand und murmelte etwas in das Mikrophon an seiner Schulter. Dann nickte er ihnen zu.

«Sind wir so weit?», fragte Levenson.

«Er ist jetzt drin», sagte der Wachmann und schloss die Tür auf. «Der Knopf für das Mikrophon ist an der Wand unter dem

Tisch. Rufen Sie uns, wenn es ein Problem gibt. Wir haben die Mikrophone auf Empfang gestellt, damit Sie ihn direkt hören können und nicht warten müssen, bis er auf den Knopf drückt.»

Der Raum war klein, vielleicht zwei mal drei Meter, und wurde von einer gut drei Zentimeter dicken Plexiglasscheibe und einem Metalltisch der Länge nach in zwei Hälften geteilt. Die Wände waren wie überall im Gefängnis mintgrün gestrichen, der Fußboden zementgrau. Lange vergitterte Neonröhren hingen an der Decke.

Hinter der Plexiglasscheibe saß Dr. David Marquette auf einem im Boden verankerten Metallstuhl. Sein abgehärmtes unrasiertes Gesicht war bleich gegen den knallroten Overall. Hinter ihm befand sich eine weitere Stahltür, durch die er gebracht worden sein musste. Wie ein paar Stunden zuvor bei der Anklageerhebung starrte er mit leerem Blick vor sich hin.

Alain Marquette trat an den Tisch und legte die Hände auf die Scheibe. «David? David?» Plötzlich hämmerte er mit der Faust dagegen. David zuckte nicht einmal zusammen.

«Er bekommt die Medikamente erst seit ein paar Tagen. Die Erregungszustände haben sich gelegt, das ist die gute Nachricht. Aber alles andere …» Levenson verstummte. «Lawther, der Gefängnisarzt, sagt, es könnte Wochen dauern, bis die Medikation anschlägt. Solange wir nicht wissen, welche –»

«Was geben sie ihm?»

«Thorazine, tausend Milligramm.»

«Du lieber Himmel!»

«Es konnte noch keine endgültige Diagnose gestellt werden, Alain. Denken Sie daran, dies ist ein Gefängnis, keine Privatklinik.»

«Thorazine?» Wütend schlug Alain noch einmal gegen die Scheibe. «Kein Wunder, dass er nicht reagiert! Sie bringen ihn um! Sie machen einen Zombie aus ihm!»

«Thorazine? Ist das nicht das Gleiche, was Darrell ...», begann Nina zögernd.

«Nein, Nina. Es ist nicht das Gleiche!», schnitt Alain ihr das Wort ab.

Nina biss sich auf die Unterlippe und wandte sich ab. Tränen liefen ihr über die Wangen. Sie tupfte sich mit dem Taschentuch die Augen ab, während sie versuchte, an diesem schrecklichen Ort die Fassung zu bewahren. «Ich kann das nicht, Alain. Bitte mich nicht darum. Nicht schon wieder», flüsterte sie. «Ein Mensch kann nur so viel ertragen ...»

Er sah zu, wie sie ihn beobachteten, wie sie ihn zu erforschen suchten. Er spürte, wie die Augen in seinem Schädel zurückrollten. Und wieder wurde er von einer Welle mitgerissen. Die Stimmen wurden leise und verschwommen, als wären sie mit ihm unter Wasser.

«Es reicht!», sagte Alain schließlich und warf die Hände in die Luft. «Dieser Ort ist furchtbar. Barbarisch. Wir müssen ihn hier herausholen.»

«Das ist nicht so einfach», sagte Levenson kopfschüttelnd. «David ist wegen vierfachen Mordes angeklagt.»

«Das weiß ich! Dieser Mann, Mr. Bellido, er will meinen Sohn umbringen!» Er kämpfte mit den Tränen und starrte die leere Gestalt hinter der Scheibe an. «Sehen Sie ihn sich an, Mr. Levenson.» Alain beugte sich über den Tisch und berührte wieder die Scheibe. Plötzlich schrie er: «David? Weißt du, was du getan hast? Weißt du, wo du bist? Weißt du, warum du hier bist?»

David reagierte nicht.

«Wir holen dich hier raus.»

«Sie sollten ihm nicht zu viel versprechen», widersprach Levenson leise und legte Marquette die Hand auf den Arm. «Wir müssen realistisch bleiben. Wir sind hier in Florida, nicht in Frankreich. Wir haben noch einen weiten Weg vor uns.»

Alain stand abrupt auf. «Dann verkürzen Sie den Weg! David

gehört nicht hierher. Machen Sie es möglich, Mr. Levenson. Egal wie. Das dadrin ist mein Sohn. Ich bezahle Ihnen schließlich genug.»

Obwohl sich seine Mutter nur wenige Schritte von ihm entfernt befand, hatte sie ihn kein einziges Mal angesehen. Doch als sein Vater den Mann anschrie, den sie seinen Verteidiger nannten, hob sie endlich den Blick. Auf dem Schoß ihres maßgeschneiderten schwarzen Rocks lagen die Fetzen des Taschentuchs, das sie zerrissen hatte. Ein paar Reste hielt sie immer noch in der Hand und tupfte sich damit die rotgeränderten Augen. Ihr sonst so makelloses, feingeschminktes Gesicht war geschwollen, und hässliche blaue und gelbe Flecken schimmerten durch das Make-up.

Seine Mutter war immer so vollkommen gewesen – selbst jetzt, mit dem Pflaster auf der Nase, wirkte sie elegant. Keine Haarsträhne am falschen Platz, die Mascara trotz der Tränen nicht verlaufen. Doch er wusste, dass sie sich innerlich wand und Todesqualen litt – all die Bakterien und Keime, die sie womöglich gerade einatmete. Sie schaffte es nicht einmal, ihn anzusehen. Vielleicht war es Neugier oder Schuldgefühle, die sie schließlich doch dazu brachten. Kurz blinzelte sie, neigte den Kopf mit der tadellosen Frisur zur Seite und betrachtete ihn wie ein Tier im Zoo. Ihre Augen glitten über seine Gestalt und registrierten offenbar jedes Detail. Dann trafen sich ihre Blicke.

«Gehen wir, Alain? Bitte», flehte sie plötzlich und stand mit aschfahlem Gesicht auf. Die Taschentuchfetzen fielen zu Boden. Sie wandte sich ab und ging zur Tür, die Arme um den Oberkörper geschlungen, als wäre ihr auf einmal entsetzlich kalt geworden.

«Nina», begann Alain.

«Gehen wir, sofort. Mir ist nicht wohl, Alain.»

Es dauerte eine Weile, bis der Wachmann zurückkam und die Tür aufschloss, und während der ganzen Zeit drehte sich seine Mutter kein einziges Mal um. Vielleicht hatte sie etwas in seinen Augen gesehen. Oder sie hatte überhaupt nichts gesehen. Vielleicht war es dieses absolute Nichts gewesen, das die Farbe aus ihrem Gesicht vertrieben und sie zur Flucht vor ihm veranlasst hatte. Offensichtlich konnte sie den Anblick ihres Sohnes nicht mehr ertragen.

Oder den Anblick dessen, was aus ihm geworden war.

KAPITEL 36

«DER STAUBSAUGERVERTRETER», sagte Julia mit einem schüchternen Lächeln, als die Tür aufging.

«Ich nehme zwei, egal, was Sie verkaufen.» Rick lehnte an der Tür und sah sie lächelnd von Kopf bis Fuß an. «Komm rein, bitte.» Zärtlich gab er ihr einen Kuss auf die Wange und führte sie in die Wohnung, die aussah wie aus einem Designkatalog.

Das Wohnzimmer, in kühlen Blautönen, Meergrün und Weiß gehalten, öffnete sich zu einer modernen Küche mit blanken Stahloberflächen, blitzenden Glasschränken und einer Arbeitsplatte aus schwarzem Granit. Alles glänzte, und nirgendwo war auch nur ein Fingerabdruck zu sehen. Die schicken Modulmöbel waren locker auf dunklem Bambusboden arrangiert. Zeitgenössische – und, wie es aussah, teure – Kunst hing an den Wänden.

«Du hast es wirklich schön», sagte sie, als sie auf die Glastür zuging, die auf einen überdachten Balkon mit unglaublichem Blick auf das funkelnde Miami Beach hinausführte. Hinter den Hochhäusern konnte sie die Brandung des schwarzen Atlantiks schimmern sehen, nur ein paar Straßen weiter im Osten.

Sie dachte an ihre eigene vollgestellte Wohnung – mit atemberaubendem Blick auf den Parkplatz. Sie hatte noch nicht einmal die Umzugskisten ganz ausgepackt – von vor drei Jahren. An den Wänden hingen gerahmte Poster aus dem Möbelhaus, und die Stühle passten nicht zueinander. Seit sie hier wohnte, hatte sie das Bett nicht zusammengeschraubt, und sie wusste auch nicht mehr, in welcher Kiste die Teller waren. Als sie daran dachte, dass sie bisher immer bei ihr auf der Matratze gelandet waren, fragte sie sich, was er von ihr halten mochte, wenn sie das Licht wieder anknipsten.

«Was für eine Aussicht», brachte sie hervor. «Und du arbeitest wirklich bei der gleichen Behörde wie ich?»

Rick lachte. «Ja, aber schließlich lebe ich allein. Keine Frau, keine Kinder – keine Alimente, kein Unterhalt. Ich bin vor Jahren hier eingezogen, bevor die Immobilienpreise in die Höhe geschossen sind, Art déco wieder in Mode kam und South Beach richtig hip wurde. Das war allerdings vor deiner Zeit.» Er stand in der Küche, wo er mit einem lauten Plopp eine Weinflasche entkorkte.

«Es gab wirklich eine Zeit, in der South Beach nicht hip gewesen ist?», fragte Julia.

«O ja. Das wusstest du vielleicht nicht, aber ich bin einer der wenigen, die in dieser Stadt aufgewachsen sind. Meine Eltern sind aus Kuba – sie sind noch während der Revolution geflohen. Damals sind hier alte jüdische Männer in Rollstühlen durch die Straßen gefahren, keine Rapper in aufgemotzten Luxuskarossen. Leih dir mal *Scarface* aus. Genauso hat Miami in den Siebzigern und Achtzigern ausgesehen – Dominospieler am Straßenrand, Männer in hässlichen Guayabera-Hemden, Kokain-Dealer, die es quasi auf der Straße schneien ließen. Die goldenen Zeiten, als Frank Sinatra mit dem Rat-Pack im Fontainebleu auftrat, waren lange vorbei. Und am Ocean Drive konnte man noch einen Parkplatz finden.»

«Sag nichts gegen Guayabera-Hemden. Ich finde sie toll», bemerkte Julia und konnte sich nicht verkneifen: «Und damals hat ein Hot Dog wirklich nur fünf Cent gekostet?»

«Du bist ganz schön frech.»

Julia lächelte. «Du bist ganz schön alt.»

«Sag es niemand», erwiderte er und reichte ihr ein Glas Weißwein. «Du bist einfach verdammt jung.»

«Das darfst du auch niemand sagen.»

Rick beugte sich zu ihr und küsste sie sanft auf den Mund. Sein Atem roch süß und holzig, nach Chardonnay. «Machst du Witze?», flüsterte er. «Ich bin so stolz darauf, dass ich es jedem erzähle.»

Julia dachte an Days Worte und wurde rot. «Hoffentlich nicht jedem.»

Er trank einen Schluck Wein. «Du meinst die Kollegen aus der Gerüchteküche? Keine Sorge, ich will auch, dass das unter uns bleibt, Julia. Das ist unsere Privatangelegenheit, und wir sollten niemandem einen Grund zum Lästern geben. Außerdem», sagte er dann und spielte mit ihrem langen Haar, «Geheimnisse machen viel mehr Spaß.»

Julia nahm ebenfalls einen Schluck, während er zur Stereoanlage ging. Das unbehagliche Gefühl, das sie am Morgen während der Anklageerhebung beschlichen hatte, war den ganzen Tag lang nicht verschwunden. Sie hatte früher Schluss gemacht und war an der Strandpromenade joggen gegangen. Aus dem geplanten kurzen Lauf waren fünfzehn Kilometer geworden, und doch hatte sie den Kopf nicht frei bekommen. Als sie nach Hause kam, hatte sie eine Nachricht von Rick auf dem Anrufbeantworter. Er fragte, ob sie Lust hätte, zu ihm zu kommen.

«Ich bestelle was beim Chinesen, wenn es dir recht ist», rief er aus der anderen Ecke des Wohnzimmers.

«Ist gut. Ich esse gerne Chinesisch. Aber ich habe nicht viel Hunger.»

Draußen hatte es wieder zu regnen begonnen. Im Licht der Straßenlaternen zwischen den Gebäuden sahen die Regentropfen aus wie winzige silberne Dolche.

«Wohin bist du heute Morgen verschwunden?», fragte Rick und sah herüber. «Ich wollte dich der Presse vorstellen, aber du warst weg.»

Sie zögerte einen Moment. «Tut mir leid, aber ich bin einfach nicht für die Kamera gemacht. Ich wollte nichts Falsches sagen. Wenn es dir recht ist, mache ich mich einfach dünne, wenn du vor die Presse trittst.»

Er zuckte die Schultern. «Wie du meinst. Aber ich fürchte, über deine Kamerascheu wirst du bald wegkommen müssen. Ich habe heute Nachmittag einen Anruf vom französischen Konsulat bekommen. Kurz danach hat sich CNN gemeldet.»

«Das Konsulat? Warum das denn?»

«Anscheinend ist unser Angeklagter französischer Staatsbürger, und die Franzosen haben etwas dagegen, dass wir einen von ihnen hinrichten lassen wollen, selbst wenn er auch einen amerikanischen Pass hat. Bei diesem Thema sind sie sehr entschieden.»

Julia verschluckte sich beinahe an ihrem Wein. «Wie bitte? Marquette ist Franzose?»

Er nahm ihr das Glas ab. «Mehr?»

«Wovon redest du?»

«Er hat die doppelte Staatsbürgerschaft, um genau zu sein. Aber meiner Meinung nach macht das keinen Unterschied.» Er ging zurück in die Küche. «Das nehme ich als Ja.»

Sie war wie vor den Kopf gestoßen. «Was wollen die vom Konsulat?»

«Sie wollen ihn sehen – und das Versprechen, dass wir nicht die Todesstrafe fordern», erklärte er. «Das Erste muss ich ihnen wegen des Wiener Abkommens wahrscheinlich gewähren. Beim Zweiten sage ich Nein, auch wenn die Weicheier von den Bürgerrechtsbewegungen mit Sicherheit Hämorrhoiden bekommen. Aber wir würden einen gefährlichen Präzedenzfall schaffen, wenn wir uns den Wünschen anderer Staaten beugen, denen unsere Gesetze nicht passen», fuhr er fort, als sie schwieg. «Außerdem ist mir egal, wo jemand herkommt. Wer in Amerika ein Verbrechen begeht, sollte nach amerikanischem Recht verurteilt werden. In Saudi-Arabien wird mir schließlich auch die Hand abgehackt, wenn ich etwas stehle. So lautet das Gesetz dort, und ich respektiere das. Aber so wird der Fall Marquette wohl international Aufmerksamkeit erregen.» Er füllte die beiden Gläser und kehrte ins Wohnzimmer zurück. «Vor ein paar Jahren hatten wir hier diesen Italiener vor Gericht – Venezia hieß er, Pietro Venezia. Er hatte keine Lust, die Mehrwertsteuer abzuführen, die er in seinem Restaurant in Miami einnahm. Irgendwann hat so ein kleiner Sesselfurzer vom Finanzamt routinemäßig seine Konten sperren lassen. Venezia hat es persönlich genommen. Er hat den armen Teufel im Telefonbuch nachgeschlagen und ihm, als er gerade den Weihnachtsbraten aus dem Wagen holte, die Birne weggeblasen. Als Nächstes hüpft Venezia ins Flugzeug heim nach Bella Italia. Als Interpol ihn endlich aufspürt und festnehmen will, verweigert Italien die Auslieferung, falls wir nicht auf die Todesstrafe verzichten. Wozu wir uns gegen meine Bedenken bereiterklärten. Doch das war den Italienern nicht genug. Sie trauten uns nicht und ließen verlautbaren, dass sie ihn nicht gehen lassen würden, bis wir von Mord auf Totschlag runtergehen. Und selbst das reichte nicht. Am Ende beschloss die italienische Regierung, Venezia in Italien nach italienischem Gesetz den Prozess zu machen, wegen eines Verbrechens, das er hier in Florida begangen hat. Sie haben das ganze italienische Gericht hier rübergekarrt, um die Zeugen zu vernehmen.»

«Wie ist es ausgegangen?»

«Nachdem alle ihren netten Urlaub genossen hatten, flogen sie nach Hause und verurteilten ihn zu zwanzig Jahren. Aber er kommt bald raus, wenn er es nicht schon ist. Für mich ist das keine Gerechtigkeit, verstehst du? Das habe ich auch der Witwe gesagt, die in der Küche die Supermarkttüten auspackte, während ihr Mann vor dem Wagen erschossen wurde. Wenn Venezia Italien je wieder verlässt, dann krieg ich ihn. Und diesmal kenne ich keine Gnade.»

Julia sagte nichts.

Leichte Jazzmusik tönte aus den Lautsprechern. Sie spürte, wie der Alkohol sie entspannte. «Ich hatte nicht erwartet, dass du heute die Todesstrafe beantragen würdest», sagte sie plötzlich und war selbst überrascht von ihren Worten.

«Was meinst du? Dass ich den Antrag *heute* gestellt habe oder dass ich ihn *überhaupt* stelle?», fragte Rick leise.

Julia schwieg. Dann sagte sie: «Beides wahrscheinlich. Ich dachte, das Thema würde erst später aufkommen.»

«Hast du ein Problem damit?» Er zog eine Augenbraue hoch, und in seinen dunklen Augen las sie die eigentliche Frage: Du gehörst doch nicht zu den Weicheiern, oder?

Sie schüttelte den Kopf. «Nein, nein. Ich hatte bloß nicht damit gerechnet.»

«Das ist doch Quatsch», hatte Onkel Jimmy ins Telefon geschrien. Er schlug gegen den Kühlschrank, dass Tante Noras Obstmagneten und Zettel zu Boden fielen.

«Jimmy, Jimmy, bitte. Julia ist drüben», hatte Tante Nora ihn flüsternd angefleht.

«Entschuldige», sagte Jimmy und sprach leiser, sodass Julia aus ihrem Bett aufstehen und die Tür weiter aufmachen musste, um lauschen zu können. «Aber es macht mich so wütend.»

Durch den Spalt sah sie, wie er mit rotem Gesicht in der Küche auf und ab lief. Tante Nora saß am kleinen Esstisch und umklammerte mit beiden Händen ein Spültuch.

«Was wollen sie von uns, Jimmy?», flüsterte Nora weinend. «Sie soll da nicht noch einmal durch.»

«Ich weiß, dass es nicht Ihre Entscheidung ist, aber – ja, ja, das weiß ich auch», sagte Jimmy ins Telefon. «Hören Sie … Nein, jetzt hören Sie mal zu. Das Schwein soll für das, was er getan hat, zur Rechenschaft gezogen werden. Auge um Auge. Haben Sie die Fotos gesehen? Haben Sie gesehen, was er ihnen angetan hat? Sie fragen mich, was wir erwarten? Wir wollen, dass er dafür hängt. Das ist Gerechtigkeit.»

Julia versuchte, die kalte Erinnerung zu verscheuchen. «Was glaubst du, ist in seinem Leben schiefgelaufen?», fragte sie leise und dachte an die Fotos an den hellgelben Wänden. Nichts war, wie es schien. «Ich meine, er hatte so ein perfektes Leben ...»

«Glaube niemals, dass du das Leben eines anderen Menschen wirklich kennst, Julia. Du weißt nur, was derjenige dich wissen lässt. Wenn du das beherzigst, wird dich nichts und niemand mehr überraschen können.»

Rick trat hinter sie, hob ihre langen Locken an und strich mit dem feingeschliffenen Fuß seines Weinglases sanft über ihren Nacken. Ein wohliges Prickeln lief über ihre Haut. Sie schloss die Augen. Rick ließ ein wenig Wein auf ihre Haut tropfen und küsste ihn behutsam weg, bevor er in den Ausschnitt ihrer Seidenbluse rann. Julias Atem beschleunigte sich, und sie stöhnte leise, als seine Zunge langsam zu ihrem Ohr wanderte und mit ihrem Ohrring spielte. Rick schmiegte seinen Körper an ihren, schlang den Arm um sie und begann mit geschickten Fingern, die Knöpfe ihrer Bluse zu öffnen. «Ich habe keine Lust mehr zu reden», flüsterte er und öffnete den letzten Knopf. «Vor allem nicht über ihn.»

Sie nickte und bog ihren Kopf zurück. Mit dem Stiel des Weinglases schob er ihre Bluse auseinander und enthüllte ihr leichtgebräuntes Dekolleté. Ein schwarzer Spitzen-BH unterstrich ihre Rundungen.

«Hmm ...», murmelte Rick. Als er das kalte, feuchte Glas über den dünnen Stoff gleiten ließ, wurden ihre Brustwarzen hart. Langsam zog er zuerst das eine, dann das andere Körbchen nach unten und entblößte ihre Brüste. Sie wusste, sie sollte sich von der offenen Glastür abwenden, vor der sie stand, doch sie konnte nicht. Sie waren zwar oben im vierten Stock, doch im Wohnzimmerlicht könnte sie jeder sehen. Als er den Rest des Weines an ihrem Hals hinab über ihre Brüste und in ihre Hose rinnen ließ, erbebte sie.

Wieder begann er, sie zu küssen, und leckte den Wein mit seiner warmen Zunge. «Ich habe heute gute Laune, weil es trotz der Franzosen ein großartiger Tag gewesen ist», murmelte er in ihr Ohr. «Und er wird immer besser.»

Er drehte sie zu sich um und streifte ihr die Bluse ab. Bebend, mit nackten, feuchten Brüsten, stand Julia vor ihm. Rick stellte sein Glas ab, öffnete den Reißverschluss ihrer Hose und zog sie ihr mit beiden Händen mitsamt dem Slip über die Hüften. Er betrachtete ihren Körper und pfiff durch die Zähne. «Du bist wirklich etwas Besonderes», sagte er leise.

Dann hob er sie ohne ein weiteres Wort hoch und trug sie ins Schlafzimmer.

KAPITEL 37

H U-LIE-JAA!», schallte es durch die Eingangshalle des
Graham Building. «Hu-lie-jaa!»

Weil es nicht annähernd wie ihr Name klang, zog Julia ihren
Klappwagen, auf dem sich drei riesige Aktenkisten türmten,
weiter in Richtung Ausgang. Wie üblich war sie viel zu spät
dran. Heute setzten sich die Anwälte und Verteidiger ihrer Abteilung zusammen und versuchten, Vergleiche auszuhandeln.
Obwohl Richter Farley sich nicht für die Details ihrer Fälle
interessierte – und wenn doch, dann nur aufgrund ihrer ener-
gischen Einsprüche –, musste sie die Akten jedes Falls, der für
die folgende Woche angesetzt war, mitschleppen und ankün-
digen, ob sie zur Verhandlung bereit war oder nicht. Allein
in dieser Woche hatte sie drei neue Fälle bekommen, in den
beiden Wochen davor fünf, also musste sie sich mindestens
acht Fälle vom Hals schaffen – sei es durch eine Verhandlung
oder einen Vergleich –, damit ihr ohnehin schon unüber-
schaubarer Aktenberg nicht noch weiter anwuchs. Da jedoch
die Hälfte ihrer Angeklagten entweder Wiederholungstäter
waren oder nur die Mindeststrafe zu erwarten hatten, war es
unwahrscheinlich, dass sie in diesen Fällen Vergleiche aushan-
deln konnte – es sei denn, die Verteidiger hatten heute gute
Laune. Falls nicht, würde sie die ganze nächste Woche über
Verhandlungen führen müssen. Zudem würde sich Farley gewiss dafür rächen wollen, dass er erst am Tag zuvor erfahren
hatte, dass sie zweite Anwältin im Fall Marquette war, und deshalb vor der versammelten Presse unvorbereitet gewirkt hatte.

Er würde seine helle Freude daran haben, sie nach ihrer Prozesswoche mit einem Dutzend ihrer Fälle an das sogenannte Back-up-Gericht zu verweisen, damit sie den nächsten Monat mit Verhandlungen verbringen musste. Das Back-up-Gericht bestand aus vier Prozessrichtern, die sich den ganzen Tag lang ausschließlich mit Verhandlungen befassten – und zwar jeden Tag. Nicht mit Anträgen, nicht mit Anklageerhebungen – nur mit Verhandlungen. Die Vormittagssitzungen fanden von acht Uhr morgens bis ein Uhr mittags statt, die Nachmittagssitzungen von ein Uhr mittags bis sechs Uhr abends. Wenn Farley sie richtig fertigmachen wollte, würde er sie sowohl zu den Vormittags- als auch zu den Nachmittagssitzungen verdonnern.

«Hu-lie-jaa!»

Aus dem Rufen war ein gellendes Schreien geworden, und zusammen mit einigen anderen Leuten sah sich Julia irritiert um. Am anderen Ende der Eingangshalle entdeckte sie Marisol Alfonso, die in ihrem pinkfarbenen Ensemble aus Minirock und Jacke beinahe mit den rosafarbenen Wänden verschmolz.

«Hu-lie-jaa! Hier drüben!» Marisol stemmte eine Hand in die Hüfte und winkte ungeduldig mit der anderen, ohne sich auch nur einen Millimeter in Julias Richtung zu bewegen.

Obwohl Julia schon viel zu spät dran war, durchquerte sie mit schnellen Schritten die Lobby und begrüßte Ricks Sekretärin mit einem aufgesetzten Lächeln. «Hallo, Marisol! Was gibt es denn? Ich habe leider nur wenig Zeit.» Sie versuchte, nicht allzu ungeduldig zu klingen.

«Haben Sie mich denn nicht rufen hören?», fragte Marisol und runzelte verärgert die Stirn.

«Nein, ich habe es furchtbar eilig und war wohl in Gedanken», erwiderte Julia und fügte im Stillen hinzu: *Wenn Sie meinen Namen richtig ausgesprochen hätten, hätte ich Sie bestimmt gehört.*

«Schon gut», sagte Marisol und winkte ab. So schnell, wie sich ihr Gesicht verfinstert hatte, hellte es sich auch wieder auf und erstrahlte in einem breiten Lächeln.

Julia konnte sich lebhaft vorstellen, wie Marisol ihrem Freund erst eine Bratpfanne über den Kopf zog und eine Minute später mit ihm heißen Sex auf dem Küchentisch hatte. Ihre Stimmungen schlugen schnell um. Viel zu schnell für Julias Geschmack. «Was gibt es denn?», fragte sie erneut.

«Hier, ich habe etwas für Sie», verkündete Marisol und wedelte mit einem gelben Briefumschlag. «Ist gerade reingekommen. Eigentlich wollte ich den nach oben zu Rick bringen, aber dann dachte ich, dass Sie ihn vielleicht zuerst sehen wollen. Es geht um Ihren Fall. Der mit dem Arzt.» Sie packte Julia am Handgelenk und zog sie näher zu sich heran. Ihr Blick wurde wieder finster. «Mein Freund bei der Poststelle hat gesagt, dass er heute Morgen mit einem Kurier gekommen ist. Er muss sehr wichtig sein.» Sie zwinkerte mit ihren künstlichen Wimpern und ließ sich extra viel Zeit. «Vielleicht möchten Sie ihn Rick ja persönlich geben.»

Julia vermutete eher, dass sich Marisol den Weg in den ersten Stock sparen wollte. Doch immerhin schien sich ihr Verhältnis weiter zu verbessern. «Danke, das ist wirklich nett von Ihnen», sagte sie. «Ich bringe Rick den Brief, sobald ich vom Gericht –»

Marisol schüttelte den Kopf, und erneut löste ein Lächeln das düstere Stirnrunzeln ab. «Warten Sie nicht. Mein Freund sagt, das sollten Sie sich *sofort* ansehen», sagte sie. Julia öffnete den Mund, doch Marisol hob gebieterisch die Hand. «Sie können mir später danken.» Dann warf sie ihre lange schwarze Mähne zurück und stolzierte auf acht Zentimeter hohen, pinkfarbenen Plateauschuhen davon.

Julia stellte fest, dass der Umschlag bereits geöffnet worden war. Sie zog fünf säuberlich zusammengeheftete Seiten mit der

Überschrift *Der Staat von Florida gegen David Alain Marquette* heraus. Der Eingangsstempel der Poststelle trug das aktuelle Datum und die Uhrzeit 9 Uhr 43.

Weniger als dreißig Sekunden später rannte Julia zum Aufzug, als sei der Teufel hinter ihr her.

KAPITEL 38

JULIA LIEF am Sekretariat vorbei, so schnell es ihr Klappwagen zuließ, und klopfte an die Tür von Ricks Büro.

«Herein!», rief Rick barsch, doch als sie eintrat, wirkte er
angenehm überrascht.

«Hallo, du», begrüßte er sie, lächelte und lehnte sich mit der
Kaffeetasse in der Hand in seinem Stuhl zurück. «Was für ein
Zufall! Ich habe gerade an letzte Nacht gedacht ... Setz dich
doch. Kommst du vom Gericht?»

Julia schüttelte den Kopf und nahm ihm gegenüber Platz.
«Nein, ich muss erst noch hin. Ich war schon auf dem Weg,
aber dann habe ich Marisol getroffen. Sie hat mir einen Brief
gegeben, der vor einer halben Stunde in der Poststelle eingegangen ist. Er kam per Kurier aus Mel Levensons Büro.»

«Worum geht es?», fragte Rick argwöhnisch. Sein Lächeln
erstarb.

«Um eine Änderung der Klageerwiderung», antwortete Julia
und reichte ihm den Umschlag.

«Eine Änderung der Klageerwiderung? Was zum Teufel
meinst du damit?» Ricks Gesicht verfinsterte sich zusehends.
«Wirft Levenson schon das Handtuch? Bekennt sich Marquette schuldig? Will den Steuerzahlern die Verhandlung ersparen? Wie nett.»

Doch Julia sah ihm an, dass er die Sache alles andere als lustig
fand.

«Er plädiert auf Unzurechnungsfähigkeit.»

«Du willst mich veralbern!»

«Keineswegs.»

Rick knallte die Tasse auf den Schreibtisch. Kaffee spritzte überallhin, doch er ignorierte das, massierte seine Schläfen und starrte schweigend auf den Umschlag. «Na, das ist ja mal eine Überraschung», sagte er schließlich mehr zu sich selbst als zu Julia. «Dieser merkwürdig leere Blick vor Gericht, dieses ganze ‹Er ist krank›-Gerede von seinem Vater – ich hätte es wissen müssen. Das war eine perfekte Inszenierung.» Rick griff in eine seiner Schreibtischschubladen, zog eine Serviette hervor und begann missmutig, die Kaffeeflecken wegzuwischen.

«Ich dachte, Levenson würde die Nummer mit der Unzurechnungsfähigkeit erst aus dem Hut zaubern, wenn er einsieht, dass ihm niemand die Geschichte vom einarmigen Einbrecher abkauft. Aber vielleicht ist es sogar richtig schlau von ihm, mit offenen Karten zu spielen und von Anfang an auf Unzurechnungsfähigkeit zu plädieren. Vielleicht hofft er, dass ich ihm auf diese Weise eher glaube und mich auf einen Vergleich einlasse. Marquette vor dem Todestrakt bewahren und ihm ein warmes Plätzchen in der staatlichen Nervenheilanstalt in Chattahoochee besorgen – das hätte er wohl gern.» Rick griff nach seiner Lesebrille. «Hattest du schon einmal einen Angeklagten, der auf Unzurechnungsfähigkeit plädiert hat, Julia?», fragte er, nun wieder beherrscht. «Bei minderen Delikten? Kapitalverbrechen? Wie sieht es bei deinen Abteilungskollegen aus?»

Julia schüttelte den Kopf.

«Weißt du auch, warum? Weil diese Verteidigungsstrategie nicht funktioniert», erklärte er und zog Levensons Schreiben aus dem Umschlag. «Nicht in Florida. In den letzten zwanzig Jahren hatte ich vielleicht fünfzehn oder sechzehn Angeklagte, die es versucht haben, und bis auf zwei sind alle kläglich gescheitert. Diese beiden waren wirklich völlig plemplem, und da sie nicht wegen Mordes angeklagt waren, habe ich mich darauf eingelassen.»

«Was sagt das Gesetzbuch von Florida in Bezug auf Unzurechnungsfähigkeit? Wir haben das zwar an der Uni durchgenommen, aber das ist schon eine ganze Weile her.» Vom Studium wusste sie nur noch, dass jeder Bundesstaat einen anderen Test für die Zurechnungsfähigkeit eines Angeklagten hatte.

Rick warf ihr einen Blick zu, den sie nicht zu deuten vermochte. «Florida hält sich an die M'Naughten-Regel, wie die Hälfte der Vereinigten Staaten. ‹Es wird angenommen, dass jede Person geistig gesund ist. Ein Angeklagter wird nur dann wegen Unzurechnungsfähigkeit für nicht schuldfähig befunden, wenn er nachweisen kann, dass er zum Tatzeitpunkt aufgrund einer Geistesstörung nicht wusste, was er tat, oder nicht wusste, dass das, was er tat, ungesetzlich war.› Im Klartext heißt das Folgendes: Falls Mel Levenson nicht eindeutig beweisen kann, dass sein Mandant eine Geisteskrankheit oder Geistesstörung hat und aufgrund dieser Tatsache entweder a) nicht wusste, was er tat, oder b) zwar wusste, was er tat, aber nicht wusste, dass es falsch war, gilt Marquette dem Gesetz nach als geistig gesund. Das Hauptaugenmerk liegt also darauf, ob der Angeklagte weiß, was vor sich geht, und ob er Richtig und Falsch voneinander unterscheiden kann. Wenn er wusste, was er tat, fällt auch nicht ins Gewicht, dass er womöglich unfähig ist, sein Handeln oder seine Wut zu kontrollieren. Egal, ob Gott, der Teufel oder der Weihnachtsmann dir befehlen, jemanden zu töten, egal, ob du deine Frau mit dem Klempner im Bett erwischst und im Zorn deinen Mordgelüsten nachgibst – das alles zählt in Florida nicht.» Mit diesen Worten begann Rick, sich die Papiere durchzulesen.

«Levenson hat auch eher den ersten Teil im Visier», sagte Julia.

«Welchen ersten Teil?», fragte er und sah auf, die Brille gefährlich tief auf seiner Nase.

Sie atmete tief durch. «Den Teil mit der Geisteskrankheit. Lies weiter, es steht alles drin. Levenson behauptet, David Marquette sei schizophren.»

KAPITEL 39

MINUTENLANG saßen sie einander schweigend gegenüber. Als Rick den Antrag durchgelesen hatte, starrte er aus dem Fenster auf die Skyline von Miami und den Dolphin Expressway, wo immer noch Stau war, obwohl die Rushhour längst vorüber sein sollte. Plötzlich wandte er sich wortlos um, nahm den Telefonhörer und wählte eine Nummer. «Hier ist Bellido», sagte er mit mühsam gezügelter Wut. «Ruf mich bitte sofort an, wenn du diese Nachricht hörst. Entweder im Büro oder auf dem Handy, 305-794-0114. Wir haben ein Problem.» Dann drehte er sich wieder zum Fenster.

Julia war sich ziemlich sicher, dass der Anruf John Latarrino gegolten hatte. Und sie war sich genauso sicher, dass Lat die Nummer auf seinem Display gesehen und einfach nicht abgenommen hatte. Obwohl Rick und Lat bei der Anhörung gestern eine geschlossene Front präsentiert hatten, war die Atmosphäre zwischen ihnen angespannt. Und die neueste Hiobsbotschaft würde die Sache nur verschlimmern. Lat war derjenige, der die Zeugenvernehmungen durchführte, der die Fragen stellte und die Berichte schrieb. Die Ermittlung hatte zwar gerade erst begonnen, doch Rick würde ihm wohl zumindest einen Teil der Schuld geben, auch wenn keiner die Richtung, die der Fall jetzt nahm, hätte vorhersehen können. Lat tat Julia leid. Sie war überzeugt, dass er seine Arbeit gut machte. Und anders als Steve Brill, der das Klischee eines Detectives aus dem Morddezernat genau erfüllte – cool, unsensibel, distanziert –, schien Lat weniger hartgesotten zu sein. Trotz seines gespannten Verhältnisses zu Rick war er ihr gegenüber stets offen und ehrlich und nahm sie trotz ihrer Unerfahrenheit ernst. Julia fühlte sich beinahe schuldig, weil sie das Telefonat mit angehört hatte – als hätte sie sich dadurch Ricks Position angeschlossen.

«Was nun?», fragte sie schließlich und brach das Schweigen.

Rick holte tief Luft. «Lat und Brill müssen alles ausgraben, was es über Dr. David Marquette zu wissen gibt – angefangen bei dem Tag, an dem er zur Welt kam, bis zu seinem Frühstück heute Morgen in der Zelle.» Er wirbelte den Stuhl herum. «Diese Unzurechnungsfähigkeits-Geschichte hätte uns auf keinen Fall so kalt erwischen dürfen. Also sind wir entweder alle Vollidioten oder, wahrscheinlicher, Marquette ist ein Schwindler, denn er hat keine Krankengeschichte.»

«Im Bericht wird behauptet, Marquette hätte eine Zeit in der Psychiatrie verbracht – als junger Mann unter falschem Namen, irgendwo in der Nähe von Chicago. Und dass deshalb niemand davon wusste», sagte sie. «Wie auch? Von seiner Familie redet keiner mit uns, und Jennifers Familie hatte anscheinend keine Ahnung. Vielleicht wusste nicht einmal Jennifer davon.»

«Jetzt wissen wir es jedenfalls. Wir besorgen uns einen Gerichtsbeschluss und lassen uns alle psychiatrischen oder medizinischen Berichte schicken, die wir finden können. Ich wusste nicht einmal, dass sie ihn drüben in den achten Stock stecken. Manchmal landen Häftlinge dort wegen Selbstmordgefahr. Das ist die Entscheidung der Gefängnisleitung. Vielleicht ist Marquette da auf die Idee gekommen. Wir befragen jeden Wachmann, wie sich Marquette verhält, wenn der Anwalt weg ist, die Kameras ausgeschaltet sind und kein Arzt sich Notizen macht. Wir müssen sämtliche Informationen über die Krankheit zusammentragen – was sie auslöst, wie sie behandelt wird, welche Auswirkungen sie haben kann. Ich will die aktuellsten Forschungsergebnisse sehen. Eines weiß ich jedenfalls: Nur weil man schizo ist oder manisch oder gerade depressiv drauf, gibt einem das noch lange nicht das Recht, ungestraft zu töten. Nicht hier in Florida. Und erst recht nicht bei mir.» Er hielt kurz inne. «Hast du schon einmal eine Anhörung zur Prüfung der Prozessfähigkeit durchgeführt?»

Julia hätte gern ja gesagt, doch sie musste den Kopf schütteln.

Rick seufzte und deutete auf das Gesetzbuch, das ganz oben auf ihren Aktenkisten thronte. Julia sah ihm an, dass er in diesem Moment Zweifel bekam – der Fall wurde viel zu kompliziert für eine Anfängerin.

«Lies die Paragraphen 3.210 und 3.211», sagte er. «Lerne sie auswendig. Levenson behauptet, sein Mandant sei nicht imstande, an der Verhandlung teilzunehmen – was nichts mit seiner Unzurechnungsfähigkeit in der Tatnacht zu tun hat, sondern mit seiner Fähigkeit, dem Prozess zu folgen. Unzurechnungsfähigkeit ist nur ein juristischer Begriff, keine medizinische Diagnose. Bevor der Prozess beginnt, muss Farley entscheiden, ob Marquette überhaupt prozessfähig ist. Begreift er, welche Anklage gegen ihn erhoben wird und welche Strafe ihn erwartet? Versteht er, was bei der Gerichtsverhandlung vor sich geht? Was ein Anwalt ist und warum er einen braucht? Wird er während der Verhandlung ruhig neben seinem Anwalt sitzen oder herumtoben und erzählen, er würde jede Nacht von kleinen grünen Männchen entführt?»

Rick schwieg für einen Moment. «Wir dürfen nicht vergessen, dass dieser Mann noch vor drei Wochen erfolgreich Operationen durchgeführt und Vorträge über Hüfttransplantationen gehalten hat. Wir müssen sicherstellen, dass das sowohl dem Richter als auch den psychologischen Gutachtern klar ist. Und natürlich den Geschworenen. Marquette ist gebildet, und er ist intelligent – Studium an der Northwestern, Fellow an der Temple University –, und das macht ihn sehr viel gefährlicher als den durchschnittlichen Kriminellen. Zudem sieht er sich der Todesstrafe gegenüber, hat im Grunde also nichts mehr zu verlieren. Er wird alles tun, um ein Ticket in die nächste Luxus-Klapse zu ergattern.»

«Was, wenn er wirklich krank ist?», warf Julia leise ein. «Ich kann zwar nicht behaupten, ich wüsste über Schizophrenie Bescheid, aber du planst drei Schritte voraus, als gäbe es gar keinen Zweifel daran, dass er nur so tut. Gibt es nicht zumindest die Möglichkeit, dass er wirklich krank ist?»

Sie konnte Marquettes merkwürdig leeren Blick nicht vergessen. *Wie er sie anstarrte. Durch sie hindurchstarrte.* Das unangenehme Gefühl von gestern war immer noch da, es war ihr tief in die Knochen gedrungen. Und jagte ihr nun einen Schauer über den Rücken. Je länger sie sich mit Marquette beschäftigte, desto tiefer, schien es, wurde sie unwillkürlich in ihre eigene Vergangenheit gezogen. Es war, als stünde sie knöcheltief in einer Strömung, die immer stärker an ihren Füßen riss.

Dieser Fall ist zu nah dran, Julia. Er bringt nur – Verzweiflung.

Sie verbannte Tante Noras Prophezeiung aus ihrem Kopf. «Vielleicht sollten wir abwarten, was die Ärzte sagen.»

«Fast jeden Tag, Julia», begann Rick kopfschüttelnd, «versucht jemand, ein Ticket in diesem Bus zu ergattern. Warum? Ganz einfach. Wer sich in der Klapse gut benimmt, darf irgendwann wieder raus. Es ist das Ticket zur Freiheit. Und alles ist besser als das Leben drüben im Florida State Prison. Für jemanden wie David Marquette, der entweder mit der Todeszelle oder mit lebenslänglich ohne die Chance auf Bewährung rechnet, ist das der *einzige* Weg hinaus. Und falls er für unzurechnungsfähig erklärt wird, ist es das gewesen, verstehst du? Wenn die Ärzte erst einmal beschließen, dass er keine Gefahr mehr für sich und andere darstellt, ist er auf freiem Fuß, und weder Staat noch Richter können irgendetwas tun. Egal, ob er einen oder hundert Leute umgebracht hat.

Hör mal, ich habe schon alles gesehen – von Angeklagten, die mit Kot um sich warfen, bis zu Freaks, die mitten im Gerichtssaal eine schwarze Messe abhielten. Aber von all diesen Typen waren nur zwei wirklich verrückt – zwei in zwanzig Jahren. Du musst mir verzeihen, dass ich daher ein bisschen skeptisch bin, wenn mir plötzlich jemand erzählen will, Marquette sei verrückt. Denn meines Wissens nach war er zwei Tage bevor er sich entschloss, seine Familie abzuschlachten, noch ganz normal. Du darfst nicht von der Brutalität seiner Tat darauf schließen, dass er ein Wahnsinniger sein muss. Es macht ihn nur zu einem Mörder. Wir dürfen nicht zulassen, dass er Urlaub im Gitterbettchen macht. Falls das Gericht ihm Prozessunfähigkeit bescheinigt, dauert es geschlagene sechs Monate, bis er erneut vorgeführt wird. Ein halbes Jahr Privatunterricht bei den echten Irren in der Klapsmühle, das er dafür nutzen wird, seine Maskerade zu perfektionieren. Denk daran, dass die Zeit immer gegen uns arbeitet, Julia. Zeugen werden vergesslich, sterben oder wollen nicht mehr aussagen. Beweise gehen verloren oder werden zerstört. Die Geschworenen bekommen Mitleid mit dem Angeklagten, weil er so lange in einer Irrenanstalt eingesperrt war. Irgendwann glauben sie, dass mit ihm wirklich etwas nicht stimmt. Sie glauben, dass er doch nicht für seine Tat verantwortlich ist, und sprechen ihn frei. Also ist die Prüfung von Marquettes Prozessfähigkeit die erste und wichtigste Hürde, die wir jetzt nehmen müssen. Um seine Zurechnungsfähigkeit können wir uns später kümmern.»

Zwei junge Tannenbäume, geschmückt mit schlichten weißen Lichtern, zu beiden Seiten des Altars. Kränze aus duftenden Fichtenzweigen unter den Buntglasfenstern und eine Blumengirlande mit großen roten Schleifen am Geländer unter den Stationen des Kreuzwegs über den

Kirchenbänken. Noch letzten Sonntag hatte ein Meer von Weihnachts-sternen den Raum gefüllt, doch heute waren sie alle fort. Es roch nach Weihnachten und Weihrauch, ein scharfer Geruch, von dem Julia übel wurde, wenn sie atmete.

Ihre Mutter hatte Blumen geliebt. Jeden Freitag nach der Arbeit hat-te sie sich auf dem Heimweg einen kleinen Strauß weißer Pfingstrosen gekauft, bei Country Arts & Flowers, dem Blumenladen an der Haupt-straße, der der einzige war, bei dem ihre Familie anschreiben ließ. «Die Rose der einfachen Leute, aber sie duftet trotzdem», hatte sie immer gesagt. Sie arrangierte die Blumen in der Vase ihrer Großmutter und stellte sie in der Küche neben die Spüle, damit sie sie ansehen konnte, wenn sie unangenehme Pflichten verrichtete wie den Abwasch. Wenn die Blumen verblüht waren, sammelte sie die Blütenblätter und trock-nete sie, um sie ins Badewasser zu streuen oder in kleinen Säckchen in die Schubladen zu legen.

Julia zerdrückte das Taschentuch, das sie in der Hand hielt, bis sie das Gefühl hatte, nie wieder die Hand öffnen zu können. Auf einmal fragte sie sich, ob die Blumendekoration hier auch von Country Arts kam und ob die Ladeninhaber wussten, dass sie sie für ihre treueste Kundin ange-fertigt hatten. Oder würden erst ein paar Freitage vergehen, bis sie ihr Ausbleiben bemerkten?

«Manchmal können wir die Wege des Herrn nicht verstehen», sagte Vater Ralph mit daunenweicher Stimme. «Wir können nicht wissen, was Er für uns im Sinn hat. Wir verstehen es nicht. Doch Er hat einen göttlichen Plan. Und Irene ist in Seinem Plan vorgesehen. Genauso wie Joseph. Und auch Andrew ist in Seinem Plan. Wir müssen lernen, dem Herrn zu vertrauen, und dem Plan, den Er für uns hat. Wir müssen lernen zu vergeben, denn das erwartet Er von uns …»

Plötzlich stand Tante Nora in der ersten Bankreihe auf. Wortlos packte sie Julia am Handgelenk, und gefolgt von Onkel Jimmy mar-schierte sie den Mittelgang hinunter, vorbei an den vielen vertrauten und fremden Gesichtern. Nachbarn, Freunde, Mr. Leach von der che-mischen Reinigung, Klassenkameraden, Lehrer, die Kassiererin aus *dem Supermarkt, vollkommen Fremde. Die Tragödie war auf der Titelseite der Zeitung gelandet, und die Leute kamen von überall her. Vater Ralph brach ab. Die ganze Kirche schien den Atem anzuhalten, als die drei über den Marmorfußboden zum Kirchenportal schritten.*

«Julia? Hörst du mir zu?» Rick sah sie irritiert an.

«Ja», sagte sie abwesend. «Tut mir leid. Ich musste an etwas denken. Was ist unser nächster Schritt?» Sie versuchte, sich auf die Buchrücken im Regal zu konzentrieren. Ihre Beine zitterten, und sie stützte die Arme auf die Knie, damit das Zittern aufhörte. *Projektile und Eintrittswunden. Ein Kompendium. Sexualverbrechen und die psychopathische Persönlichkeit.*

«Du siehst blass aus.»

Fünf, vier, drei, zwei, eins – atmen.

Sechs, fünf, vier, drei, zwei, eins …

«Nein, es geht schon. Zu viel Kaffee.»

Sieben, sechs, fünf, vier, drei, zwei, eins …

«Die Anhörung vor Farley muss so schnell wie möglich stattfinden», fuhr er fort, während er sie aufmerksam im Blick behielt. Dann öffnete er eine Schublade und nahm eine dicke Fallrechtssammlung heraus. «Der Richter wird zwei, vielleicht sogar drei Seelenklempner beauftragen, ein psychologisches Gutachten über Marquettes Prozessfähigkeit zu erstellen. Dafür haben sie zwanzig Tage Zeit. Wir können keine Verzögerung gebrauchen, vor allem nicht so kurz vor den Weihnachtsferien. Also müssen wir uns sofort sämtliche medizinischen Unterlagen, Polizeiberichte, Laborberichte, Zeugenaussagen und alles andere besorgen, was für die Gutachter wichtig sein könnte.»

«Ist es wichtig, wer das Gutachten erstellt?», fragte Julia und zählte im Kopf langsam von zehn bis eins.

«O ja. Farley wird uns fragen, wen wir vorschlagen, und das wird definitiv Christian Barakat sein. Der ist für uns am besten. Wenn wir noch einen Zweiten benennen dürfen, hätte ich gern

Pat Hindlin oder Tom McDermot. Levenson wird natürlich Al Koletis haben wollen. Alle Verteidiger wollen Koletis. Der Typ ist nicht zu gebrauchen; bei ihm ist keiner prozessfähig, und wir sind alle verrückt.»

Julias Handy klingelte. Auf dem Display erschien eine Durchwahl vom Gericht. *Farley*. Verdammt – sie hatte vollkommen vergessen, dass sie sich heute acht Fälle vom Hals schaffen musste. Sie sah auf die Uhr, und ihr Magen zog sich zusammen wie in der Achterbahn. Es war schon halb elf. Wahrscheinlich warteten alle auf sie.

«Ich muss ins Gericht», sagte sie schnell und stand auf. Ihre Beine zitterten immer noch, und ihr war schwindelig. Sie musste an die Situation mit Lat im Badezimmer der Marquettes denken. Die Vorstellung, in Gegenwart von Rick ohnmächtig zu werden, erschien ihr weitaus schlimmer. «Ich bin viel zu spät. Wahrscheinlich gilt das schon als Missachtung des Gerichts.»

«Ich bringe dich rüber. Vielleicht kann ich dir ja aus der Patsche helfen und auch gleich den Termin für die Anhörung machen», sagte er und griff nach seinem Jackett. In diesem Moment klingelte sein Telefon. Er nahm ab und drückte auf den Lautsprecherknopf. «Büro der Staatsanwaltschaft. Bellido.»

Es war Lat. «Ich habe deine Nachricht erhalten. Was ist los?»

«Ist Brill bei dir?», fragte Rick.

«Nein. Sollte er? Ich bearbeite einen Doppelmord in Westchester und verhöre gerade einen Drogendealer. Viele Grüße an die nette Staatsanwältin, du Schleimbeutel.»

«Du musst so schnell wie möglich herkommen, und Brill auch.»

«Was ist denn passiert?» Lat klang genervt. «Falls du vorhast, wieder eine Pressekonferenz zu geben, muss ich vorher duschen.»

«Heute werde wohl nicht *ich* eine Pressekonferenz geben, sondern Mel Levenson», knurrte Rick. «Er hat vor einer halben Stunde eine Bombe platzen lassen. Die Spermaflecken und Fußabdrücke kannst du vorläufig vergessen. Und deinen Drogendealer sowieso. Marquette plädiert auf Unzurechnungsfähigkeit.»

KAPITEL 40

HUNDERTE VON DEMONSTRANTEN
VOR DER US-BOTSCHAFT IN PARIS
CHIRAC NENNT ANTRAG AUF
TODESSTRAFE GEGEN GEISTES-
KRANKEN VERDÄCHTIGEN BEI
FLORIDA-MASSAKER ‹BARBARISCH›

ES WAR zwar nicht die Titelseite, doch die Nachricht war in der *New York Times* gelandet. Und in der *Washington Post*. Und in der *Chicago Tribune*. Und der *Los Angeles Times*. Selbst Ann Curry war heute Morgen in der *Today Show* kurz darauf eingegangen. Über Nacht hatten Dr. David Marquette und das *Massaker von Coral Gables*, wie man es in Miami nannte, einen Quantensprung aus dem Lokalteil in die internationale Presse gemacht, und seitdem hatten die Telefone der Staatsanwaltschaft nicht aufgehört zu klingeln. Charley Rifkins Prophezeiung wurde anscheinend wahr. Doch anders als der Serienmörder Cupido, der wegen der grausigen Details und wahllosen Brutalität seiner Verbrechen die ganze Welt in Atem gehalten hatte, während er die Taskforce der Polizei 18 Monate lang an der Nase herumführte, war David Marquettes Fall auf politischer Ebene ein heißes Eisen. Ein internationales heißes Eisen, denn hier ging es um die Todesstrafe. Die Todesstrafe für einen psychisch kranken Ausländer. Man musste nur noch das nette Foto, den Doktortitel und die grausigen Details dazugeben, und schon hatte man alle Zutaten für einen spektakulären Mediensturm. *Hier braut sich ein übler Sturm zusammen.* Julia dachte wieder an Rifkins Prophezeiung. Es war noch zu früh, um zu sagen, ob das öffentliche Interesse bald verebben oder rasant zunehmen würde, doch nach den hochaufgerüsteten Übertragungswagen zu urteilen, die seit ein paar Tagen vor dem Graham Building standen, und der Todesstrafen-Debatte, welche beharrlich die internationalen Schlagzeilen beherrschte, war anzunehmen, dass David Marquettes fünfzehn Minuten des Ruhms noch nicht abgelaufen waren. Der Zirkus hatte seine Zelte aufgeschlagen. Die einzige Frage, die sich allen auf beiden Seiten der Glastüren des Graham Building stellte, war: Wie lange würde er bleiben?

Sie nahm eine Zigarette aus der Bigbox, die sie sich auf dem Heimweg an der Tankstelle gekauft hatte, und zündete sie sich an. Während des Studiums hatte sie geraucht, und sie hatte fast ein Jahr gebraucht, um es sich abzugewöhnen. Als sie es endlich geschafft hatte, schwor sie sich, nie wieder eine Zigarette anzurühren. Aber nie wieder war eine lange Zeit, und jetzt brauchte sie etwas, das ihre Nerven beruhigte. Die Zigarette kam ihr vor wie ein alter, vertrauter Freund. Und die Möglichkeit, in zwanzig Jahren an Krebs zu erkranken, schien ihr im Moment ein vertretbares Risiko zu sein. Sie nahm einen tiefen Zug, ohne auch nur husten zu müssen. Bald würde sie sich einen Platz bei den redseligen Kettenrauchern in der «Krebsstation» vor der Staatsanwaltschaft reservieren.

Sie rieb sich die Augen und stand vom Küchentisch auf, wo sich medizinische und juristische Publikationen türmten, dazu Wörterbücher und die dicke, langweilige Fallrechtssammlung zur Unzurechnungsfähigkeit, die sie zusammengestellt und bereits ein paarmal überflogen hatte. Ihre Aufzeichnungen wirkten wie aus dem Notizbuch eines spleenigen Thrillerautors.

«… Schwere Geisteskrankheit … Störungen und Veränderungen des Denkens, Fühlens, Handelns und des Ich-Erlebens. Die Symptome sind verschiedenartig und weiten sich häufig zu einer Psychose aus …»

«… bizarre Wahnvorstellungen mit einer fehlenden oder gering ausgeprägten Krankheitseinsicht …»

«… in manchen Fällen der Schizophrenie aggressives, destruktives und gewalttätiges Verhalten, insbesondere bei Alkohol- oder Drogenmissbrauch oder Fehldosierung antipsychotischer Medikation …»

«… akustische Halluzinationen wie etwa Stimmen, die das Verhalten der Person kommentieren, oder zwei oder mehr Stimmen, die sich unterhalten, bis zu 24 Stunden am Tag, sieben Tage die Woche, 365 im Jahr … in manchen Fällen Stimmen von bekannten Personen (i.e. Mutter, Vater, Geschwister, Freund, Lehrer), was die Unterscheidung von Wahnvorstellung und Wirklichkeit weiter erschwert …»

«… *katatones Verhalten* … psychomotorische Störungen … Haltungsstereotypien, Stupor, Starre …»

«… Paranoia … unbegründeter Verfolgungswahn …»

«Schizophrenie *nicht* durch Labortests, CAT-Scans, Magnetresonanztomographie oder klinische Untersuchungen diagnostizierbar …»

«… Krankheitsverlauf beginnt früh … Bei Männern bricht die Krankheit durchschnittlich zwischen 17 und 25 Jahren aus, bei Frauen etwa drei bis vier Jahre später …»

Nicht heilbar. Antipsychotische Medikamente wie Risperdal, Haldol, Mellaril, Clozaril.

Schizophrenie. Natürlich hatte sie vor David Marquette von der Krankheit gehört, aber bisher wusste sie nicht mehr als das, was in der Zeitung stand oder in Gruselfilmen beschrieben wurde: dass Schizophrenie die Geisteskrankheit schlechthin war, Synonym für das Wort «Wahnsinn», einsetzbar in den unterschiedlichsten Fällen, egal, ob es sich um Genies wie Vincent van Gogh handelte oder einen Menschen wie John Hinkley jr., der versucht hatte, Präsident Reagan zu ermorden, oder David Berkowitz, den Serienmörder «Son of Sam». Die Krankheit brachte Menschen dazu, mitten auf der Straße zu schreien, kleine grüne Männchen zu sehen, Gott zu begegnen oder für andere unsichtbaren Regierungsbeamten, die sie um Mithilfe bei Geheimprojekten baten.

Verwirrende Fakten und Statistiken rasten durch ihren Kopf. Während der letzten Tage hatte sie in Eigenregie einen Crashkurs über diese Geisterkrankheit gemacht, der ihr die Augen öffnete und zugleich eine Heidenangst einjagte. Etwa ein Prozent der Weltbevölkerung war von der Krankheit betroffen, davon mehr als 2,2 Millionen Amerikaner. In den USA waren mehr Menschen daran erkrankt als an Aids, multipler Sklerose und ALS zusammen. Doch trotz dieser enormen Verbreitung war die Krankheit alles andere als gesellschaftlich akzeptiert. Schizophrenie war immer noch ein Stigma, wie Lepra und die Pest. Ohne Vorwarnung traf die Krankheit junge, gesunde Menschen, raubte ihnen auf grausame Weise den Zugang zur Realität und verdammte sie zu einer furchteinflößenden, ungewissen Zukunft. Die Wahrscheinlichkeit, dass ein Betroffener innerhalb von zehn Jahren nach der Diagnose starb, lag bei über zehn Prozent. Mit fünfundzwanzig Prozent Wahrscheinlichkeit landete ein Betroffener in einem Pflegeheim, einer geschlossenen Anstalt oder auf der Straße. Die unsichtbare Krankheit machte keine Unterschiede – sie befiel Menschen jeder Hautfarbe, jeder Herkunft, Arme wie Reiche, Dumme wie Intelligente. Sie veränderte die gedanklichen Verarbeitungsprozesse und löste eine Art Fehlzündung im Gehirn aus, sodass die Gedanken im Kopf des Schizophrenen zwar logisch klangen, für andere Menschen jedoch keinen Sinn ergaben.

Eine der grausamsten Wirkungen aber war, dass die Krankheit den Menschen die Fähigkeit raubte, zu begreifen, dass etwas mit ihnen nicht stimmte – ein klinisches Symptom, das als «unzureichende Krankheitseinsicht» bezeichnet wurde. Für sie waren die Stimmen und Halluzinationen absolut real. Sie wussten nicht, dass sie krank waren, und begriffen nicht, warum der Rest der Welt den Kontakt mit ihnen mied. Wahrscheinlich gab es keine andere Krankheit, die den Betroffenen dermaßen entfremdete und isolierte.

Julia hatte sich Wein aufgemacht, obwohl sie wusste, dass der Alkohol ihre Schlaflosigkeit nur verschlimmerte. Dafür half er, die Angstzustände und die Beklemmung zu mildern. Und wenn sie genug trank, würde sie wenigstens die Augen schließen und vergessen können.

Sie ging ins Wohnzimmer und sah aus dem Fenster hinaus in die Nacht.

Der Vollmond stand niedrig am Himmel – in grellem, ätherischem Orangegelb, mit Kratern gesprenkelt.

«Andy, warum schrumpft der Mond mit jeder Nacht?»

«Dumme Frage», seufzte er genervt, wie es nur ein älterer Bruder fertigbrachte. «Er schrumpft nicht, Juju. Er versteckt sich.»

Sie schluckte ihren Stolz hinunter und fragte weiter: «Na gut, aber warum versteckt er sich?»

«Damit ihn alle anschauen, wenn er wiederkommt», sagte er und blickte hinauf zu einem vollen gelben Mond vor dem Fenster, den fedrige Wolken umtanzten. Es sah alles so perfekt aus, dass sie jeden Moment damit rechnete, eine Hexe vorbeifliegen zu sehen. «Wenn er die ganze Zeit dick und rund wäre, würde keiner mehr gucken. Die Leute würden ihn gar nicht bemerken. Wie bei der Sonne. Keiner schert sich um die Sonne, bis sie verschwindet und es ein paar Tage regnet. Und dann wollen sie plötzlich alle wiederhaben.»

Andy war so schlau. Er wird einmal weit kommen, sagte Mami immer. Und Julia hoffte, dass er sie dahin mitnehmen würde.

Sie kämpfte gegen die Tränen an.

Dieser Fall ist zu nah dran. Er bringt nur – Verzweiflung.

Ist es das? Ist das die Verzweiflung, Tante Nora?

Oder war das leere, hohle Grauen erst der Anfang …

Sie starrte das Telefon an, wie so oft an diesem Abend, an diesem Tag, in dieser Woche. Doch jetzt griff sie zum Hörer und wählte endlich die Nummer.

«Hallo?», meldete sich nach dem zweiten Klingeln eine verschlafene Stimme.

«Onkel Jimmy?» Schuldbewusst drückte Julia die Zigarette aus. Sie warf einen Blick auf die Uhr ihres DVD-Players und stellte fest, dass es bereits halb zwölf war. Sie ärgerte sich über sich selbst.

«Julia? Schätzchen, ist was passiert?», fragte Jimmy und hörte sich auf einmal hellwach an. Hätte sie bloß vorher auf die Uhr gesehen.

Während ihre Tante bis drei Uhr morgens am Herd stand, lag Onkel Jimmy häufig schon um zehn in den Federn. Julia sah ihn vor sich, aufrecht im Bett sitzend, die wenigen verbliebenen Haare, die er sonst sorgsam über seine Glatze legte, in allen Richtungen verstrubbelt.

«Entschuldige, dass ich so spät anrufe, Onkel Jimmy. Ich wollte eigentlich mit Tante Nora sprechen», sagte sie leise.

«Wie spät ist es denn?»

«Schon nach elf, vielleicht versuche ich es lieber morgen nochmal …»

«Ist das Julia?», erklang gedämpft die Stimme ihrer Tante. «Ist was passiert?»

«Warte kurz, Kleines. Ich gebe sie dir.» Dann hörte Julia, wie Jimmy zu Nora sagte: «Ich weiß nicht, worum es geht, sie will mit dir reden.»

«Julia. Was ist los?», fragte Nora mit einem beunruhigten Unterton in der Stimme.

«Nichts, Tante Nora. Ich wollte dich bloß etwas fragen.»

«Um halb zwölf in der Nacht? Geht es dir wirklich gut? Soll ich zu dir kommen, Liebes?»

«Ich wollte euch nicht wecken.»

«Das hast du nicht. Ich sitze am Esstisch und schneide Coupons aus. Jimmy war nur als Erster am Telefon.» Sie lachte erleichtert. «Um die Uhrzeit habe ich schon gedacht, es wäre jemand gestorben.»

«Ich, äh, ich bin gerade erst mit der Arbeit an meinem Fall fertig geworden.»

«Ach.» Das Lachen brach ab. «Der Mordfall? Ich habe die Zeitung gelesen. Es heißt, der Mann ist wahnsinnig.»

«Ja, und ich …» Julia zögerte und schloss die Augen. «Ich wollte dir ein paar Fragen über Andrew stellen.»

Am anderen Ende der Leitung blieb es still.

«Nora? Bist du noch da?»

«Warum willst du etwas über ihn wissen?», fragte sie leise.

Es fiel ihr viel schwerer, als sie gedacht hatte. «Ich habe viel nachgedacht – über jene Nacht, aber auch über das Jahr davor. Und darüber, wie anders damals alles war.»

«Was ist los mit ihm, Mama?», fragte Julia und versuchte, an ihrer Mutter vorbei die Treppe hinunterzuspähen. «Wen schreit er denn an? Warum ist er so wütend? Ich habe Angst.»

«Ich habe gesagt, du sollst ins Bett gehen, Julia!», befahl ihre Mutter, und Furcht schwang in ihrer Stimme mit. «Sofort!» Dann verschwand sie wieder nach unten in den kleinen Raum, aus dem die Schreie drangen, und schloss die Tür hinter sich.

«Es gibt sonst niemanden, der mir etwas über ihn erzählen könnte, und ich dachte, dass meine Mutter mit dir vielleicht über ihn gesprochen hat», sagte sie schnell, um die Bilder aus ihrem Kopf zu vertreiben. «Darüber, was mit ihm geschehen ist, als er aufs College ging. Und ich dachte, vielleicht –»

«Julia, das bringt doch nichts», unterbrach ihre Tante sie mit fester Stimme. «Lass die Vergangenheit ruhen. Uns allen zuliebe. Bitte.»

«Was ist mit Andy passiert?», beharrte Julia. «Ich muss es einfach wissen. Ich habe ein Recht darauf.»

«Ich will nicht darüber reden. Denk daran, was ich dir gesagt habe, Julia. Dieser Fall tut dir nicht gut. Du schläfst nicht, du stellst verrückte Fragen, du bist müde und gestresst.» Sie hielt inne. «Und du trinkst. Ja, ich kann es hören.»

Julia stellte das Weinglas auf die Fensterbank und ging zur Couch. Dann setzte sie sich und schloss die Augen.

«Du öffnest eine Tür, die besser geschlossen bleiben sollte. Dafür haben Jimmy und ich all die Jahre gesorgt, dir zuliebe. Lass die Finger davon – zu deinem eigenen Besten.»

«Ich kann die Vergangenheit nicht einfach ruhenlassen. Ich verstehe dich ja, Tante Nora, aber ich muss wissen, was passiert –»

Nora schnitt ihr mit übertrieben munterer Stimme das Wort ab. «Ich glaube kaum, dass es diesen Sonntag klappt, Jimmy und ich fahren nach Jupiter zu einem Bridgeturnier. Aber wir müssen langsam Pläne für Weihnachten machen, nicht wahr? Ich weiß, dass Jimmy nächste Woche, wenn du vor Gericht musst, auf Moose aufpasst. Komm jederzeit zum Abendessen – wir freuen uns. Und Weihnachten, ich weiß ja nicht, aber vielleicht kannst du deinen Freund mitbringen. Aber jetzt will ich nicht länger telefonieren. Ich muss ins Bett. Ich hab dich lieb.» Im Hintergrund fragte Onkel Jimmy, was los sei, dann war die Leitung tot.

Sie starrte auf den Hörer in ihrer Hand. Ganz gleich, wie sehr sie versuchte, die Erinnerungen fernzuhalten, sich auf andere Dinge zu konzentrieren – die Bilder stürmten auf sie ein, und Geister klopften an die Tür, überall, jederzeit.

Klopften und klopften und wollten endlich wieder hereingelassen werden.

KAPITEL 41

H ABEN SIE SIE?», *schallte eine raue Männerstimme aus dem Sprechfunkgerät.*

«*Ja, sie ist im Wagen.*»

«*Geschätzte Ankunftszeit?*»

«*In zwei Minuten.*» *Der Detective, auf dessen Dienstmarke «Potter» stand, wandte leicht den Kopf und lächelte das junge Mädchen auf dem Rücksitz müde an. Dann warf er dem Fahrer einen Blick zu und richtete seine Aufmerksamkeit schließlich wieder nach vorn auf die Straße. Niemand sagte etwas.*

Als sie auf die Maple Street einbogen, sah Julia sofort die vielen blauen und roten Lichter, wie bei einer lautlosen Thanksgiving-Parade. Ihr Mund wurde trocken, sie biss sich auf die Unterlippe und schlang ihre Arme fest um sich. Schlagartig wurde ihr bewusst, dass etwas Schreckliches passiert sein musste. Sie blickte aus dem Seitenfenster und versuchte, die Müdigkeit abzuschütteln.

Noch vor zehn Minuten hatte sie im Haus ihrer besten Freundin im Bett gelegen und einen wunderbaren Traum gehabt, an den sie sich jedoch nicht mehr erinnern konnte. Jetzt saß sie auf dem Rücksitz eines Streifenwagens, in dem es nach Rauch, billigem Rasierwasser und Urin roch. Julia fragte sich, was Carly wohl gerade dachte. Sie schmeckte Blut auf ihrer Unterlippe. Welch einen Unterschied zehn Minuten bedeuten konnten.

Die meisten Anwohner der Straße hatten zur Nacht ihre Weihnachtsbeleuchtung ausgeschaltet, doch hier und da blinkten einige bunte Lichter in den Bäumen und Sträuchern. Der Streifenwagen fuhr in Schrittgeschwindigkeit an den Julia so vertrauten Häusern und

Vorgärten vorbei, in denen sich die Nachbarn in Schlafanzügen und Wintermänteln versammelt hatten, um zu sehen, was passiert war. Sie deuteten auf den Streifenwagen und versuchten, einen Blick auf den Rücksitz zu erhaschen. Julia vergrub ihr Gesicht in den Händen. Schließlich hielt der Wagen vor dem Haus ihrer Eltern.

Detective Potter drehte sich erneut zu ihr um, und die Blaulichter der anderen Streifenwagen tanzten über sein Gesicht. «Es ist etwas Schlimmes passiert», brachte er schließlich mit leiser Stimme hervor.

Julia nickte heftig. Sie wollte nicht, dass er weitersprach. Und sie hatte Angst, selbst etwas zu sagen, denn das Blut aus ihrer Lippe schien ihren ganzen Mund zu füllen.

Potter seufzte traurig. «Wartest du eine Minute im Wagen, Kleines?» Es war keine Frage, sondern eine Aufforderung. Er nickte seinem Partner zu und stieg aus. Julia sah schweigend zu, wie die beiden über den gefrorenen, mit grauen Schneeresten gesprenkelten Rasen gingen und dann im Haus verschwanden.

Zehn Jahre zuvor hatte ihr Vater die erste und letzte Lichterkette an ihrem Haus angebracht, und viele der großen bunten Glühbirnen waren inzwischen durchgebrannt. Ein alter Plastikweihnachtsmann winkte den Rentieren und glitzernden Schlitten in den Gärten der Nachbarn zu. Das Rot seines Mantels und seiner Mütze war im Laufe der Jahre zu einem stumpfen Rosa verblasst.

Julia hatte die Dekoration dieses Jahr eigenhändig angebracht, weil niemand sonst aus ihrer Familie daran Interesse gezeigt hatte, für sie selbst ein Weihnachten ohne bunte Lichter und Figuren auf dem Rasen jedoch kein richtiges Weihnachten war. Leider hatte sie in der Garage nur den altersschwachen Weihnachtsmann und eine verwitterte Girlande gefunden.

Julia drückte ihre flauschige Tasche an die Brust und sah zu, wie sich im oberen Stockwerk gesichtslose Silhouetten hinter den Fenstern bewegten. Ihr Herz schlug wild – immer schneller, immer schneller – wie ein Frachtzug, der führerlos die Schienen entlangraste. Jeden Moment konnte er entgleisen.

Eiseskälte drang in den Wagen und griff mit unsichtbaren dürren Fingern nach ihr. Sie zählte das Ticken, als der Motor abkühlte, und fragte sich, warum sie Detective Potter nicht gefragt hatte, was eigentlich passiert war, wo ihre Familie war oder wieso zwei Krankenwagen in der Auffahrt standen …

Etwas ist mit mir geschehen – ich weiß nicht, was. Mein früheres Ich ist zerbröckelt und auseinandergefallen, und aus den Trümmern ist eine Kreatur erstanden, die ich nicht kenne. Sie ist mir fremd und hat ein Geltungsbedürfnis, das mein früheres Geltungsbedürfnis lächerlich erscheinen lässt. Ihre Gedanken sind – Ketzerei. Ihr Name ist Wahnsinn. Sie ist die Tochter der Tollheit – und meinem Arzt zufolge haben beide ihren Ursprung in meinem eigenen Gehirn.

Lara Jefferson, These are my sisters

KAPITEL 42

O MANN, sehen Sie beschissen aus!»
Julia blickte von den Unterlagen auf ihrem Schreibtisch auf. Steve Brill stand mit einer Papiertüte in der Hand in der Tür und grinste schief, auf dem Kopf eine Baseballkappe von den Chicago Cubs.

«Sind Sie krank?», fragte er und ließ sich in den Stuhl vor ihrem Schreibtisch fallen. «Soll ich Ihnen vielleicht einen Kaffee holen? Oder lieber einen Arzt?» Er sah sich in Julias vollgestopftem Büro um, wo sich die Aktenkisten gleich reihenweise an den Wänden stapelten. Die unfertigen Berichte türmten sich überall. «Hier sieht's ja aus wie in meiner Wohnung!», behauptete Brill. «Ich glaube, wir beide würden uns glänzend verstehen, Jules. Anscheinend haben wir nämlich doch was gemeinsam: Wir lieben das Chaos.»

«Du bist immer so verdammt charmant», erklang es vom Korridor aus. Dann kam Lat zur Tür herein und hielt genau das in Händen, was Julia am allerwenigsten gebrauchen konnte – eine weitere Kiste. «Ich versuche verzweifelt, ihn ein bisschen zu erziehen, Julia.»

«Das haben schon ganz andere versucht und sind kläglich gescheitert, Boss. Ich glaube, wer das schafft, den heirate ich.» Brill sah Lat an und klimperte kokett mit den Wimpern. «Selbst wenn du es bist, Latty.»

«Träum weiter», erwiderte Lat und ließ die Kiste auf Brills Fuß fallen. «Ignorieren Sie ihn einfach, Julia. So mache ich es.» Er setzte sich. Als er Julia ansah, runzelte er besorgt die Stirn. «Sie sehen wirklich erschöpft aus. Ist alles in Ordnung?»

«Vielen Dank, Leute», entgegnete Julia und griff verlegen nach ihrer Brille. Offenbar hatte sie die Augenringe heute früh nicht dick genug überschminkt. «Was für eine Begrüßung. Farley zahlt es mir heim. Ich bin seit zwei Wochen ununterbrochen im Gerichtssaal. Das macht sich bemerkbar. Sonst bin ich o.k.»

In Wahrheit war sie am Ende. Sie hatte seit einigen Nächten kein Auge zugetan. Dabei wünschte sie sich nichts sehnlicher, als einfach das Gehirn abschalten und schlafen zu können. Doch sobald sie einnickte, kehrten die Albträume zurück. Sie kannte noch immer nicht die Antworten auf die Fragen, die sie Tante Nora gestellt hatte. Als Staatsanwältin sollte es ihr nicht allzu schwerfallen, selbst herauszufinden, was genau damals passiert war, doch ein Teil von ihr weigerte sich, eine Anfrage durch den Computer laufen zu lassen oder beim Nassau County Police Department oben in New York anzurufen. Sie fürchtete sich vor der Wahrheit. Nora sollte ihr genau das sagen, was sie hören wollte, dann würde sie alle Zweifel abschütteln und in Frieden weiterleben können.

«Hat Sie unser Herr Staatsanwalt etwa die ganze Nacht wach

gehalten?», fragte Brill. «Nichts für ungut, aber der Mann ist manchmal ein richtiges Arschloch.» Er hob entschuldigend die Hände, bevor Julia überhaupt darüber nachgedacht hatte, wie diese Frage zu verstehen war.

Sie spürte, dass sie rot wurde, und beugte sich vor, um in der Schublade nach einem Stift zu suchen. Sie wollte auf keinen Fall, dass Brill oder Lat von ihrer Beziehung mit Rick erfuhren. Das galt besonders für Lat. «Ich schlafe schlecht. Das war schon immer so. Wollen Sie zu Rick?»

«Wir haben beschlossen, dass wir ab sofort lieber zu Ihnen wollen. Besser für die Augen. Und Ihr Charakter gefällt uns auch besser», sagte Lat grinsend und nahm Brill die Tüte aus der Hand. «Wir sind heute Morgen aus Chicago zurückgekommen.» Er reichte ihr die Tüte. «Wir haben Ihnen eine Kleinigkeit von D'Amato Cannoli mitgebracht, damit sie zumindest was zum Naschen haben, wenn sie sich durch die Unterlagen wühlen. Wir haben sogar Kopien für die Verteidigung gemacht, damit uns später keiner vorwerfen kann, wir hätten Dokumente unterschlagen.» Wenn die Staatsanwaltschaft der Verteidigung während einer Offenlegung nicht alle erforderlichen Dokumente und Beweisstücke aushändigte, konnte das strenge Sanktionen zur Folge haben – bis hin zur Aufhebung des Gerichtsurteils.

«Wir Männer stehen auf Mädels, die was auf den Rippen haben, wissen Sie», sagte Brill sachlich. «So dünn können Sie vielleicht Klamotten verkaufen, aber einen Kerl kriegen Sie damit nicht. Essen Sie Cannoli.»

Sie lächelte. «Pistazie? Danke. Meine Tante würde euch lieben, Jungs.»

«Gefällt Ihnen meine Kappe?», fragte Brill.

«Nein», antwortete Julia. «Ich bin für die Mets.»

«Autsch», erwiderte Brill und schlug sich gegen die Stirn. «New Yorkerin. Hätte ich mir denken können …»

Wieder lächelte sie. Sie hatte längst gemerkt, dass Steve Brill unter der harten Schale ein weiches Herz hatte. Er kam ihr vor wie ein pubertierender Elfjähriger, der die Mädchen in seiner Klasse ärgerte, indem er an ihren BH-Trägern zog. «Ich glaube, Rick ist oben. Ich rufe ihn an», sagte sie und griff zum Telefon.

«Nicht nötig. Es steht alles in den Berichten. Sie sind zweite Anwältin, also haben wir unsere Pflicht hiermit erfüllt», sagte Lat bestimmt. «Wenn ich mit Ihrem Boss reden muss, kann ich das am Telefon tun, ohne dass mir dabei jemand eine Fernsehkamera vor die Nase hält.»

Julia zuckte mit den Schultern und warf Lat einen entschuldigenden Blick zu. «Rick ist manchmal ein bisschen angespannt.»

«Das ist leicht untertrieben. Aber zum Glück sind Sie ja auch noch da.» Lat lächelte, und ihre Blicke trafen sich kurz. Wieder wurde sie rot und verfluchte ihre irischen Gene. «Wann findet die Anhörung zur Prüfung der Prozessfähigkeit statt?», fragte er schnell. «Gibt es schon einen Termin?»

«Am Mittwoch vor Weihnachten. Richter Farley hat Barakat und Koletis für das Gutachten berufen.»

Brill verdrehte die Augen. «Gott. Da kann ich jetzt schon sagen, wie es ausgeht.»

«Falls die Meinungen der Ärzte nicht übereinstimmen, wird sich Rick um die Anhörung kümmern. Und falls beide Gutachter zum gleichen Ergebnis kommen, wird er das Gutachten vermutlich anerkennen», sagte Julia.

«Wir haben genau das getan, was Ihr Boss wollte», sagte Lat seufzend. «Wir haben noch einmal jede Person in Miami befragt, von der uns bekannt ist, dass sie etwas mit David Marquette zu tun hatte, ob als Patient, Angestellter oder Kollege.»

«Und?»

«Die Presse bringt immer wieder das Beste in den Menschen zum Vorschein», höhnte Brill. «Plötzlich erinnern die Leute sich an ganz andere Sachen als vor ein paar Wochen. Jeder will der Erste sein, der die Zeichen gesehen hat, wissen Sie.»

«Aber Jennifers Familie behauptet doch, er sei so großartig gewesen?», sagte Julia.

«Bei der Schwiegerfamilie zeigt man sich ja auch von der besten Seite, Jules», erwiderte Brill.

«Marquette war ein Einzelgänger», sagte Lat. «Jennifers Eltern wohnten fünfzehnhundert Kilometer weg. Sie haben ihn gar nicht richtig gekannt, haben sich vielleicht von Geld und Titel blenden lassen. Sie haben nur das gesehen, was sie sehen wollten. Daher werden sie hervorragende Zeugen für die Verteidigung abgeben. Aber anscheinend konnte der perfekte Schwiegersohn auch sehr schwierig sein – das haben zumindest all die Schwestern, Pfleger, Sprechstundenhilfen und Krankenhausangestellten erzählt, die mit ihm zusammengearbeitet haben.»

«Es sei denn, man war weiblich und sah gut aus. Dann war Marquette aufmerksam und zuvorkommend», warf Brill ein.

«Er hatte Affären?», fragte Julia.

«One-Night-Stands. Aber keine der Frauen hat sich mehr erhofft, und keine will sich öffentlich äußern», entgegnete Lat.

«Inwieweit war er denn schwierig?», fragte Julia.

«Gotteskomplex», erwiderte Brill.

«Hat Termine platzenlassen und ist nicht zu Operationen erschienen, die daraufhin verschoben werden mussten. ‹Über seine Zeit bestimmt nur er allein›, hieß es oft. Aber er war ohne Zweifel ein aufstrebender Chirurg. Und er konnte es sich schon leisten, im Operationssaal herablassend zu sein.»

«Dann gab es da noch diese Krankenschwester», fuhr Brill fort.

«Ja», bestätigte Lat. «Einige Wochen vor den Morden hatte Marquette während einer Operation eine lautstarke Auseinandersetzung mit einer Krankenschwester.»

«Und worum ging es?», fragte Julia.

«Das will sie uns nicht sagen. Aber Marquette ist wohl total ausgeflippt, hat sie übel beschimpft und schließlich aus dem OP geworfen. Allerdings ist sie auch mit einem anderen Arzt am Mount Sinai nicht sonderlich gut klargekommen, und ihre Lästerzunge hat sie schon öfter in Schwierigkeiten gebracht. Ihr Name ist Doris Hobbs. Die Morde haben sie ziemlich erschüttert. Bei der Befragung brach sie in Tränen aus und rief immer wieder theatralisch: ‹Ich habe immer gewusst, dass was mit ihm nicht stimmt.› Und: ‹Das hätte *ich* sein können!›»

Julia zeigte auf die Kiste, die Lat neben ihrem Schreibtisch auf den Boden gestellt hatte. «Was ist da noch drin? Das können doch nicht alles Berichte sein?»

«Besser. Krankenblätter.»

«Wir sind nach Kenilworth gefahren, das liegt am Ufer des Michigan-Sees und ist der Vorort von Chicago, in dem unser Doc geboren wurde und aufgewachsen ist», sagte Lat. «Bis auf zwei Jahre, als sein Vater in Paris an der Pierre-und-Marie-Curie-Universität gelehrt hat, da war er so etwa fünf.»

«Schicke Gegend.»

«Wir haben ein paar seiner ehemaligen Lehrer befragt, aber keiner konnte oder wollte sich an ihn erinnern. Das gilt auch für die Klassenkameraden, die wir auftreiben konnten.»

«Der Typ war schon als Kind ein Einzelgänger», sagte Brill. «Ein Außenseiter, und dazu noch ein bisschen seltsam. Er blieb immer für sich, hatte keine echten Freunde. Er war intelligent, aber faul, und vor allem sehr arrogant. In der Grundschule hatte er keine Probleme, aber an der Highschool brachen seine Noten plötzlich ein und blieben für ein Halbjahr im Keller – bis Daddy der Schule ein neues Gebäude spendierte. Danach lief wieder alles wie geschmiert, bis der kleine Davy an die DePaul University ging, wahrscheinlich auch dank Papi.»

«Drogen?», spekulierte Julia.

«Davon gehen wir aus», bestätigte Lat. «Persönlichkeitsveränderung gepaart mit plötzlichem Notenabfall – die klassischen Symptome.»

«Aber wenn wir uns den Marquettes nähern, um ihre Sicht der Dinge zu erfragen, geht der Vorhang zu», fügte Brill hinzu. «Man braucht 'ne Vorladung, wenn man da mit jemand reden will.»

«Nach seinen drei Wochen Ferien in Parker Hills ist er von der DePaul abgegangen. Oder sie haben ihn rausgeworfen, weil sein Durchschnitt zu schlecht war. Im September darauf hat er an der Loyola angefangen», erklärte Lat. «Die wenigen seiner früheren Bekannten, die glaubwürdige Angaben machen konnten, beschrieben ihn entweder als äußerst charmant oder als extrem manipulationssüchtig. Als selbstbewusst oder völlig überheblich», sagte Lat. «Dazwischen gab es offenbar nichts.»

«Man muss doch ziemlich charmant sein, um jemanden manipulieren zu können, oder?», fragte Julia.

«Für meine Exfrau gilt das nicht», schnaubte Brill, und selbst Julia musste lachen.

«Wir haben uns sowohl an der DePaul University als auch an der Northwestern University, an der er schließlich Medizin abgeschlossen hat, durch die Archive gewühlt, aber nichts Außergewöhnliches gefunden. Niemand erinnert sich an ihn. In Loyola waren die Leistungen okay, zum Teil sehr gut. Wenn ihm was Spaß machte, war er exzellent, ansonsten strengte er sich nicht an. An der Northwestern war er Tür an Tür mit seinem Vater und hat schließlich das Examen geschafft, wenn auch mit Ach und Krach», sagte Lat und zuckte mit den Achseln.

«Wisst ihr, wie man einen Typen nennt, der in Medizin das schlechteste Examen der ganzen Uni gemacht hat?»

«Wie?»

«Herr Doktor.»

«Sehr wahr», sagte Lat.

«Und ich glaube, genau das wird das Schwierigste. Wir dürfen nicht zulassen, dass sich die Geschworenen von seinem Beruf blenden lassen», seufzte Julia.

Lat beugte sich vor und tippte mit den Fingern auf den Schreibtisch. «In den Einschreibeunterlagen der DePaul University sind wir allerdings auf etwas sehr Interessantes gestoßen. Mit sechzehn ist der junge David verhaftet worden. Wegen Tierquälerei.»

Julia zog überrascht die Augenbrauen hoch. «Haben Sie Einsicht in die Akte bekommen?»

«Nein, die Akte wurde versiegelt und der Fall gelöscht, deswegen haben wir auch nichts darüber gefunden, und in den Unterlagen sind keine Einzelheiten aufgeführt. Keine Ahnung, was genau vorgefallen ist, aber Sie wissen, was ich denke.»

Sie nickte. Tierquälerei, vor allem in Kindheit und Jugend, waren alarmierende Symptome einer emotionalen Störung – klassische Warnzeichen für eine sich entwickelnde antisoziale Persönlichkeit. Viele berühmte Mörder hatten mit Tieren herumexperimentiert, lange bevor sie sich an Menschen heranwagten. Jeffrey Dahmer pfählte Hunde; Richard Allen Davis steckte Katzen in Brand; Richard Speck warf Vögel in den Ventilator. Die Liste war lang. «Wir sollten uns trotzdem davor hüten, voreilige Schlüsse zu ziehen», gab Lat zu bedenken und tippte sich mit dem Finger an die Schläfe. «Behalten Sie es im Hinterkopf. Im zweiten Jahr an der Uni hat Marquette sich in Parker Hills einweisen lassen, sagt sein Anwalt. Das war 1990. Wir haben seine Krankenakte mitgebracht.» Lat deutete auf die Kiste. «Eine kleine Bettlektüre für Sie. Vielleicht können Sie danach besser schlafen», sagte er mit einem sanften Lächeln.

«Wurde Schizophrenie diagnostiziert?», fragte Julia. Marquette musste damals neunzehn oder zwanzig gewesen sein – genau in dem Alter, in dem sich die Krankheit bei Männern im Durchschnitt zum ersten Mal bemerkbar machte. Allerdings wusste sie von ihren Recherchen, dass eine vor Gericht relevante Diagnose erst dann gestellt werden konnte, wenn bei dem Betroffenen zuvor mindestens sechs Monate lang Symptome von Schizophrenie beobachtet worden waren. Das würde jedoch nicht nötig sein, falls Marquette bereits vor sechzehn Jahren offiziell als schizophren eingestuft worden war. Einmal schizophren, immer schizophren. Die Krankheit verschwand nicht einfach wieder wie eine Erkältung und konnte auch nicht bekämpft werden wie Krebs. Doch Julia war noch auf eine weitere interessante Tatsache gestoßen: Schizophrene litten nicht zwangsläufig unter einer Psychose, sahen also nicht unbedingt für den Rest ihres Lebens Dinge oder hörten Stimmen, die gar nicht existierten. Was erklären würde, warum Marquette – zumindest auf den ersten Blick – ein relativ normales Leben geführt hatte. Die Krankheit war unvorhersehbar in ihrem Verlauf. Wir bei Rheuma, MS und Parkinson – manche erwischte es schlimmer als andere. Bei manchen schlugen die Medikamente an. Bei andern nicht.

Lat schüttelte den Kopf. «Nein, die Krankheit wurde nicht diagnostiziert, zumindest nicht direkt. Das Einzige, was der Arzt dazu in seinen Notizen vermerkt hat, ist ‹Schizophrenie ausschließen›. Aber die Krankheit wird nirgendwo eindeutig diagnostiziert oder ausgeschlossen. Marquette war im dritten Semester in DePaul von seinem Vater eingeliefert worden, wegen, ich zitiere: ‹Halluzinationen und gewalttätigem, aggressivem, unberechenbarem Verhalten›. Aber in den Einweisungsunterlagen steht nur etwas von einer *Kokainpsychose*. Zum Zeitpunkt seiner Entlassung hatte man diese Psychose zu einer simplen Angststörung heruntergespielt – wahrscheinlich auf Wunsch seines Vaters. Die Marquettes sind in Kenilworth und Chicago große Nummern.»

«Kokainpsychose?», rief Julia überrascht. «Also war das Ganze ein Drogenentzug?»

«Auf mich als Laien wirkt es zumindest so. Aber ich bin kein Verteidiger, der dreihundert Dollar die Stunde nimmt und sich an jeden Strohhalm klammern muss. Jede Wette, dass Levenson die Angststörung vor Gericht zu einem falsch diagnostizierten psychotischen Zusammenbruch aufbläst. Schließlich muss die Krankheit zum Verbrechen passen.»

«Ist der Arzt, der die Diagnose gestellt hat, noch da?»

«Schön wär's. Ein Jahr später war er weg. Und vor fünf Jahren ist er an einem Herzinfarkt gestorben.»

«Und das gewalttätige Verhalten?»

«Er hat seine Mutter mit einem Bügeleisen angegriffen.»

«Einem heißen», fügte Brill hinzu.

«Meine Güte», sagte Julia und schüttelte den Kopf. «Wurde er verhaftet? Hat man die Polizei gerufen?»

«Zweimal nein», erwiderte Lat. «Daddy hat Junior anscheinend in den Range Rover gepackt und ihn in dieses ultra-exklusive Psychiatriehotel gebracht. Unter falschem Namen natürlich. Alles streng geheim. Deswegen hätten wir es gar nicht finden können.»

«Die Familie hat noch mehr Leichen im Keller», sagte Brill mit einem seltsamen Lächeln. «Wir haben Ihnen das Beste für den Schluss aufgehoben, Jules.»

Sie sah von einem zum anderen. «Warum ist mir so mulmig?»

«Entweder Sie hören es jetzt von uns, oder Sie lesen es morgen in der Zeitung», antwortete Lat. «Levenson zaubert ein Kaninchen aus dem Hut. Die Pressekonferenz ist in einer Stunde.»

«Faustregel für einen guten Verteidiger: Wenn dein Mandant es nicht mehr in die Schlagzeilen schafft, grab ein paar lustige Fakten aus, um die Presse bei Laune zu halten», knurrte Brill.

«Ich weiß zwar nicht, welche Auswirkungen das auf unseren Fall hat, nicht mal, ob es überhaupt eine Rolle spielt, aber interessant ist es schon. Vor allem, wenn psychische Störungen im Genpool herumschwimmen», begann Lat.

Sie starrte ihn an.

«David Marquette hat einen Bruder. Genauer gesagt einen eineiigen Zwilling. Sein Name ist Darrell, und er sitzt gemütlich in der Geschlossenen. Und *der* ist definitiv ein Fall für die Klapsmühle.»

KAPITEL 43

D IE OFFIZIELLE Diagnose Schizophrenie wurde 1990 gestellt, als er einundzwanzig war», erklärte Lat. «Zwei Monate nachdem seine neue Freundin ihn sitzenließ und seine Großmutter plötzlich starb, hatte er einen Zusammenbruch. Eigentlich sollte er oben am MIT Nuklearphysik studieren, aber stattdessen hat ihn der Sicherheitsdienst gefunden, wie er im Garten eines Highschool-Kumpels morgens um drei die Möbel umstellte, um sich mit sechzehn Rollen Alufolie und hundert Meter Isolierband auf die Wiederkehr Christi vorzubereiten. Die Familie hat ihn ein paar Jahre zu Hause weggeschlossen, wie die Mutter von Norman Bates. Aber 1998 kam er in eine geschlossene psychiatrische Anstalt in South Oaks, draußen im Grünen. Dort logiert er unter dem Namen Darrell Lamoreaux.»

Ihr war schwindelig. Ein eineiiger Zwillingsbruder? «Wie habt ihr ihn gefunden?»

«Das war eine harte Nuss. Wie unser Stevie Wonder schon sagte, die Marquettes stehen auf Geheimnisse, Jules. Dass es den Kerl überhaupt gibt, haben wir erst rausgefunden, als ein paar der alten Lehrer bei der Vernehmung zurückfragten, um *welchen* Marquette es denn gehe. Und da haben wir auch erfahren, dass bei den Zwillingen nicht alles gleich ablief. Anscheinend war Darrell der Bessere von beiden. *Er* war das Genie, sagen die Lehrer. Unser Dave hatte immer zu kämpfen. Darrell war Schulsprecher, Darrell hat ein Jahr übersprungen. Darrell war mit der Schönheitskönigin zusammen, Darrell hatte ein Stipendium am MIT. Alle, die wir verhört haben, fragten, was aus Darrell geworden ist. Genau wie wir. Im Computer konnten wir nichts finden. Wir hatten die Sozialversicherungsnummer aus den Uni-Unterlagen und wussten vom Meldeamt, dass er nicht tot ist. Irgendwie war er aber von der Bildfläche verschwunden. Natürlich macht von der Familie keiner den Mund auf. Und dann fanden wir endlich eine ehemalige Hausangestellte, die zu reden bereit war, wenn wir ihr im Gegenzug bei ein paar unbezahlten Strafzetteln aushelfen. Sie gab uns den Namen der Anstalt. Wir haben es mit dem Mädchennamen der Mutter versucht und ihn gefunden.»

«Habt ihr ihn verhört?»

«Da gab es nicht viel zu verhören, Frau Staatsanwältin», sagte Lat kopfschüttelnd. «Er hat eine sogenannte hebephrene Schizophrenie. Der desorganisierende Typ.»

«Wer hätte gedacht, dass es auch noch verschiedene Typen gibt? Ich dachte immer, schizo ist gleich schizo.» Brill lachte rau.

Lat ignorierte ihn. «Wenn Darrell redet, was selten ist, dann unverständliches Zeug. Die Schwester sagt, manchmal sitzt er stundenlang einfach nur da. Er ist in seiner eigenen kleinen Welt. Im Gästebuch steht, dass ihn in den letzten sechs Monaten nur der Vater besucht hat. Weiter zurück reichen die Aufzeichnungen nicht. Keine Mutti, kein Bruder. Und keiner erinnert sich, den Bruder überhaupt je gesehen zu haben, und den eineiigen Zwilling eines Insassen hätte man bestimmt nicht vergessen. Der Arzt von South Oaks scheint bei Alain Marquette angerufen zu haben, kaum dass wir vom Parkplatz fuhren, denn in Miami hat noch auf dem Rollfeld das Telefon geklingelt, und Levenson wollte genau wissen, was wir drüben in der Klapsmühle rausgefunden hätten. Er klang, als hätte er selber keine Ahnung.»

«Was haben Sie gesagt?»

«Ich habe gesagt, dass ich kein Netz habe, und aufgelegt. Ich bin gespannt, was er heute Nachmittag vor den Kameras von sich gibt. Was er von sich geben *darf*.»

«Ich wusste, dass die Eltern Dreck am Stecken haben», knurrte Brill und zwirbelte seine Schnurrbartenden. «Bei denen hatte ich es von Anfang an im Urin. Warum wollen sie nicht mit der Polizei reden? Wir sind doch Freund und Helfer.»

«Außer, man hat etwas zu verbergen», bestätigte Lat.

«Es wären nicht die ersten Eltern, die sich von ihren Kindern distanzieren», sagte Julia leise. «Vor allem von solchen Kindern.»

Lat schüttelte den Kopf. «Und jetzt? Rückwärtsgang? Der hochbezahlte Anwalt? Der Anruf bei der französischen Botschaft? Die Pressekonferenz?»

«Sie haben sich wohl gedacht: Angriff ist die beste Verteidigung. Und was die Unterstützung für unseren Kandidaten angeht», sagte sie schulterzuckend, «vielleicht haben sie ein schlechtes Gewissen, weil sie den ersten alleingelassen haben.»

«Vielleicht. Haben Sie zufällig Psychologie studiert?», fragte Lat.

«Nein. Wieso?»

«Nur so eine Frage. Was meinen Sie, was das mit den Zwillingen zu bedeuten hat?»

«Vielleicht hat Dave sich über die Jahre Notizen gemacht, damit er weiß, wie man den Irren mimt», schlug Brill vor. «Oder die Kinderstube hat sie beide in den Wahnsinn getrieben.»

«Man weiß nicht, wie Schizophrenie entsteht, aber es gibt eine genetische Disposition», sagte sie langsam. Sie erinnerte sich an ihre Lektüre. «Eineiige Zwillinge haben die gleiche DNA. Wenn einer von beiden die Krankheit hat, ist das Risiko groß, dass der andere auch erkrankt. Ich glaube, die Chance liegt bei fast dreißig Prozent oder so etwas. Also, ja – wahrscheinlich hat es was zu bedeuten. Zumindest für den vom Gericht bestellten Psychiater. Gibt es noch andere Fälle von Geisteskrankheiten in der Familie?»

«Das wird ein Problem», sagte Brill seufzend. «Nicht nur, weil Mom und Dad und der Rest der Sippschaft nicht kooperieren.»

«Wieso?»

«Wie gesagt, der Fall steckt voller Überraschungen», sagte Lat. «Es gibt keine bekannten Blutsverwandten, Julia. Darrell und David sind adoptiert.»

KAPITEL 44

DER GLEICHE Körper, zwei vollkommen unterschiedliche Menschen. Die gleiche Geschichte, zwei vollkommen unterschiedliche Deutungen. Julia musste den Fernseher nicht anstellen, um zu wissen, wie Mel Levenson bei der Pressekonferenz sein Schlussplädoyer schmiedete.

Sie spülte das letzte Stück Cannoli mit einem Schluck warmer Diet Coke hinunter, während sie durch die beunruhigenden Polizeiberichte, Verhöre und Krankenakten blätterte, die sich auf ihrem Schreibtisch stapelten. Bei Serienverbrechen arbeitete die Polizei häufig mit Profilern, die, um einem Vergewaltiger oder Mörder auf die Spur zu kommen, aus psychologischen Komponenten mögliche Verdächtige zusammensetzten. Wie auf einem Foto im Entwicklerbad begann der Hintergrund von David Marquettes Leben langsam schärfer zu werden, und im Vordergrund kam ein verschwommener Fremder zum Vorschein, der sich im Schatten versteckte. Die Details lasen sich wie der Steckbrief eines Profilers. *Männlicher Weißer, 25–45 Jahre alt, durchschnittlich bis überdurchschnittlich intelligent, wahrscheinlich gebildet und in einem hochriskanten Berufsfeld tätig. Hat ein Problem mit Beziehungen, insbesondere zu Frauen. Dominante Mutter. Hat in der Jugend möglicherweise Tiere gequält. Drogenmissbrauch, wenig Freunde.*

Sie drehte den Stuhl zum Fenster und blickte über die Luftschächte hinweg zum Gefängnis auf der anderen Straßenseite. Irgendwo hinter den Eisengittern und dem Stacheldraht saß ihr Angeklagter, weggeschlossen von der Öffentlichkeit auf den von Schreien erfüllten Fluren des achten Stocks. Wo die Irren saßen.

Die gleiche Geschichte, zwei vollkommen unterschiedliche Deutungen.

Ein Junge, der sich von Anfang an nicht anpassen konnte: Einzelgänger. Außenseiter. Verlierer. Ein Kistenteufel mit einem eineiigen Zwillingsbruder, der ihm alles andere als ähnlich war. Der eine war perfekt. Perfekte Noten, perfekte Persönlichkeit. Gewinnt Sportwettkämpfe und Stipendien und hilft gebrechlichen alten Damen über die Straße. Geht mit Cheerleadern und Schönheitsköniginnen aus und macht Mutter und Vater sehr stolz. Der andere driftet immer mehr ab. Er beginnt, sich auffällig zu verhalten. Quält Tiere, um zuzusehen, wie sie leiden. Experimentiert mit Drogen. Fällt in der Schule durch. Wenn er nicht sein kann wie sein Bruder, dann ist er eben das Gegenteil. Während der perfekte Bruder erwachsen und immer perfekter wird und die lange Liste seiner Leistungen immer länger, geht es mit dem Außenseiter immer mehr bergab. Mehr Drogen. Die Gewalt eskaliert jetzt auch gegen Menschen. Er konzentriert sich auf das Objekt seines Zorns und versucht, seine Mutter umzubringen. Er fliegt von der Schule. Immer wieder muss Dad ihn aus dem Dreck ziehen. Dad kümmert sich auch um die Polizeiberichte und Zulassungspapiere der Unis, damit niemand den «falschen Eindruck» von der Familie mit dem guten Namen und dem dicken Konto bekommt. Er ist ganz und gar nicht wie sein Bruder. Er ist eine traurige, bittere Enttäuschung. Doch dann wird der perfekte Bruder krank. Ausgerechnet die Mutter aller schlimmen Krankheiten. Die, für die man sich am meisten schämen muss: Schizophrenie. Der perfekte Bruder fällt in Ungnade, und er fällt hart. Plötzlich ist er es, den Mom und Dad verstecken wollen. Und Dad schiebt den Außenseiter in die Rolle des Thronfolgers. Er boxt ihn durchs Studium, besorgt ihm einen Titel und einen guten Job. Der Außenseiter leitet plötzlich eine Arztpraxis und ist ganz offiziell auf der Sonnenseite. Und doch tickt eine Zeitbombe hinter dieser perfekten Fassade. Sie tickt lautlos und gemütlich vor sich hin, unbemerkt von einer klammernden Frau und drei Kindern, bis sie irgendwann einfach explodiert.

Aber die gleichen Fakten könnten eine ganz andere Geschichte erzählen; der gleiche Pinsel könnte ein viel tragischeres Bild malen – das eines Jungen, der immer ein bisschen komisch war, der Schwierigkeiten hatte, sich anzupassen, obwohl er es versucht hat. Weil er wie sein Bruder eine heimtückische Krankheit im Kopf hatte, die leise voranschritt und auf ihrem Weg Synapsen auslöschte und heimlich Bilder und Stimmen säte, die wie Landminen seine Seele zerstörten. Alles war so unheimlich echt, dass sein Gehirn sich von den Halluzinationen täuschen ließ. Hauchdünne Schicht für Schicht zerfraß die Krankheit den Jungen schließlich, langsam und von innen, bis nur noch die Hülle intakt war, während seine verängstigten Adoptiveltern wissentlich alle Warnzeichen ignorierten, weil sie gegen alle Wahrscheinlichkeit hofften, dass das Leiden ihres Sohnes keine Geisteskrankheit sein möge. Alles, nur nicht diese grässliche Krankheit. Und selbst, als es zur Eskalation kommt, wird die Diagnose nicht akzeptiert. Dem guten Namen der Familie zuliebe wird sie geändert. Und als den eineiigen Zwillingsbruder zwei Jahre später das gleiche Schicksal ereilt, wird er zunächst zu Hause weggeschlossen, dann in eine Anstalt geschickt, ohne jemals wieder aufzutauchen. Aber das Leiden dieses Bruders ist viel schlimmer, viel zerstörerischer, und unser Junge ist anscheinend längst genesen von dem Einbruch, den er im College hatte. Schwache Nerven. Stress. Jetzt geht es ihm gut, sagt sich die Familie wieder mit gedämpftem Flüstern. Doch es ging ihm nicht gut. Der Junge mit der unaussprechlichen Krankheit war krank. Wegen des Stigmas und der Scham wurde ihm die Hilfe verwehrt, die er all die Jahre gebraucht hätte, und jetzt waren vier Menschen tot.

«Die Welt kann fröhlich und bunt sein oder deprimierend und grau. Es hängt nur davon ab, wie du sie anschaust», hatte Julias Mutter immer gesagt. «Du suchst dir die Brille aus, durch die du sie siehst.»

Der gleiche Körper, zwei vollkommen unterschiedliche Menschen.

Dr. Jekyll und Mr. Hyde.

Wer war David Alain Marquette?

KAPITEL 45

«BITTE SAG MIR, dass dieser Typ nur simuliert, Chris», sagte Rick Bellido mit einem charmanten Lächeln, als er und Julia der hübschen jungen Sekretärin in ein Sprechzimmer folgten, das sehr viel schicker war, als Julia es bei einem Psychiater, der als Berater auf der Gehaltsliste der Staatsanwaltschaft stand, erwartet hätte. Flaschengrüne Wände, Designermöbel und eine feine Adresse auf der vornehmen Brickell Avenue – die Geschäfte in Dr. Christian Barakats Privatpraxis schienen glänzend zu laufen. Die forensische Psychiatrie war offensichtlich nur ein Nebenerwerb.

Auch der große attraktive Mann, der jetzt aufstand und ihnen entgegenkam, sah ganz anders aus, als Julia es von einem Psychiater erwartet hätte. Dunkles Haar, markantes Kinn, unglaublich blaue Augen – er hätte Christopher Reeve in *Superman* doubeln können. Kein Wunder, dass die verzweifelten Hausfrauen ihm die Türen einrannten. «Hallo, Ricky», sagte er und schüttelte Rick die Hand. Sein perfektes Lächeln wurde von tiefen Grübchen gerahmt. «Schön, Sie kennenzulernen, Julia.»

«Danke, ganz meinerseits», erwiderte sie.

«Bitte, setzt euch. Kaffee?»

«Nein danke. Wir kommen gerade vom Mittagessen. Julia hilft mir in diesem Fall, und da kam mir die Idee, schnell bei dir reinzuschauen und gute Nachrichten abzuholen», sagte Rick. «Was sagst du also zu Marquette? Hast du den Bericht schon fertig?»

«Ariana wollte ihn gerade per Kurier schicken. Sie ist eben mit dem Abtippen fertig geworden.» Dr. Barakat setzte sich wieder. Seine Augen wurden schmal, und er lächelte amüsiert. «Höre ich da eine gewisse Unruhe in deiner Stimme, Ricky?»

«Spar dir die Analyse, mein Lieber. Alles geht mal wieder auf den letzten Drücker. Kurz vor Weihnachten will jeder Richter das Jahr zum Abschluss bringen, und am Mittwoch habe ich noch diese Sache vor der Brust. Abgesehen davon, dass ich mit den Weihnachtseinkäufen nicht mal angefangen habe.»

Julia ahnte, dass Rick und Christian Barakat einander offenbar schon länger kannten, und das nicht nur auf beruflicher Ebene. Irgendwie fühlte sie sich fehl am Platz und fragte sich, warum Rick ihr diese Tatsache verschwiegen hatte.

«Nur noch acht Einkaufstage. Wenn ich so viele Leute auf meiner Liste hätte wie du, wäre ich auch gestresst», erwiderte Dr. Barakat mit einem vielsagenden Lachen.

Rick ignorierte den Kommentar, und Julia starrte angestrengt auf den Teppich. Offensichtlich hatte Rick nicht einmal guten Freunden von ihr erzählt.

«Die Presse macht mir Ärger.»

«Ich weiß. Ich lese die Artikel über dich, wenn ich im Supermarkt an der Kasse stehe.»

«Auch du, mein Sohn Brutus? Die französische Botschaft droht, beim Weltgerichtshof Klage einzulegen, wenn wir die Forderung der Todesstrafe nicht zurücknehmen. Sie wollen Marquette von ihren eigenen Psychiatern untersuchen und behandeln lassen.»

Dr. Barakat schüttelte den Kopf.

«Ich brauche nicht noch mehr Köche, die mir den Brei verderben. Ihre zehn Minuten Besuchszeit hatten sie schon. Ich lasse nicht zu, dass mir ein paar bezahlte Experten in die Suppe spucken, nur weil die Franzosen nicht wollen, dass einer ihrer

Landsmänner in die Todeszelle wandert. Du weißt ja, wie viel für mich auf dem Spiel steht. Gib mir Munition, damit ich zeigen kann, dass ich eigentlich ein lieber Kerl bin.»

«Obwohl du versuchst, einen psychisch kranken Franzosen hinrichten zu lassen?»

«Ganz genau. Also sag mir bitte, dass er es nicht ist.»

«Franzose?»

«Psychisch krank.»

Dr. Barakat seufzte. «Das kann ich leider nicht. Noch nicht. Aber dafür kann ich mit Sicherheit sagen, dass er prozessfähig ist, trotz seiner redlichen Bemühungen, mich vom Gegenteil zu überzeugen.»

Rick schlug mit der flachen Hand auf die Tischplatte. «Ich wusste es! Also ist er nicht schizo?»

Ein seltsamer Ausdruck glitt über Dr. Barakats Gesicht. «Ich kann keine offizielle Diagnose stellen, bevor ich die Untersuchung abgeschlossen habe», sagte er zögernd. «Aber ich glaube nicht, dass er schizophren ist.»

«Al Koletis erklärt ihn für prozessunfähig. Er hat heute sein Gutachten eingereicht. Aber damit habe ich gerechnet. In meinen zwanzig Jahren bei der Staatsanwaltschaft habe ich noch nie erlebt, dass Koletis einen Angeklagten für prozess*fähig* hält. Genau deswegen hat Farley ihn ins Boot geholt. Er liebt das Theater. Es macht seine Entscheidung vor den Kameras dramatischer.»

Dr. Barakat schüttelte langsam den Kopf. «Lass lieber noch nicht die Korken knallen. Die Sache wird kein Spaziergang, Rick.»

Auf einmal lief Julia ein Schauer über den Rücken. Das seltsame Unbehagen war zurück. Sie dachte an die Gestalt in dem roten Overall. Das menschliche Monster, zur Schau gestellt, mit toten Augen und Handschellen. Auf den Fotos hatte er gelächelt, doch auf den Familienvideos war er nie aufgetaucht.

Glaube niemals, du kennst das Leben eines anderen. Du weißt nur,
was derjenige dich wissen lässt.

«Was meinst du damit?», fragte Rick.

«Die Psychologie ist keine exakte Wissenschaft», erklärte
Dr. Barakat. «Es gibt keine Möglichkeit, psychische Krankheiten einwandfrei festzustellen. Erst, nachdem man sich mit der
Krankheitsgeschichte des Patienten auseinandergesetzt und
die Symptome erfasst hat – wobei man sich ganz auf die Schilderungen des Patienten verlassen muss –, kann man versuchen,
eine Diagnose zu stellen. Die größte Herausforderung für einen
forensischen Psychiater ist es, abzuklären, ob der Patient nur
simuliert, um dem Gefängnis oder der Todeszelle zu entgehen.
Die meisten Leute glauben, ‹verrückt› sein bedeutet, sich für
Napoleon zu halten oder den ganzen Tag Obszönitäten von
sich zu geben. Also verhalten sie sich dementsprechend, wenn
sie das Gericht oder einen Arzt davon überzeugen wollen, dass
sie geisteskrank sind. Doch Schizophrenie äußert sich ganz
unterschiedlich, und manche Patienten haben überhaupt keine visuellen Halluzinationen. Das kennzeichnende Merkmal
dieser Krankheit sind *Wahnvorstellungen* – fixe Ideen, die jeglicher Logik widersprechen und an denen der Schizophrene
trotz aller gegenteiligen Argumente und Beweise festhält. Ab
diesem Punkt können sich akustische und manchmal auch visuelle Halluzinationen ausbilden, die den Wahnvorstellungen
weiter Nahrung geben.»

Dr. Barakat hielt kurz inne und fuhr dann fort: «Ein Beispiel
ist Margaret Mary Ray, die Schizophrene, die als Stalkerin von
David Letterman bekannt wurde. Ray glaubte, sie sei Lettermans Frau, obwohl sie mehrmals verhaftet worden war und ihr
jeder, inklusive Letterman selbst, über mehrere Jahre hinweg
immer wieder versicherte, dass sie es nicht ist. Aber die Wahnvorstellung war ihre Realität. Es ist beinahe unmöglich, diese
Erscheinungsform von Schizophrenie erfolgreich zu imitie-

ren. Als Margaret Ray Lettermans Porsche stahl, der in seiner Einfahrt in Connecticut stand, und mit ihrem drei Jahre alten Kind auf dem Rücksitz nach New York fuhr, um Letterman zu besuchen, glaubte sie wirklich, sie säße in ihrem Auto und Letterman sei der Vater des Kindes. Rays Handlungen passten sich ihren Wahnvorstellungen an – und trieben sie weiter voran. Die meisten Simulanten verhalten sich nicht dermaßen konsequent. Sie warten eher mit klischeehaften Symptomen auf. Sie zeigen diese Symptome nur vor Gericht oder wenn ein Arzt in der Nähe ist, sind aber ganz normal, wenn sie sich unbeobachtet fühlen. Oder sie behaupten, dass sie Halluzinationen hätten oder Stimmen hören würden, obwohl die ihnen verabreichten Medikamente diese Symptome schon längst hätten unterdrücken müssen. All das sind klassische Hinweise auf Simulantentum. Aber in den meisten Fällen hat man sowieso schon nach den ersten zehn Minuten ein Gefühl dafür, ob jemand nur so tut als ob.»

Seine Miene verfinsterte sich. «Es gibt allerdings noch eine andere Art von Simulant. Besser gesagt, eine andere Art von Mensch. Er ist äußerst intelligent, gerissen und ein Meister der Manipulation. Er schafft es, selbst Fachleute davon zu überzeugen, dass er geisteskrank ist, und er passt sich jeder neuen Situation perfekt an. Er bereut seine Taten nicht, denn er besitzt keinerlei Mitgefühl für andere, egal für wen. Er hat kein Gewissen – diese kleine Grille in unserem Innern, die uns mit ihrem Zirpen ständig an den rechten Weg erinnert – uns sozusagen vom Bösen abhält.» Dr. Barakat schwieg einen Moment. «Und ich glaube, diese Beschreibung könnte auf euren Angeklagten passen.»

KAPITEL 46

FÜR EINE WEILE herrschte Schweigen, und es lag eine ungeheure Spannung in der Luft. Dann fragte Rick: «Sagt dir das dein Gefühl, oder ist das deine wissenschaftliche Meinung?»

«Ich habe zwei Stunden bei Marquette im Gefängnis verbracht», erwiderte Dr. Barakat. «Er zeigte ein paar der – wie wir sie nennen – Negativsymptome der Schizophrenie: mangelnde Hygiene, teilnahmsloser Gesichtsausdruck, abgestumpfte Emotionen, ein roboterähnliches Verhalten. Die meisten Simulanten wissen zu wenig über die Krankheit, um sich so zu verhalten. Aber unser Mann ist eben kein normaler Simulant. Er hat Medizin studiert. Bekommt jemand ein Medikament wie Thorazine, ist es allerdings schwer zu unterscheiden, ob es sich um Negativsymptome oder Nebenwirkungen der Medikation handelt», fügte er hinzu und tippte mit dem Stift auf seinen Notizblock. «Aber ehrlich gesagt glaube ich, dass es weder das eine noch das andere ist.»

Da Rick und Julia nichts darauf erwiderten, fuhr Dr. Barakat fort: «Wenn ich versuchen wollte, einer Gerichtsverhandlung zu entgehen, indem ich mich als psychisch krank ausgebe, würde ich mir wahrscheinlich genau die gleichen Symptome aussuchen. Denn je weniger man sagt oder tut, desto weniger gibt es zu interpretieren – auch für ein Team von Gerichtspsychiatern. Ein sehr raffinierter Schachzug.

Marquette hat während seines Studiums ein Praktikum in der Psychiatrie gemacht, außerdem ist seine Familiengeschichte bezeichnend – ein eineiiger Zwillingsbruder mit Schizophrenie in einer geschlossenen Einrichtung. Daher habe ich Standardfragen wie ‹Wissen Sie, wozu Sie einen Anwalt brauchen?› übersprungen und nach anderen Symptomen gesucht. Speziell nach solchen, die auf katatone Schizophrenie hinweisen – was bei ihm der Fall ist. Eines der Charakteristika ist Echopraxie, die Nachahmung oder Spiegelung der Bewegungen und Sprachmuster anderer. Oder wächserne Unbeweglichkeit. Man kann dem Patienten eine Körperhaltung auferlegen, und er behält diese nicht selten über Stunden bei. Das sind Merkmale, die kaum einem Laien bekannt sind. Ich habe bei Marquette jedoch keines dieser Symptome beobachtet. Als ich seinen Arm über seinen Kopf hob, ließ Marquette ihn gleich wieder fallen und achtete dabei sorgfältig darauf, dass er weder sein Gesicht noch die Tischplatte berührte. Katatone Patienten ziehen sich meist vollkommen in eine eigene Welt zurück. Marquette hingegen ist eindeutig im selben Raum und beobachtet mit starrem Blick, wie man ihn beobachtet. Er wartet auf die Reaktion seines Gegenübers, um seine darauf abzustimmen.»

«Hat er irgendetwas gesagt?», fragte Julia.

«Ja, auch wenn er meine Fragen sehr einsilbig beantwortet hat. Wie ich schon sagte, ich hatte das Gefühl, dass er mich ganz genau beobachtet, und ich glaube, er hat gemerkt, dass mich seine Vorstellung nicht überzeugt.»

«Hat er sich zu den Morden geäußert?»

«Nicht direkt. Aber er weiß, warum er verhaftet wurde und welche Strafe ihn erwartet. Er weiß, dass seine Familie tot ist. Kurz gesagt: Wenn seine Medikation besser eingestellt wird, ist er meiner Ansicht nach absolut prozessfähig.»

«Wie passt Darrell, der Zwillingsbruder, ins Bild?», fragte Rick.

«Interessante Frage», erwiderte Dr. Barakat und runzelte die Stirn. «Auch wenn man bisher nur wenig über die Ursachen von

Schizophrenie weiß, ist sich die Fachwelt einig, dass die Gene eine große Rolle spielen. Marquettes schizophrener Zwillingsbruder ist ein gefundenes Fressen für die Verteidigung und hat Koletis' Beurteilung mit Sicherheit beeinflusst. Jahrzehntelang ging man davon aus, dass Schizophrenie durch das Elternhaus ausgelöst wird, genauer gesagt durch die Mutter. Man glaubte, dass übertrieben fürsorgliche, überängstliche, herrschsüchtige Mütter gestresste, psychotische Kinder erschaffen, die nicht mit der Realität zurechtkommen. Interessanterweise waren die Anhänger Sigmund Freuds die glühendsten Verfechter dieser Theorie, obwohl Freud selbst sich niemals mit Schizophrenie auseinandergesetzt hat. Seine Anhänger nahmen die Freud'sche Psychoanalyse als Basis – traumatische Kindheitserlebnisse werden verdrängt und beeinflussen aus dem Unbewussten heraus unser Verhalten als Erwachsene – und wandten sie einfach auf Patienten mit Schizophrenie an. Heutzutage wissen wir jedoch, dass Schizophrenie eine Krankheit ist, bei der sich die Struktur des Gehirns verändert. Kernspintomographien lassen sich zwar nicht als diagnostische Werkzeuge gebrauchen, um Schizophrenie nachzuweisen, aber MRT-Studien haben bei einigen männlichen Schizophrenie-Patienten eine Vergrößerung der Ventrikel sowie einen Rückgang der grauen Hirnsubstanz und regionale Volumenveränderungen im Frontalhirn, im temporalen limbischen System und im Thalamus gezeigt. Die Ursache für diese Veränderungen ist bisher ungeklärt. Vermutungen reichen von Viruserkrankungen über Lebensmittelallergien, neurochemische Defizite, Infektionen oder physische Traumata im Mutterleib bis hin zu Störungen im endokrinen System.»

Rick verzog skeptisch das Gesicht, doch er schwieg.

«Bei alldem darf man den genetischen Faktor nicht außer Acht lassen», fuhr Dr. Barakat fort. «Mit jedem Familienmitglied, das von der Krankheit betroffen ist, steigt das Risiko für die anderen an. Bei jemandem, in dessen Familie es noch keinen Fall von Schizophrenie gegeben hat, beträgt die Wahrscheinlichkeit, dass er daran erkrankt, ein Prozent. Wenn ein Elternteil schizophren ist, ist die Wahrscheinlichkeit beim Kind dreizehnmal höher, bei beiden Elternteilen steigt sie auf sechsunddreißig Prozent. Und bei eineiigen Zwillingen liegt die Wahrscheinlichkeit bei dreißig Prozent, selbst wenn die Zwillinge direkt nach der Geburt getrennt wurden und in verschiedenen Elternhäusern aufgewachsen sind. Das Risiko steigt proportional an. Wenn Schwester, Mutter und Großmutter an Schizophrenie leiden, ist das Risiko zu erkranken sechsundzwanzigmal höher als beispielsweise bei Ihnen oder mir. Margaret Mary Ray, von der ich Ihnen eben erzählt habe, ist ein klassisches Beispiel dafür. Zwei ihrer drei Brüder waren schizophren und begingen Selbstmord, genau wie Margaret Mary, die sich 1998 vor einen Zug warf. Bisher ist noch nicht erforscht, ob der Krankheit ein Gendefekt zugrunde liegt oder ob die Gene nur für eine Disposition sorgen. Klar ist lediglich, dass Schizophrenie offenbar in der Familie liegt.»

In diesem Moment kam Ariana, Dr. Barakats Sekretärin, zurück und reichte Rick den fertig getippten Bericht mit einem koketten Lächeln. «Fröhliche Feiertage», sagte sie zuckersüß.

«Danke, dir auch», antwortete Rick und erwiderte ihr Lächeln. Dann stand er auf. «Gute Arbeit, Chris. Ich lese mir alles in Ruhe durch und rufe dich dann an, damit wir deine Aussage für Mittwoch besprechen können. Zieh dir was Ordentliches an, und vergiss nicht, die Anhörung beginnt um Punkt halb elf. Len Farley ist erbarmungslos, besonders bei der armen Julia. Er lässt sie seit sechs Wochen ununterbrochen vor Gericht antreten.»

«Viel Glück beim Geschenkekauf», sagte Barakat mit dem gleichen amüsierten Tonfall wie zuvor. «Und mach einen großen Bogen um die Juweliergeschäfte!»

Julia blieb sitzen. Ihre Gedanken kreisten um all das, was Dr. Barakat ihnen erklärt hatte. Eine Sache ließ sie nicht los. «Dr. Barakat, ich muss Sie noch etwas fragen», sagte sie. «Wenn David Marquette *nicht* schizophren ist, wenn er nur simuliert, wie Sie annehmen – was ist er dann? Sie sagten eben, er sei intelligent, gerissen und ein Meister der Manipulation, aber was bedeutet das genau? Was für ein Mensch ermordet ohne offensichtliches Motiv seine gesamte Familie und ist hinterhältig genug – intelligent genug, wie Sie sagen –, um anschließend glaubhaft die Symptome einer katatonen Schizophrenie vorzutäuschen?»

Diesmal zögerte Christian Barakat keine Sekunde. «Die Frage ist leicht zu beantworten, Julia», sagte er kühl. «Wenn er simuliert – dann ist er ein Monster.»

KAPITEL 47

E R IST PROZESSFÄHIG», berichtete Julia Lat am Telefon. Dann trank sie einen großen Schluck von ihrem inzwischen kalt gewordenen Kaffee und suchte in ihrer Schreibtischschublade nach vier Vierteldollar-Münzen, um sich einen neuen Becher aus dem Automaten holen zu können.

«Da habe ich aber in den Nachrichten heute Mittag etwas anderes gehört», erwiderte Lat. «Wer behauptet das denn?»

«Christian Barakat. Er hat uns heute Nachmittag seinen Bericht gegeben. Er glaubt, dass Marquette nur schauspielert. Laut Barakat liegt Marquettes seltsames Verhalten entweder an der hohen Medikamentendosis oder daran, dass David Marquette» – sie zögerte kurz – «ein Psychopath ist. Dr. Barakat hat seine Untersuchungen zwar noch nicht abgeschlossen, aber offenbar hat Marquette bereits eine ziemlich hohe Punktzahl auf der ‹Psychopathen-Checkliste› erreicht.» Sie kramte am Boden ihrer Handtasche und fand zwischen Fusseln und Krümeln schließlich einen Vierteldollar.

«Ein Psychopath? Das klingt einleuchtend. Wer sonst würde mitten in der Nacht mit dem Küchenmesser auf seine Familie losgehen?»

Sie schloss die Augen. *Ein Monster.*

«Tja, das wird wohl ein interessanter Mittwochmorgen», sagte Lat, da Julia schwieg.

«Sind Sie auch da?», fragte sie leise.

«Auf jeden Fall. Ich frage mich, ob Levenson seinen Mandanten in den Zeugenstand ruft.»

«Das bezweifele ich. Levenson müsste verrückt sein.» *Verrückt*. Das Wort klang seltsam, hatte plötzlich eine ganz andere Bedeutung. Julias Handflächen wurden feucht.

«Machen Sie die Anhörung?», fragte er.

Die Vorstellung war dermaßen abwegig, dass Julia laut auflachte. Eher würde sie einen Sechser im Lotto haben, als dass Rick sie einen Gutachter im Zeugenstand befragen ließ. «Ich sitze mit am Tisch», sagte sie diplomatisch.

«Zu dumm», entgegnete Lat.

Julia war sich nicht sicher, ob er das als Kompliment für sie oder als Schlag gegen Rick gemeint hatte, also erwiderte sie vorsichtshalber nichts.

«Da hat sich Farley ja ein großartiges Datum ausgesucht», fuhr Lat fort. «Vier Tage vor der Weihnachtspause. Was für ein Mistkerl.»

«Das macht er mit voller Absicht», sagte Julia. «Feiertage und Urlaube vermiesen kann er mit Abstand am besten.»

Diesmal lachte Lat. «Ich hoffe, er hat *Ihnen* das Weihnachtsfest nicht versaut. Wohnt Ihre Familie hier in der Nähe?»

Julia spürte einen Stich im Herzen, der sie einen Augenblick lang lähmte. Ihr hätte klar sein müssen, dass diese Frage irgendwann kommen würde, doch es fühlte sich an, als hätte sie jemand von hinten überfallen und drückte ihr die Kehle zu. Sie hasste die Weihnachtszeit. Zwischen Thanksgiving und Neujahr war jeder Tag eine Qual, jede Nacht brachte furchtbare Erinnerungen, die von Jahr zu Jahr schlimmer zu werden schienen. Überall waren fröhliche Menschen im Kreise ihrer Familien zu sehen – in Werbespots und Zeitungsanzeigen, auf Müslipackungen und Coladosen. Sie hasste die gedankenlosen, immergleichen Fragen: *Fährst du über die Feiertage nach Hause? Mit wem verbringst du Weihnachten? Macht deine Mutter dieses Jahr Truthahn? Hilfst du ihr dabei?* Nora, Jimmy und sie feierten zwar jedes Jahr den Weihnachtstag zusammen – mit Truthahn,

Weihnachtsliedern und allem Drumherum –, doch es herrschte immer eine gedrückte Stimmung, und eigentlich wartete jeder nur darauf, dass es schnell vorüberging. Diesmal würde es besonders schwierig werden, weil Julia Andy zur Sprache gebracht hatte.

Das Päckchen war so hübsch eingepackt. Es sah aus, als hätten sie es im Laden verpackt – in einem teuren Laden. Das Geschenkband war breit und zu einer kunstvollen Schleife gebunden, an der ein glitzernder Plastikengel hing. «Für Juju. Ich hoffe, Du freust Dich. Alles Liebe, A. J.», stand auf dem Schildchen. A. J. war der Spitzname, den Andy sich neuerdings selber gab, doch Mom meinte, Abkürzungen wären etwas für Bürokraten.

Leise schloss sie die Badezimmertür hinter sich, machte das Licht an und holte tief Luft. Es waren nur noch ein paar Stunden bis zur Bescherung am Morgen, doch die Vorstellung, dass unter dem Baum ein Geschenk mit ihrem Namen darauf lag, ließ sie einfach nicht schlafen. Sie würde keine Ruhe haben, bis sie wusste, was darin war. Jetzt zog sie die Schleife zur Seite, schob das Brotmesser unter das Klebeband und schlug das schwere Papier zurück. Dann holte sie die Schachtel heraus, vorsichtig, um sie nachher wieder zu verpacken, damit niemand merkte, dass sie spioniert hatte.

Als sie die Aufschrift Cosby's Sporting Goods sah, stockte ihr der Atem. Sie wischte sich die Hände an ihrem Bademantel ab, dann klappte sie den Deckel auf und schlug das Seidenpapier zurück. Im schwachen Licht der kaputten Badezimmerlampe glänzte die weiße Satinjacke der New York Rangers, die sie sich immer schon gewünscht hatte. Zum Geburtstag, zu Weihnachten. Es war das Einzige, was Julia unbedingt haben wollte, doch die Jacke kostete fast hundert Dollar, und ihre Mom sagte, sie sei viel zu teuer. Jetzt lag sie hier, für sie.

Sie stellte die Schachtel auf das Waschbecken und nahm die Jacke heraus. Dann schlüpfte sie aus dem Bademantel und zog die Jacke über ihren Schlafanzug. Zärtlich strich sie über den weißen Stoff. Er war so glatt …

«Passt sie?», *meldete sich eine Stimme vor der Tür.*

Julia zuckte zusammen und schlang sich die Arme um den Leib.

«Komm schon, Juju», *flüsterte Andy.* *«Passt sie?»*

«Julia?», fragte Lat.

«Nein», sagte sie langsam und versuchte, die Geister zu verscheuchen. «Ich bin Weihnachten bei meinem Onkel und meiner Tante. Sie leben hier in Fort Lauderdale.» Sie schluckte. «Und Sie?»

«Ich weiß es noch nicht. Vielleicht segle ich mit einem Freund zu den Bahamas. Er hat ein Fischerboot – übrigens auch in Fort Lauderdale –, und dieses Jahr ist seine Exfrau an der Reihe, die Ferien mit den Kindern zu verbringen.»

«Weihnachten auf hoher See? Das klingt verlockend», sagte Julia. Erst in diesem Moment fiel ihr auf, dass es nur noch eine Woche bis Weihnachten war und sie und Rick kein einziges Mal über die Feiertage gesprochen hatten. Sie hatte keine Ahnung, wie er die Tage verbringen würde.

«Sie sind jederzeit willkommen», sagte Lat.

«Danke für die Einladung. Kann sein, dass ich irgendwann darauf zurückkomme.»

«Eierlikör wird völlig überbewertet. Ich lege einen Tannenzweig neben die Pina Colada.»

Sie schwieg einen Moment, dachte an den eigentlichen Grund, warum sie beschlossen hatte, Lat anzurufen.

«Sind Sie noch dran?», fragte er.

«Darf ich Sie um einen Gefallen bitten, Lat?», sagte sie schnell, wickelte sich die Telefonschnur um den Finger und schloss die andere Hand nervös um die Vierteldollarmünzen. «Können Sie über das NCIC etwas für mich herausfinden?» Das National Crime Information Center war ein Netzwerk, über das man Einsicht in die Polizeiakten sämtlicher Bundesstaaten nehmen konnte. Im Grunde war es eine Straftat, Akteneinsicht zu nehmen, wenn es dabei nicht um eine aktuelle

Ermittlung ging. Julia hatte noch nie zuvor jemanden darum gebeten, etwas Illegales für sie zu tun, und sie fühlte sich schuldig, weil sie Lat zu ihrem Komplizen machte. Doch sie selbst hatte keinen Zugriff auf die Datenbank.

«Natürlich. Um wen geht es denn?», erwiderte Lat, ohne zu zögern. Falls er ahnte, dass die Sache nicht ganz in Ordnung war, ließ er es sich nicht anmerken.

Julia holte tief Luft und schloss die Augen. «Cirto», sagte sie schließlich. «C-I-R-T-O. Andrew Joseph. Geboren am 14. März 1972.»

KAPITEL 48

WAS WÜNSCHST du dir, Mary? Soll ich dir den Mond holen? Du brauchst es nur zu sagen, dann nehme ich ein Lasso und hol ihn dir vom Himmel herunter.»

Es war drei Uhr früh. Julia saß auf der Couch und starrte auf den Fernseher. *Ist das Leben nicht schön?* mit James Stewart war der Lieblingsfilm ihrer Mutter. Sie hatten ihn jedes Jahr an Heiligabend zusammen angesehen. Nachdem alle anderen ins Bett gegangen waren, machten sie frisches Popcorn und kuschelten sich unter der pinkfarbenen Fleecedecke auf das Sofa. Ihre Mutter kannte den Film in- und auswendig und konnte jedes Wort mitsprechen.

«Das ist doch mal was anderes. Soll ich dir den Mond schenken, Mary?»

An jenem letzten Weihnachtsfest war es nicht mehr dazu gekommen. Heiligabend hatte Julia bereits in ihrem neuen Zimmer bei Tante Nora und Onkel Jimmy in Great Kills verbracht, weit weg von ihrem Elternhaus in West Hempstead, weit entfernt von Carly und ihren anderen Freunden. Sie saß auf dem neuen Bett mit der neuen Bettdecke und den neuen Rüschenvorhängen und starrte aus dem Fenster, wo fröhliche Menschen vor dem neuen Nachbarhaus vorfuhren, mit Schüsseln und Weinflaschen, die Arme voller Weihnachtsgeschenke. Sie saß stundenlang im Dunkeln, ihr Körper taub und wie gelähmt, und beobachtete das Kommen und Gehen, während sie sich die kitschigen Dialoge aus dem Lieblingsfilm ihrer Mutter vorsagte, die in ihrem Kopf festsaßen wie eine böse

Erinnerung. Und sie konnte den Film nicht einfach abstellen wie bei einem Fernseher, er lief weiter und weiter, bis zum Ende. Seitdem hasste sich Julia dafür, dass sie die zwei Stunden, die der Film dauerte, stets als selbstverständlich hingenommen hatte. Wenn sie die Zeit hätte zurückdrehen können, wenn sie noch einmal einen Moment mit ihrer Mutter hätte verbringen dürfen, wäre es dieser gewesen.

«Ist es nicht seltsam, wie jemandes Leben das so vieler anderer beeinflusst?», sagte Clarence, der Schutzengel, zum erschütterten George Bailey. «Und wenn er nicht mehr da ist, entsteht ein abscheuliches Loch, nicht wahr?»

Julia bewegte die Lippen zu Clarence' Worten und versuchte, die Tränen zurückzuhalten. Plötzlich hatte sie wieder den Geruch der Fleecedecke in der Nase, den nach Flieder duftenden Weichspüler, den ihre Mutter immer benutzt hatte. Seitdem sie bei Tante Nora ausgezogen war, hatte sie jede nur erdenkliche Marke ausprobiert, aber die richtige bisher nicht gefunden ...

KAPITEL 49

JULIA SASS allein am Tisch der Staatsanwaltschaft und schickte Stoßgebete gen Himmel. Richter Farley tippte ungeduldig mit dem Stift auf die Tischplatte, im Takt mit dem Sekundenzeiger der großen Uhr, die über den Türen des Gerichtssaales hing. Sie zeigte 9 Uhr 42. In dem vollbesetzten Saal herrschte eine beinahe unheimliche Stille.

«Ich denke, wir haben lange genug gewartet, Frau Staatsanwältin», brach Farley schließlich das Schweigen.

«Euer Ehren, nur noch ein paar Minuten. Ich bin sicher, dass Mr. Bellido gleich hier sein wird», erwiderte Julia und schaute nervös zu den Türen des Gerichtssaales, die sich in diesem Moment öffneten, doch es war John Latarrino, der hereinkam, nicht Rick. Er schüttelte den Kopf.

«Ms. Valenciano», begann Farley mit einem Blick, der ihr nur allzu bekannt war und bedeutete ‹Ich werde Ihnen gleich die Hölle heißmachen›. «Ich habe keine Zeit, um –»

«Bitte entschuldigen Sie, Euer Ehren», unterbrach Lat ihn, während er zu Julia an den Tisch trat. «Ich müsste dringend mit der Staatsanwältin reden.»

Der Richter seufzte laut, warf den Stift auf den Tisch, drehte sich mit seinem Stuhl herum und starrte die Wand an wie ein schmollender Zweijähriger. «Nehmen Sie sich so viel Zeit, wie Sie wollen, Detective. Es ist ja nicht so, als würden wir hier auf den Beginn einer Anhörung warten.»

«Bitte sagen Sie mir, dass es nichts Schlimmes ist, Lat. Bitte!», flüsterte Julia schnell. Sie bemerkte, wie sich die Kameras auf sie richteten, und hoffte, dass ihr die Verzweiflung nicht zu deutlich ins Gesicht geschrieben stand.

Lat sah sie an und schüttelte wieder den Kopf. «Das kann ich leider nicht. Ich habe eben eine Nachricht von Rick bekommen. Auf dem Rückweg von Orlando hatte er einen Unfall. Nichts Schlimmes, aber er möchte, dass Sie einen neuen Termin für die Anhörung festlegen lassen.»

«Was?»

«Sind Sie beide fertig mit Ihrem Geplauder?», fragte Farley schnippisch und schwang herum. «Ich würde diese Anhörung gern heute noch hinter mich bringen.»

«Äh …», begann Julia zögerlich und wandte sich wieder dem Richter zu, «Detective Latarrino hat gerade mit Mr. Bellido gesprochen, Euer Ehren. Er hatte einen Unfall. Es ist nichts Ernstes, aber Mr. Bellido wird für einige Zeit verhindert sein. Er beantragt – die Anklage beantragt – eine Vertagung der Anhörung.»

Der Richter schwieg und ließ seinen Blick durch den Gerichtssaal schweifen. «Abgelehnt», sagte er schließlich. Ein aufgeregtes Murmeln brandete durch den Saal.

«Abgelehnt?», fragte Julia. Ihre Hände wurden feucht.

«Mr. Bellido ist doch noch am Leben – oder, Detective? Er liegt nicht im Krankenhaus, oder? Und selbst wenn», erklärte Farley und zeigte vor allen Kameras direkt auf Julia, «er hat schließlich eine zweite Anwältin, die ihn bei diesem wichtigen Fall vertreten kann. Eine sorgfältig ausgewählte zweite Anwältin, wie ich hinzufügen darf. Ein kleiner Blechschaden im Berufsverkehr sollte also kein Grund dafür sein, meine Zeit zu vergeuden. Ich habe die Gutachten von Dr. Barakat und Dr. Koletis vorliegen, und da die Herren offenbar geteilter Meinung sind, was die Prozessfähigkeit des Angeklagten betrifft, haben wir heute Morgen noch einiges vor. Während Mr. Bellido auf den Abschleppwagen wartet, verrinnt unser aller wertvolle Zeit. Wenn Ms. Valenciano nicht in der Lage ist, diese Anhörung durchzuführen, wird eben nur die Verteidigung ihre Beweise präsentieren.»

Julia starrte auf ein Astloch in der Tischplatte. Das war übel. Das war ganz übel. Offiziell mochte sie zweite Anwältin sein, inoffiziell jedoch … Sie erinnerte sich an Ricks Worte, als er mit Dr. Barakat und Charley Rifkin sprach: … *mein* Fall. An Dayanaras Warnung, ihre wichtigste Amtshandlung würde wahrscheinlich darin bestehen, Rick während der Verhandlung die Unterlagen zu reichen. Vielleicht würde sie auch einige unbedeutende Personen befragen dürfen, wie zum Beispiel den Archivar des Gefängnisses. Wenn sie Glück hätte, dürfte sie vielleicht bei der Eröffnung ein paar Worte sagen. Sie hatte diese Tatsache akzeptiert und betrachtete den Fall als eine Möglichkeit, Erfahrung zu sammeln. Doch jetzt verlangte Richter Farley von ihr, dass *sie* die Anhörung allein durchführte, und dank Kabel- und Satellitenfernsehen würde die ganze Welt ihr dabei zusehen.

Day saß in der ersten Reihe, mit ein paar Kollegen von der Staatsanwaltschaft, die gekommen waren, um zuzusehen. Jetzt lehnte sie sich über das Geländer und flüsterte beruhigend: «Ich rufe bei der Rechtsabteilung an, Julia. Tu nichts, bis sie jemand schicken.» Julia nickte, und Day hastete aus dem Gerichtssaal.

«Mr. Levenson, sind Sie bereit?», fragte Farley.

«Ja», erwiderte er lächelnd und erhob sich. Levenson war nicht dumm und schnappte nach dem Knochen, den der Richter ihm gerade hingeworfen hatte. «Aufgrund der psychischen Verfassung meines Mandanten halte auch ich es für angebracht, die Anhörung heute durchzuführen, ohne weitere Verzögerungen», sagte er nachdrücklich. Er deutete auf Marquette, der in seinem roten Overall zwischen ihm und Stan Grossbach saß. Marquette schien in derselben Verfassung zu sein wie bei der Anklageerhebung. Blass, unrasiert und ungepflegt, starrte er teilnahmslos ins Leere. Sein Haar war nicht geschnitten worden, und aus dem Dreitagebart war ein struppiger Vollbart geworden. Gewöhnlich tat die Verteidigung alles, um die Mandanten vor Gericht sympathisch und gesittet wirken zu lassen. Sie steckte sie in teure Anzüge oder züchtige Kleider, wenn es der Fall verlangte, deckte Tätowierungen ab, färbte die Haare, entfernte Piercings. Manche nahmen sogar die Hilfe von Stylisten und Körpersprachtrainern in Anspruch, um die Jury milde zu stimmen. Im Gerichtssaal spielte der äußere Eindruck eine nicht zu unterschätzende Rolle. Und der struppige Höhlenmensch war anscheinend die Rolle, welche Mel Levenson sich für seinen Schützling ausgedacht hatte. Marquette starrte apathisch vor sich hin. «Der Tausend-Meter-Blick», wie es Dr. Koletis in seinem Bericht nannte. Wenn die Augen wirklich das «Fenster zur Seele» waren, hatte er womöglich gar keine Seele. Julia erschauerte, als sie an Dr. Barakats finstere Worte dachte.

Er schafft es, selbst Fachleute von seiner Krankheit zu überzeugen, dass er geisteskrank ist, und passt sich jeder neuen Situation perfekt an. Er ist eine andere Art von Simulant. Besser gesagt, eine andere Art von Mensch.

«Hervorragend», sagte Farley. «Frau Staatsanwältin? Sind Sie ebenfalls bereit? Oder stimmen Sie Dr. Koletis' Meinung zu, dass der Angeklagte prozessunfähig ist?»

«Auf keinen Fall, Euer Ehren. Dr. Barakats Bericht belegt eindeutig, dass der Angeklagte prozessfähig ist.»

«Na schön, fangen wir also an. Rufen Sie Ihren ersten Zeugen auf.»

«Euer Ehren, die Anklage wartet noch auf einen Kollegen aus der Rechtsabteilung, der bereits unterwegs ist …»

«O nein, Ms. Valenciano. Wenn Sie unbedingt in der Oberliga spielen wollen, dann sind Sie jetzt am Ball. Rufen Sie Ihren ersten Zeugen auf.»

«Richter, soweit ich weiß, gilt ein Angeklagter vor dem Gesetz Floridas so lange als prozessfähig, bis die Verteidigung das Gegenteil bewiesen hat», protestierte Julia. «Die Last der Beweisführung liegt dementsprechend bei der Verteidigung.» Wenn Levenson mit seinen Zeugen anfing, würde das Rick oder der Rechtsabteilung noch ein wenig mehr Zeit verschaffen. Lat könnte ihn dort abholen, wo auch immer er gerade war, und hierherbringen. Dann wäre alles wieder in Ordnung.

«Netter Versuch, Frau Staatsanwältin. Die Bundesgerichte interpretieren die Verfassung der Vereinigten Staaten jedoch dahin gehend, dass nur gegen prozessfähige Personen Anklage erhoben werden darf. Besonders in jenen Fällen, in denen auf die Todesstrafe plädiert wird. Also liegt die Beweislast eindeutig auf der Seite der Staatsanwaltschaft.» Farley grinste verschlagen. «Willkommen in der ersten Liga, Ms. Valenciano. Und jetzt rufen Sie bitte Ihren ersten Zeugen auf.»

KAPITEL 50

JULIA HATTE keine Wahl. Sie durfte nicht zulassen, dass David Marquette für prozessunfähig erklärt wurde und die nächsten Monate oder vielleicht sogar Jahre in irgendeiner Privatklinik verbrachte. Das wäre das Ende ihres Falles. Sie hatte Ricks Warnung im Ohr: *Denk daran, Julia, die Zeit arbeitet immer gegen uns.*

Die Entscheidung über die Prozessfähigkeit eines Angeklagten fällte der zuständige Richter, was bedeutete, dass Julia alles in ihrer Macht Stehende tun musste, um Farley von Marquettes Prozessfähigkeit zu überzeugen. Und sie traute es Farley durchaus zu, dass er Marquette eine psychiatrische Behandlung verordnete, nur um ihr eins auszuwischen.

Sie atmete tief durch. «Die Staatsanwaltschaft ruft Dr. Barakat in den Zeugenstand», sagte sie, obwohl sie nicht einmal wusste, ob Dr. Barakat schon anwesend war. Die Staatsanwälte in den Zuschauerreihen begannen, miteinander zu flüstern.

Der Gerichtsdiener ging hinaus in den Flur, und kurz darauf betrat Dr. Barakat in anthrazitfarbenem Maßanzug und taubenblauem Hemd den Zeugenstand und wurde von einer errötenden Ivonne vereidigt. Er setzte sich und begrüßte Julia mit einem Nicken, war jedoch offensichtlich verwirrt, sie anstelle von Rick am Tisch der Staatsanwaltschaft zu sehen.

Julia hatte noch nie einen psychiatrischen Gutachter in den Zeugenstand gerufen. Oder sonst einen Mediziner. Ihre Erfahrungen mit Gutachtern beschränkten sich auf einen Archivar, einen Wartungstechniker von Alkoholmessgeräten und einen Fingerabdruckspezialisten. Bevor ein Experte seine Meinung vor Gericht kundtun durfte, musste man das Gericht davon überzeugen, dass er tatsächlich ein Fachmann war. Wichtige Passagen über die Qualifikation eines medizinischen Gutachters aus dem Buch *Regeln der Beweisführung* schossen ihr durch den Kopf, doch leider konnte sie sie nicht festhalten. Sie schlug ihre Gesetzessammlung auf und starrte auf die Kriterien für Prozessfähigkeit laut Paragraph 3.211. Die Worte ergaben plötzlich keinen Sinn mehr, und sie merkte, wie sich der Raum um sie herum auf altbekannte Weise zu drehen begann.

«Guck mal, Daddy. Guck!», schrie die kleine Emma plötzlich und tanzte in ihrem blutigen Cinderella-Kleid durch den Gerichtssaal. Ihre Haare waren schwarz von geronnenem Blut. Das kleine Gesicht sah aus wie auf den Autopsiefotos – auf doppelte Größe geschwollen, die Lippen blau, das Weiße der Augen rot durch die geplatzten Blutgefäße. Ein sich kräuselnder schwarzer Faden hing an ihrem Hals, den der Gerichtsmediziner nach dem Zunähen nicht abgeschnitten hatte. «Guck mich an, Daddy!», forderte sie mit verzerrtem Schmollmund und drehte sich um die eigene Achse. «Guck, was du mit mir gemacht hast!»

Julia biss sich auf die Lippen. Nun lag es an ihr. Sie war der einzige Mensch, der heute für Gerechtigkeit sorgen konnte. Sicherstellen, dass der Vater der kleinen Emma für seine Taten zur Verantwortung gezogen wurde. Sie war die Einzige, die dafür sorgen konnte, dass David Marquette nicht durch die Fugen eines gefühllosen Systems rutschte, das nur allzu gern über die Opfer hinwegsah, um zum nächsten Punkt auf der Tagesordnung zu kommen. Sie hatte eine Aufgabe vor sich.

«Guck mal, Daddy!», schrie Emma wieder.

Lat beugte sich vor und berührte ihre Schulter. «Sie schaffen das, Julia», sagte er leise. «Sie sind besser als Bellido, glauben Sie mir.»

Julia nickte und holte tief Luft. *Für dich, Emma.* Dann erhob sie sich und bewies in den folgenden drei Stunden zur Überraschung aller Anwesenden, dass John Latarrino recht hatte.

KAPITEL 51

ER FUHR mit dem Finger langsam die roten Striemen entlang, dort, wo die Handschellen in seine Haut geschnitten hatten. Ein stechender Schmerz durchzuckte seinen rechten Arm bis hinauf zur Schulter, doch er ignorierte ihn. Völlig reglos saß er neben seinem Anwalt. Er verzog keine Miene. Er stellte sich vor, die Einschnitte seien auf dem Arm eines anderen, der Schmerz sei der eines anderen. Die Wachmänner schlossen die Handschellen bei ihm absichtlich fester, er hörte sie leise lachen, wenn sie sie zuschnappen ließen.

Aber er hatte sich nie beschwert. Nicht ein einziges Mal.

... er zeigt einige Negativsymptome, es gibt jedoch keine speziellen Verhaltensauffälligkeiten wie beispielsweise Echopraxie ...

Sie nannten ihn «Kindermörder» oder «Todesarzt», spuckten in sein Essen und versuchten, ihn auf dem Weg zum Gericht zum Stolpern zu bringen.

... Einige der Symptome könnten zwar von den Medikamenten verursacht werden, die Dr. Marquette verabreicht bekommt, aber um Ihre Frage zu beantworten, Ms. Valenciano, ja, ich glaube, dass er nur simuliert ...

Was wohl geschehen würde, wenn er einmal nicht gefesselt wäre? Wenn er mit einem von ihnen allein wäre, ohne Schlagstöcke, ohne Funkgeräte, ohne Handschellen? Er fragte sich, wie lange es wohl dauern würde, bis sich Mr. Klimpermann in die Hosen machte. In der Gruppe fühlten sie sich sicher. Allein jedoch ...

... Es ist aber auch durchaus möglich, dass Dr. Marquette an etwas

leidet, das man eine psychopathische Persönlichkeitsstörung nennt,
ebenfalls bekannt als dissoziale Persönlichkeitsstörung ...

Die anderen Häftlinge würden ihn wahrscheinlich ficken,
wenn sie könnten. Sie kamen sich so groß und stark vor, doch
ohne ihre Kumpane waren auch sie niemand mehr. Und sie
unterschätzten ihn, was ihnen letztlich zum Verhängnis werden würde.

... die wahrscheinlich gefährlichste aller Geistesstörungen. Der Psy-
chopath ist, in unterschiedlich starken Abstufungen, nicht in der Lage,
Emotionen zu empfinden. Er ist wie eine leere Hülle, wie eine Maschi-
ne. Er kennt kein Mitgefühl, keine Liebe, kein schlechtes Gewissen.
Nichts und niemand dringt zu ihm durch. Durch die genaue Beobach-
tung seines Umfeldes weiß er, welche emotionalen Reaktionen wann
angebracht sind, und er hat gelernt, diese nachzuahmen. Er hat gelernt,
bei Beerdigungen zu weinen, obwohl er keine Trauer empfindet, ganz
egal, wer im Sarg liegt, und er hat gelernt, nach dem Sex «Ich liebe dich»
zu sagen, selbst wenn er zu dem Gefühl Liebe nicht fähig ist ...

Er hatte einige Schwerverbrecher dabei ertappt, wie sie in
seine Richtung sahen, wenn sie glaubten, ihre Kumpel merk-
ten es nicht. Nur ein kurzer Blick. Sie fragten sich bestimmt,
was zum Teufel in seinem Kopf vorging. Es war eine Sache,
jemanden zu töten, weil er einem Geld schuldete, oder seine
Freundin umzubringen, weil sie einen betrogen hatte. Doch
selbst bei den abgebrühtesten Typen gab es einen Verhaltenskodex, gewisse Regeln, an die sie sich hielten. Und wenn jemand außerhalb dieser Regeln agierte, wurde er unberechen-
bar und jagte ihnen Angst ein.

Genau so sollte es sein.

... nehmen Sie zum Beispiel Ted Bundy. Gut aussehend, gebildet,
Jurastudium an einer Eliteuniversität. Manche schätzen die Zahl der
Frauen, die ihm zum Opfer gefallen sind, auf über einhundert. Es
ist ein weitverbreitetes Vorurteil, dass Psychopathen anders aussehen
oder sich anders verhalten als der ‹Normalbürger›. Die Wahrheit ist,

dass wir jeden Tag auf Psychopathen treffen, ohne es zu merken, Ms.
Valenciano. Sie können Bankangestellte sein, Vorstandsvorsitzende
oder Basketballtrainer. Natürlich sind nicht alle Psychopathen Mör-
der, und nicht alle Mörder sind Psychopathen. Eines gilt jedoch fast
immer, und besonders in diesem Fall: je intelligenter ein Psychopath,
desto gefährlicher und zerstörerischer …

Es war seltsam, mit Leuten in einem Raum zu sitzen, die
in der dritten Person von ihm sprachen und versuchten, mit
komplizierter medizinischer Terminologie zu definieren, was
er war. Die Kameras lenkten ihn ab. Er musste sich konzentrieren, musste unbedingt zuhören. Die Medikamente hüllten
sein Gehirn in einen dichten Nebel, und die Wellen wuschen
manche Wörter einfach weg. Er unterdrückte ein Gähnen.

… Wie ein Chamäleon wird er sich in die Person verwandeln, die
Sie sehen wollen. Er wird die Worte sagen, die Sie hören wollen. Des-
wegen ist es beinahe unmöglich, ihn zu entlarven …

Er blickte hinüber zu der Staatsanwältin. Valenciano, Julia
Valenciano, hatte sie gesagt. Sie war so hübsch. Und jung. Jün-
ger als er. Offensichtlich eine Anfängerin. Ein naives, kleines
Mädchen. *War er ihr größter Fall? War dies ihr größter Augenblick?*

Er beobachtete, wie sie durch den Gerichtssaal ging und
die Kameras jeden ihrer Schritte verfolgten. Sie war sich ihrer
selbst so sicher – und auch wieder nicht. Sie warf schnelle,
scheue Blicke in seine Richtung, musterte ihn mit ihren miss-
trauischen und doch neugierigen grünen Augen, als sei er ein
deformiertes Tier in einem Versuchslabor. In ihrem Blick lag
Verachtung, aber auch – *Mitleid*? Selbst durch den dichten
Nebel, der seine Gedanken erstickte und seine Zunge lähmte,
merkte er, dass sie nicht hundertprozentig hinter ihren Fragen stand. Er konnte Menschen einschätzen. Das war immer
schon so gewesen. Und er lag nie falsch. Er sah ihr an, dass sie
diejenige war, die zuhören würde. Von all den Menschen im
Gerichtssaal war sie die Einzige, die zu verstehen versuchte.

«*Warum?*» *Sie kniff die blitzenden grünen Augen zu schmalen Schlitzen zusammen und sah ihn direkt an.* «*Warum sollte er so etwas tun, Dr. Barakat?*» Stell niemals eine Frage, deren Antwort du nicht schon kennst. Sogar er wusste das.

Wenn wir die Fachbegriffe einmal außen vor lassen, Ms. Valenciano – weil er ein Monster ist.

Er musste ihr zeigen, wer er wirklich war. Es war an der Zeit, ihr zu sagen, was sie hören wollte.

KAPITEL 52

FARLEY LEHNTE sich zurück und stützte das Kinn in eine Hand.

«Ich habe die Berichte beider Gutachter gelesen. Ich habe mir ihre Aussagen angehört. Ich hatte die Gelegenheit, den Angeklagten vor Gericht zu beobachten. Der Angeklagte hat den Ablauf der Anhörung nicht gestört. Er ist in der Lage, sich vor Geschworenen ordentlich zu benehmen. Laut der Berichte beider Gutachter ist er sich bewusst, dass er des Mordes angeklagt ist, und versteht, welche Strafe ihn erwartet. Der Angeklagte ist selbst Arzt. Er ist nicht geistesschwach, sondern hervorragend ausgebildet, und stand eine Woche vor seiner Festnahme noch im Operationssaal. Natürlich können auch intelligente Menschen geistesgestört sein, doch darf man den Intellekt des Angeklagten nicht außer Acht lassen. Und selbst, wenn es traurig ist, dass sein Zwillingsbruder unter Schizophrenie leider, ist es nichts weiter als das – eine traurige Tatsache.

Ich bin nicht hier, um zu entscheiden, ob der Angeklagte eine Geisteskrankheit simuliert. Das obliegt der Jury. Ich muss ein Urteil über seine Prozessfähigkeit fällen. Prozessfähig ist, wer in der Lage ist, sich mit seinem Anwalt zu beraten und zu begreifen, was während des Verfahrens geschieht. Eines will ich Ihnen allen sagen: In meinem Gerichtssaal kommt keiner damit durch, eine Geisteskrankheit vorzutäuschen. Nur weil jemand sich weigert, Fragen zu beantworten, heißt das nicht, dass er dem langen Arm des Gesetzes entfliehen kann. Für den Angeklagten steht bei dieser Verhandlung eine Menge auf dem

Spiel, daher wäre seine Motivation, eine Geisteskrankheit vorzutäuschen, umso höher. Das Gesetz gestattet mir, dafür zu sorgen, dass Dr. Marquettes Medikation so eingestellt wird, dass er an der Verhandlung teilnehmen kann. Und aufgrund der Aussagen, die wir heute gehört haben –»

Aufgeregtes Flüstern erhob sich am Tisch der Verteidigung. Levenson und Stan Grossbach hatten dem Richter den Rücken zugewandt und schirmten ihren Mandanten vor dessen Blick ab. Im ersten Moment klang es, als hätten die beiden eine Auseinandersetzung.

«Gibt es ein Problem, Mr. Levenson?», grummelte Farley. «Wir stören Sie und Mr. Grossbach doch nicht etwa bei etwas Wichtigem?»

«Tun Sie das nicht», flüsterte Levenson. Dann wandte er sich zögerlich dem Richter zu und schüttelte dermaßen heftig den Kopf, dass seine feisten Wangen zitterten. «Nein, bitte entschuldigen Sie, Euer Ehren.»

«Nein, nein, nein», wimmerte plötzlich eine dünne Stimme. Eine Stimme, die Julia nicht erkannte, weil sie sie noch nie gehört hatte. Im Gerichtssaal wurde es totenstill. David Marquette stand auf. Seine Fußfesseln klimperten.

«David», sagte Stan Grossbach eindringlich. «Setzen Sie sich!»

«Nein, nein, nein …», wimmerte er und schüttelte den Kopf von einer Seite zur andern.

Der Richter wies Grossbach mit einer Handbewegung an, den Mund zu halten. «Dr. Marquette, möchten Sie dem Gericht etwas sagen? Gibt es etwas, das ich wissen sollte? Ich muss Sie allerdings darauf hinweisen, dass alles, was Sie sagen, gegen Sie verwendet werden kann.»

Marquettes Stimme war nicht mehr als ein heiseres Flüstern. Er sah Julia an. Seine hellgrauen Augen waren direkt auf sie gerichtet, doch sie blickten durch sie hindurch. «Ich habe sie *ge-*

rettet», sagte er leise, als würde er die letzte Frage beantworten, die sie Dr. Barakat gestellt hatte.

Und mit diesen Worten stürzte plötzlich und unwiederbringlich die ganze Welt, die sie kannte, über ihr ein – all ihre Schutzwälle fielen um, einer nach dem anderen wie Dominosteine, bis sie nur noch die beängstigende Wahrheit vor sich hatte.

Die grauenhaften Erinnerungen stoben durcheinander wie aufgescheuchte Fledermäuse auf einem dunklen, moderigen Dachboden. Die Geister hatten die Tür aufgestoßen.

KAPITEL 53

D IE AUTOTÜR *wurde geöffnet, und Potter beugte sich zu ihr herab. Im gelben Licht sah sein rundes Gesicht dicker aus als bei Carly im Flur und seine Augen noch verkniffener. «Julia», begann er seufzend, und Julia roch den Zigarettenrauch in seinem Atem.*

Sie schluckte das Blut ihrer aufgebissenen Lippe herunter und atmete die kalte Luft ein. Sagen Sie nichts. Bitte, sagen Sie nichts. Geben Sie mir noch ein bisschen Zeit, bevor Sie es aussprechen. Bevor alles anders wird …

«Tut mir leid, dass du warten musstest, Schätzchen», begann er mit einem mitfühlenden Lächeln, «aber wir mussten dafür sorgen, dass …»

Doch sie hörte nicht mehr zu.

Ihr Blick war auf zwei Polizisten in dunkelblauen Mänteln gefallen, die aus dem Haus getreten waren und langsam den Rasen überquerten. In ihrer Mitte ging ein Mann, der nur ein T-Shirt und Jeans anhatte. Julia schlüpfte an Potter vorbei und rannte auf die Männer zu. Hinter ihr rief jemand, sie solle stehen bleiben, aber sie achtete nicht darauf.

«Andrew?», schrie sie. Der kalte Wind brannte auf ihren Wangen. «Andy?»

Als er sich zu ihr wandte, sah sie die hellroten Spritzer auf seinem weißen T-Shirt, das verschmierte Blut im Gesicht und an den Händen, die dunklen Stellen auf seiner Jeans.

Zuerst dachte sie, er hätte sich verletzt, doch dann sah sie die Handschellen. Beide Hände waren mit Küchenhandtüchern umwickelt, doch das Blut sickerte bereits durch. Dann gaben ihre Knie nach, und sie sank neben dem Weihnachtsmann zu Boden.

«O Gott, was hast du getan? Andy! Was hast du getan?», schrie sie. «Was hast du getan?»

Der gutaussehende Mann mit dem jungenhaften Gesicht lächelte. Tränen liefen ihm über die Wangen, vermischten sich mit dem Blut und rannen in wässerig roten Schlieren über sein Gesicht. «Ich habe sie gerettet, Juju. Ich habe sie gerettet. Ich musste es tun. Es musste sein.» Als er die blutverschmierten Hände zum Himmel hob, löste er für einen kurzen Moment Panik bei den Uniformierten aus, bis sie seine Arme wieder herunterzerrten. Die Küchenhandtücher fielen zu Boden, und von seinen zerschnittenen Händen tropfte leuchtend rotes Blut. «Halleluja!»

Schreiend krallte Julia die Finger in den gefrorenen Boden und wiegte sich langsam hin und her, während der Schnee unter ihr schmolz und ihre Jeans durchweichte. Detective Potter und die anderen Polizisten, die herbeigeeilt waren, um sie festzuhalten, blieben stehen und warfen einander verlegene Blicke zu.

Die Uniformierten führten den jungen Mann zu einem Streifenwagen und drückten ihn auf den Rücksitz. Er sah aus dem Fenster und lächelte Julia noch einmal zärtlich zu, bevor der Streifenwagen sich in Bewegung setzte. Dann senkte er den Kopf.

Sie hatte ihren Bruder nie wiedergesehen.

KAPITEL 54

EIN PAAR Sekunden war es seltsam still im Saal. Dann brach aufgeregtes Gemurmel aus, das zu einem ohrenbetäubenden Brausen anschwoll, bis Richter Farley die Menge wieder zum Schweigen brachte.

«Ich habe meine Entscheidung gefällt», bellte er in das Mikrophon, das vor ihm stand und das er bisher nicht benutzt hatte. Vergebens sah er sich nach etwas um, mit dem er auf den Tisch schlagen konnte, dann warf er dem Gerichtsdiener einen bösen Blick zu.

«Setzen Sie sich und verhalten Sie sich ruhig!», rief Jefferson nervös. «Keine Telefone, keine Zwischenrufe.»

Es wurde wieder leiser im Gerichtssaal, doch die Journalisten ignorierten Jeffersons Warnung und verschickten eifrig Textnachrichten an ihre Redaktion. Erst, als es ganz still war, ergriff Farley wieder das Wort. «Ich befinde den Angeklagten für prozessfähig. Jetzt müssen wir nur noch ermitteln, ob er zum Tatzeitpunkt auch zurechnungsfähig war. Ich verschiebe den ursprünglichen Prozesstermin um drei Wochen, damit Sie alle genug Zeit haben, das herauszufinden. Herr Verteidiger, holen Sie Ihren Kalender heraus.»

«Ja, Euer Ehren», sagte Levenson und erhob sich.

«Frau Staatsanwältin, ich werde Ihnen entgegenkommen und die ganze Sache auf eine A-Woche legen.»

Er bekam keine Antwort.

«Ms. Valenciano? Hallo?»

Wie konnte auf einmal alles so klar sein? Als wäre sie in der Zeit

zurückgereist, in eine Erinnerung hinein. Eine Erinnerung, die sie so
lange verdrängt hatte. Plötzlich hatte sie wieder die kalte Luft in der
Nase. Es roch nach Schnee. Und nach brennendem Laub, Fichte und
Immergrün, Zigarettenrauch, dem Hauch eines Aftershaves – eigen-
artigerweise das gleiche, das ihr Vater verwendete – auf dem Rück-
sitz des Polizeiwagens. Sie hörte das Kreischen der Walkie-Talkies,
das Knistern der Zentrale, das aus Hunderten von Mikrophonen auf
einmal zu kommen schien, das aufgeregte, nervöse, verstörte Flüstern
der Nachbarn, die auf dem Bürgersteig standen, hinter der knallgelben
Flatterbandabsperrung. Sie schmeckte das Blut warm und metallisch in
ihrem Mund. Und Andrew ...

«Julia? Julia?»

Sie spürte die Hand auf ihrer Schulter. Es war Lat. «Der
Richter», flüsterte er und nickte in Farleys Richtung. Über dem
Gerichtssaal hing ein merkwürdiges, nervöses Schweigen, als
würde jeder im Raum sie mit angehaltenem Atem anstarren.
Sie sah sich um, verwirrt, verloren.

«In Ordnung, Euer Ehren», sagte die Leiterin der Rechtsabteilung, erhob sich aus der ersten Reihe und trat vor ans
Podium. «Penny Levine für die Anklage. Vielen Dank, dass Sie
Ms. Valencianos Gerichtstermine respektieren. Mr. Bellido hat
mich gebeten, dem Gericht zu versichern, dass die Anklage zu
jedem Datum bereit sein wird.»

Der Richter warf Julia einen finsteren Blick zu, doch dann
fuhr er fort: «Der Prozess wird auf Montag, den sechsten März,
verschoben. Das gibt Ihnen allen noch einmal drei Wochen.
Berichtsdatum ist Donnerstag, der zweite. Sollte bis dahin
nicht einer der Anwälte verstorben sein, werden wir am sechsten mit der Verhandlung beginnen. Ich habe keine Lust, mich
auf einen jahrelangen Expertenstreit einzulassen. Ich berufe sowohl Dr. Barakat als auch Dr. Koletis als Gutachter. Wenn Sie
noch andere hinzuziehen möchten, lassen Sie es die Gegensei-
te innerhalb von dreißig Tagen wissen. Keine Überraschungs-

zeugen oder Änderungen in letzter Minute, also tragen Sie Ihr Material zusammen und seien Sie sorgfältig bei Ihrer Planung. Verspätungen werde ich nicht tolerieren. Ich hoffe, es hat mich jeder gehört», schloss er mit einem letzten genervten Blick zum Tisch der Staatsanwaltschaft.

Dann segelte Farley an Jefferson vorbei aus dem Gerichtssaal, und hinter ihm brach das Chaos aus.

KAPITEL 55

NUN SPIELTE es keine Rolle mehr, wessen Sperma auf Jennifer Marquettes Nachthemd war, wessen verschmierte Füße in der Nacht über den Teppich gelaufen waren oder wessen Finger die Abdrücke am Fensterrahmen der hübschen Villa auf der Sorolla Avenue hinterlassen hatten. David Marquette hatte die Morde gestanden.

Eine Traube Gratulanten stürmte auf Julia zu. Die gleichen Staatsanwälte, die sich nur wenige Stunden zuvor über ihre ungewisse Zukunft das Maul zerrissen hatten, wollten ihr nun die Hand schütteln. Es war der Augenblick, von dem wahrscheinlich jeder Prozessanwalt träumte: in einem Gerichtssaal voller Kollegen, Fernsehkameras und Journalisten aus der ganzen Welt den großen Fall zu gewinnen – oder zumindest die erste Etappe. Doch nicht Julia. Sie hatte Angst, und der Augenblick war belastend, klaustrophobisch, schwindelerregend. Auch wenn der alte Gerichtssaal noch genauso aussah wie vor ein paar Stunden, war alles anders – wie in den letzten Szenen von *Ist das Leben nicht schön?*, als George auf dem Friedhof über den Grabstein seines Bruders Harry stolpert und endlich versteht, was Clarence der Engel ihm zu sagen versucht hatte: George Bailey hatte es nie gegeben. Die Stadt, die Häuser, die Gebäude, selbst die Gesichter sahen zwar genauso aus wie in Georges Erinnerung, doch nichts war mehr, wie es war. Eine kleine Tatsache hatte die Welt verändert.

«Clarence! Clarence! Hilf mir, Clarence», flüsterte ihre Mutter synchron mit Jimmy Stewart. *«Bring mich zurück. Bring mich zurück. Mir*

ist egal, was mit mir passiert. Bring mich zu meiner Frau und meinen Kindern. Hilf mir, Clarence, bitte. Bitte! Ich will wieder leben! Ich will wieder leben. Ich will wieder leben. Bitte, Gott, lass mich wieder leben.»

Natürlich wird im Film George Baileys Wunsch erfüllt. Er bekommt das Leben zurück, das er kannte, mit all seinen «Warzen und Pickeln», wie ihre Mutter gesagt hätte. Aber Julia wusste, dass es im richtigen Leben nicht so lief. Egal, wie sehr sie es sich wünschte, sie konnte die Wahrheit nicht rückgängig machen, nach der sie gegen alle Warnungen gesucht hatte. Für sie würde es kein Happy End geben.

Es ist zu nahe dran, Julia. Zu nahe. Bitte. Lass die Finger davon. Es bringt nur – Verzweiflung.

Hastig sammelte sie ihre Akten ein und beobachtete im Augenwinkel, wie die Wachmänner David Marquette – der Hülle von ihm, die in dem übergroßen Overall steckte – wieder Handschellen und Fußfesseln anlegten.

Er ist ein Monster. Ein Psychopath. Wie ein Chamäleon wird er sich in die Person verwandeln, die Sie sehen wollen. Er wird die Worte sagen, die Sie hören wollen. Deswegen ist es beinahe unmöglich, ihn zu entlarven.

Julia wandte den Blick ab und packte die Tasche. Die laute, ruhelose Menge der Reporter und Zuschauer schien immer näher zu kommen. Sie hatte dem Publikum den Rücken zugekehrt, doch sie hörte, wie in Dutzenden von Unterhaltungen ihr Name fiel. In diesem Moment wollte sie nur weg von hier. Bevor sie vor aller Augen zusammenbrach.

Eine warme Hand tippte ihr sanft auf den Rücken. «Ich wusste, dass Sie besser sind als er», flüsterte die vertraute Stimme in ihr Ohr, als sie Ehrhardts *Beweisführung* in der Tasche verstaute. Sie drehte sich um und sah Lat an. «Aber die Chancen stehen schlecht, dass Bellido Ihnen die Lorbeeren überlässt», fügte er mit einem kleinen Lächeln hinzu.

Sie versuchte zurückzulächeln. Sie versuchte, ganz normal zu wirken, doch sie fragte sich, ob das überhaupt noch möglich war. Die Maske würde Risse bekommen. Hinter Lat hatte das Wachpersonal den Saal geräumt und die Reporter auf den überfüllten Flur gescheucht, wo sie warten würden, bis Julia herauskam. *Reiß dich zusammen. Nur noch eine Minute, dann kannst du weg von hier. Aber wohin?* «Haben Sie gehört, wie es ihm geht?»

«Bis auf das angeknackste Ego geht es ihm bestimmt bestens. Machen Sie sich keine Sorgen.»

Sie stieß Luft aus. «Was für ein Tag. Vielen Dank für vorhin. Ich – ich …»

«Sie waren großartig. Ganz die harte Staatsanwältin. Ich war beeindruckt. Sie wirken immer so nett. Und er …» Er verstummte, als er Marquette hinterhersah. «Wissen Sie, Julia, mich überrascht nichts mehr. Und das verheißt nichts Gutes. Lassen Sie sich die Sache nicht zu nahe gehen.» Er legte einen dünnen Ordner auf ihr Gesetzbuch. «Für Sie. Das Ergebnis aus dem NCIC. Ich habe auch ein Autotrackback gemacht, der Ausdruck ist ebenfalls dabei.»

«Danke», sagte sie leise, starrte die Mappe an und schluckte. «Ich muss los», brachte sie dann nach kurzem Schweigen heraus.

«Na gut. Sagen Sie Bescheid, wenn ich noch irgendwas für Sie tun kann», erwiderte Lat und wandte sich zum Gehen.

Im hinteren Teil des Gerichtssaals entdeckte Julia Steve Brill im Gespräch mit Charley Rifkin, Penny Levine und Karyn. Alle vier blickten zu ihr herüber. Brill lachte, die anderen nicht. Betreten sah Julia weg, nahm ihre Tasche und schwang sie sich über die Schulter. Dann ging sie zur Tür hinter der Richterbank, um unauffällig zu verschwinden.

Plötzlich drehte Lat sich noch einmal zu ihr um und lächelte. «Ach ja, bevor ich es vergesse – fröhliche Weihnachten.»

KAPITEL 56

D IE LUFT *war so kalt, dass jeder Atemzug brannte, und sie spürte einen stechenden Schmerz in der Brust. Die Welt um sie drehte sich wie die Blaulichter, die den nächtlichen Himmel erhellten – drehte sich weiter und immer schneller, bis alles außer Kontrolle geriet. Uniformierte, Rettungssanitäter, Detectives, Nachbarn, alle hatten sich auf dem Bürgersteig versammelt und sahen zu, wie sie sich vor Schmerz auf dem gefrorenen Boden wand. Sie steckten verlegen die Hände in die Taschen oder zogen ihre Schals zurecht und warteten darauf, dass jemand etwas unternahm, dass jemand die Szene, die sich vor ihren Augen abspielte, beendete, obwohl ein Teil von ihnen insgeheim darauf hoffte, sie möge weitergehen. Es lag etwas Faszinierendes darin, andere leiden zu sehen. Die Menschen, die in diesem Moment um Julia herumstanden, konnten an ihrem Leid teilhaben, konnten dabei zuschauen, wie sie unaussprechliche Qualen litt, und waren doch unbeteiligt, bloße Voyeure, die sich auf dem Bürgersteig und in der Einfahrt versammelten und näher und näher kamen, um eine bessere Sicht zu erhaschen.*

«Das arme Kind», sagte jemand.

«Das ist ja furchtbar!»

«Sind die anderen tot, Officer?»

«Armes Ding.»

«O mein Gott! O mein Gott!»

«Kommt das später in den Nachrichten?»

«Sind beide tot?»

«Was ist denn passiert?»

«Arme Julia.»

Sie hätte sich am liebsten ganz klein zusammengerollt, sich irgendwo

vergraben und geweint, bis die Erde sie verschluckte und sie einfach ver-
schwand. Seltsame Gedankenfetzen schossen ihr durch den Kopf.

Was hatte er mit ihnen gemacht? Warum hatte er so viel Blut an sich?
Sie können nicht tot sein. Meine Eltern können nicht tot sein. Bitte
nicht. Wo soll ich denn hin, wenn sie tot sind? Ich schreibe am Montag
eine Spanischarbeit. Warum bin ich gestern Abend nicht zu Hause ge-
blieben? Was wäre passiert, wenn ich zu Hause geblieben wäre? Wo
bringen sie Andrew hin? Kommt er zurück? Muss ich ihn aus dem
Gefängnis holen? Wen soll ich anrufen? Wer fährt mich am Freitag
zum Leichtathletikwettkampf? Sie können nicht tot sein. Warum war
da bloß so verdammt viel Blut?

Plötzlich hatte sie einen glasklaren nüchternen Gedanken …

Vielleicht lebten sie noch.

Sie stand auf und rannte los, so schnell, dass die umstehenden Men-
schen nicht einmal Zeit hatten, nach Luft zu schnappen. Sie rannte
so schnell, wie sie konnte, hörte, wie Detective Potter ihr nachrief, sie
solle stehen bleiben, rannte weiter über den gefrorenen Rasen mit den
Schneeresten, vorbei an den Uniformierten auf dem Gehweg und den
Sanitätern in der Einfahrt.

Die Stufen hinauf und hinein in das Haus, das bis dahin ihr Zu-
hause gewesen war.

Gerade noch rechtzeitig trat sie auf die Bremse, und ihr Honda
kam etwa drei Zentimeter vor der Stoßstange des Lexus davor zum Stehen. Sie holte Luft und winkte dem Fahrer vor
ihr entschuldigend zu, der im Rückspiegel wütend den Kopf
schüttelte und eine Faust hochhielt. Die Fahrer und Beifahrer
der anderen Wagen im zähen Berufsverkehr auf der Interstate
95 starrten zu ihr herüber. Mit zitternden Händen griff sie auf
den Boden vor dem Beifahrersitz, wo ihre Aktentasche, die
Handtasche und die Zigaretten gelandet waren.

FÜR JULIA – PERSÖNLICH UND VERTRAU-
LICH.

Sie zuckte zusammen.

Lats Ordner lag auf dem Boden. Sie hatte ihn noch nicht aufgeschlagen. An einer Seite stand ein schwarzweißes Foto heraus. Sie erkannte das Gesicht sofort, den weichen Fall der Locken, die großen braunen Augen.

Sie legte die Stirn aufs Lenkrad und schloss die Augen. Die Erinnerungen kamen zurück, tauchten in ihrem Kopf auf wie Bildschirmschoner, sobald nichts anderes da war, was sie ablenkte. Und mit jedem Mal wurden sie klarer. Und heller. Und schärfer. Mit zitternden Fingern zündete sie sich eine Zigarette an.

Das Bild war beinahe komplett.

KAPITEL 57

SIE LEGTE den Ordner mit der Handtasche und der Aktentasche auf dem Küchentisch ab und ließ ihn dort liegen. Dann ging sie mit Moose spazieren, der verzweifelt um Aufmerksamkeit bettelte. Zu mehr als einer kleinen Runde um den Block konnte sie sich allerdings nicht aufraffen. Wieder zu Hause, nahm sie zwei Kopfschmerztabletten, zündete sich eine Zigarette an und setzte sich mit einem Glas Wein ins Wohnzimmer, um ihre Gedanken zu ordnen.

Genau wie das Rauchen war das Trinken eine schlechte Angewohnheit, die sie nach dem College nur mit Mühe wieder losgeworden war. Eine krisengeschüttelte Beziehung hatte sie dazu verleitet, mehr zu trinken, als gut für sie war. Die psychologische Beraterin der Rutgers University nannte es «Problemtrinken» – Alkohol als Sorgenventil – und riet ihr, es nie wieder so weit kommen zu lassen. Doch die Beraterin, selbst frisch von der Uni, hatte natürlich keine Ahnung von der Dimension der Sorgen gehabt, mit denen Julia sich heute auseinandersetzen musste. Sonst hätte sie wahrscheinlich noch ein Fläschchen dazuspendiert. Außerdem war es nur Wein, sagte sie sich. Und es war schon fast dunkel draußen.

Ich habe sie gerettet, Juju. Ich musste es tun.

Sie legte den Kopf in die Hände und rieb sich die Augen. Andrew. Ihr großer Bruder. Sie sah ihn vor sich auf dem gefrorenen Rasen, barfuß im Schnee, im Hintergrund das Haus in voller Weihnachtsbeleuchtung. Seine zerschnittenen Hände hingen wie leblos vor ihm, und das Blut färbte den Schnee rot wie in einem verrückten Horrorfilm. Traurig lächelnd, als wüsste er, dass sie einander nie wiedersehen würden ...

«Antrag auf Adoption von J.C., minderjährig, durch Nora Clair Valenciano und ihren Mann James Anthony Valenciano. Beide Parteien sind zur abschließenden Anhörung anwesend», sagte der Gerichtsdiener.

«Lassen Sie die Minderjährige vortreten», rief der Richter und wedelte mit der Hand, während er finster auf die Formulare blickte und eine Dose Diet Coke trank.

Ein Dutzend Menschen bevölkerten den kleinen Gerichtssaal. Das Gebäude war so alt, dass die Fensterscheiben, die seit Jahren nicht geputzt worden waren, gelb wirkten. Staubkörner tanzten in der stehenden Luft. In einer Ecke stapelten sich Kisten buchstäblich bis zur Decke, und der Tisch des Gerichtsdieners war über und über mit Papieren bedeckt.

«Mary Ellen Kelly als Rechtsbeistand der Minderjährigen», sagte eine dickliche Frau mit grauem Haar, das ihr bis zur Hüfte ging. Julia hatte sie einmal gesehen, als sie zu Tante Nora nach Hause kam. «Wir haben keine Einwände.»

«In welcher Beziehung steht die Minderjährige ...», sagte der Richter zögernd, während sein Blick suchend über das Formular wanderte, «Julia Anne Cirto», las er langsam, «und die Antragsteller?» Er sprach den Namen falsch aus. Jetzt sah er Julia zum ersten Mal an. «Wie alt ist sie?»

«Julia wird Ende des Monats fünfzehn», antwortete Mr. Singh, Tante Noras Anwalt. «Sie ist die Nichte der Antragsteller, Herr Richter. Die Tochter von Mrs. Valencianos verstorbener Schwester Irene Cirto.»

«Wo ist der Vater?»

«Ebenfalls verstorben.»

«Sonst gibt es keine Angehörigen?»

Ms. Kelly schüttelte den Kopf. «Nein, Euer Ehren», sagte sie ins Mikrophon, dann räusperte sie sich. «Niemand. Ihre Tante und ihr Onkel sind die Einzigen, die das Mädchen noch hat.»

War es möglich, einen Menschen von einem Augenblick zum anderen zu hassen? Einen Menschen, den man Sekunden zuvor von ganzem Herzen geliebt hatte? Konnte man Liebe einfach abstellen? Konnte eine schreckliche Erinnerung die Bedeutung von so vielen guten löschen? Sollte sie das? In jener Nacht, als sie in dem kalten grauen Vernehmungszimmer auf dem Revier saß, sehnte sie sich immer noch nach Andy. Es war der große Bruder, dessen Hand sie halten wollte, in dessen Arme sie fallen wollte, von dem sie getröstet werden wollte. Er sollte ihr sagen, es wird alles gut, das Ganze ist ein schreckliches Missverständnis. Ein Unfall. Es musste so sein.

Das Ungeheuer soll in der Hölle schmoren. Hast du die Fotos gesehen? Hast du gesehen, was er ihnen angetan hat? Dafür muss er büßen. Das ist Gerechtigkeit.

«Nein, nein, nein …», flüsterte sie, allein in dem leeren Zimmer, und versuchte, die Erinnerungen aus ihrem Kopf zu vertreiben. Dann zog sie das Foto aus der Jackentasche, faltete es auseinander.

CIRTO, ANDREW JOSEPH; NASSAU COUNTY SHERIFF'S DEPT. JUSTIZVOLLZUGSANSTALT #11970; 21. 12. 90.

Selbst auf dem Schwarzweißbild sah sie die Schatten auf seinen glatten Wangen, die schweißfeuchten Locken auf seiner Stirn, die Angst in seinen mandelförmigen Augen. Die einzigen Bilder von Andrew, die die letzten fünfzehn Jahre überdauert hatten, waren die wenigen, die sie im Kopf hatte. Dieses hier gehörte nicht dazu.

Das alles war zu viel für sie. Sie fürchtete, dass ihr Kopf es nicht aushielt – wie ein Bankautomat, in den man zu oft die falsche Nummer eingegeben hatte. Alles wurde weiß, nichts ergab mehr Sinn. Aber wie sollte es auch? Wie konnte so etwas Sinn ergeben? Vielleicht hatte sie deswegen unbewusst beschlossen, alles zu vergessen. Selektive Erinnerung – das Gehirn behielt nur das, womit es umgehen kann, mehr nicht. Der Vietnam-Veteran, der sich nicht erinnert, dass in dem Hinterhalt, den er überlebt hat, sein ganzer Trupp getötet wurde. Die Frau, die sich an den Missbrauch durch den komischen Onkel nicht erinnert, doch aus irgendeinem Grund ihre Kinder nicht mit ihm allein lassen will. Das Motorengeräusch eines Helikopters oder der abstoßende Geruch eines Aftershaves brachte alles plötzlich zurück. Julia sah in die dunkle Küche, wo die letzten Geheimnisse lagen, in komplizierten Computerausdrucken und Gerichtsakten verborgen. Die Antworten, nach denen sie suchte, waren hier, nur ein paar Schritte von ihr entfernt, doch sie konnte sich nicht bewegen.

Stattdessen checkte sie ihre E-Mails, zog sich um, hörte den Anrufbeantworter ab – jede noch so unangenehme Pflicht, die ihr einfiel, um hinauszuzögern, was sie vor sich hatte. Erst als es keine Ausrede mehr gab, ging sie in die Küche und knipste das Licht an.

FÜR JULIA. PERSÖNLICH UND VERTRAULICH.

Mit dem leeren Weinglas und klopfendem Herzen setzte sie sich an den Tisch und starrte den Ordner an wie einen schlafenden Alligator, der ihr jeden Moment den Arm abbeißen konnte. Wenn sie den Ordner erst einmal geöffnet hatte – wenn sich ihre schlimmsten Befürchtungen bestätigten –, gab es kein Zurück. Das war es, was ihr am meisten Angst einjagte.

Lass die Vergangenheit ruhen. Uns allen zuliebe. Bitte.

Fünf Minuten, vielleicht zehn oder mehr, verstrichen, in denen sie einfach nur dasaß und dem Ticken der Küchenuhr lauschte. Dann öffnete sie langsam die Mappe.

Die Zeit war reif, sich dem zu stellen, was vor genau vierzehn Jahren ihre Familie zerstört hatte.

KAPITEL 58

J ULIA – kurz *zu Ihrer Information: Andrew Joseph Cirto befindet sich momentan in Kirby, Ward's Island, New York City. Telefonisch überprüft am 21. 12. M. Zlocki, Archiv.*

Der gelbe Zettel mit Lats Handschrift klebte auf dem ersten Blatt des Ausdrucks. Julia holte Luft und setzte sich auf.

Er lebt. Mein Gott, er lebt …

Sie überflog die Seiten und las die Einträge, die Lat für sie markiert hatte. Verhaftung am 22. Dezember 1990. Die Anschuldigung lautete auf zweifachen Mord. Ihre Augen überflogen den Ausdruck wie tausendmal zuvor vor Gericht. Sie übersprang Absätze, von der Anklageerhebung bis zur Verhandlung. Auf der vierten Seite fand sie das Urteil, das Lat gelb unterstrichen hatte.

12. 08. 1992
Richter: R. Deverna.
Urteil: Nicht schuldig aufgrund
einer psychischen Störung/Krankheit.

Sie starrte die Buchstaben auf dem Papier an. Erleichtert, dass Andrew noch lebte. Gleichzeitig begann sich alles um sie zu drehen, und ihr wurde übel. Sie legte den Kopf zwischen die Knie, wie Lat es ihr damals im Haus der Marquettes gezeigt hatte, doch diesmal half es nicht. Eine Minute später rannte sie ins Badezimmer und erbrach den Wein und ihr Mittagessen.

Als sie im Bad auf den kalten Fliesen saß, strömten ihr die Tränen über das Gesicht. Der Damm war gebrochen. Sie zitterte am ganzen Körper und bekam kaum Luft. Die Naht, die ihr Herz notdürftig zusammengehalten hatte, drohte wieder zu reißen. Bis zehn zu zählen, oder bis eine Million, würde nicht mehr helfen, die bösen Erinnerungen loszuwerden. Alle Erinnerungen. Manche schön, manche traurig, manche bittersüß.

«Du musst mich nicht Mom nennen», sagte Tante Nora leise, als sie im Gerichtsgebäude in den Fahrstuhl stiegen, wo es nach Schweiß und Kaffee roch. Onkel Jimmy war vorgegangen, um den Wagen aus dem Parkhaus zu holen. Sie zeigte auf die Papiere, die man Julia in die Hand gedrückt hatte. «Das alles ist nur zu deinem Schutz. Damit dir niemand etwas anhaben kann.» Der kleine Fahrstuhl sprang quietschend an und fuhr abwärts. «Deine Mutter hätte es so gewollt», erklärte sie, als Julia immer noch nichts sagte.

An jenem Morgen auf dem Weg zum Gericht war ihre Tante um zehn Jahre gealtert. Es war das letzte Kapitel in einem bösen Buch, das nie, nie ein gutes Ende finden würde. Tränen rollten ihr über die Wangen, doch sie wischte sie nicht ab. Stoisch starrte Julia die Fahrstuhltüren an und klopfte mit dem Bündel Papier gegen ihren Oberschenkel.

«Vor dem Gesetz lautet der neue Name der Minderjährigen Julia Anne Valenciano. Ihnen alles Gute», sagte der Richter noch, bevor er zum nächsten Fall auf seiner Liste überging. Dann löschte er mit einem schnellen Hammerschlag und einem offiziellen Stempel die Vergangenheit endgültig aus.

«Wo ist Andrew?», fragte Julia plötzlich.

Nora sah sie an, die Augen voller Hass, und Julia wünschte, sie hätte nie gefragt. Die verbotene Frage, selbst Jahre danach. «In der Hölle», sagte Tante Nora tonlos, als der Fahrstuhl in der Lobby hielt. «Wo er hingehört.»

Er sollte tot sein. Tot und begraben. Fort aus ihrem Leben und ihrer Erinnerung. Aber das war er nicht. Vielleicht war es all die Jahre einfacher gewesen, so zu tun, als wäre er tot, statt mit der Verantwortung zu leben, zu wissen, dass er lebte.

Vielleicht war nicht zu suchen das Gleiche wie nichts zu sehen. Aber jetzt kannte sie die Wahrheit. Und sie konnte nicht mehr weglaufen, konnte sich nicht mehr verstecken. Warum war der Gedanke, dass er psychisch krank war, so unerträglich, so schockierend? Dass er unzurechnungsfähig gewesen war, wo sein Verbrechen doch offensichtlich ein Beweis seines Wahnsinns war?

Es ist diese Nacht. Die schlimmste Nacht des Jahres.

Moose stupste sie mit seiner feuchten Nase an. Er wollte gestreichelt werden, und als sie nicht reagierte, fing er zu winseln an und legte den Kopf auf ihren Schoß. Schließlich nahm Julia ihn auf den Arm, drückte ihn fest an sich und vergrub das Gesicht in seinem Fell.

Nach der Beerdigung hatten Tante Nora und Onkel Jimmy nie wieder über Andrew gesprochen. Seinen Namen zu erwähnen war streng verboten. Onkel Jimmy kaufte keine Zeitung mehr, und wenn im Fernsehen die Nachrichten kamen, wurde der Apparat ausgeschaltet – sie hätte gar nicht wissen können, was aus ihm geworden war, oder? Fünfzehn Jahre lang hatte Julia damit verbracht, ihr Unwissen, ihre Gleichgültigkeit zu rechtfertigen. *Sie war erst dreizehn gewesen, fast noch ein Kind.* Es hatte niemanden gegeben, dem sie sich hätte anvertrauen können, von dem sie Informationen bekommen oder der sie dorthin gebracht hätte, wo Andrew war. Am Tag nach den Morden hatte sie nicht nur ihr altes Zuhause aufgeben müssen, sondern auch jeden Menschen, der ihr emotional nahestand. Nicht einmal Carly war noch da.

Jimmy und Nora und Great Kills wurden zu Julias neuer Welt. Und auch, wenn sie wusste, dass ihre Tante nur das Beste wollte, wusste sie auch, dass Nora nie darüber hinwegkommen würde, dass sie ihre einzige Schwester und beste Freundin verloren hatte. Familientherapie oder psychologische Beratung gab es nicht – Onkel Jimmy war strikt dagegen, das gehörte sich einfach nicht. Sie würden ihre Probleme selber lösen. Also war Julia dem Schmerz, der Einsamkeit und den immer wiederkehrenden Fragen auf die einzige Art und Weise begegnet, die sie kannte – indem sie alles aus ihren Gedanken verbannte, wie Tante Nora es sie lehrte. Doch jetzt lag die Verantwortung bei ihr, das wusste sie. Sie konnte es nicht länger auf ihre Tante und ihren Onkel schieben oder sich damit entschuldigen, dass sie noch ein Kind gewesen war. Jetzt lagen die Antworten ausgebreitet auf ihrem Küchentisch.

Sie wusste nicht, wie lange sie im Bad auf dem Boden gesessen hatte. Irgendwann stand sie auf, wusch sich das Gesicht, putzte sich die Zähne und kehrte in die Küche zurück. Sie schenkte sich ein Glas kaltes Wasser ein und noch ein Glas Stoli. Dann fuhr sie ihren Laptop hoch und tippte mit zitternden Händen in das Suchfeld von Google «Kirby, Ward's Island, New York».

Nach 0,29 Sekunden wurden 566 000 Treffer angezeigt. Der erste verwies auf *Kirby Forensic Psychiatric Center* – Zentrum für forensische Psychiatrie. Ihr Herzschlag hallte dumpf in ihrem Kopf.

… Hochsicherheitsklinik … bietet sichere Behandlung … forensische Patienten und Gerichte von New York City und Long Island …

Julia lehnte sich zurück und schloss die Augen. Kirby war die staatliche Psychiatrie für geisteskranke Straftäter.

Und ihr großer Bruder war dort Patient.

KAPITEL 59

JULIA STAND vor der Wohnung mit der Nummer 1052, und ihre Finger verharrten für eine Weile über der Klingel, während sie versuchte, ihre Gedanken zu sammeln. Noch bevor sie klingeln konnte, wurde die Tür geöffnet.

«Was machst *du* denn hier?», fragte Tante Nora überrascht, und ihr Lächeln verwandelte sich schnell in ein besorgtes Stirnrunzeln. «An einem Freitagnachmittag! Du bist doch wohl hoffentlich nicht gefeuert worden, oder?»

Julia lächelte. «Nein, keine Sorge. Ich wollte bloß mit dir und Onkel Jimmy reden.»

Ihre Tante zog fragend die Augenbrauen hoch. «Du willst mit uns reden? Hmmm … Das hört sich nicht gut an.» Sie zog Julia in die Wohnung und gab ihr einen dicken Kuss auf die Wange. «Jimmy ist auf der Rennbahn.» Sie warf einen Blick auf den Gang. «Wo ist der kleine Knirps?»

«Ich habe Moose zu Hause gelassen.»

«Oh.» Ihre Tante zuckte die Schultern und kehrte in die Küche zurück. «Ich habe ihm ein paar Hundeknochen gekauft. Wann willst du am Sonntag zum Essen kommen? Dieses Jahr gibt es Truthahn und natürlich eine Lasagne. Soll ich auch noch Panettone machen?»

«Wenn du möchtest.»

«Willst du mit uns über diesen Mann sprechen, mit dem du ausgehst? Ihr habt euch nicht etwa verlobt, oder? Zuerst will sich Jimmy nämlich mal mit ihm unterhalten», sagte Nora, während Julia ihr in die Küche folgte.

«Keine Angst, so weit ist es noch nicht.»

Nora wandte sich um. «Bist du schwanger?»

«Tante Nora!»

«Ich habe nur gefragt», entgegnete Nora lächelnd. «Es wäre keine Schande, weißt du. Ich will nicht drängeln, aber du wirst nicht jünger, und ich hätte gern ein paar Enkel.» Sie machte das Licht in der Küche an. «Komm, iss etwas. Und dann bin ich gespannt auf das Thema, das wichtig genug ist, um dich von deinen Verbrechern loszueisen.»

Seit zwei Tagen drehten sich Julias Gedanken nur noch um dieses Gespräch. Sie hatte es wieder und wieder durchgespielt, hatte ihre Gedanken zu sorgfältig konstruierten Sätzen geformt wie bei einem Eröffnungsplädoyer. Doch irgendwo auf dem Weg zwischen dem Aufzug und der Wohnungstür hatte sie alles wieder vergessen. Sie wünschte, Onkel Jimmy wäre hier, um im Zweifelsfall die Wogen zu glätten, doch sie konnte nicht länger warten.

«Ich habe Nachforschungen angestellt», setzte sie an.

«Ich habe dich in den Nachrichten gesehen. Warum hast du mir nicht gesagt, dass du im Fernsehen bist? Wenn Debbie Casalli mich nicht angerufen hätte, hätte ich alles verpasst.» Nora wandte sich ab und wischte unsichtbare Krümel von der Arbeitsplatte. Julia hörte den warnenden Unterton in ihrer Stimme.

Lass die Vergangenheit ruhen. Uns allen zuliebe.

Julias Blick fiel auf ein Foto, das ihre Tante und ihre Mutter am Tag der Highschool-Abschlussfeier ihrer Mutter zeigte. Sie standen vor einem Festsaal in Bayridge, Brooklyn, und trugen beide weiße Lacklederstiefel und Minikleider mit psychedelischen Mustern. Zwei Jahre später hatte ihre Mutter ihren Vater kennengelernt. «Ich habe darüber nachgedacht, was damals passiert ist», fuhr Julia fort und holte tief Luft. «Was mit meiner Familie passiert ist.»

Tante Nora sah sie einen Moment lang durchdringend an und ging dann zum Kühlschrank. «Ich könnte dir ein Sandwich machen. Es sind auch noch Frikadellen von gestern Abend übrig. Und Grießbrei.»

«Ich habe ihn gefunden.»

Nora stand vor dem offenen Kühlschrank und schwieg.

«Andrew. Er sitzt in einer psychiatrischen Anstalt in New York City, Tante Nora. In einer Klinik für psychisch kranke Straftäter. Seit vierzehn Jahren.»

«Mir wäre es lieber, er wäre tot», sagte Nora leise und schloss die Kühlschranktür.

«Tante Nora …»

«Du solltest nicht nach ihm suchen. Er ist ein Mörder.»

«Ich habe vorgestern eine Kopie seiner Gerichtsakte aus New York bekommen. Er leidet an Schizophrenie, Tante Nora. Er ist krank.»

«Nenn es, wie du willst», schnappte Nora. Ihre blauen Augen funkelten wütend. «Für mich ist und bleibt er ein Teufel. Er hat deine Mutter regelrecht geschlachtet, und deinen Vater … Er ist ein Monster!» Mit einem erstickten Schluchzen wandte sie sich ab.

Julia schämte sich dafür, dass sie ihre Tante zum Weinen gebracht hatte, nach allem, was sie und Onkel Jimmy für sie geopfert hatten. Doch plötzlich schlug Nora voller Zorn mit beiden Händen auf die Anrichte.

«Du hattest kein Recht, nach ihm zu suchen!», zischte sie, immer noch mit dem Rücken zu Julia. «Du bist es deiner Mutter schuldig, ihn zu vergessen und dein Leben weiterzuleben. Soll er verrotten! Ich hoffe, sie lassen ihn nie wieder raus. Sie hätten ihn hinrichten sollen. Genau dafür gibt es die Todesstrafe – für Monster wie ihn.»

«Er ist mein Bruder. Mein Bruder …»

«Und sie war deine Mutter!», schrie Tante Nora und drehte

sich um. «Sie war *meine Schwester*! Meine kleine Schwester, Gott sei ihrer Seele gnädig. Du und Jimmy und eure *Vergebung* ...» Sie presste die roten Lippen aufeinander und hielt für einen Augenblick inne. «Dir fällt es leicht, ihm zu vergeben, nicht wahr? Du warst in jener Nacht ja nicht zu Hause. Aber mach dir bloß nichts vor, Julia. Wenn du damals in deinem eigenen Bett gelegen hättest, hätte er auch dich zerstückelt. Er hätte keine Gnade gekannt, und wenn du auf den Knien um dein Leben gebettelt hättest.»

Die blonde, blauäugige Journalistin konnte ihr aufgeregtes Grinsen kaum verbergen. Die Tür des blau-weißen Hauses im Kolonialstil hinter ihr war immer noch mit dem alten gelben Flatterband der Polizei gesperrt, der verschossene Plastiknikolaus stand allein auf der braunen Wiese. Die letzten Schneeflecken waren geschmolzen. «Das Ehepaar Cirto aus Long Island wurde letzten Sonntag am frühen Morgen in seinem eigenen Haus brutal ermordet», sagte sie mit der künstlichen Anteilnahme eines hartgesottenen Profis. «Die Polizei von Nassau County hat heute den verzweifelten Notruf von Mrs. Cirto veröffentlicht, der gleichzeitig die letzten Momente ihres Lebens nachzeichnet. Der gemeinsame achtzehnjährige Sohn Andrew Cirto wurde verhaftet. Alle Anzeichen sprechen dafür, dass er verantwortlich ist für diese beispiellose Bluttat, die kurz vor Weihnachten Angst und Schrecken ausgelöst hat im Städtchen West Hempstead.»

Dann knisterte die Aufzeichnung, und unter einer Montage von Familienfotos wurde die Abschrift gesendet. Die stolzen Eltern bei der Schulabschlussfeier ihres Sohnes. Und als Nächstes die schwarzen Leichensäcke.

«Dies ist der Notruf. Was können wir für Sie tun?»

«Helfen Sie uns.»

«Natürlich helfen wir. Bleiben Sie dran und sagen Sie uns genau, was passiert ist.»

«Ich glaube, er kommt zurück.»

«Wer kommt zurück? Sind Sie verletzt? Wie heißen Sie?»

«Ich glaube, er kommt zurück!»

«Wer ist am Apparat? Wurde jemand verletzt? Soll ich einen Notarztwagen schicken?»

«… bitte … nein, nein, nein … er ist zurück, er ist da … o Gott, tu das nicht … tu ihm nicht weh …»

«Ma'am, bleiben Sie dran. Legen Sie nicht auf. Ich verständige sofort jemanden.»

«… hört mich jemand? … helfen Sie mir … kommen Sie … bitte. O nein …»

Julia wurde schlecht. Die Küche begann sich um sie zu drehen. Sie hielt sich die Ohren zu. Mehr als einmal hatte sie sich gewünscht, sie wäre in jener Nacht zu Hause gewesen. Sie hatte sich gewünscht, sie wäre tot. Das hätte alles viel einfacher gemacht.

«Sie hat dich zur Welt gebracht, Julia. Du warst ihr Ein und Alles. Das kleine Mädchen, das sich Irene immer gewünscht hatte. Erinnerst du dich überhaupt noch an sie? Sie hat dir jeden Wunsch von den Augen abgelesen. Sie hat dich mehr geliebt als alles andere auf der Welt.»

«Sie war eine wunderbare Mutter, Tante Nora. Natürlich erinnere ich mich an sie. Ich werde sie niemals vergessen. Wie kannst du so etwas sagen?»

Nora wich ihrem Blick aus.

«Und ich vermisse sie.» Sie legte die Hand auf Noras Schulter. «So sehr, dass es wehtut, *körperlich* wehtut. Manchmal fühlt es sich an, als würde meine Brust, mein Kopf – als würde ich vor Schmerz explodieren.»

Nora schüttelte Julias Hand ab. «Und trotzdem verrätst du sie jetzt …»

«Ich verrate sie nicht.» Julia bemühte sich, trotz des immer lauter werdenden Rauschens nicht die Fassung zu verlieren. Ihre Gefühle und Gedanken waren völlig durcheinander, nichts ergab mehr einen Sinn. «Ich habe in jener Nacht alles verloren, Tante Nora. Nicht nur meine Mutter. Auch meinen Vater. Und Andy. Meine ganze Familie.»

Nora sah aus, als hätte sie eine Ohrfeige bekommen. «Du lieber Himmel, Julia! *Er* war derjenige, der dir deine Familie genommen hat. Begreifst du das denn nicht?»

«Er war krank, Tante Nora. Ich erinnere mich, wie alles anfing. Er kam früher vom College nach Hause.» Vielleicht konnte sie Tante Nora dazu bringen zu verstehen. «Mama sagte mir, er sei müde und gestresst und dass es an der neuen Schule läge – aber er hatte sich völlig verändert.»

«Warum isst Andy schon wieder in seinem Zimmer?», fragte Julia vorsichtig, während sie zusah, wie ihre Mutter an der Küchentheke einen Teller mit Hühnchen und Kartoffelbrei herrichtete – das Lieblingsessen ihres Bruders.

«Andrew hat ein paar schwere Wochen gehabt. Wir müssen ihn ein bisschen verwöhnen», erklärte ihre Mutter leise, während sie das Hühnchen klein schnitt. Sie sah so müde aus. So unglaublich erschöpft. Wie die Mutter eines Neugeborenen.

«Geht er zurück zum College?»

«Natürlich.»

«Wann?»

Ihre Mutter seufzte. «Ich weiß es nicht, Julia. Bald. Irgendwann. Ich weiß es nicht.»

Julia dachte einen Moment nach. Andy war erst ein paar Wochen an der University of North Carolina, als er plötzlich wieder zu Hause auftauchte. Er hätte beinahe sein Stipendium verloren. «Ist er aus der Baseballmannschaft geflogen? Ist er deswegen zurück?»

Plötzlich schlug ihr Vater mit der Hand auf den Tisch, und es wurde still. «Iss dein Essen und kümmere dich um deine eigenen Angelegenheiten», sagte er tonlos.

«Und jetzt weiß ich, was der wirkliche Grund dafür war», sagte Julia. «Es gab schon erste Anzeichen, bevor er aufs College ging. Etwas stimmte nicht mit ihm. Er war manchmal so distanziert und kalt und irgendwie *abwesend*. Dabei hatten wir uns doch immer gut verstanden – er war nicht nur mein Bruder, sondern auch mein bester Freund. Aber dann begann er, sich von mir zu entfernen. Er zog sich in sein Zimmer zurück und ließ mich nicht mehr hinein. Er hat mich einfach nicht mehr hineingelassen.»

Nora starrte Julia an wie eine Fremde, deren Sprache sie nicht verstand.

«Vielleicht war es nicht seine Schuld. Vielleicht hatte er keine Wahl. Weil es die Krankheit war. In seinem Kopf. Eine Krankheit, die nach und nach sein Gehirn auffraß.»

Dann brach Nora mit kalter, ruhiger Stimme ihr Schweigen. «Du hast recht. Es war nicht allein Andrews Schuld. So sehr ich deinen Bruder für das hasse, was er getan hat – man sollte die Schuld da suchen, wo sie entstanden ist. Bei demjenigen, durch den sie entstanden ist. Aber er ist nicht mehr unter uns, daher sehe ich darin keinen großen Sinn.»

Julia hatte das Gefühl, als würde ihr jemand den Boden unter den Füßen wegziehen. «Wovon redest du?», fragte sie gepresst, während tief in ihrem Inneren bereits die Alarmglocken schlugen. Sie ahnte, was ihre Tante gleich sagen würde, und wollte doch nicht, dass sie es aussprach. *Bitte, bitte, bitte, ich will es nicht wissen …*

Noras Wut war verebbt. Sie wirkte auf einmal nur noch erschöpft und traurig. «Es war dein Vater, Julia», sagte sie. «Verstehst du? Dein Vater hat diese – *Krankheit*, wie du es nennst, in unsere Familie gebracht und an seinen Sohn vererbt. Dein Vater hatte sie auch.»

KAPITEL 60

PLÖTZLICH ERGAB alles einen Sinn. Die Puzzleteile ihrer Kindheit, die vorher nie gepasst hatten, fügten sich nun wie von selbst zusammen. Jede Erinnerung führte zu einer weiteren und zwang Julia, tiefer in die unbekannte Dunkelheit vorzudringen.

In den ersten dreizehn Jahren ihres Lebens hatte ihre Mutter offenbar alles getan, um ein normales Familienleben vorzutäuschen. Und in den darauffolgenden vierzehn Jahren hatten Nora und Jimmy ihr Bestes gegeben, dieses Trugbild aufrechtzuerhalten. Um Julia zu schützen, hatten sie so getan, als hätte jene Nacht nie stattgefunden. Julia hatte sie gewähren lassen, zum Teil, weil sie keine Wahl gehabt hatte, zum Teil aber auch, weil es so weniger schmerzhaft war. Ein anderer Wohnort, ein neuer Name, eine neue Identität, und keine Fragen, die beantwortet werden mussten. Sie hatte den Namen Valenciano angenommen, damit die Eltern ihrer neuen Schulkameraden ihren Kindern nicht erzählen konnten: «Diese Julia hat einen verrückten Bruder, der ihre Eltern umgebracht hat! Halte dich von ihr fern!» Direkt nach der Beerdigung hatte Tante Nora alle Fotos von Andrew weggeworfen, und seitdem war nie wieder über ihn gesprochen worden. Julia war ihre Nichte, deren Eltern bei einem schrecklichen Autounfall ums Leben gekommen waren. Andrew hatte nie existiert.

Jetzt setzte sich Julia an den Küchentisch und starrte auf ihren Schoß. «Wann ging es bei Vater los?», fragte sie.

Nora senkte den Blick. «Ich habe schon genug gesagt. Reenie war eine Heilige, sie hat dich gut erzogen und die Arbeit von beiden Elternteilen geleistet.»

«Wann, Tante Nora? Wann?»

Nora wandte sich ab.

Bis zu der Mordnacht hatte Julia ihre Familie für so normal gehalten wie die Musemecis, die mit ihren zwölf Kindern am anderen Ende der Straße wohnten. Doch normal war ein relativer Begriff. Wenn man in einer zerrütteten Familie aufwächst, betrachtet man dies als normal, weil man es nicht anders kennt. Eine geschlagene Frau glaubt, dass alle Männer ihre Frauen schlagen, ein Kind, das sexuell missbraucht wird, hält es für normal, dass sein Vater nachts in sein Bett schlüpft. Erst wenn man ausbricht und das eigene Leben von außen betrachtet, erkennt man, wie es wirklich ist.

Julia hatte den Eindruck, als wäre ein Schleier gelüftet worden, sodass sie einen Blick hinter die Kulissen werfen konnte. Sie erinnerte sich daran, dass sie zusammen mit Andrew eine Zeit lang auf der Farm ihrer Großmutter in Hunter Mountain gelebt hatte. Damals war sie sechs und Andrew zehn Jahre alt gewesen. Sie waren dort sogar zur Schule gegangen. Ihre Mutter hatte ihnen erzählt, ihr Vater sei bei der Renovierung des Wohnzimmers von der Leiter gefallen, hätte sich dabei den Arm gebrochen und müsse sich nun erholen. Aber als Julia und Andrew wieder nach Hause kamen, sah das Wohnzimmer genauso aus wie zuvor, und der Arm ihres Vaters war nicht eingegipst. Trotzdem durften sie ihm nicht zu nahe kommen, weil … *Warum eigentlich nicht?* Daran erinnerte sich Julia nicht mehr. In den Monaten nach ihrer Rückkehr verließ ihr Vater sein Zimmer so gut wie nie, und wenn, dann trug er seinen Schlafanzug – eine blaugestreifte Schlafanzughose und ein weißes Unterhemd. Jedes Mal.

War das der erste Krankheitsschub gewesen? Ging es ihm danach wieder besser? Warum war ihr das nicht schon früher aufgefallen? Warum sah sie jetzt auf einmal alles so klar?

Damals begann ihre Mutter, viel zu arbeiten – als Aushilfe in einem Restaurant oder als Verkäuferin in einem Geschäft für Künstlerbedarf. Dennoch konnte sich Julia nicht daran erinnern, dass sie und ihr Bruder jemals mit ihrem Vater allein zu Hause geblieben waren. Sie verbrachten viel Zeit bei Mrs. Musemeci oder bei Freunden, und manchmal nahm ihre Mutter sie auch mit ins Restaurant, wo sie auf der Treppe zum Hinterhof saßen, Comic-Hefte lasen oder Ball spielten, bis ihre Mutter Feierabend hatte. Selbst Jahre nach ihrem Aufenthalt auf der Farm, als ihr Vater wieder bei der Gasgesellschaft arbeitete und die ganze Familie mittwochs gemeinsam zu Abend aß, ließ ihre Mutter sie und Andy nicht mit ihm allein. Komisch, dass ihr das bis zu diesem Moment niemals eigenartig vorgekommen war.

Julia versuchte verzweifelt, sich daran zu erinnern, wie ihr Vater vor der Krankheit gewesen war. Bilder schossen ihr durch den Kopf, Schnappschüsse von einem gutaussehenden, etwas verschrobenen Mann, der mit ihr zum Spielplatz in der Chestnut Street gegangen war, um dort Drachen steigen zu lassen. Der einen furchtbaren Wutanfall bekam, wenn auf seinem Schreibtisch ein Bleistift fehlte, sich jedoch halb totlachte, wenn Peanuts, der Hund, ausbüxte. Einmal hatte er sie mit einem Eis vom Eismann überrascht, und als er sich ein neues Auto gekauft hatte, durfte sie auf seinem Schoß sitzen und lenken. Es gab also Erinnerungen, doch es waren nur wenige.

«Warum hat mir nie jemand etwas gesagt?», fragte sie, und immer noch rannen ihr Tränen über die Wangen. «Warum habe ich nichts von Andys Krankheit gewusst?»

«Irene wollte nicht, dass du es weißt», erwiderte Nora, riss ein Stück Küchenkrepp von der Rolle und reichte es ihr. «*Wir* wollten nicht, dass du es weißt. Es war zu deinem Besten. Du warst noch ein Kind. Das musst du verstehen.»

«Aber warum?», fragte Julia und blickte Nora eindringlich an. Doch plötzlich fiel es ihr wie Schuppen von den Augen. Das letzte Puzzleteil fand seinen Platz, das Labyrinth öffnete sich. Sie starrte wieder hinab auf ihren Schoß. «Weil ihr alle befürchtet habt, dass auch ich die Krankheit habe», sagte sie leise.

KAPITEL 61

BEI ALLDEM *darf man den genetischen Faktor nicht außer Acht lassen. Mit jedem Familienmitglied, das von der Krankheit betroffen ist, steigt das Risiko für die anderen drastisch an.*

Dr. Barakats Worte gingen Julia wieder und wieder durch den Kopf. Sie dachte daran, wie sie am vergangenen Freitag in seinem Büro gesessen, das teure Mobiliar bewundert und seinen Ausführungen gelauscht hatte – ohne zu ahnen, dass er auch über sie sprach.

Das Risiko steigt proportional an. Wenn jemandes Schwester, Mutter und Großmutter an Schizophrenie leiden, hat dieser Jemand ein sechsundzwanzigmal höheres Risiko zu erkranken als beispielsweise Sie oder ich.

Als Sie oder ich.

Damit hatte er gemeint: *Wir* sind normal. *Wir* sind nicht geisteskrank wie der Angeklagte. *Uns* betrifft diese Krankheit nicht.

Nur zwei Tage zuvor hatte sie mit den Gutachtern im Gerichtssaal Ursache und Auswirkungen der Schizophrenie erörtert und war insgeheim froh darüber gewesen, dass sie dem Club angehörte. Dem Club der «Normalen». Sie war eine gesunde, gutaussehende Frau gewesen, die mit Fachleuten über die verschiedenen Symptome einer fremden Krankheit diskutiert hatte. Aber jetzt war alles anders. Jetzt war sie eine Betroffene. Sie war die als Prinzessin verkleidete Dienstmagd, deren Kleid während des Balls zerriss, sodass sie als Betrügerin entlarvt wurde. Sie war eine Prozentzahl – ein Fall für die

Statistik. Schon allein das Wort klang plötzlich abstoßend und schmutzig und furchterregend. Schizophrenie. *Schizo.*

Julia wischte sich mit dem Handrücken die Tränen aus dem Gesicht, doch es war nutzlos. Seit zwei Tagen konnte sie nicht aufhören zu weinen. Vielleicht war etwas in ihr kaputtgegangen, dachte sie. Vielleicht würde sie nie mehr aufhören können damit.

Regen prasselte auf die Windschutzscheibe, er wurde von dem stürmischen Wind gegen das Auto gepeitscht. Selbst mit eingeschalteten Scheinwerfern konnte man nur ein paar Meter weit sehen, und der Verkehr war beinahe zum Stillstand gekommen. Vielleicht hätte sie beim Flughafen anrufen und nachfragen sollen, ob sich ihr Flug verzögerte oder gar ganz gestrichen worden war. Sie hatte einen Platz in der letzten Maschine ergattert und daraufhin schnell ein paar Sachen zusammengepackt und Moose bei einer Hundebetreuung in der Nähe abgegeben. Sie hatte keine Ahnung, was sie tun würde, wenn sie in New York aus dem Flieger stieg. Aber wenn sie zu lange nachdachte, würde sie vielleicht gar nicht erst hinfliegen. Es gab noch so viele Erinnerungen, die sie verarbeiten musste. So viele Dinge, die in Wirklichkeit vielleicht ganz anders gewesen waren, als sie sie in Erinnerung hatte.

Es war, als würde man unversehens herausfinden, dass der Weihnachtsmann nicht existierte. Eine kleine und doch so bedeutsame Tatsache veränderte plötzlich alles und zwang einen, jedes einzelne Weihnachtsfest noch einmal zu überdenken.

Allerdings hatte Julia nicht bloß herausgefunden, dass es den Weihnachtsmann nicht gab. Nein, ihr ganzes Leben war eine Lüge gewesen. Sie drehte das Radio lauter, um sich von ihren Gedanken abzulenken. Falls sie irgendwann anfing, Stimmen zu hören – würde sie dann wissen, ob sie echt waren oder nicht? Würde sie den Unterschied zwischen einem Radiomoderator und einem Phantom erkennen?

Sie fühlte sich unglaublich allein. Allein mit den Geheimnissen, die niemand je erfahren durfte. Niemand wollte mit dem Mädchen befreundet sein, dessen Bruder die eigenen Eltern umgebracht hatte. Ihre alten Freunde hatten direkt nach der Beerdigung den Kontakt abgebrochen. Sogar Carly. Also hatte sie fortan ihre Vergangenheit verschwiegen oder Lügen erzählt, wenn sie jemanden kennenlernte, egal, ob es sich dabei um neue Freunde, Lehrer, Dozenten oder Vorgesetzte handelte. *Meine Eltern sind bei einem Autounfall ums Leben gekommen. Ich bin bei meiner Tante und meinem Onkel aufgewachsen. Ich habe keine Geschwister.* Sie hatte diese Lügen so oft erzählt, dass sie manchmal selbst daran glaubte.

Andrews hübsches junges Gesicht tauchte vor ihrem inneren Auge auf. Seine milchweiße Haut, eingerahmt von dunklen Locken. Die neckischen Grübchen, wenn er lächelte. Auf sie hatte er niemals böse gewirkt, noch nicht einmal in der Mordnacht, als das Blut ihrer Eltern an ihm klebte. Er war damals kaum achtzehn Jahre alt gewesen, zehn Jahre jünger als sie jetzt. Sie hatte ihn all die Jahre alleingelassen, allein im Hochsicherheitstrakt einer staatlichen Irrenanstalt. Allein in einem teilnahmslosen Rechtssystem, das er nicht verstand und das ihn nicht verstand.

Julia kaute an der Haut neben ihrem Daumennagel, bis sie Blut schmeckte, und starrte auf das verschwommene Rücklicht des Wagens vor ihr. Jetzt gab es ein weiteres Geheimnis, das sie vor ihren Freunden und Kollegen verbergen musste. Nur, dass sie diesmal vielleicht nicht allein damit fertig werden würde.

«Schizo», sagte sie laut. Dann öffnete sie das Fenster und spie das schmutzige, furchteinflößende Wort hinaus auf die regennasse Straße.

KAPITEL 62

HALT, JUNGE DAME! *Hier solltest du besser nicht rein- gehen.» Ein großer, stämmiger Polizist in Uniform blockierte den Durchgang zum Wohnzimmer. Seine Arme griffen nach ihr und hielten sie fest.*

Sie schrie, schlug auf ihn ein, wollte ihm das Gesicht zerkratzen, damit er zurückzuckte und sie an ihm vorbeischlüpfen konnte. Es war ihr Haus, verdammt!

Vielleicht waren sie noch am Leben.

Es hatte keinen Sinn. Ihr schmächtiger Körper konnte nichts gegen den Polizisten ausrichten. «Ich muss da rein», flehte sie. «Bitte! Sie ver- stehen das nicht! Ich muss da rein!»

«Nein, das musst du nicht, Kleine», entgegnete der Mann mit ruhi- ger, besänftigender Stimme. Zu ruhig. Als wollte er sagen: «Jetzt kommt jede Eile zu spät.»

«Meine Eltern sind dadrin! Ich muss zu ihnen!»

«Nein. Es ist besser, wenn du nicht zu ihnen gehst, glaub mir. Wo ist Potter?», rief der Polizist über seine Schulter hinweg ins Wohnzimmer. «Sag ihm, er soll einen Psychologen herschicken! Oder wenigstens einen Sanitäter!»

«Das ist meine Mutter! Meine Mutter!», schrie sie. «Mama! O Gott, Mama!»

Durch die Beine des Polizisten sah sie eine leuchtend rote Blutlache auf dem cremefarbenen Wohnzimmerteppich. Auch die Tapeten waren voller Blut. Hinter dem Sofa entdeckte sie etwas, die gelben Rosenknos- pen am Ärmel des neuen Nachthemds ihrer Mutter. Julia hatte es ihr letzte Woche zum Geburtstag geschenkt. Lange, grazile Finger hielten ein blutiges Telefon in der Hand, die Nägel in dezentem Rosa lackiert. Julias Beine begannen zu zittern.

Potter stürmte zur Vordertür herein. «Julie, du musst jetzt mit mir kommen.»

«Nein! Ich will sie sehen! Ich muss sie zuerst sehen!»

«Julie, dadrin ist etwas wirklich Schlimmes passiert», sagte Potter.

Julia drehte sich zu ihm um und schrie: «Ich heiße Julia, Sie Arschloch! J-U-L-I-A. Und dadrin sind meine Eltern! Meine Mom! Ich will sie sehen! Sie können mir nicht verbieten, meine Eltern zu sehen!» Sie begann zu schluchzen. Die Uniformierten und Anzugträger im Wohnzimmer hatten ihre Arbeit eingestellt und starrten sie an.

«Rufen Sie Disick an», sprach Potter in sein Funkgerät und fuhr sich durch das schweißfeuchte Haar. Der Detective hatte einige Pfund Übergewicht, und nach dem Spurt über den Rasen hatte er einen roten Kopf und keuchte. «Er soll in einer halben Stunde auf dem Revier sein.»

Julia fühlte sich plötzlich furchtbar erschöpft und sackte kraftlos zusammen. Das musste ein Traum sein. Das konnte alles nur ein schrecklicher Traum sein. Das Leben konnte sich doch nicht so schnell ändern.

«Bringen Sie sie raus, damit wir hier weitermachen können», sagte der Polizist zu Potter.

«Erst mal müssen wir jemanden finden, der auf dich aufpasst», sagte Potter sanft und ging vor ihr in die Hocke. «Hast du irgendwo noch Familie, Kleines?»

Irgendwo noch Familie … Ihre eigene existierte nicht mehr. Sie starrte geistesabwesend auf einen kleinen Fettfleck auf Potters Krawatte.

Der Detective nahm ihren Arm. «Komm, Julia, gehen wir. Auf dem Revier wartet jemand auf dich, mit dem du dich unterhalten kannst, während wir deine Verwandten ausfindig machen. Und ich muss dir einige Fragen stellen …»

Potters Stimme wurde leiser und verstummte. Er redete zwar weiter, seine Lippen bewegten sich, doch Julia hörte ihn nicht mehr, hörte überhaupt keine Geräusche mehr, spürte nur noch einen Druck in ihrem

Kopf, der sie taub zu machen schien, als würde sie jeden Moment in Ohnmacht fallen. Sie beobachtete, wie die Polizisten um sie herum wieder ihre Arbeit aufnahmen. Der Mann vor dem Wohnzimmer nickte ihr ernst zu, wandte sich dann an den Officer hinter ihm und gab ihm gestenreich einige Anweisungen.

Die Welt drehte sich einfach weiter.

Sie ließ sich von Potter durch den kleinen Flur und die Haustür hinaus in die kalte Nacht führen. Inzwischen war gelbes Absperrband gespannt worden, um die wachsende Traube der Nachbarn in Pyjamas zurückzuhalten. Auf dem Gehweg zur Straße blieb Julia stehen, drehte sich um und warf einen letzten Blick auf das Haus, in dem sie aufgewachsen war. Sie wusste, dass sie es niemals wiedersehen würde. Alle Fenster waren hell erleuchtet, alle Zimmer voller Fremder, selbst ihr eigenes. Durch das Wohnzimmerfenster sah sie, wie die Techniker der Spurensicherung, die Fotografen und Polizisten ihre Arbeit verrichteten, direkt neben dem Weihnachtsbaum, den sie und ihre Mutter erst vor wenigen Tagen gemeinsam geschmückt hatten.

Niemand hatte bis jetzt daran gedacht, die Lichterketten abzuschalten.

KAPITEL 63

AN EINEM Samstagmorgen dauerte die Taxifahrt von dem Hotel am Flughafen LaGuardia bis nach Ward's Island nur zwanzig Minuten. Es war seltsam. Sie war in New York aufgewachsen. Sie hatte in den Sommerferien im Zoo in Queens und in der Bronx gejobbt, hatte unzählige Wochenenden am Seaport und in Greenwich Village verbracht, Dutzende von Konzerten auf dem Washington Square und im Central Park besucht. Sie war wahrscheinlich eine der wenigen New Yorker, die die Freiheitsstatue und das Empire State Building besucht hatten, und sie hatte den New Yorker Subway-Plan auswendig gelernt wie eine Schatzkarte. Doch bis vor drei Tagen hatte sie noch nie etwas von Ward's Island gehört. Dabei war sie jahrelang nur eine kurze Taxifahrt von ihrem Bruder entfernt gewesen.

Nach der Mautstelle an der Triborough Bridge bog der Taxifahrer rechts ab und folgte den Schildern in Richtung Randall's Island und Ward's Island – Schildern, die Julia auf ihren unzähligen Fahrten über die Brücke aus irgendeinem Grund immer übersehen hatte. Die Straße schlängelte sich durch einen – für New Yorker Verhältnisse – dichten Wald voller Eichen, Platanen und Ahornbäumen, führte dann bergab und schließlich unter der Brücke hindurch. Der Blick, der sich von hier aus auf Manhattan bot, war atemberaubend. Durch die winterlich kahlen Bäume ragte etwa einen Kilometer westlich die Skyline über dem dunklen Wasser des East River auf. Doch hier gab es keine Häuser, von denen aus man die Aussicht hätte genießen können, keine öffentlichen Gebäude, Restaurants oder Parks. Für eine Stadt, in der ein Schuhkarton mit Ausblick auf eine Mauer vierhunderttausend Dollar kostete und man im Sommer ein Stück Rasen im Central Park an der Börse verkaufen könnte, war dieses erstklassige Bauland erstaunlich unberührt.

Das Taxi hielt vor dem Tor eines alten, steinernen Wachhäuschens, neben dem ein weiteres unauffälliges grün-weißes Schild mit der Aufschrift *Manhattan Psychiatric Center* stand.

Julia ließ das Fenster herunter. «Geht es hier nach Kirby?»

«Ihren Namen und Ihren Ausweis, bitte», erwiderte der Wachmann, der einen Stift und ein Klemmbrett vor sich hatte.

«Valenciano», sagte Julia, zeigte ihm die Plakette der Staatsanwaltschaft und hoffte, dass diese in New York eine ähnlich magische Wirkung hätte wie in Miami. Sie war zu müde, um Fragen zu beantworten.

Es funktionierte. Der Wachmann nickte und ließ das Klemmbrett sinken. Die Tatsache, dass sie im Taxi statt in einem Streifenwagen gekommen war, schien ihn nicht weiter zu stören. «Fahren Sie einfach durch. Kirby ist das dritte Gebäude auf der linken Seite.»

«Welche Hausnummer?»

Der Wachmann sah sie verblüfft an. «Es ist das einzige Gebäude mit zehn Meter hohem zweireihigem Stacheldrahtzaun, Lady. Sie können es nicht verfehlen, glauben Sie mir.»

Sie nickte und lehnte sich in ihrem Sitz zurück, während das Taxi das Wachhäuschen hinter sich ließ. Aus dem Internet wusste sie, dass das Manhattan Psychiatric Center aus drei Gebäuden bestand – Meyer, Dunlop und Kirby. Alle drei waren in den fünfziger Jahren erbaut worden, um die große Zahl psychisch kranker Menschen – bis zu achtundzwanzigtausend auf einmal – unterzubringen. Doch in den Sechzigern – als immer bessere Psychopharmaka entwickelt wurden und geschlossene

Anstalten aus der Mode kamen – schrumpfte die Zahl von Zehntausenden auf wenige hundert. In den Siebzigern schlossen der Dunlop- und der Kirby-Trakt die Türen für Patienten, und der medizinische Betrieb fand ausschließlich im Meyer-Gebäude statt, wo von nun an sowohl stationär als auch ambulant behandelt wurde. Im Dunlop-Gebäude wurde später die Verwaltung untergebracht. Der Kirby-Trakt blieb geschlossen, bis er 1985 als geschlossene Klinik für forensische Psychiatrie wiedereröffnet wurde – eine Irrenanstalt unserer Tage.

Julias Blick schweifte über die schmutzigen Fenster, als das Taxi den Berg hinauf an den ersten beiden trostlosen Gebäuden vorbeifuhr – vermutlich Meyer und Dunlop. Trotz der Kälte saßen einige ganz in Weiß gekleidete Angestellte draußen an den im Boden verankerten Picknicktischen neben den Eingangstüren, tranken Kaffee, rauchten oder starrten gedankenverloren vor sich hin. Eine Frau mittleren Alters in einem dicken roten Parka hockte auf dem Bordstein und rauchte eine Zigarette. Sie trug Socken und Sandalen und redete wild gestikulierend auf einen imaginären Gesprächspartner ein. Bei ihr handelte es sich offensichtlich um eine Patientin. Julia wandte schnell den Blick ab.

Der Wachmann hatte recht – der riesige Zaun rings um das zwölfstöckige Kirby-Gebäude war nicht zu übersehen. Sie zahlte den Taxifahrer und sah zu, wie er auf dem Parkplatz wendete und davonfuhr. Am liebsten wäre sie ihm nachgerannt und hätte geschrien, er solle anhalten und sie zurück zum Flughafen bringen. Zurück nach Miami. Zurück zu ihrem völlig aus den Fugen geratenen Leben.

Doch ihre Füße bewegten sich nicht, und sie schwieg, bis das Taxi hinter den Bäumen verschwunden war. Mit kalten, zitternden Fingern zündete sie sich eine Zigarette an, während sie zusah, wie die Abgase des Wagens sich in der Luft auflösten. Sie konnte nicht zurück. Nichts war mehr sicher, nichts war mehr vertraut. Ihre Vergangenheit war eine Lüge gewesen, selbst die schönsten Erinnerungen hatten einen faden Beigeschmack bekommen. Sie hatte das Gefühl, an einem Abgrund zu stehen. Ein Schritt in die falsche Richtung, und sie würde in die Tiefe stürzen. Aber gab es überhaupt noch so etwas wie die richtige Richtung? In diesem bedrohlich aufragenden Gebäude wartete nicht nur die unbekannte Vergangenheit auf sie, sondern auch eine Zukunft, mit der sie vielleicht gar nicht konfrontiert werden wollte.

Schließlich wandte Julia sich von der Straße ab und betrachtete das schmutzige Anstaltsgebäude, das bedrohlich über ihr aufragte. Die schwarzen, vergitterten Fenster starrten sie an wie kalte, leere Augenhöhlen; über dem Stacheldrahtbart ragten die Zaunspitzen auf wie Reißzähne in einem verzerrt grinsenden Mund. Sie fragte sich, wie viele Gesichter sie in diesem Moment von den Fenstern aus beobachteten. Die Gesichter von Mördern und Vergewaltigern, von geisteskranken Straftätern. Waren Andrews Augen darunter? Würde er sie erkennen? Hatte er während all der Jahre darauf gewartet, dass sie ihn besuchte?

Sie zog ein letztes Mal an ihrer Zigarette und fasste einen Entschluss. Sie machte einen Schritt auf den Abgrund zu und ließ sich in die Dunkelheit fallen, ohne zu wissen, ob jemand sie auffangen würde. Als sie an dem Stacheldraht und den Picknicktischen vorbei zum Eingang ging, durch die Sicherheitstüren und Metalldetektoren, beschäftigte sie nur eine Frage:

Wartete er immer noch?

KAPITEL 64

«WEN WOLLEN Sie besuchen?», fragte der Wachmann auf der anderen Seite der kugelsicheren Scheibe, nachdem Julia ihm ihren Führerschein und die Plakette der Staatsanwaltschaft gezeigt hatte. In dem kleinen Raum hinter ihm saßen fünf oder sechs seiner Kollegen, aßen Doughnuts und tranken Kaffee. In einem tragbaren Fernseher lief ein Zeichentrickfilm. Auf dem Tisch neben dem Metalldetektor durchsuchte ein weiterer Wachmann ihre Handtasche nach Waffen.

«Cirto, Andrew Cirto», sagte sie.

«Cirto? Das wäre das erste Mal. Sind Sie von der Polizei?», fragte er mit ausgeprägtem New Yorker Akzent und befingerte die Plakette, in deren Mitte eine rote Sonne über einer grünen Palme und dem blauen Meer prangte. Selbst Julia fand, dass sie wie eine billige Fälschung aussah.

«Nein. Ich bin Staatsanwältin. In Miami.»

«Wollen Sie Cirto wegen eines Falles befragen?»

Julia schüttelte den Kopf und räusperte sich. «Der Besuch ist privat.» Sie sah sich im Eingangsbereich um. Auf dem Tisch in der Ecke stand ein kleiner, künstlicher Weihnachtsbaum mit blinkenden Lichtern. Sie wusste von ihren Bekannten bei der Gefängnisbehörde, dass in den Haftanstalten an Besuchstagen oft großer Trubel herrschte. Doch in Kirby schien dies selbst an Heiligabend nicht der Fall zu sein.

«Wir müssen erst auf seiner Station anrufen, dann bringen die Betreuer ihn in den Besuchsraum. Das kann eine Weile dauern. Nehmen Sie doch solange Platz.»

«Danke», sagte Julia, nickte und wandte sich ab. Doch dann fiel ihr etwas ein. Sie drehte sich wieder um und fragte: «Teilen die Betreuer ihm mit, wer der Besucher ist?»

«Ich denke schon.»

«Dann sollen Sie ihm bitte sagen, dass Ju-Ju hier ist», bat sie und setzte sich in der Nähe des Eingangs auf eine Kunststoffbank. Auf dem Tisch lag ein Stapel Zeitschriften. Die Titelseite des *People Magazine* verkündete, dass Tom Cruise und Katie Holmes immer noch ein Paar waren, während *Time* berichtete, dass man im Irak immer noch keine Massenvernichtungswaffen gefunden hatte.

Julia versuchte, ihre Gedanken zu ordnen und sich die Unterhaltung mit Andrew vorzustellen, doch sie hatte keine Ahnung, wie es nach der Begrüßung weitergehen sollte.

Eine Viertelstunde später betrat ein schmächtiger Mann in Anzug und Arztkittel den Eingangsbereich. Er kniff skeptisch die Augen zusammen und machte keinen besonders erfreuten Eindruck. «Miss Valenciano?»

«Ja», sagte Julia und erhob sich.

«Ich bin Dr. Harry Mynks, Direktor dieser Klinik und einer von Andrew Cirtos behandelnden Ärzten.»

Sie nickte. Eine peinliche Pause entstand.

«Mir wurde mitgeteilt, dass eine Besucherin für Andrew hier sei», fuhr er schließlich in kühlem Tonfall fort. «Es tut mir leid, aber den Namen Valenciano kenne ich nicht.»

«Ist das ein Problem?», fragte sie mit wachsendem Unbehagen.

«Ich bin seit acht Jahren der Direktor von Kirby, Miss Valenciano», erwiderte er, «und während dieser Zeit hatte Andrew kein einziges Mal Besuch. Deswegen würde ich mich gern kurz mit Ihnen unterhalten.» Er nickte dem Uniformierten hinter der Sicherheitsscheibe zu, der daraufhin die Tür entriegelte. «Würden Sie mich zu meinem Büro begleiten, damit wir ein paar Dinge besprechen können?», fragte Dr. Mynks und hielt ihr die Tür auf.

Julia schluckte, nickte und folgte ihm durch einen leeren, fensterlosen Flur, der sie stark an den Naturwissenschaftstrakt ihrer Highschool erinnerte. Ihre Schuhe hätten schon längst neue Absätze gebraucht. Die Metallkerne lagen frei und klapperten laut über den Betonboden. Julia verlagerte ihr Gewicht auf die Fußballen.

«Diese Türen führen zu Büroräumen», erklärte Dr. Mynks, während sie sich umschaute. «Die Stationen befinden sich in den oberen Etagen. Dort haben Besucher keinen Zutritt.» Schließlich erreichten sie sein Büro. Er hielt Julia die Tür auf und bedeutete ihr mit einer Handbewegung, einzutreten. «Man sagte mir, Sie seien Staatsanwältin in Miami. Sie haben einen weiten Weg hinter sich. Gestatten Sie mir die Frage, wer Sie sind?»

Julia wich Dr. Mynks' durchdringendem Blick aus und sah sich in dem spärlich möblierten Raum um. Eine Doktorurkunde der Johns Hopkins Medical School hing hinter seinem Schreibtisch an der Wand, außerdem ein Diplom der Cornell University. «Ich bin seine Schwester», sagte sie und setzte sich auf den Stuhl, den Dr. Mynks ihr anbot. «Andrew ist mein älterer Bruder.»

«Hmm», erwiderte der Arzt und nahm hinter seinem Schreibtisch Platz.

«Ich möchte ihn gern wiedersehen. Ich wusste nicht, dass er hier ist. Ich dachte, er sei – ich dachte, er sei tot. Ich will ihn einfach nur sehen.»

«Andrew hat Ihre Eltern –»

Julia unterbrach ihn mit einer Handbewegung und nickte. «Ja. Ich – ich weiß jetzt, dass er krank ist. Ich habe es erst vor ein paar Tagen erfahren.» Sie rutschte unruhig auf ihrem Stuhl hin und her.

«Hmm», sagte Mynks wieder, und Julia sah ihm an, dass er ihr nicht glaubte. «Andrew geht es inzwischen deutlich besser, Miss Valenciano. Seitdem ich hier bin, habe ich ihn als einen vorbildlichen Patienten erlebt. Kennen Sie seine Krankengeschichte?»

«Ich weiß, dass er schizophren ist. Ich habe die Gerichtsakten gelesen.»

«Und das haben Sie vorher nicht gewusst? Haben Sie mit ihm unter einem Dach gelebt, als die Krankheit diagnostiziert wurde?»

«Ich war damals noch sehr jung. Welche Medikamente bekommt er?»

Dr. Mynks schüttelte den Kopf. «Das darf ich Ihnen nicht sagen – ärztliche Schweigepflicht.»

«Ich habe die Abschrift der Klageerwiderung gelesen. Ich weiß, dass er paranoid ist. Ich weiß auch, was in jener Nacht in seinem Kopf vorging. Was er gedacht hat ...» Sie räusperte sich. «Über die CIA. Über unseren Vater. Ich weiß, was die Stimmen ihm befohlen haben.»

Einen Augenblick lang herrschte unangenehmes Schweigen. «Ich habe keine Ahnung, wie viel Sie über diese Krankheit wissen oder was Sie von Ihrem Besuch hier erwarten, Miss Valenciano. Schizophrenie verschwindet nicht einfach. Einige Patienten haben ihr ganzes Leben lang immer dieselben Wahnvorstellungen, andere entwickeln neue visuelle oder akustische Halluzinationen. Medikamente wirken manchmal Wunder – sie können die Stimmen zum Verstummen bringen oder zumindest dämpfen. Aber es gibt auch Patienten, bei denen eine Medikation nur begrenzt Erfolg hat. Einige leben bis zu ihrem Tod in einer Welt, zu der sich niemand Zutritt verschaffen kann. Glücklicherweise gehört Ihr Bruder zu denjenigen, denen geholfen werden kann. Aber er hat Sie sehr lange nicht gesehen, daher möchte ich Sie bitten, ihm Ihre Hände zu zeigen, bevor Sie sich zu ihm setzen. Mit den Handflächen nach oben. Er muss Ihre Hände eingehend betrachten können, damit er sich nicht aufregt.»

Julia starrte Dr. Mynks an. Ein Schauer lief ihr über den Rücken.

«Er kontrolliert, ob Sie Implantate in den Händen haben», erklärte der Arzt nüchtern. «Er will sichergehen, dass Sie keine CIA-Agentin sind. Die Medikamente helfen Ihrem Bruder, mit seiner Krankheit zu leben. Trotzdem kommen ihm seine Wahnvorstellungen immer noch real vor. Ohne die Medikamente würde er sein Leben darauf verwetten.» Er hielt kurz inne. «Und Ihres.»

Ich habe sie gerettet, Ju-Ju. Ich habe sie gerettet.

«Wenn das nicht auch unter die Schweigepflicht fällt», sagte Julia und starrte auf ihre Hände, «dann würde ich gern wissen – also … Wie geht es ihm jetzt?»

«Das können Sie in ein paar Minuten selbst beurteilen. Andrew wartet im Besuchsraum im ersten Stock auf Sie.»

«Weiß er, dass *ich* es bin?»

«Ja, das weiß er.»

Julia versuchte erfolglos, Dr. Mynks' Gesichtsausdruck zu deuten. Sie hatte immer noch das Gefühl, dass der Arzt ihr gegenüber sehr skeptisch war.

«Danke, dass Sie sich die Zeit für dieses Gespräch genommen haben», sagte er und stand auf. «Ich war einfach neugierig, Sie kennenzulernen. Sie müssen das verstehen – vierzehn Jahre lang kein Besuch, noch nicht einmal ein Anruf. Und jetzt, wenige Wochen vor seiner Entlassung, kommt auf einmal jemand. Ich dachte, das kann kein Zufall sein, und wollte mich davon überzeugen, dass Sie keine Journalistin sind, die eine alte Story aufkochen möchte. Soweit ich das mitbekommen habe, hat der Fall seinerzeit einiges Aufsehen erregt.»

«Entlassung?», stieß Julia entgeistert hervor.

«Ja», erwiderte Dr. Mynks und musterte sie stirnrunzelnd. «Andrews Fall wurde gerade geprüft. Alle zwei Jahre wird eine Beurteilung durchgeführt. Das Prüfungskomitee hat die Berichte des Stationspsychiaters, der Psychologen und der Sozialarbeiter gelesen und empfohlen, ihn in eine Einrichtung mit niedrigerer Sicherheitsstufe zu verlegen. Sobald ein Bett frei wird, spätestens innerhalb der nächsten neunzig Tage, kommt er in das Rockland Psychiatric Center. Wir haben die Hoffnung, dass er von dort aus langsam wieder in die Gesellschaft eingegliedert werden kann.»

KAPITEL 65

DAS TREPPENHAUS, das zum Besuchsraum im ersten Stock führte, roch zwar nach frischer Farbe, doch die grauen Wände waren fleckig und warfen an vielen Stellen regelrecht Blasen. Leuchtstoffröhren tauchten alles in ein kaltes, leicht violettes Licht. Mit gesenktem Kopf, die Hände in den Taschen und die Nase in ihrem Rollkragenpullover vergraben, ging Julia die Stufen hinauf. Sie erinnerte sich an ihren ersten Besuch im Gefängnis von Dade County. Sie war frischgebackene C-Anwältin gewesen und hatte die Aussage eines Häftlings aufnehmen müssen. Der üble Gestank hatte ihr umgehend Übelkeit verursacht. Die Luft hatte nicht nur nach Urin und Kot und alter Farbe gerochen, sondern auch *dreckig*. Wie die Männer in den Zellen, die bei ihrem Anblick anzüglich grinsten und hinter ihr herpfiffen. Jetzt, in diesem grauen Treppenhaus – aber auch im Eingangsbereich, im Flur, in Dr. Mynks' Büro, überall um sie herum –, stank die Luft weniger nach *Dreck* als vielmehr nach *Krankheit*. Es war ein Geruch wie im Krankenhaus, ein Geruch, den auch Desinfektionsmittel nie ganz vertreiben konnten. Julia atmete durch den Mund und wünschte sich nach draußen in die Kälte, in die klare, frische Luft, weit weg von diesem Gebäude, in dem sie den Atem von kranken, verrückten Menschen inhalieren musste.

«Besucher» – der Pfeil auf dem handgeschriebenen Schild wies zu einer Tür am Ende eines kurzen Ganges. Über dieser Tür befand sich ein Sichtfenster, durch das ein Wachmann sie beobachtete. Er betätigte den Öffner, und Julia sprang vor und drückte die Tür auf, bevor sich das Schloss wieder verriegelte. Dann zögerte sie für eine Sekunde, straffte die Schultern und betrat den Raum.

Die Wände waren in einem hellen Blau gestrichen. Eine schöne, beruhigende Farbe, dachte Julia sofort. Plastikstühle und runde Resopaltische in Holzoptik standen locker im Raum verteilt. Keiner von ihnen war besetzt. In einer Ecke blinkte ein weiterer künstlicher Weihnachtsbaum.

Durch die vergitterten Fenster, die auf den menschenleeren Hof hinausgingen, fiel helles Sonnenlicht und warf rautenförmige Schatten auf Tische und Fußboden. Vor einem Fernsehapparat befanden sich einige orangefarbene Sessel, die noch aus den Siebzigern zu stammen schienen. Links von Julia saßen zwei Wachmänner in einer Art offenen Kabine, die etwa zwei Meter höher lag als der Besuchsraum. Ein junger, muskulöser Schwarzer in einem weißen Polohemd – Julia ging davon aus, dass er ein Sicherheitsbeamter war – stand unter der Kabine, die Arme vor der Brust verschränkt, und sah sie eindringlich an. Niemand sagte etwas. Das einzige Geräusch war die leise Weihnachtsmusik, die aus dem Radio in der Kabine drang. Julias Blick fiel auf eine Gestalt, die an einem Tisch neben dem Fenster in der Ecke saß.

Der stämmige Mann trug ein lohfarbenes Hemd und eine braune Hose. Er hielt den Kopf gesenkt und hatte seine Hände vor sich auf der Tischplatte gefaltet. Das Erste, was Julia an ihm auffiel, waren seine zerzausten, dunkelbraunen, ein wenig schütteren Locken. Sie wusste sofort, dass es Andrew war. Ein Keuchen entfuhr ihr, woraufhin der Sicherheitsbeamte argwöhnisch die Stirn runzelte.

Andrew jedoch rührte sich nicht. Julia durchquerte langsam den Raum, der ihr auf einmal so groß vorkam wie ein Fußballplatz. «Andrew?», fragte sie mit sanfter Stimme, als sie vor seinem Tisch stand. «Andrew, ich bin's. Julia.»

Der Mann sah auf. Seine Augen bohrten sich in ihre.

Sie wich seinem Blick aus und schluckte. «Darf ich mich zu dir setzen?»

Er beobachtete schweigend, wie sie sich einen Stuhl heranzog.

Julia setzte sich und wartete. Wartete darauf, dass irgendeiner der Sätze, die ihr durch den Kopf schossen, den Weg über ihre Lippen fand. Wartete darauf, dass Andrew etwas sagte. Sie versuchte, ihren Bruder nicht anzustarren – den Menschen, den sie als Kind vergöttert hatte. Den Menschen, der ihr beigebracht hatte, wie man Gitarre spielt und auf einen Baum klettert. Der jeden Morgen Hand in Hand mit ihr zur Bushaltestelle gegangen war, selbst wenn ihre Mutter sie nicht mehr sehen konnte. Der ihre Begeisterung für Led Zeppelin und Steely Dan und Pink Floyd geweckt hatte, während alle anderen Madonna hörten.

Andrew war nur vier Jahre älter als sie, doch es hätten genauso gut zwanzig sein können. Früher war er schlank und sportlich gewesen, nun hatte er geschätzte fünfundzwanzig Kilo Übergewicht, und seine Haare wurden an einigen Stellen bereits grau. Auf der Highschool war er nicht nur Quarterback, sondern auch der Kapitän der Baseballmannschaft gewesen und hatte ein Sportstipendium für die Universität von North Carolina in Charlotte bekommen. Jedes Mädchen wollte mit ihm ausgehen, jeder Junge wollte so sein wie er. Jetzt war sein Gesicht blass, aufgedunsen und fleckig, wahrscheinlich aufgrund der Medikamente. Doch es waren nicht diese Veränderungen, die Julia dermaßen aus der Fassung brachten, dass sie nervös in ihrer Handtasche kramte. Es waren seine Augen. Andrews schokoladenbraune Augen hatten früher immer auf eine ganz besondere Weise gefunkelt und geleuchtet. Jetzt blickten sie stumpf und teilnahmslos. Ohne Leuchten. Ohne Leben.

Schließlich brach Julia das Schweigen, doch ihre Stimme war

kaum mehr als ein Flüstern. «Es ist sehr lange her, Andrew. Ich wusste nicht, dass du – *hier* bist.»

«Ich verstehe», erwiderte Andrew leise und nickte. Seine Stimme klang genau so, wie Julia sie in Erinnerung hatte. Erneut saßen sie für einige Zeit schweigend da. Dann schaute Andrew auf. «Wie geht es dir?»

Julia lächelte. «Ganz gut. Ich lebe jetzt in Miami. Ich bin vor ein paar Jahren aus Washington weggezogen.»

«Washington?»

«Ich bin dort zur Schule gegangen.»

«Was machst du beruflich?», fragte er und warf einen Blick auf ihre Hände.

«Ich bin Anwältin.» Vielleicht war es besser, nicht zu sehr ins Detail zu gehen. «Und wie geht es dir? Sind die Leute hier nett?»

Er zuckte mit den Schultern. «Es ist ganz in Ordnung. Zumindest besser als vorher. In den ersten Jahren war es schrecklich.» Er zögerte kurz, als müsse er sich an etwas erinnern. «Jetzt dürfen wir fernsehen. Wir können am Computer arbeiten, und inzwischen wissen wir, wie das Internet funktioniert. Ich lese gern Zeitung. Am liebsten die *Times*, wenn man es mir erlaubt.» Er zögerte. «Ich bin jetzt Republikaner.»

«Dann gehörst du vielleicht wirklich hier rein», erwiderte Julia lächelnd.

Andrew lächelte ebenfalls. «Gut, dass ich hier drin nicht wählen darf, oder?» Plötzlich wurde seine Miene finster. «Aber mir gefallen die Schlagzeilen nicht.»

Julia bekam eine Gänsehaut. «Welche Schlagzeilen?»

Andrew schüttelte den Kopf, blinzelte einige Male und senkte den Blick. «Bist du verheiratet?»

«Nein. Ich hatte hin und wieder einen Freund … Momentan gibt es auch jemanden, aber das ist noch nichts Ernstes.» Sie hatte angenommen, sie müsse mit Andrew in kurzen, deutlich artikulierten Sätzen sprechen, als sei er ein kleines Kind. Doch das war offenbar nicht nötig. Sie führten eine richtige Unterhaltung. Julia fühlte sich immer noch ein wenig unbehaglich, aber auch dieses Gefühl verschwand langsam.

«Hast du Kinder?», fragte er.

«Ich versuch's erst mal mit dem Heiraten. Danach sehen wir weiter.»

«Du kannst dir die Männer bestimmt aussuchen», sagte er. «Du bist eine hübsche Frau geworden, Julia. Und so groß! Du siehst ganz anders aus, als ich dich in Erinnerung habe.»

«Danke. Bei der Größe täuschst du dich allerdings. Die ist geschummelt.» Sie deutete auf ihre Schuhe. «Acht-Zentimeter-Absätze. Aber du siehst auch gut aus, Andy.»

Er schüttelte wieder den Kopf. «Gar nicht wahr. Baseball sehe ich jetzt nur noch im Fernsehen. Und durch die Medikamente nimmt man zu, früher haben sie mich auch furchtbar müde gemacht.»

«Welche Medikamente bekommst du?»

«Momentan Risperdal – so heißt es, glaube ich. Ich hatte schon viele verschiedene. Ich mag es nicht, wenn ich umgestellt werde.» Er blinzelte erneut und tippte nervös mit dem Fuß auf den Boden.

«Ich finde wirklich, dass du gut aussiehst», beharrte Julia. «Und ich habe gehört, dass du bald entlassen wirst. Darüber bist du doch bestimmt froh.»

«Kann ich bitte deine Hände sehen?», fragte Andrew unvermittelt und runzelte die Stirn. «Es tut mir leid, aber ich muss – ich würde wirklich gern deine Hände sehen.»

Julia schluckte. Sie hatte völlig vergessen, was Dr. Mynks ihr eingeschärft hatte. Sie nickte und legte ihre Hände mit den Handflächen nach oben auf den Tisch. Andrew wirkte auf einmal sehr angespannt und tippte nun mit beiden Füßen auf den Boden.

Als er mit seinen rauen Fingern über ihre Hand strich, hatte sie das Gefühl, einen elektrischen Schlag zu bekommen. Es waren die Hände ihres Bruders, doch auch die Hände eines Mörders. Die Hände, die ihren Eltern auf brutale Weise das Leben genommen hatten. Julia sah gezackte rote Narben und weiße Linien, die sich über seine Finger und Handflächen zogen. Während Andrews Finger ihre Hand untersuchten und sorgfältig jedes Gelenk abtasteten, kämpfte sie gegen den Drang, zurückzuzucken. Ihre Handflächen begannen zu schwitzen, und sie fragte sich, ob er dies als Zeichen dafür deuten würde, dass sie etwas zu verbergen hatte. Der Gedanke ließ ihre Hände noch feuchter werden. Plötzlich umfasste Andrew ihre Handgelenke und sah zu ihr auf. Er hatte Kraft. Viel Kraft. «Wo warst du die ganze Zeit?», wollte er mit düsterer Miene wissen.

Julias Herz begann wie wild zu pochen, und Adrenalin rann durch ihre Adern. Doch sie versuchte nicht, ihre Hände zu entwinden oder gar den Sicherheitsbeamten zu rufen. Stattdessen erwiderte sie Andys Blick, schaute in seine traurigen, müden Augen und erkannte, dass er nicht wütend war. Er war nicht gefährlich. Er hatte Angst. Und er flehte um eine Antwort. Eine Antwort, die sie ihm seit fünfzehn Jahren schuldete. Es waren die vernarbten Hände ihres *Bruders*, die sie festhielten.

«Es tut mir so leid, Andy», sagte sie mit bebender Stimme. «Ich hätte dich niemals verlassen sollen.» Sie spürte, wie sich sein Griff lockerte. Resigniert senkte er den Kopf. Julia hätte aufstehen und gehen können, doch sie nahm seine Hände in die ihren und drückte sie sanft. «Aber jetzt bin ich hier, Andy. Und ich werde dich nicht wieder alleinlassen, das verspreche ich dir.»

Die Welt schien stillzustehen, als wolle sie ihnen genug Zeit geben, um diesen Augenblick auszukosten. Er erwiderte den Händedruck und schloss die Augen. «Verzeih mir, Ju-Ju. Bitte verzeih mir», flüsterte er. «Ich wollte nicht, dass du mich hasst. Ich weiß, was ich getan habe, und ich wünschte, ich hätte es nicht getan. Ich wünschte, ich könnte alles rückgängig machen. Ich wünschte, ich wäre nie geboren worden. Ich wünschte …» Er begann zu weinen, und auch Julia konnte die Tränen nicht zurückhalten.

Lange saßen sie so zusammen, hielten einander an den Händen und redeten und weinten miteinander, bis der Winterhimmel langsam dunkel wurde und der Sicherheitsbeamte ihnen mitteilte, dass die Besuchszeit vorüber war.

KAPITEL 66

DAS KLEINE Steinhaus stand auf einer Lichtung, umgeben von hochgewachsenen Kiefern, Eichen und einigen wenigen Palmen. Auf der vorderen Veranda bewegte sich ein alter Schaukelstuhl knarrend im Wind; weißer Rauch stieg aus dem Kamin in den pechschwarzen, mondlosen Himmel, an dem die Sterne wie Diamanten funkelten. Da es außergewöhnlich kalt werden sollte, waren die Blumenkörbe, die normalerweise von dem Spalier der Veranda hingen, über Nacht hereingeholt worden. Eine unbefestigte Auffahrt schlängelte sich von der Hauptstraße durch die Bäume am Haus vorbei und endete schließlich vor einem kleinen Pferdestall mit vier Boxen. Hinter dem Stall führten zwei ausgetretene Reitwege an einer rostigen Schaukel und einem Plastikspielhaus vorbei in den Wald hinein.

Keine fünfzehn Meter vom Haus entfernt, verborgen in den schwarzen Schatten der Kiefern, stand ein Mann und beobachtete lautlos die postkartenreife Szenerie. Das Haus lag abseits und mitten im Wald, doch den örtlichen Supermarkt erreichte man schon nach einer kurzen Autofahrt. Es erinnerte ihn ein wenig an das Knusperhäuschen von *Hänsel und Gretel*: Die Fenster schienen wie mit Zuckerguss überzogen, und die Steinwände hatten die Farbe von Pfefferkuchen. Von außen sah es beinahe zu perfekt aus – zu verführerisch, um widerstehen zu können. Doch wenn am nächsten Morgen die Sonne über der Lichtung aufging, würde die Polizisten, die langsam die unbefestigte Auffahrt hinauffuhren und schließlich die Eingangstür öffneten, ein Bild des Grauens erwarten.

Die Nachtluft war erfrischend kühl. Es roch nach verbranntem Holz, Kompost und süßlich duftendem Jasmin. Durch die Baumwipfel über ihm drang kein Lichtstrahl, und die Äste und Zweige rauschten leise im Wind. Doch außer dem sanften Flüstern der Bäume war kein Laut zu hören. Selbst die beiden Pferde im Stall regten sich nicht, so als ahnten sie, was geschehen würde.

Er beobachtete, wie sie an der Spüle stand und das Geschirr abwusch, das Haar zu einem honigfarbenen Pferdeschwanz gebunden. Eines der Fenster war nur angelehnt, und er vernahm die Geräusche fließenden Wassers, klirrender Teller und ihre Stimme, wie sie leise «Are you lonesome tonight» summte. Es erregte ihn.

Er war bereits seit Stunden hier und hatte ihr dabei zugesehen, wie sie das Abendessen zubereitete, ein Glas Wein trank und schließlich die Kinder ins Bett brachte und jedem eine Geschichte vorlas. Jetzt neigte sich der Abend dem Ende zu. Er kämpfte den Schwarm aufgeregter Schmetterlinge in seinem Bauch nieder, die sein Herz schneller schlagen ließen. Die Vorfreude war das Schönste und zugleich Schlimmste, während man wartete; es war die Erregung der Jagd, die einem die Sache versüßte. Sie schloss das Fenster, um die ungewöhnliche Kälte auszusperren, die bereits zum Thema aller Nachrichtensendungen in Florida geworden war. Dann schaltete sie das Licht in der Küche aus, und die Veranda versank im Dunkel. Kurz darauf ging das Licht im Schlafzimmer an.

Es schien sie nicht zu kümmern, dass man sie durch die Fenster beobachten konnte. Hier lebte kilometerweit niemand außer ihr. Sie knöpfte ihre Bluse auf, zog den BH aus und schlüpfte aus ihrer Jeans, die sie ordentlich faltete und auf eine Bank am Fußende ihres Betts legte. Nur mit einem seidenen, roten Slip bekleidet, verweilte sie noch für einen Augenblick am Fenster und gab ihm so die Möglichkeit, ihre großen, wunderschönen Brüste zu betrachten. Dann zog sie sich ein T-Shirt über und ging ins Bad.

Arme Charlene. Oder Charley, wie sie gern genannt werden wollte. Sie trug immer noch ihre Spitzenunterwäsche, obwohl es niemanden mehr gab, dem sie damit eine Freude hätte machen können. Er hatte die Eigentumswohnung in der Stadt bekommen, sie das Haus im Wald. Wo ihr niemand außer ihren beiden Kindern einen Gute-Nacht-Kuss gab. Wo sie niemand beschützte, wenn die Schatten des Waldes plötzlich zum Leben erwachten.

So verletzlich. So einsam.

Sie brauchte dringend ein wenig Gesellschaft, mit der sie das neue Jahr einläuten konnte.

Es dauerte nicht lang, bis das kleine Häuschen ganz im Dunkeln lag. Er löste sich lautlos aus den Schatten des Waldes und überquerte die Wiese, vorbei an der Schaukel und dem Plastikhaus, ganz vorsichtig, um die schlafenden Pferde nicht zu wecken. An der Hintertür angelangt, drehte er den Türknauf um und trat ein.

Natürlich hatte sie nicht abgeschlossen. Hier draußen im Wald war es sicher. Schließlich lebte hier kilometerweit niemand außer ihr.

Angst: wie Metall auf Metall in meinem Gehirn
Paranoia: sie lässt mich rennen,
fort, fort, fort,
und schnell wieder zurück,
um zu sehen, ob man mich erwischt hat
oder anlügt
oder auslacht –
ha ha ha. Das Riesenrad
in Looney-Land ist nicht sehr lustig.
Ein paranoid-schizophrener Patient

KAPITEL 67

HATTEN WIR Streit, und niemand hat es mir gesagt?»

Julia blickte vom *Federal Reporter* auf, in den sie schon den ganzen Morgen über vertieft gewesen war. Dayanara Vega setzte sich auf den Platz neben ihr in der leeren Rechtsbibliothek des Graham Building. «Ich kann nicht fassen, dass du es wirklich bist», flüsterte Day, obwohl sie allein in der Bibliothek waren. Dann stieß sie mit einem Finger gegen Julias Arm. «Vielleicht bist du eine Erscheinung, wie die Bibliothekarin in *Ghostbusters.*»

«Hi», erwiderte Julia mit einem überraschten, wenn auch müden Lächeln. Es war ein wundervoller Sonntagmorgen, an dem lediglich Workaholics und einsame Singles ins Büro gingen. Alle anderen tummelten sich wahrscheinlich am Strand, kurierten ihren Kater vom Samstagabend aus und bräunten sich jetzt im Februar schon einmal für den Sommer vor.

Day runzelte die Stirn. «Wo zum Teufel bist du die ganze

Zeit über gewesen? Ich habe zwei Beziehungen und ein längeres Verhältnis mit meinem Vibrator hinter mir, seit wir das letzte Mal zusammen zu Mittag gegessen haben.» Ihre Fingernägel trommelten auf den Tisch, während sie auf eine Antwort wartete.

Julia verdrehte die Augen und lächelte. «Oh, oh. Die Berichte über deine akrobatischen Einlagen mit heiratsfähigen Anwälten aus Miami verkrafte ich ja noch, aber ich will definitiv nichts über deine Liebschaft mit einem Massagegerät erfahren», sagte sie fröhlich.

«Also willst du nur von den guten Zeiten berichtet bekommen», erwiderte Dayanara lachend. Doch schon kurz darauf setzte sie wieder ihren Schmollmund auf und machte damit deutlich, wie verletzt sie war. Seit der Anhörung zur Prüfung der Prozessfähigkeit – und damit auch ihrer letzten Unterhaltung – waren einige Wochen vergangen. Julia hatte ihre Freundin zwar nicht direkt gemieden, aber auch nicht unbedingt nach ihr Ausschau gehalten. Seit Weihnachten war alles so furchtbar kompliziert geworden. Seit Andy. In den letzten Wochen und Monaten hatte sie verzweifelt versucht, irgendwie das zermürbende Doppelleben auf die Reihe zu bekommen, das sie derzeit führte. Wann immer sie es sich zeitlich und finanziell leisten konnte, flog sie übers Wochenende nach New York. Alles und jeder andere musste von Montag bis Freitag in ihr Leben passen. Sie unterdrückte ein Gähnen. Wenn sie heute Nachmittag nicht für eine Besprechung im Fall Marquette und für eine Antragsuntersuchung hätte wiederkommen müssen, wäre sie in New York geblieben. Stattdessen hatte sie den Flieger um sechs Uhr morgens genommen und war vom Flughafen aus direkt ins Büro gefahren.

«Dafür, dass du einen Mordfall ersten Grades vertrittst, bist du ziemlich schlecht zu erreichen», nörgelte Day. «Ich bin bestimmt ein Dutzend Mal an deinem Büro vorbeigegangen, habe Nachrichten auf deiner Mailbox hinterlassen, auf deinem Anrufbeantworter und bei deiner Sekretärin. Wahrscheinlich habe ich inzwischen eine Persönlichkeitsstörung entwickelt und beginne als Nächstes zu stalken. Bitte sag mir, ob es an mir liegt oder ob es das berühmte Ich-habe-jetzt-einen-Freund-deswegen-vernachlässige-ich-all-meine-Freundschaften-Syndrom ist? Bei Letzterem hasse ich dich, bei Ersterem mich selbst.»

Julia setzte ihre Brille ab, rieb sich über die Augen und fragte sich, wie sie diese Unterhaltung angehen sollte. Sie hatte in den letzten Wochen etwa ein Dutzend Mal das Telefon in die Hand genommen, um Day anzurufen, es jedoch jedes Mal wieder weggelegt. Sosehr sie sich auch wünschte, die Bürde ihrer Familiengeschichte mit jemandem teilen zu können, wusste sie doch, dass niemand die furchtbaren Ereignisse und deren Auswirkung verstehen würde. Ihr ganzes Leben – wer sie war, woher sie kam – war eine Lüge. Selbst ihr Name war nur zur Hälfte echt. Es gab zu viele Lügen, die sie erzählt, zu viele Geheimnisse, die sie bewahrt hatte. Sie konnte jetzt nicht einfach wieder von vorn anfangen. Day kannte und mochte sie als eine vollkommen andere Person. Ein Haus, das nicht auf festem Grund gebaut war, stürzte irgendwann zusammen – und auf die gleiche Weise war auch eine Beziehung zum Scheitern verurteilt, die auf Täuschung basierte. Und in Julias Fall basierte jede Beziehung, die sie in ihrem Leben aufgebaut hatte, auf Lügen – von Kollegen über beste Freunde und Liebhaber bis hin zu ihrem Friseur. Selbst wenn sie Dayanara oder Rick oder irgendjemand anderem von den brutalen Morden an ihren Eltern erzählen würde, könnte sie ihnen doch niemals das volle Ausmaß dieser Tat begreiflich machen. Außerdem könnte sie die stillschweigende Verurteilung ihres Bruders, die unweigerlich folgen würde, nicht ertragen. Er war in ihr Leben zurückgekehrt, und sie war alles, was er hatte. Die Beziehung zu ihm war die einzige ehrliche Verbindung, die noch Bestand hatte.

«Erstens ist es in etwa so sinnvoll, bei Thelma eine Nachricht zu hinterlassen, wie deine Zähne zu putzen, bevor der Zahnarzt sie dir zieht», begann sie. «Zweitens war ich ziemlich viel unterwegs, deswegen erreichen mich Nachrichten zu Hause momentan nicht. Und drittens liegt es nicht an dir oder an mir oder an sonst irgendwem, Day. Seit Weihnachten haben sich die Dinge überschlagen. Ich – ich habe einfach wahnsinnig viel zu tun, das ist alles. Es tut mir leid, dass ich nicht angerufen habe.» Sie sah ihre Freundin an. «Wirklich.»

Dayanara betrachtete sie einen Augenblick lang wachsam. «Welche Dinge?»

«Verhandlungen. Anhörungen. Besprechungen.» Sie blickte auf den Stapel Gesetzesbücher vor sich. «Außerdem weißt du doch, wie verrückt Farley ist, und meine Oberstaatsanwältin hat es auch auf mich abgesehen. Langsam glaube ich, dass sich alle gegen mich verschworen haben.»

«Hmm …» Dayanara lehnte sich zurück und kippelte auf den Hinterbeinen ihres Stuhls. Dann sagte sie mit zusammengekniffenen Augen und vor der Brust verschränkten Armen: «Es steckt mehr dahinter als viel Arbeit und ein verrückt gewordener Farley. Du siehst scheiße aus.»

«Es steckt immer mehr dahinter», erwiderte Julia. «Aber das ist alles, was ich dir im Moment dazu sagen kann.»

Day lächelte. «Ich bin eine Egoistin. Solange es nicht an mir liegt, gebe ich mich damit zufrieden. Im Moment jedenfalls.»

«Ich versichere dir, dass es nicht an dir liegt. Aber warum bist *du* eigentlich an einem Sonntagmorgen hier?», fragte Julia.

Day verzog gequält das Gesicht und ließ sich mit dem Stuhl wieder nach vorn fallen. «Ich muss nächste Woche eine Verhandlung mit einem dämlichen Angeklagten und seinem noch viel dämlicheren Anwalt führen, und ich habe noch überhaupt nichts dafür getan.» Sie deutete mit einer Kopfbewegung auf die ausgebreiteten Fallsammlungen auf dem Tisch. «Ich nehme mal an, deine Entschuldigung heißt Todesarzt?»

Julia seufzte. «Marquettes Anwälte haben Freitag einen Antrag auf Haftprüfung gestellt, weswegen Rick am Dienstag eine Anhörung vor dem Bezirksgericht hat. Farley will der Verteidigung keinen Aufschub geben, daher hofft Levenson jetzt, auf diese Weise die Verhandlung verzögern zu können. Er hat die französische Regierung auf seiner Seite, die gestern eine Stellungnahme zum Prozess abgegeben hat. Die Detectives hätten gegen das Wiener Übereinkommen verstoßen, weil sie das französische Generalkonsulat in Miami nicht auf Marquettes Verhaftung aufmerksam gemacht haben. Außerdem verstoße es gegen ein ordnungsgemäßes Verfahren, dem französischen Konsulat zu verbieten, Marquette eine angemessene psychiatrische Unterstützung zukommen zu lassen.» Sie atmete langsam aus. «Das ist ein Riesenwirbel, der zwar zu diesem Zeitpunkt keinerlei Wirkung mehr vor Gericht hat, der aber meinen ersten Mordfall offiziell zu einem internationalen Vorfall macht. Und zwar zu einem großen.»

«Genau das Gleiche sagt auch die Titelseite der gestrigen *New York Times*. Herzlichen Glückwunsch. Ich habe gelesen, dass dieser Fall sogar vor dem Internationalen Gerichtshof enden könnte. Wahrscheinlich schnappen uns die Paparazzi jetzt alle guten Parkplätze vor dem Bundesgericht weg. Aber besser dort als hier. Diese Verhandlung wird zu einem Albtraum, und dabei geht es gerade erst los», sagte Day und schmunzelte. «Puh. Bundesgericht. Verträge. Abkommen. Verstöße gegen ein ordnungsgemäßes Verfahren. Ich bekomme immer noch posttraumatische Stressanfälle, wenn ich an die langen Nachmittage in den Verfassungsrecht-Seminaren zurückdenke. Ich habe nur deswegen eine Drei bekommen, weil ich mit dem Professor geschlafen habe.»

Julia lachte. «Oje. Sämtliche Professoren in Verfassungsrecht sind alt und miesepetrig. Und es würde mich wundern, wenn sie in der Lage wären, ohne Hilfe ihrer Assistenten einen BH aufzubekommen. Außerdem reden sie ausschließlich in abstrakten Begriffen. So verzweifelt kannst du nicht gewesen sein, Day.»

«Mein Professor damals sah wirklich scharf aus, da war es egal, worüber er geredet hat. Und glaub mir, mit seinen Händen konnte er auch ganz gut umgehen.»

«Wie ist die Sache ausgegangen?»

«Etwas weniger abstrakt ausgedrückt – ich war zu dumm für ihn. Entweder das, oder es war nicht nur meine Abschlussklausur, die er mit Drei bewertet hat.» Day sah erneut argwöhnisch auf den Stapel Bücher. «*Rick* hat am Dienstag eine Anhörung?»

Julia zuckte mit den Schultern. «Du weißt doch, ich bin bloß die Hilfsarbeiterin. Ich muss mir die Anhörungen erst verdienen.»

«Ich erinnere mich an eine Hilfsarbeiterin, die vor ein paar Monaten eine Anhörung ganz allein gemeistert hat. Ich denke, du hast dein Lehrgeld mehr als genug bezahlt. Stattdessen sollte Rick hier sein und für *dich* recherchieren.»

«Danke für das Kompliment, aber zettele jetzt bitte keine Rebellion an. Der Leiter des Büros des Generalstaatsanwaltes begleitet Rick zur Anhörung. Ich darf vor dem Bundesgerichtshof sowieso nicht verhandeln.»

«Und wie geht es mit deiner geheimen Romanze voran?», fragte Day, während ihre Finger erneut auf die Tischplatte trommelten. «Gehört die auch zu den ‹Dingen›, die seit Weihnachten all deine wertvolle Zeit beanspruchen?»

Julia senkte den Blick. Über die Beziehung zu Rick musste sie noch einmal genau nachdenken. Aber es war weitaus schwieriger, ihm gegenüber auf Distanz zu gehen als gegenüber Dayanara oder sogar Tante Nora und Onkel Jimmy, die sie ebenfalls seit Weihnachten nicht mehr gesehen hatte. Erstens verhandelten sie diesen Fall zusammen – und zweitens schliefen sie zusammen. Sie verabredeten sich zwar immer noch nicht regelmäßig, und Julia wusste auch nicht so recht, was sie sich von ihren Treffen eigentlich versprach, aber sie war noch nicht bereit, es aufzugeben. «Wir treffen uns noch, aber nur selten. Wie ich schon sagte, ich bin in letzter Zeit etwas abgelenkt. Siehst du, Day? Es liegt nicht nur an dir.»

«Dann bin ich ja beruhigt. Und was geschieht jetzt mit deinem verrückten Angeklagten? Ist er *wirklich* unzurechnungsfähig, oder darf ich das gar nicht fragen? Hast du bei den Pinkeln von *Major Crimes* und den Exklusivberichterstattern von der *Today Show* irgendwelche Schweigegelübde abgelegt?»

Die Frage nach der Unzurechnungsfähigkeit war in einem Gerichtssaal nicht so einfach zu klären. Genau wie bei der Frage nach Marquettes Prozessfähigkeit waren sich die Gutachter auch über Marquettes Zurechnungsfähigkeit zum Zeitpunkt der Tat nicht einig. Alles drehte sich um diesen Zeitpunkt, oder vielmehr diese Zeitpunkte. Um den Zeitpunkt, als er seiner Frau ein Messer in die Brust rammte. Als er seine neugeborene Tochter erstickte. Als er seinem dreijährigen Sohn den Schädel einschlug. Als er immer wieder auf seine sechsjährige Tochter einstach, die sich hinter einem Stuhl vor ihm versteckt hatte. *Wusste er, was er tat? Wusste er nicht, dass es falsch war?* Das waren die Fragen, auf die man eine Antwort suchte – eine Antwort, auf die man sich im Allgemeinen nur schwer einigen konnte.

«Du darfst zwar fragen, aber ich darf dir nicht antworten. Farley hat jeden zum Schweigen verdonnert, weil die Presse kaum noch zu bändigen ist.» Sie schaute auf ihre Uhr. «Ich habe um zwei Uhr eine Besprechung in dem Fall, zusammen mit den ganzen hohen Tieren.»

«Wow ... Kriegsrat am Sonntag? Ich dachte, die Chefs würden alle Golf spielen.»

«Ich glaube, sie versuchen so, die Paparazzi loszuwerden. Niemand rechnet damit, dass die Verantwortlichen am Wochenende arbeiten, und schon gar nicht an einem Sonntag.»

Day lachte. «Sehr witzig.» Doch dann wurde sie plötzlich wieder ernst. «Hör mal, June, diese ‹Dinge›, dieser Prozess ... Bitte denk daran, es ist nur ein Fall. Lass dich dadurch nicht fertigmachen. Du musst das nicht alles allein durchstehen.»

Julia nickte und biss sich auf die Innenseite ihrer Wange.

Doch, Day, das muss ich. Und das ist das Schlimmste daran. Es gibt Dinge in meinem Leben, die ich einfach niemandem zumuten kann.

Day sah auf die Uhr an der Wand und sprang plötzlich auf. «Es ist erst zwölf. Wir haben noch eine ganze Menge Zeit. Nimm deine Tasche und mach vor allem diese schrecklichen Bücher zu», sagte sie und schlug dabei den Deckel von Julias *Federal Reporter* zu.

«Wieso? Wo gehen wir denn hin?»

«Du schuldest mir ein Mittagessen, meine Liebe, und bevor du dich mit all diesen furchtbar wichtigen Leuten zum Kriegsrat zusammenhockst, wirst du mich zum Essen einladen. Dabei werde ich dich auf den neuesten Stand bringen mit all dem wundervollen Tratsch, den du in den letzten Monaten verpasst hast», erwiderte Day und zog Julia an der Hand aus der Bibliothek. «Das meiste ist ohnehin über dich.»

KAPITEL 68

ER BEHAUPTET, die Stimmen hätten nach der Geburt des Babys angefangen», erklärte Dr. Barakat, nachdem die Anwesenden im Konferenzsaal Platz genommen hatten und jeder mit Kaffee versorgt worden war. Er setzte sich eine Lesebrille auf und breitete seine Unterlagen auf dem Konferenztisch aus, an dem Julia, John Latarrino, Steve Brill, der Polizeichef von Coral Gables, Elias Vasquez, Bob Biondilillo, der Polizeichef von Miami-Dade, und der Chef der Rechtsabteilung, Penny Levine, saßen. Charley Rifkin und Rick flankierten Jerry Tigler am Kopfende des Tisches, und die drei Ermittler der Staatsanwaltschaft lehnten an der rückwärtigen Wand.

«Die medizinischen Unterlagen belegen, dass Sophie Marquette etwa zwei Zentimeter über ihrem linken Auge einen Blutschwamm hatte. Dieser Schwamm – bei Medizinern als Erdbeerhämangiom bekannt – ist ein gutartiger Gefäßtumor, der aussieht wie die Beule einer Cartoonfigur, nachdem dieser mit einer Bratpfanne auf den Kopf geschlagen wurde. Typisch für diese Hämangiome ist, dass sie in den ersten Wochen nach der Geburt wachsen und ihre Farbe verändern. Dr. Marquette behauptet, es habe die Form eines Horns angenommen.»

«Eines Horns?», fragte der Generalstaatsanwalt mit skeptischem Stirnrunzeln.

«Das Horn des Teufels, Jerry», spöttelte Rick und hielt sich den Zeigefinger ausgestreckt an die Stirn. Die anderen kicherten.

«Zusätzlich behauptet er, seine Frau habe begonnen, sich

nach der Geburt Sophies merkwürdig zu verhalten», fuhr Dr. Barakat fort. «Sie besuchte sonntags nicht mehr wie gewohnt die Morgenmesse und nahm sogar Umwege in Kauf, um mit dem Auto nicht an der Kirche vorbeifahren zu müssen. Emma und Danny hatten zur Taufe beide eine Bibel geschenkt bekommen, doch Marquette konnte im ganzen Haus plötzlich keine einzige mehr finden. Genauso wenig wie Rosenkränze oder Kreuze oder auch nur ein getrocknetes Palmenblatt von Palmsonntag. Er sagt, alle religiösen Symbole seien auf mysteriöse Weise aus dem Haus verschwunden. Als Jennifer es schließlich rigoros ablehnte, Sophie taufen zu lassen, obwohl für die beiden ersten Kinder große Tauffeste ausgerichtet worden waren, machte sich Marquette ernsthaft Sorgen, dass etwas nicht stimmte.»

«Der Typ spinnt doch», warf Rifkin ein und kratzte sich am Kopf. «Wer zum Teufel achtet schon darauf, ob die Frau die Familienbibel und getrocknete Palmwedel aufbewahrt?»

«Wahnvorstellungen mit religiösen Themen lassen sich bei fast der Hälfte aller Menschen feststellen, die an Schizophrenie leiden», erklärte Dr. Barakat. «Die meisten Religionen verlangen, an Dinge zu glauben, die man weder sehen, hören, schmecken, riechen oder fühlen kann. Biblische Geschichten sprechen von Himmel und Hölle, von Verdammung und dem Teufel, von Gott, der sich Moses in Gestalt eines brennenden Dornbuschs zeigte. Im Namen der Religion wird es in der Gesellschaft akzeptiert, wenn Menschen an solche Dinge glauben, und für jemanden mit Wahnvorstellungen ist der Schritt nicht mehr weit, den eigenen Rhododendron anzuzünden, um mit Jesus in Kontakt zu treten.»

«Wir haben mit über zweihundert Leuten über diesen Typen gesprochen», sagte Lat. «Niemand hat angedeutet, dass Marquette ein Fanatiker sein könnte.»

«Wir sollten den Pfarrer der Kirche befragen, in die Marquette und seine Frau regelmäßig gegangen sind», erwiderte Rick. «Nur für den Fall, dass euch etwas entgangen ist.»

Lat war die Wahl der Pronomen durchaus aufgefallen, wie wahrscheinlich auch allen anderen Anwesenden. Doch anstatt Rick über den Tisch hinweg eine zu scheuern, entschied er sich dafür, die Bemerkung zu ignorieren. Vorerst. Es dauerte nur noch ein paar Wochen, bis dieser Fall und Rick Bellido hinter ihm lagen. Dann war es Zeit für einen langen Urlaub auf einem kleinen Boot irgendwo auf den Bahamas.

«Als Sophie einige Wochen alt war», fuhr Dr. Barakat fort, «hat Marquette begonnen, Stimmen zu hören, die bald darauf von visuellen Störungen begleitet wurden. Die Stimmen erklärten ihm, was mit seiner Familie geschehe und an welchen Anzeichen er erkennen könne, welche Veränderungen in ihren Seelen und ihren Körpern vor sich gingen. In ihnen hätten sich Dämonen eingenistet, die ihren Wirten langsam das Leben aussaugten, wodurch die Körper nur noch eine leere Hülle darstellten. Wir sollten demnach festhalten, dass Dr. Marquette seine Frau und seine Kinder nicht mehr als Menschen betrachtet hat.»

«Also hatte er nicht den Vorsatz, ‹Menschen› umzubringen, wie es das Gesetz formuliert. Sehr clever», bemerkte Penny.

Dr. Barakat lächelte. «Genau das habe ich mir auch gedacht.»

«Dieser Typ hat immer die richtige Antwort parat», sagte Rick kopfschüttelnd. «Er ist wirklich verdammt gerissen.»

«In den Schulunterlagen steht, er habe einen IQ von 149», sagte Barakat.

«Also ist er ein Genie», bemerkte Julia leise.

«Lass dich von so etwas nicht beeindrucken», warf Rick ein. «Das waren Ed Kemper und Leopold und Loeb auch. Du weißt doch, zwischen Genie und Wahnsinn liegt oftmals nur ein kleiner Schritt.»

«Die Stimmen sagten Marquette, wann er hinschauen musste, um seine Kinder in ihrer *wahren* Gestalt zu sehen. Und tatsächlich erkannte er das Aufblitzen eines teuflischen Lächelns bei seinem Sohn, Emmas rotglühende Augen, die mit dem nächsten Blinzeln wieder völlig normal schienen, und Fangzähne bei seiner Frau.»

«So eine Frau hatte ich auch mal», flötete Brill dazwischen. «Sie hat mir ebenfalls das Leben ausgesaugt.» Wieder lachten alle.

«Also ist nicht *er* besessen, sondern seine Frau und seine Kinder?», fragte Lat.

«Ganz genau.»

«Normalerweise hören wir es immer andersherum. Aber die Variante funktioniert vor Gericht nicht, und das weiß unser lieber Junge ganz genau», sagte Rick. «Hat er sich irgendjemandem anvertraut, Chris? Hat er irgendjemandem gesagt, welche Gedanken in ihm vorgingen?»

Barakat sah zu ihm herüber. «Es würde mich überraschen, wenn er das getan hätte. Mir gegenüber hat er gesagt, dass er mit niemandem sprechen konnte, weil ihm niemand geglaubt hätte. ‹Ich bin Arzt. Die Menschen hätten angenommen, ich sei vollkommen verrückt geworden.› So in etwa hat er sich ausgedrückt. Er berichtet, wie ihm seine eigenen Gedanken aus dem Küchenradio entgegenschallten – am Tag, in der Nacht, ununterbrochen. Er glaubt, dies sei eine Art Einschüchterungsstrategie gewesen, um ihn unterwürfig zu machen, um ihn zu quälen und um sicherzugehen, dass er niemandem erzählt, was bei ihm zu Hause vor sich geht.»

«Hat irgendjemand beobachtet, dass er sich merkwürdig verhalten hat? Dass er zum Beispiel Selbstgespräche geführt hat?», fragte Rifkin.

«Es gibt da diesen Vorfall mit Doris Hobbs, der Krankenschwester, die gefeuert wurde», antwortete Brill achselzuckend.

«Aber das war nichts weiter als der Aufstand einer lästigen Untergebenen gegen einen Halbgott in Weiß. Sie hat eine freche Antwort gegeben, und er wollte sich das nicht bieten lassen.»

«Sie steht auf der Zeugenliste von Levenson», sagte Penny. «Er benutzt sie garantiert, um sein Argument zu stützen, dass Marquette langsam den Verstand verloren hat.»

«Das ist totaler Schwachsinn», erwiderte Brill aufgebracht. «Ihr glaubt doch nicht ernsthaft, dass dieser Mist funktioniert?»

«Ich habe bisher noch keine Geschworenen getroffen, bei denen ich sicher war, dass sie das Richtige tun. Wenn du Hobbs ins Kreuzverhör nimmst, dann stell sie als inkompetent hin», fügte Rifkin mit einem Nicken in Ricks Richtung hinzu.

«Wie erklärt Marquette sich denn, dass er als Einziger seiner Familie nicht besessen ist?», fragte Julia.

«Er glaubt, er sei verschont geblieben, um die Seelen seiner Familie zu retten. Wenn er die Dämonen nicht aufgehalten hätte, wären die Seelen seiner Familie für alle Ewigkeit verdammt gewesen, und die ‹Präsenz›, wie er die Dämonen nennt, würde weiterziehen, um sich an anderen Körpern zu weiden.»

«Also hat er sie kurzerhand umgebracht», sagte Rick.

Barakat schüttelte den Kopf. «Jetzt kommt der interessante Teil. Er gibt nicht direkt zu, seine Familie ermordet zu haben. Er behauptet nämlich, dass er sich an alles, was in der Nacht der Morde passiert ist, nicht mehr erinnern könne.»

«Warum?», fragte Lat. «Warum sollte er behaupten, dass er sich nicht mehr erinnern kann, wenn er bereits auf Unzurechnungsfähigkeit plädiert hat?»

«Dafür gibt es zwei Möglichkeiten», erwiderte Barakat. «Drei, um genau zu sein. Erstens: Er ist wirklich schizophren und verdrängt, was er getan hat.»

«Oder?»

«Oder er ist ein kaltblütiger Killer und spielt ein Spiel mit uns. Ihm wurde Schach geboten, aber er ist noch nicht schachmatt, und er hofft auf einen Ausweg. Sobald er jedoch gewisse Einzelheiten zugibt, ist das Spiel aus. Ted Bundy zum Beispiel hat dieses Katz-und-Maus-Spiel jahrelang mit den Ermittlern gespielt und diese mit Versprechen von Geständnissen geködert, die er niemals abgelegt hat.»

«Offensichtlich stimmst du für Variante Nummer zwei», sagte Rick.

«Ganz genau. Ich habe ja bereits gesagt, dass ich ihn weder für schizophren noch für unzurechnungsfähig halte», erwiderte Dr. Barakat und verstaute seinen Bericht wieder in seiner Aktenmappe. «Ich habe von Anfang gesagt, dass er bloß verdammt gut simuliert. Hattest du nicht Pat Hindlin als Zweitgutachter? Was meint er denn dazu?»

«Dass Marquette ein Psychopath ist. Es steht also zwei zu null. Levensons Gutachter sind Koletis und eine Frau aus Kalifornien, Margaret Hayes.»

«Hayes? Nie gehört», sagte Barakat.

«Keiner kennt sie. Dafür wissen alle, dass Levenson, Grossbach & Partner in der Lage sind, jede Meinung zu kaufen, die sie hören wollen.»

«Und die dritte Möglichkeit?», fragte Julia, da Dr. Barakat bereits Anstalten machte, aufzustehen.

«Die dritte?»

«Sie sagten, es gäbe drei mögliche Gründe für Marquette, warum er keine Einzelheiten des Tathergangs erzählt.»

«Na ja, die dritte Möglichkeit ist wohl eindeutig, oder?», entgegnete Barakat mit einem nüchternen Lächeln. «Er war es nicht.»

Im Raum wurde es still.

«Wie bitte?», fragte Lat schließlich.

«Ich habe nicht behauptet, dass ich dieser Meinung bin. Ich sage nur, dass der Mann entweder schizophren ist oder gerissen und intelligent genug, um es vorzutäuschen. Trifft das Letztere zu, ist er ein Soziopath. Trifft das Erstere zu, dann ist er ein sehr, sehr kranker Mann. Geistig gestörte Menschen legen bei Verbrechen oft falsche Geständnisse ab. Statistisch gesehen stehen Schizophrene ganz oben auf der Liste.»

«Diesen Punkt sollten wir im Auge behalten, Rick, falls Levenson ihn benutzt», sagte Rifkin. «Um Marquette rauszuhauen, hat er nur zwei Möglichkeiten: Entweder, die Geschworenen haben Mitleid mit unserem armen Jungen und glauben, dass er es nicht getan hat. Oder sie glauben, dass er es getan hat, dass er aber krank war und nicht wusste, was er tat.»

«Verteidiger sind solche Arschlöcher», warf Brill ein und schüttelte verblüfft den Kopf. «Dieses Mal ist es also keine Cartoonfigur, die dem Mörder den Verstand geraubt hat, sondern der Teufel. Und das reicht tatsächlich aus, um 'nen Freispruch zu erwirken?»

Wieder herrschte Schweigen im Raum.

«Der Teufel», spöttelte Rick schließlich, warf seinen Bleistift auf den Tisch und stand auf. «Ich frage mich langsam, ob wir ihn auf die Zeugenliste setzen sollten.»

KAPITEL 69

SIE HABEN es aber eilig», sagte Lat. Die Besprechung war gerade erst zu Ende, und Julia hatte bereits ihre Sachen zusammengesucht und ihre Autoschlüssel in der Hand. Die anderen standen noch in kleinen Grüppchen zusammen und unterhielten sich. Sie wollte so schnell wie möglich verschwinden, aber sie wollte nicht die Erste sein, die geht.

«Ich muss meinen Hund aus der Hundebetreuung abholen, bevor sie um sechs Uhr schließt», erwiderte sie.

Lat lachte. «Hundebetreuung? Sie sind doch hoffentlich nicht so eine Neurotikerin, die ihren Hund keine Minute allein lässt?»

Julia lächelte. «Sehe ich etwa aus, als hätte ich ein Schoßhündchen zu Hause?»

«Nein. Ich würde Ihnen eher einen Akita zutrauen.»

«Er ist ein Beagle-Mix und heißt Moose.»

«Noch besser. Als Kind hatte ich auch einen Beagle, der immer stundenlang den Mond angeheult hat. Und warum muss der arme Moose in die Betreuung?»

«Ich bin erst heute Morgen aus New York zurückgekommen und hatte noch keine Zeit, nach Hause zu fahren. Deswegen auch die Eile.»

«New York?»

«Familie», erwiderte sie lediglich.

«Und dann sind Sie direkt hierhergefahren?» Lat stieß einen beeindruckten Pfiff aus. «Kein Wunder, dass Sie Bellidos Liebling sind. Was machen Moose und Sie heute Abend?»

Julia spürte, dass sie rot wurde. Doch bevor sie antworten konnte, trat Rick zu ihnen. «Hi», sagte er lächelnd und legte eine Hand an ihren Rücken. «Ein verrückter Tag, findest du nicht auch? Wir gehen noch zu Christy's und essen einen Happen. Willst du mitkommen?»

«Wir» waren höchstwahrscheinlich Charley Rifkin und der Polizeichef von Miami-Dade, die beide zu ihnen herübersahen. Obgleich die Tischgesellschaft bereits ausreichte, um das heimische Erdnussbutter-Sandwich dem Steak vorzuziehen, gab es noch einen anderen Grund, warum sie auf keinen Fall mitgehen wollte – sie brauchte dringend eine Pause von David Marquette. «Danke, aber ich möchte lieber nach Hause», erwiderte sie.

Sie versprach Rick, ihn später anzurufen, nahm ihre Tasche und machte sich eilig auf den Weg zum Auto. Obwohl die Sonne bereits sehr tief stand, war das Wetter immer noch traumhaft. Kaum Luftfeuchtigkeit, fünfundzwanzig Grad, ein leichter Wind – diese Jahreszeit war die schönste im Süden Floridas. Während Julia auf den Parkplatz der Hundebetreuung einbog, kam ihr eine brillante Idee. Es wäre eine Schande, nur eine weitere Minute dieses wunderschönen Tages zu verpassen – wenn sie die Zeit mit ihrem Bruder eins gelehrt hatte, dann das. Statt also mit Moose direkt nach Hause zu fahren, schlug sie den Weg zur Strandpromenade von Hollywood ein.

Die Promenade war überfüllt mit Joggern, Rollerbladern, Skateboardern, Kinderwagen und sonnenverbrannten Touristen. Die Einheimischen mussten am nächsten Tag wieder zur Arbeit und bewegten sich daher routiniert und zielstrebig, um noch vor Sonnenuntergang all ihre Vorhaben in die Tat umsetzen zu können. Für die Touristen war dieser späte Sonntagnachmittag bedeutend entspannter. Sie bummelten von Geschäft zu Geschäft und Restaurant zu Restaurant und blieben zwischendurch stehen, um ein Foto zu schießen oder die Aussicht zu genießen. Ein Stück die Promenade hinunter, hinter den vielen Restaurants und Hot-Dog-Verkäufern, spielte eine Reggaeband, während die Sonnenanbeter um sie herum scharenweise ihre Decken und Sonnenschirme zusammenpackten, um noch rechtzeitig zur Happy Hour bei O'Malley's zu sein.

Das bunte Treiben war genau das Richtige, um abzuschalten und all die Namen, Gesichter und Fakten wenigstens für kurze Zeit zu vergessen. Julia setzte sich auf eine leere Bank vor dem Hollywood Beach Resort, einem riesigen Hotel aus den 1920er Jahren, das seine besten Zeiten bereits hinter sich hatte. Julia liebte diesen Ort. Man merkte ihm an, dass er einmal etwas ganz Besonderes gewesen war. Wenn man die Promenade entlangschlenderte, war es, als könne man die Geister von Al Capone, Rita Hayworth oder Jimmy Cagey sehen, die am Strand spazieren gingen. Nichts hatte sich verändert. Noch nicht. Doch Hollywood war – genau wie Miami Beach zwanzig Jahre zuvor – gerade dabei, sich selbst neu zu erfinden, und Bulldozer und Architekten gaben sich auf dem Ocean Drive und der Johnson Street die Klinke in die Hand. Doch bis die geschichtsträchtigen Gebäude und Plätze neuen, glitzernden Fassaden Platz machen mussten, blieb die Strandpromenade Julias Lieblingsplatz, an dem sie joggen oder zumindest ausgiebig spazieren gehen konnte, um den Kopf frei zu bekommen. In der anonymen Menge und neben den brechenden Wellen des Meeres fühlte sie sich genauso klein und unbedeutend wie die unzähligen Sandkörnchen am Strand.

Obwohl das Auto nur drei Blocks entfernt stand, hechelte Moose bereits nach diesem kurzen Spaziergang. In den letzten Wochen hatte er nicht viel Auslauf bekommen und einige Pfunde zugelegt. Auch die langen Spaziergänge mit Onkel Jimmy, die dieser meist als Vorwand benutzte, um nach hübschen Frauen in Bikini Ausschau zu halten, waren schon länger her.

Seit Weihnachten hatte Julia mit ihrer Tante und ihrem Onkel nicht mal mehr telefoniert. Sie schloss die Augen. Sie war heute Nachmittag hierhergekommen, um nicht nachzudenken. Aber die Geister verfolgten einen überallhin.

«Manchmal musst du Entscheidungen treffen, die den Leuten nicht gefallen, Bella», hatte Onkel Jimmy sie einst gewarnt, als sie auf der Highschool für den Posten des Schülersprechers angetreten war. *«Manchmal hassen dich die Leute für bestimmte Entscheidungen, die du triffst. Sie machen es zu etwas Persönlichem, und das ist unfair. Auf solche Leute kannst du in deinem Leben verzichten. Denk immer daran.»*

Seine fast prophetischen Worte spukten ihr nun im Kopf herum. Julia wollte sich nicht zwischen ihrem Onkel und ihrer Tante und Andy entscheiden müssen, doch offenbar hatte sie das bereits getan. Sie wollte diese Entscheidung nicht zu etwas Persönlichem machen, aber anders ging es einfach nicht. Kaum zu glauben, dass sie sich bereits seit so langer Zeit weder gesehen noch gesprochen hatten; früher hatte sie mit Tante Nora beinahe jeden Tag telefoniert. Doch während die Tage und Wochen verstrichen, wurde die Mauer zwischen ihnen immer höher, und Julia fragte sich, ob sie sie jemals würde überwinden können.

Die Sonne strahlte golden hinter bauschigen Wolken hervor und tauchte die Umgebung in ein eigenartiges, beinahe unirdisches Licht – wie in einem Gemälde aus der Renaissance. Selbst für das in dieser Hinsicht verwöhnte Florida hatte dieser Sonnenuntergang etwas Magisches. Die Luft war erfüllt von Leben, von Menschen und Musik. Welch ein Unterschied zum vergangenen Tag, an dem sie mit Andy aus dreckigen, vergitterten Fenstern beobachtet hatte, wie die fahle Wintersonne hinter der Skyline Manhattans versank. Julia fragte sich, ob sich ihr Bruder überhaupt an einen anderen Sonnenuntergang erinnern konnte. Vielleicht, dachte sie, würde sie ihm eines Tages den Sonnenuntergang in Florida zeigen können.

Moose begann plötzlich wie wild zu bellen. «Ich dachte mir doch, dass ich dich hier finde», sagte eine vertraute Stimme hinter ihr. Julia fuhr herum und sah Onkel Jimmy, der den überglücklichen und an ihm hochspringenden Moose begrüßte.

«Onkel Jimmy ...»

«Und was ist mit dir?», fragte er und breitete die Arme aus. «Umarmst du deinen Onkel etwa nicht mehr?»

Julia stand wortlos auf und drückte ihn fest.

«Schon viel besser», sagte er mit rauer Stimme und tätschelte ihren Rücken, als sei sie ein kleines Kind. «Ich habe deine Umarmungen vermisst. Wo hast du dich versteckt, Bella? Ich bin samstags öfter an deiner Wohnung vorbeigegangen, aber du warst nicht zu Hause. Heute wieder – niemand da. Deine Tante kommt fast um vor Sorge. Außerdem hat sie sonst niemanden, für den sie kochen kann», schloss er lächelnd.

Julia erwiderte sein Lächeln, schwieg aber weiter.

«Deswegen mästet sie *mich* jetzt. Und dann beschwert sie sich, ich sei zu fett.» Onkel Jimmy strich über seinen stattlichen Bauch, der unter einem limonengrünen Guayabera-Hemd und schwarzen Shorts versteckt war. «Manchmal kann man es ihr einfach nicht recht machen. Man muss sie einfach so lieben, wie sie ist. Sie wird sich nicht mehr ändern.»

«Ich war in New York», sagte Julia leise.

Es entstand eine kurze Pause. «Ach ja? Und warum?»

«Ich wollte Andy wiedersehen. Deswegen war ich an den Wochenenden nicht zu Hause.»

Jimmy blinzelte nicht einmal. «Warum tust du das?»

«Er hat niemanden außer mir, Onkel Jimmy.»

Er lachte gequält auf. «Da ist er selbst schuld, Kleines. Du kannst nicht einfach alle Kinder vom Spielplatz verjagen und dich dann beschweren, dass du niemanden zum Spielen hast.»

«Er beschwert sich doch gar nicht …» Julia schüttelte den Kopf. «Es tut ihm leid, Onkel Jimmy. Wenn er die Dinge ungeschehen machen könnte, würde er es sofort tun. Er war krank.»

«Und? Geht es ihm jetzt besser?»

«Ja. Viel besser. Er nimmt Medikamente. Er hat keine Halluzinationen mehr. Und die Stimmen werden auch leiser …» Es gab so viel zu erklären, aber Julia wusste, dass es Jimmy überhaupt nicht interessierte. Außerdem würde es nichts an der Situation ändern. «Er wird bald in eine andere Anstalt verlegt. Wir warten nur noch auf ein freies Bett.»

«Wir warten auf ein Bett …», wiederholte er stirnrunzelnd. «Bedeutet das, dass dein Bruder irgendwann rauskommt?»

«Irgendwann», erwiderte Julia mit einem unbehaglichen Schulterzucken. «Wann das sein wird, kann man aber jetzt noch nicht sagen.»

Jimmy schwieg eine ganze Weile lang. Dann drückte er sanft ihren Arm. «Wir vermissen dich, Kleines. Wir haben dich so lange nicht mehr gesehen. Und ich vermisse auch meinen kleinen Freund hier.» Er beugte sich hinab und kraulte Moose am Bauch, der inzwischen auf dem Rücken lag und alle viere von sich gestreckt hatte. «Ja, so ist es fein. Du bist ein guter Junge», sagte Onkel Jimmy schmeichelnd. «Was machst du mit ihm, wenn du in New York bist?»

«Ich bringe ihn in eine Hundebetreuung.»

«Eine Hundebetreuung», wiederholte Jimmy nachdenklich. «Das ist kein guter Ort für einen Hund. Er gehört nach Hause, wo er nicht von lauter Fremden umgeben ist.»

«Onkel Jimmy …»

«Wirklich, Liebes, das ist nicht der richtige Ort für ihn.» Er richtete sich wieder auf und sah Julia ernst an. «Dort wird er mit anderen Hunden zusammen in einen Käfig gepfercht. Einige von denen mögen ja ganz süß aussehen, aber in Wahrheit haben sie irgendwelche Krankheiten oder sind bösartig, aber das findest du natürlich erst heraus, nachdem er deinem Hund die Kehle rausgerissen hat», sagte er mit mahnend erhobenem Zeigefinger. «Und dann ist es zu spät. So was kannst du Moose doch nicht zumuten.»

Tränen stiegen in Julia auf, und sie wandte den Blick ab. «Du hast recht, Onkel Jimmy.»

«Ich wünsch dir viel Glück mit deiner Verhandlung. Wir sehen dich ja dann im Fernsehen. Und ruf deine Tante an», rief er ihr über die Schulter zu, während er bereits weiter die Promenade entlangging.

«Sie wird nicht abnehmen.»

«Ich kümmer mich drum», erwiderte er, ohne sich noch einmal umzudrehen.

Julia sah ihm nach, wie er an den Hot-Dog-Ständen und den sonnenverbrannten Touristen vorbeitrottete. Dann verschwand er im Hollywood Beach Resort, und die Türen schlossen sich genau in dem Moment hinter ihm, als die Sonne hinter dem Horizont versank und die Nacht offiziell begann.

KAPITEL 70

U ND WENN er wirklich verrückt ist?», flüsterte Julia in die Dunkelheit hinein. Rick lag neben ihr, den Körper eng an ihren geschmiegt. An seinen schnaufenden Atemzügen hörte sie, dass er kurz davor war, einzuschlafen. Ein stürmischer Wind fuhr durch die Palmen auf der Terrasse, die wild tanzende Schatten an die Decke des Schlafzimmers warfen.

Sie hatte es gesagt. Eine Nacht bevor sie im wichtigsten Fall ihrer Karriere die Geschworenen aussuchte, hatte sie endlich ausgesprochen, was ihr nicht mehr aus dem Kopf ging, seit David Marquette Monate zuvor auf Unzurechnungsfähigkeit plädiert hatte. Und ganz besonders, seitdem Andy wieder in ihr Leben getreten war. Ihr Bruder war kein Monster, sondern kämpfte mit Dämonen, die nicht einfach durch Medikation oder Gruppentherapie verschwanden. Sie hatte aus erster Hand miterlebt, welche Auswirkung und wie viele verschiedene Formen diese heimtückische Krankheit haben konnte.

Der gleiche Körper, aber zwei vollkommen unterschiedliche Menschen. Die gleiche Handlung, aber zwei vollkommen unterschiedliche Geschichten.

Vier verschiedene forensische Psychiater hatten zwei unterschiedliche, miteinander nicht vereinbare Diagnosen für ein und denselben Mann gestellt. Jetzt würde es bald an zwölf Geschworenen liegen – von denen sicherlich niemand einen Abschluss in Medizin, Psychologie oder sozialer Arbeit besaß –, das Urteil zu fällen: War Dr. David Marquette ein brillantes

Monster oder ein paranoider Schizophrener? Ein brutaler Mörder oder ein selbstloser Retter?

Dr. Jekyll oder Mr. Hyde?

Diese zwölf Menschen würden nach Hilfe suchen, um die richtige Entscheidung zu fällen. Vor allem würden sie von der Staatsanwaltschaft einen Beweis dafür verlangen, dass David Marquette der kalte und berechnende Mörder ist, ein Mensch, der nicht in die Klinik gehörte, sondern in die Todeszelle.

Julia Valenciano für die Bürger des Staates Florida ...

Selbst wenn ihr Verhandlungspartner die widersprechenden Meinungen anderer Psychiater in Misskredit brachte, würden die Geschworenen weiterhin auf sie schauen. Sie würden sich auf *ihr* Wort verlassen, *ihre* Argumente, *ihre* Kreuzverhöre, *ihre* Führung. Und genau das war das Problem, das Julia um den Schlaf brachte. Doch in diesem Spiel konnte man nur für *eine* Mannschaft spielen, und sie hatte sich schon vor langer Zeit entschieden.

Und wenn ihre Mannschaft falschlag?

«Du machst Witze, oder?», sagte Rick nach einer langen Pause, rückte ein Stück von ihr ab und legte sich auf den Rücken.

«Was ist, wenn wir uns irren? Wenn er wirklich krank ist?», fragte Julia. «Hast du dich das noch nie gefragt?»

«Ehrlich gesagt, nein. Ich bitte dich, Julia, du hast die Aussagen gehört und die Gutachten gelesen. Was gibt es denn da noch zu bezweifeln? Du müsstest inzwischen wissen, dass man sich für genügend Geld einen Experten kaufen kann, der einem immer schön nach dem Mund redet, und genau das hat die Verteidigung getan. Hör zu, Süße, ich habe in den letzten zwanzig Jahren einige Erfahrungen mit kranken Straftätern gesammelt. Und das waren meistens einfach nur abgrundtief schlechte Menschen, die so taten, als seien sie krank.»

«Du bist also der Meinung, dass die meisten Leute die Krankheit bloß vortäuschen?»

Rick lachte. «Wenn es um einen Strafprozess geht? Ja, der Meinung bin ich allerdings. Würdest du es nicht auch versuchen? Überleg bloß, was der Mann zu verlieren hat.»

«Glaubst du denn, dass es überhaupt Menschen gibt, die tatsächlich geisteskrank sind?» Ihr Magen drehte sich. *Stell niemals eine Frage, deren Antwort du nicht hören willst.*

«Meine Güte», sagte Rick und gähnte. «Ich dachte immer, Frauen wollen nach dem Sex kuscheln. Und du nimmst mich stattdessen ins Kreuzverhör.»

Julia schwieg.

«Na gut, ich beiße an.» Er setzte sich auf und lehnte sich gegen das Kopfteil. «Ja, ich glaube, dass viele Menschen ernstzunehmende psychische Probleme haben, Schizophrenie, manische Depressionen oder auch postnatale Depressionen. Ich glaube auch, dass eine Menge dieser Menschen von unserer Gesellschaft alleingelassen wird. Das ist eine traurige Tatsache.»

Als Julia nichts erwiderte, fuhr er fort: «Mir tun diese Menschen leid. Aber ich glaube nicht an den ganzen ‹Der Teufel hat es mir befohlen›-Mist. Ich bin der Ansicht, dass selbst Geisteskranke ihr Verhalten kontrollieren können. Auch wenn man in seinem Kopf Stimmen hört, weiß man doch, dass es Unrecht und ein Verbrechen ist, seine fünf Kinder in der Badewanne zu ersäufen, ganz egal, wer einem den Auftrag dazu erteilt.» Damit spielte Rick auf Andrea Yates an, eine Texanerin, die im Sommer 2001 ihre fünf Kinder eines nach dem anderen in der Badewanne ertränkt hatte, nachdem ihr Mann zur Arbeit gegangen war. «Und bevor du jetzt denkst, dass ich wie Tom Cruise und seine Kumpel von Scientology der Meinung bin ‹Psychiatrie ist Schwindel, und es existiert kein chemisches Ungleichgewicht›, lass mich noch eines sagen: Ich empfinde

Mitleid für Menschen, die geistig krank sind. Aber die meisten Mörder wissen ganz genau, was sie tun. Auch wenn uns das Verbrechen unfassbar brutal und abscheulich erscheint, heißt das noch lange nicht, dass die Person, die es verübt hat, geisteskrank und unzurechnungsfähig ist. Natürlich denkt man manchmal ‹Mein Gott, es muss doch einen *Grund* dafür geben, dass jemand so etwas tut. Er *muss* einfach verrückt sein, sonst hätte er niemals einen solchen Mord begangen, sein Opfer bei lebendigem Leibe verbrannt oder derart schrecklich gefoltert oder seine Kinder in einen Käfig gesperrt und verhungern lassen.› Aber die Wahrheit ist, dass der BTK-Killer genau wusste, was er tat, als er in die Häuser der Frauen einbrach, sie fesselte, sie stundenlang folterte und dann umbrachte. Sieh dir das Dateline-Interview mit ihm an, wenn du mir nicht glaubst. Dasselbe gilt für Cupido, der die Frauen betäubt, vergewaltigt und abgeschlachtet hat, für ‹Son of Sam›, der sich mitten in der Nacht auf den Straßen von New York irgendwelche jungen Leute aussuchte und sie dann niederschoss, und die Brüder Menendez, die ihre Eltern mit der Schrotflinte beseitigten, um früher an ihr Erbe zu kommen. Es gibt unendlich viele Verbrechen, die über unseren Verstand hinausgehen – du brauchst nur die Zeitung aufzuschlagen, Julia. Die Verbrecher sind nicht krank. Sie sind böse. Ein Psychiater mag ihnen allen eine Diagnose stellen können – der eine hat vielleicht eine dissoziale Persönlichkeit, der nächste eine gespaltene, der übernächste ist schizophren –, aber was sie getan haben, ist trotzdem nicht zu entschuldigen.»

«Nicht zu entschuldigen», wiederholte Julia leise.

Rick seufzte erneut. «Du hast Angst vor morgen, das ist ganz normal. Die letzten Monate haben uns beide ziemlich ausgelaugt, um es mal vorsichtig auszudrücken. Zudem war das Medieninteresse riesig, was die Sache nicht unbedingt vereinfacht hat. Jeden Abend laufen Dutzende Berichterstattungen im Fernsehen, durch die du deine Entscheidungen im Nachhinein anzweifelst. Es ist dein erster Mordprozess, und dann auch noch einer, bei dem auf Unzurechnungsfähigkeit plädiert und die Todesstrafe beantragt wurde. Wenn ich das von Anfang an gewusst hätte, hätte ich dir den Job als zweite Anwältin nicht zugemutet, aber jetzt gibt es kein Zurück mehr.» Er hielt für einen Moment inne. «Es sei denn, du willst aussteigen.»

«Nein.» Julia starrte hinauf zu den tanzenden Schatten an der Decke.

«Das will ich auch nicht hoffen. Dafür wäre es jetzt ein bisschen spät.» Rick knuffte sein Kopfkissen zurecht und legte sich wieder hin. Seine Hand tastete nach ihrer Schulter und streichelte sie sanft. «Betrachte es doch mal so: Nur weil ein Mensch Stimmen hört, die ihm befehlen, schreckliche Dinge zu tun, hat er noch lange nicht das Recht, seine Familie abzuschlachten.» Er gähnte erneut. «Wenn ich dir befehlen würde, heute Nacht deine Mutter umzubringen, würdest du es dann tun? Natürlich nicht. Du hast immer noch die Wahl, ob du diesen Befehl ausführst oder nicht. Die Entscheidung liegt bei dir, Süße. Und genau deswegen sind diese Menschen keine Verrückten, sondern Mörder.»

Julia biss sich auf die Lippen. Eine halbe Ewigkeit lang starrte sie an die Decke und wartete, bis Ricks tiefe, regelmäßige Atemzüge verrieten, dass er eingeschlafen war. Dann stand sie auf und ging in sein Badezimmer. Als sie die Tür hinter sich geschlossen hatte und sicher war, dass er sie nicht hören konnte, begann sie zu weinen.

KAPITEL 71

JOHN LATARRINO war daran gewöhnt, dass ihn das Telefon mitten in der Nacht aus dem Schlaf riss. Manchmal bildete er sich ein, dass er es schon hörte, noch bevor es zum ersten Mal klingelte. Er beugte sich über Lilly, seine schnarchende, vierzig Kilo schwere Golden-Retriever-Hündin, die sich wieder einmal in sein Bett geschlichen hatte, und nahm das Handy aus der Ladestation. Eine unbekannte Nummer. Er sah auf die Uhr. Es war drei Uhr früh. Vielleicht einer seiner Informanten.

«Hallo?», fragte er ein wenig heiser.

«Lat?»

Er wusste sofort, wer es war, und setzte sich ruckartig auf. «Julia?»

«Es tut mir leid, wenn ich Sie geweckt habe –»

Ihre Stimme klang leise und unsicher. Eine merkwürdige Panik stieg in ihm auf und legte sich wie ein eiserner Ring um seine Brust. Irgendetwas stimmte nicht, das spürte er. «Das macht doch nichts, ich hatte nur die Nummer nicht gleich erkannt.»

«Ich bin in einer Telefonzelle.»

«In einer Telefonzelle? Ich wusste gar nicht, dass es die Dinger überhaupt noch gibt.» Lat stand auf und trat an das Fenster. Im Licht der Straßenlaterne erkannte er peitschende Palmenblätter und einige Mülltonnen seiner Nachbarn, die auf die Straße gerollt waren. Es stürmte ganz ordentlich in dieser Nacht, und aus den Pfützen auf der Straße schloss er, dass es auch geregnet hatte. «Was ist los? Geht es Ihnen gut?»

Sie zögerte kurz. «Ja, mir geht es gut, aber ich muss Sie nochmal um einen Gefallen bitten, Lat. Ich – ich wollte eine Runde laufen und habe die Orientierung verloren.»

«Sie waren joggen? Mitten in der Nacht?»

«Ja ja. Ich bin jetzt in North Beach an einer Tankstelle, aber es ist eine etwas unheimliche Gegend hier», sagte sie etwas außer Atem. «Ich – ich hatte gehofft, dass Sie mich vielleicht zu meinem Auto zurückfahren könnten.»

KAPITEL 72

JULIA STAND mit geschlossenen Augen unter der
Dusche und genoss das heiße Wasser, das auf sie nieder-
prasselte. Im Radio machten die beiden Moderatoren gerade Witze über den Marquette-Prozess und über die ganzen
«Verrückten», die vor dem Gerichtsgebäude gecampt hatten,
in der Hoffnung, am ersten Verhandlungstag einen Platz im
Gerichtssaal zu ergattern. Während die Produzenten der Ra-
dioshow versuchten, O. J. Simpson ans Telefon zu bekommen,
forderten die Moderatoren die Zuhörer auf, anzurufen und *Je
ne regrette rien* zu singen. Dem besten «Franzosen» winkte ein
Preis. Julia überlegte, ob sie den Sender wechseln sollte, doch
das würde die Sache wahrscheinlich nicht besser machen. Im
Fernseher im Wohnzimmer war David Marquette das Topthe-
ma der Morgennachrichten, und auch in der Zeitung, die vor
ihrer Wohnungstür lag, würde der Todesarzt mit ziemlicher
Sicherheit die Titelseite bestimmen. In den nächsten Wochen
gab es kein Entkommen vor dem Wahnsinn, der Miami im
Vorfeld eines bekannten Mordprozesses befallen hatte.

Julia war schrecklich erschöpft. Lat hatte sie eingesammelt
und zu ihrem Auto in einer Seitenstraße von Ricks Apartment
gebracht – ohne zu fragen, was sie um drei Uhr morgens in
diesem heruntergekommenen Viertel von Miami Beach zu
suchen gehabt hatte oder warum sie im Regen und mit viel
zu großem T-Shirt joggen gegangen war, nur mit ihrem Autoschlüssel und fünf Dollar in der Tasche. Vielleicht war er
bloß zu höflich, um etwas zu sagen. Vielleicht konnte er sich

denken, mit wem sie nach der Arbeit nach Hause gefahren war. Vielleicht nahm er aber auch ganz richtig an, dass sie nicht reden wollte. Sie hatte sich geschämt, ihn um diese Zeit anzurufen, doch nachdem klar geworden war, wie weit sie inzwischen von Ricks Wohnung entfernt sein musste, hatte sie Angst bekommen. Und abgesehen von Lat war ihr niemand eingefallen, an den sie sich hätte wenden können.

Sie wollte nicht zurück zu Rick und so tun, als sei alles in Ordnung. Eine solch gute Schauspielerin war sie nicht. Deswegen war sie nach Hause gefahren und noch einmal ins Bett gegangen. Doch sie hatte kaum mehr als zwanzig Minuten geschlafen. Es gab zu viele Dinge, über die sie nachdenken musste. In wenigen Stunden würde sie zum ersten Mal die Geschworenen in einem Mordprozess auswählen. Obwohl Rick den potenziellen Geschworenen die Fragen stellte, war sie ebenfalls dafür verantwortlich, dass sie aus Hunderten von Menschen die richtigen zwölf herauspickten – die zwölf, die sich nicht von dem internationalen Presserummel, den allgegenwärtigen Protesten gegen die Todesstrafe und den Organisationen für geistig Kranke beeinflussen ließen und am Ende die richtige Entscheidung trafen.

Außerdem wusste sie nicht, wie sie Rick an diesem Morgen gegenübertreten sollte. War er bereits wach? Hatte er schon gemerkt, dass sie nicht mehr an seiner Seite lag? Würde ihn das überhaupt interessieren? Schon die Tatsache, dass sie sich die letzte Frage überhaupt stellte, führte ihr vor Augen, dass es dringend an der Zeit war, sich über ihre ‹Beziehung› klar zu werden. Irgendetwas war zwischen sie getreten. Aber jetzt war kaum der richtige Moment, um darüber nachzudenken. Oder es anzusprechen.

Das Wasser wurde langsam kalt und riss sie aus ihrer Starre. Sie wusch sich schnell das Shampoo aus den Haaren, schlüpfte dann in ihren Frottébademantel und ging in die Küche, dicht gefolgt von Moose. Vor dem Duschen hatte sie Kaffee aufgesetzt, und der Duft erfüllte nun das ganze Apartment. Sie schenkte sich eine Tasse ein und zündete sich die erste Zigarette des Tages an – in letzter Zeit ihr bevorzugtes Frühstück. Es war schon erstaunlich, wie schnell man schlechten Gewohnheiten zum Opfer fiel.

Sie öffnete das Küchenfenster und blickte auf den verlassenen Pool des Gebäudekomplexes. Leere Bierdosen und einige Likörflaschen quollen aus einem Mülleimer, auf einem Liegestuhl stapelten sich Pizzaschachteln. Jemand musste in der vergangenen Nacht eine ordentliche Party gefeiert haben ...

Während sie einen Ring aus Zigarettenqualm aus dem Fenster blies, fragte sie sich, ob es wohl Zufall war, dass ihr Bruder die gleiche Zigarettenmarke bevorzugte wie sie. Er trank auch seinen Kaffee genauso wie sie, mit zwei Löffeln Zucker und Sahne – Tee wiederum tranken sie beide ohne Zucker. Und auch beim Essen waren sie sich ähnlich – sie hassten beide Tomaten und liebten dafür Peperoni-Pizza mit schwarzen Oliven, Juicy-Fruit-Kaugummi und Schokoriegel von «3 Musketeers». Es waren seltsame, aber harmlose Eigenheiten, die sie beide gemeinsam hatten und die sie auf unsichtbare Art miteinander verbanden. Mit ein wenig Unbehagen fragte sie sich manchmal, wie viele dieser Gemeinsamkeiten es noch gab ...

In wenigen Wochen würde Andrew endlich nach Rockland verlegt werden, was sowohl aufregend als auch zermürbend war. Obwohl es sich auch bei Rockland um eine geschlossene Anstalt handelte, war die Sicherheitsstufe ein wenig niedriger und die Regeln lockerer. Vielleicht durfte Andy in ihrer Begleitung sogar irgendwann einmal das Gelände verlassen oder gar für ein ganzes Wochenende mit ihr nach Hause kommen. Das Ziel war, dass er eines Tages wieder vollständig in die Gesellschaft integriert werden konnte. Nach vierzehn Jahren hinter Stacheldraht und Gitterfenstern würde dies ein überwältigender, berauschender und zugleich sicher auch beängstigender Moment für ihn sein. Es waren Jahre gewesen, in denen er nicht länger als bis zehn hatte aufbleiben oder bis sieben schlafen dürfen und in denen er nachts alle halbe Stunde kontrolliert worden war. In denen er sich weder die Art noch den Zeitpunkt seines Essens hatte aussuchen dürfen. In denen er weder in einem Park spazieren oder in einem Supermarkt einkaufen gegangen war. Was würde ein Leben in Freiheit für ihn bedeuten? Wie würde es aussehen, schmecken, sich anfühlen oder anhören? Sie musste an all die Angeklagten denken, für die sie als Staatsanwältin ohne auch nur mit der Wimper zu zucken lange Haftstrafen gefordert hatte. Nach einer Weile waren Jahre für sie zu bloßen Zahlen geworden und die Angeklagten lediglich Namen auf einem Blatt Papier.

Die Staatsanwaltschaft fordert für diesen Angeklagten zwanzig Jahre Haft und eine Bewährungsfrist von fünf Jahren.

Der Angeklagte ist ein Gewohnheitsverbrecher, daher verlangen wir zehn Jahre Haft und zehn Jahre Bewährung.

Der Angeklagte bekennt sich schuldig. Die Staatsanwaltschaft fordert in diesem Fall die gesetzliche Höchststrafe und die Mindeststrafe von drei Jahren für illegalen Waffenbesitz.

Julia schloss die Augen und spürte plötzlich einen überwältigenden Druck in sich aufsteigen. Es war der Druck, zu gefallen, zu gewinnen, das Richtige zu tun, obwohl sie gar nicht mehr wusste, was das Richtige überhaupt war. Plötzlich hatte sie das Bedürfnis, ihren Bruder anzurufen. Sie wollte noch einmal seine Stimme hören, bevor sie ins Auto stieg und zu der Zirkusveranstaltung fuhr, die sie bei Gericht erwarten würde. Auch wenn Andrew nicht wusste, um welchen Fall es sich handelte oder worum es dabei ging, wusste er doch, dass heute ihr erster Tag in einer großen Verhandlung war, vor der sie große Angst hatte. Letzte Woche hatte er ihr erzählt, dass er vor dem Traum einer Baseballkarriere Anwalt hatte werden wollen. *Eine weitere Gemeinsamkeit.*

Ein pinkfarbener Schwimmreif trieb über das Wasser des Swimmingpools, und Julia musste unwillkürlich an den Pool im Garten der Marquettes denken, an die Kinderspielsachen, die auf dem Wasser trieben, das große Schaukelgerüst, die Wasserrutsche und das mit bunter Kreide aufgemalte Hüpf-Spiel auf dem Gehweg. Doch hinter dieser perfekt erscheinenden Fassade hatte sie eine wahre Horrorgeschichte erwartet.

Glaube niemals, dass du das Leben eines anderen Menschen wirklich kennst, Julia. Du weißt nur, was derjenige dich wissen lässt.

Drei kleine Kinder, ermordet von ihrem eigenen Vater …

Guter Gott, der Kleine hat nicht einmal mitbekommen, was mit ihm geschehen ist. Er ist mit einem Gute-Nacht-Kuss von seiner Mami ins Bett gegangen und nie wieder aufgewacht …

Sieh mich an, Daddy! Sieh, was du mir angetan hast!

Julia schüttelte die gruseligen Gedanken ab, drückte ihre Zigarette aus und schloss das Fenster.

Der gleiche Körper, aber zwei vollkommen unterschiedliche Menschen. Die gleiche Handlung, aber zwei vollkommen unterschiedliche Geschichten.

Es waren immer wieder die gleichen Gedanken, die sich in ihrem Kopf im Kreis drehten. Nichts war mehr schwarz oder weiß, alles war zu Grau verschwommen. Sie wollte die quälenden Zweifel loswerden, die Ungewissheit. Sie hätte gern mit jemandem darüber geredet, doch außer Andy schien niemand ihr wirklich zuzuhören.

Julia hätte niemals gedacht, dass sie nach so vielen Jahren wieder eine Beziehung zu ihrem Bruder würde aufbauen können. Inzwischen fühlte sie sich wieder so sicher und wohl in seiner Gesellschaft wie einst vor langer Zeit, als sie beide noch Kinder gewesen waren. Allerdings vermieden sie es, über jene Nacht zu sprechen, in der ihre Eltern gestorben waren, und

Julia hoffte, dass dies auch so bleiben würde. Sie wollte nur nach vorn schauen. Es genügte ihr, dass sie verstand, was Andys Krankheit ihm angetan hatte. Und sie wusste, dass sie ihm jetzt vergeben konnte.

Sie goss sich eine weitere Tasse Kaffee ein, nahm eine Packung Schmerztabletten aus dem Schrank und ging zurück ins Badezimmer. Der Schlafmangel und die nie zur Ruhe kommenden Gedanken hatten ihr Kopfschmerzen verursacht. Auf dem Weg durch das Wohnzimmer warf Julia einen Blick auf den Fernseher. Hinter der blonden Reporterin von FOX erkannte sie das Gerichtsgebäude und unzählige Übertragungswagen, die die Straße säumten. Auf einem weiteren kleinen Bild fing eine Kamera aus einem Hubschrauber heraus eine ganze Reihe weißer Zelte auf dem Parkplatz ein, in denen kleine Kommandozentralen der Medienanstalten errichtet worden waren. Unter der Reporterin war auf einem roten Balken der Schriftzug SONDERMELDUNG eingeblendet.

«Der *Miami Herald* berichtet heute Morgen, dass David Marquette nun auch der Verdächtige in zwei bisher ungeklärten Mordfällen in den Bezirken Wakulla und Santa Rosa in Nordflorida ist. Im Januar 2004 wurden die sechsunddreißig Jahre alte Diane Tebin und ihre neun Jahre alte Tochter Lily Rose Tebin in ihrem Haus in Milton ermordet aufgefunden. Mrs. Tebin war vergewaltigt worden und hatte mehrere Stichverletzungen, es gab damals jedoch keinen Verdächtigen. Im November desselben Jahres wurde eine weitere Familie brutal ermordet. Die dreiundvierzigjährige Sharon Dell aus Crawfordville, ihre Tochter im Teenageralter und ihr kleiner Sohn wurden von Mrs. Dells Mutter tot in ihrem Haus in einem Vorort von Tallahassee gefunden. Mrs. Dell, seit kurzem Witwe, war wie Diane Tebin vergewaltigt worden und hatte mehrere Stichverletzungen. Die Sprecher der Police Departments von Miami-Dade und Coral Gables haben bislang keinen Kommentar abgegeben, aber laut unseren Quellen besteht eine Verbindung zwischen diesen Fällen und den Morden hier in Miami. Anrufe bei Marquettes Verteidigern blieben unbeantwortet, und der Hauptankläger der Staatsanwaltschaft, Ricardo Bellido – der, wie heute Morgen ebenfalls bekannt gegeben wurde, die Nachfolge des in den Ruhestand gehenden Generalstaatsanwalts Jerry Tigler antreten wird –, wollte sich ebenfalls nicht zu den neuesten Entwicklungen äußern. Der Prozess gegen David Marquette beginnt heute Morgen, hier in diesem Gerichtsgebäude. Sein Fall hat weltweit Aufmerksamkeit erregt und erneut eine hitzige Diskussion über die Todesstrafe entfacht. Dr. Marquette, der sowohl Staatsbürger Frankreichs als auch der Vereinigten Staaten ist, behauptet, er leide an Schizophrenie. Erst vergangene Woche richtete Frankreich eine offizielle Beschwerde beim Internationalen Gerichtshof in Den Haag ein, die sich gegen die Vereinigten Staaten anlässlich der Behandlung Dr. Marquettes zum Zeitpunkt seiner Festnahme richtet. Protestkundgebungen in Miami und Washington ...»

Julia hetzte zur Tür, riss sie auf und nahm den *Miami Herald* von der Fußmatte. Als sie durch das Fenster im Hausflur einen Übertragungswagen auf dem Parkplatz des Apartmentblocks entdeckte, ging sie schnell in Deckung.

Sie hatten herausgefunden, wo sie wohnte ...

Julia schlug die Tür zu, lehnte sich mit wild klopfendem Herzen dagegen und dachte daran, was Charley Rifkin Rick und ihr vor Monaten gesagt hatte:

Wenn David Marquette der nächste Bill Banthing ist, zeltet die Presse so lange in euer beider Vorgärten, bis die Todesspritze in seinem Arm steckt.

Sie starrte ungläubig die Schlagzeile auf der Titelseite an. *Arzt jetzt auch Verdächtiger in ungelösten Mordfällen.*

«Du hast recht, Jamie», sagte die FOX-Reporterin gerade zu ihrer Kollegin im Studio. «Das wird den Sympathiefaktor auf jeden Fall negativ beeinflussen. Die Gegner der Todesstrafe und die Organisationen, die sich für geistig Kranke einsetzen, werden die Auswirkungen ebenfalls zu spüren bekommen. Und wieder einmal ist es Miami, das ungewollt im Rampenlicht steht. Die Menschen werden sich daran erinnern, dass vor wenigen Jahren in ebendiesem Gerichtsgebäude der Prozess gegen den Serienmörder Cupido stattfand, der elf junge Frauen vergewaltigt und ermordet hatte. Und im Jahr 1997 erschoss der Serienmörder Andrew Cunanan den Modedesigner Gianni Versace vor dessen Haus in Miami Beach. Heute sind wir erneut in Miami, dem tropischen Touristenparadies und Spielplatz der Reichen und Schönen, wo vielleicht ein weiterer brutaler Serienmörder …»

Das Telefon klingelte. Julia nahm den Hörer ab, ohne ihren Blick vom Fernseher zu lösen. «Hallo?», sagte sie abwesend.

«Julia! Du lieber Himmel!», rief Rick. «Warum zum Teufel bist du gegangen? Ich wache auf, weil mein Telefon Sturm klingelt, und du bist spurlos verschwunden. Ich hätte beinahe einen Herzinfarkt bekommen!»

Julia sagte nichts. Sie konnte einfach nicht.

«Keine Nachricht, kein Anruf – um wie viel Uhr bist du gegangen? Hallo? Bist du noch dran?», fragte er, da sie ihm immer noch nicht antwortete.

«Ja», sagte sie schließlich leise.

«Hör mal, ich weiß nicht, ob du schon die Nachrichten gesehen hast», fuhr Rick mit wütendem Unterton fort, «aber es ist etwas passiert. Ivonne Ledo hat mich angerufen. Farley will uns alle so schnell wie möglich in seinem Büro sprechen.»

KAPITEL 73

DAS IST ungeheuerlich, Euer Ehren! Zwanzig Minuten bevor wir die Geschworenen auswählen sollen, lesen die in Frage kommenden Bürger unten im Warteraum *diese* Story in der Zeitung!» Mel Levenson war außer sich und wedelte wie ein Zeitungsjunge mit einer Ausgabe des *Miami Herald*. Sein Gesicht war krebsrot, und Schweißtropfen rannen ihm an den Schläfen herab.

«Sie trauen einigen dieser Bürger viel zu viel zu», entgegnete Richter Farley grinsend und betrachtete von seinem Platz am Kopf des langen Konferenztisches aus die Anwesenden. «Sie sollten sich im Vorfeld nicht schon zu sehr verausgaben, Mr. Levenson. Aber ich pflichte Ihnen bei – es ist äußerst interessant, dass diese Information gerade heute an die Öffentlichkeit dringt.» Sein Blick blieb an John Latarrino haften, und seine Augen verengten sich zu schmalen Schlitzen. «Detective, bitte erklären Sie mir, was hier eigentlich los ist. Ist der Angeklagte tatsächlich ein Verdächtiger in diesen Mordfällen?»

«Er wurde niemals als Verdächtiger genannt», erwiderte Lat vorsichtig. Ihm gegenüber saß Rick Bellido, lässig zurückgelehnt, als würde ihn die Diskussion überhaupt nicht interessieren. Je länger dieser Fall dauerte, desto unerträglicher fand Lat Ricardo Alejandro Bellido, wie dieser neuerdings in der Presse genannt werden wollte. Er dachte ernsthaft darüber nach, sich in einen anderen Bezirk versetzen zu lassen, falls dieser Mann tatsächlich der nächste Generalstaatsanwalt werden würde. «Wir überprüfen lediglich, welche Ähnlichkeiten es zwischen den Morden gibt, Euer Ehren», fuhr er schließlich fort. «Wir arbeiten mit dem Florida Department of Law Enforcement und den zuständigen Behörden der Bezirke Wakulla und Santa Rosa zusammen.»

Julia saß am anderen Ende des Tisches, und sie vermied es konsequent, in Lats Richtung zu sehen. Wahrscheinlich waren ihr der Telefonanruf und die Rettungsaktion von letzter Nacht unangenehm. Doch Lat hatte schon viele verrückte Nächte erlebt. Er schrieb es dem Druck zu, der auf den Beteiligten dieses Falles lastete und der sich bei jedem anders äußerte.

«Da haben Sie es, Mr. Levenson», sagte Farley achselzuckend. «Ihr Mandant wird nicht verdächtigt, und keiner wollte Ihnen etwas Böses.»

«Das ist doch Blödsinn, Euer Ehren!», schrie Levenson und schlug mit der Faust auf den Tisch. «Die Staatsanwälte und Detectives sind besorgt, dass zu Prozessbeginn die öffentliche Meinung nicht auf ihrer Seite ist. Sie haben gemerkt, dass ihre Versuche, einen eindeutig unzurechnungsfähigen Menschen – der im Übrigen von diesem Gericht dazu gezwungen wird, Psychopharmaka einzunehmen, damit er während der Verhandlung zurechnungsfähig wirkt – hinrichten zu lassen, weltweit auf Empörung treffen. Daher tun und behaupten sie nun alles Erdenkliche, um ihr schlechtes Image zu verbessern.» Er beugte sich über den Tisch und starrte Rick an. «Das gilt besonders für Mr. Bellido, der sich im November in den Wahlkampf um die Nachfolge des Generalstaatsanwalts stürzen wird. Ich schätze, es sind Glückwünsche angebracht.»

Rick blinzelte nicht einmal.

Levenson richtete seine Aufmerksamkeit wieder auf den Richter. «Mein Mandant soll in den Augen der Öffentlichkeit wie ein abgebrühter Serienmörder aussehen. Allein die Behauptung, er sei in andere Mordfälle verwickelt, genügt, um die Objektivität der zukünftigen Geschworenen negativ zu beeinflussen. Ich versichere Ihnen, Euer Ehren, Sie werden gleich keinen einzigen potenziellen Geschworenen finden, der noch nichts von dieser Geschichte gehört und sich noch keine Meinung gebildet hat. Und ich kann dieses ganze Schlamassel nicht einmal in einen anderen Bezirk verlegen lassen, ja nicht einmal in ein anderes *Land*, weil die ganze Welt diesen Fall zu verfolgen scheint. Und das wissen die Detectives und Mr. Bellido ganz genau!»

Lat kochte vor Wut, und Brill richtete sich ruckartig auf.

«So, genug der Anschuldigungen», sagte Farley seufzend und hob beschwichtigend die Hände. Levenson setzte sich und zupfte die Ärmel seines Jacketts zurecht. Rick hingegen behielt seinen desinteressierten Gesichtsausdruck bei.

«Sie haben es selbst gesagt, Mr. Levenson», fuhr Farley fort. «Die ganze Welt verfolgt diesen Fall. Also beantragen Sie gar nicht erst die Verlegung in einen anderen Bezirk. Und den Geschworenen werde ich schon ein paar passende Worte mit auf den Weg geben.» Dann wandte sich der Richter an Rick: «Ich war erfreut, in der *Today Show* zu hören, dass Sie Jerry Tiglers Nachfolge antreten möchten, aber für den Prozess ist diese Tatsache völlig belanglos.» Sein eisiger Blick wanderte zwischen Rick und Julia hin und her. «Unbewiesene Behauptungen und durchgesickerte Informationen – das ist nicht die Art, wie in meinem Gerichtssaal Verhandlungen geführt werden. Habe ich mich klar ausgedrückt?» Er lehnte sich zurück und richtete das Wort wieder an sämtliche Anwesende. «Ab sofort haben Sie alle Redeverbot. Und damit meine ich nicht nur Sie selbst, sondern auch die ermittelnden Polizeibeamten, die Privatdetektive, die Sie möglicherweise engagiert haben, und Ihre Mütter und Großmütter. Ich will nicht noch einmal hören, dass irgendwo irgendetwas durchsickert, es sei denn, es geht um Wasserrohre. Verstanden?»

«Gewiss doch, Euer Ehren», sagte Rick, erhob sich und

knöpfte sein Jackett zu. «Ich weiß nicht, wie diese Information an die Presse gelangt ist, aber ich persönlich werde kein Wort darüber verlieren.»

«Genauso wenig wie über die Tatsache, dass David Marquette *kein* Verdächtiger ist», höhnte Levenson und entriss Stan Grossbach die Prozessakten. «Euer Ehren, wenn ich den Fall schon nicht in einen anderen Bezirk verlegen lassen kann, beantrage ich doch wenigstens eine Vertagung auf Kosten der Staatsanwaltschaft. Wir sollten warten, bis sich die Presse beruhigt hat und die Menschen vergessen haben, was heute Morgen in den Nachrichten berichtet wurde.»

Farley lachte. «Haben Sie während der letzten Monate mal aus Ihrem Fenster gesehen, Mr. Levenson? Die Presse wird sich niemals beruhigen. Eine Vertagung würde lediglich bewirken, dass noch mehr Journalisten aus Übersee ihre Kameras einpacken und hierherkommen. Oder dass Ihr Mandant in der Zwischenzeit tatsächlich dieser anderen Morde in Nordflorida angeklagt wird. Wenn Sie wirklich eine Vertagung wollen, rechne ich sie der Verteidigung auch an. Allerdings wird dieser Fall dann voraussichtlich erst nächstes Jahr verhandelt werden, denn mein Terminkalender für dieses Jahr ist bereits voll.» Er warf der Gerichtsschreiberin einen Blick zu, woraufhin diese gehorsam aufhörte zu tippen. «Und ich glaube kaum, dass der Vater Ihres Mandanten darüber besonders glücklich sein würde. Besonders, da sein Sohn bis zum Prozessbeginn im Bezirksgefängnis untergebracht sein wird.»

Levenson schüttelte den Kopf. «Ich stecke in einer Zwickmühle», stieß er zwischen zusammengebissenen Zähnen hervor.

«Dann mache ich es Ihnen einfach. Ich werde einer Vertagung nicht zustimmen, selbst wenn Sie eine beantragen. Bitte schön – damit habe ich Ihnen gerade auf dem Silbertablett den ersten Grund für eine Berufung serviert.» Farley drehte sich zu

Jefferson um, der an der Tür stand und nervös an seiner Brille herumspielte. «Jefferson!» Der Gerichtsdiener fuhr zusammen und ließ die Brille fallen. «Bringen Sie die ersten fünfzig rauf. Wir beginnen in einer Stunde mit der Auswahl.»

KAPITEL 74

WIE IST es möglich, dass ich nichts davon wusste?», fragte Julia mit vor Zorn bebender Stimme. Rick, Lat, Brill und sie hatten sich in Ricks Büro zurückgezogen, um den Mikrophonen und Kameras zu entgehen.

«Du wusstest es doch», erwiderte Rick leise.

«Schwachsinn. Ich wusste, dass sich Lat und Brill vor einiger Zeit mit einigen ungelösten Mordfällen beschäftigt haben, aber es gibt doch überhaupt keine Verbindung.»

«Als die beiden Familien umgebracht wurden, nahm Marquette gerade an Ärztekongressen in Tallahassee und Pensacola Beach teil und war damit jedes Mal weniger als fünfzig Kilometer weit vom Tatort entfernt», erklärte Rick.

«Genau wie eine Million anderer Menschen auch», entgegnete Julia.

«In die Häuser wurde nicht gewaltsam eingedrungen. Die Mütter wurden vergewaltigt und auf dem Rücken liegend umgebracht, die Kinder in ihren Betten ermordet. Ein Küchenmesser und ein Baseballschläger waren die Tatwaffen. Es gibt auf jeden Fall Parallelen.»

«Diese Beschreibung passt doch auf die meisten Sexualverbrechen. Wahrscheinlich gibt es noch fünfzig andere solcher ungeklärten Mordfälle im ganzen Land.»

«Vielleicht, aber diese beiden Verbrechen wurden in Florida verübt, nur ein paar Kilometer von den Hotelzimmern entfernt, in denen unser Angeklagter ganz allein die Nächte verbrachte.»

«Es gibt keine Beweisstücke, die ihn mit diesen Mordfällen in Verbindung bringen! Keine DNA, kein Sperma, keine Haare. Nichts!»

«Genau deswegen sind sie ja ungeklärt, Julia», sagte Rick. «Aber selbst ohne handfeste Beweise müssen wir einem Verdacht nachgehen dürfen.»

«Das ist ja auch in Ordnung, aber die Presse denkt, es sei schon viel mehr als nur ein vager Verdacht.» Julia hatte das Gefühl, als sei sie die Einzige im Raum, die man in einen Streich nicht eingeweiht hatte. Die anderen sahen sie wortlos an, und das machte sie nur noch wütender. «Levenson hat recht», fuhr sie fort. «Wir setzen das Gerücht in die Welt, Marquette sei ein Serienmörder, um die Geschworenen zu beeinflussen und die öffentliche Meinung auf unsere Seite zu bringen. Wir wissen doch alle, dass es nichts gibt, wodurch wir Marquette diese Morde anlasten könnten, außer vielleicht, dass er zum Tatzeitpunkt in der Nähe war.» Dann sah sie Lat zum ersten Mal an diesem Morgen an. «Haben *Sie* die Information durchsickern lassen?»

«Nein», erwiderte Lat kopfschüttelnd. «Ich war es nicht, Julia.» Sie wusste, dass er die Wahrheit sagte.

Brill hob abwehrend die Hände. «Sehen Sie mich nicht so an, Jules. Ich lese ja noch nicht mal Zeitung.»

Schließlich blickte Julia zu Rick. «Ich habe es nicht nötig, etwas durchsickern zu lassen, Julia», sagte er, noch bevor sie die Frage stellen konnte.

Als das Schweigen im Raum immer drückender wurde, sagte Lat schließlich: «Hey, ihr beide braucht uns doch nicht bei der Geschworenenauswahl.» Er erhob sich, forderte Brill mit einer Geste auf, mitzukommen, und wandte sich kurz an Julia: «Rufen Sie mich an, wenn Sie hier fertig sind.»

Julia gab ihm keine Antwort. Als die Tür hinter den beiden Männern ins Schloss fiel, herrschte wieder eisiges Schweigen.

«Was war heute Nacht los?», fragte Rick nach einer Weile.

«Ich bin eine Runde gelaufen.»

«Gelaufen?» Er schüttelte ungläubig den Kopf. «Du hast deine Klamotten bei mir gelassen.»

«Ich hole sie später ab.»

«Und deine Handtasche.» Er öffnete eine Schreibtischschublade und reichte ihr die Tasche.

«In all den Monaten ist Marquette nie mit diesen Fällen in Verbindung gebracht worden, Rick.» Die Worte rutschten ihr heraus, bevor sie darüber nachdenken konnte. «Hätte eine schlechte Presse deine Kandidatur für den Posten des Generalstaatsanwalts gefährdet? Oder soll dir eine Verurteilung im Fall Marquette die entscheidenden Stimmen einbringen? Ach ja, ehe ich es vergesse: meinen Glückwunsch.»

Rick starrte sie mit kalter, gleichgültiger Miene an, als wäre sie eine Fremde. Julia erschauerte und fragte sich, ob er sich überhaupt daran erinnerte, dass er noch vor wenigen Stunden mit ihr geschlafen hatte. «Julia, wenn du mit all dem nicht klarkommst, dann solltest du besser aussteigen.»

Für eine Weile sagte sie nichts. Von überall her stürmten Gedanken auf sie ein und drohten, miteinander zu kollidieren wie fehlgeleitete Flugzeuge.

Vielleicht hatte Rick ja recht. Vielleicht sollte sie tatsächlich besser aussteigen. Vielleicht war es an der Zeit, alles hinter sich zu lassen. Nach New York zurückzugehen, sich einen neuen Job zu suchen, ein neues Leben aufzubauen. Sie konnte sich beruflich auf Steuerrecht und Zivilprozesse konzentrieren, oder auch etwas ganz anderes machen, kellnern zum Beispiel wie zu Collegezeiten. Ein schönes, stressfreies, einfaches Leben. Sie wäre dann in Andrews Nähe und konnte ihn eines Tages, wenn es ihm besserging, zu sich holen.

Sie sah an Rick vorbei auf die Skyline von Miami. Die verspiegelten Fenster der Wolkenkratzer funkelten im Sonnenschein wie Diamanten. Vielleicht lag ihre Zukunft ohnehin nicht in Miami. Tante Nora und Onkel Jimmy würden Andrew niemals akzeptieren. Sie akzeptierten ja nicht mal die Tatsache, dass Julia Kontakt zu ihm aufgenommen hatte. Tante Nora ging immer noch nicht ans Telefon. Es hatte sich einfach alles verändert. Vierzehn Jahre lang waren Nora und Jimmy wie Eltern für sie gewesen. Und obwohl Julia noch wütend auf die beiden war, weil sie sie jahrelang über ihren Bruder belogen und den Kontakt zu ihm verhindert hatten, wollte sie doch gleichzeitig, dass alles wieder so war wie früher. Aber es gab zu viele Geheimnisse, zu viele Lügen, die sie hätte umschiffen müssen. Außerdem war Andrew wieder ein Teil ihres Lebens. Julia konnte sich die Zukunft nicht mehr ohne ihren Bruder vorstellen, für Nora hingegen gab es keine Zukunft mit ihm. Jimmy versuchte wie immer, die beschwichtigende Stimme der Vernunft zu sein, doch letzten Endes, das wusste Julia, würde er immer zu Nora halten.

Julia starrte auf das Messingschild auf Ricks Schreibtisch. *Ricardo A. Bellido, Staatsanwalt, Esq.* Vor Wochen hatte sie in einem Augenblick des Glücks den Namen Bellido einmal laut nach ihrem eigenen ausgesprochen, nur um zu hören, wie das klang. Erstaunlich, dass das Leben innerhalb kurzer Zeit eine komplette Kehrtwendung machen konnte.

Im Grunde ihres Herzens wusste Julia, dass die Beziehung mit Rick vorbei war. Unter Ricks kaltem, gefühllosem Blick kam sie sich auf einmal naiv und dumm vor. Am liebsten hätte sie sich eingeredet, dass sie beide nur gemeinsam diese harte Zeit überwinden mussten. Doch sie wusste instinktiv, dass das nicht stimmte.

In dem Moment schoss ihr wieder der Gedanke durch den Kopf, vor dem sie nicht weglaufen konnte – das hatte die vorangegangene Nacht endgültig unter Beweis gestellt.

Was, wenn Marquette wirklich unzurechnungsfähig ist? Was, wenn wir falschliegen?

Es war nicht ihre Aufgabe, die Verteidigerin zu spielen, aber sie wollte auch nicht um jeden Preis gewinnen wie die anderen Mitglieder ihrer Mannschaft. Dieser Fall geriet langsam außer Kontrolle. Niemand hielt sich mehr an die Regeln, jedem ging es nur um den eigenen Vorteil. Der Schraubstock drehte sich immer fester zu.

Die Entscheidung lag bei ihr. Wenn sie jetzt aus dem Fall ausstieg, würde das Fragen aufwerfen, die Rick in einem Wahljahr bestimmt nicht gern würde beantworten wollen. Jegliche Differenzen innerhalb der Staatsanwaltschaft wären ein PR-Albtraum, aus dem Levenson mit Sicherheit seinen Vorteil ziehen würde. Wenn zudem an die Öffentlichkeit drang, dass Rick ein Verhältnis mit seiner zweiten Anwältin angefangen hatte, käme das einem politischen Selbstmord gleich.

Julia schüttelte den Kopf und wischte sich verstohlen eine Träne fort. «Nein, ich komme schon klar. Ich mache weiter», sagte sie und war nicht sicher, ob sie damit den Fall oder ihre Beziehung meinte.

Dann stand sie auf, verließ wortlos Ricks Büro und machte sich auf den Rückweg zum Gericht.

KAPITEL 75

DIE AUSWAHL der Geschworenen dauerte fünf Tage. Wie Levenson vorausgesagt hatte, war es unmöglich, zwölf Personen zu finden, denen der Name David Marquette noch kein Begriff war. Daher einigten sich Anklage und Verteidigung am Ende auf zwölf Personen, die zumindest *behaupteten*, dass sie sich noch keine Meinung zu dem Fall gebildet hätten und ein Urteil nur anhand dessen fällen würden, was sie im Gerichtssaal hörten. Am Ende waren es drei Männer und neun Frauen. Sechs Weiße, vier Schwarze und zwei Amerikaner hispanischer Abstammung. Ihre Berufe reichten von einem pensionierten Universitätsprofessor bis zu einem ehemaligen Prediger der Vereinigung *Cowboys für Christus*.

«Wir haben vorhin den letzten Geschworenen ausgewählt», berichtete Julia Lat am Telefon und unterdrückte ein Gähnen. «Farley hat sie alle vor einer Stunde vereidigt.»

«Ich hab's eben in den Nachrichten gesehen. Sie klingen müde, Julia.»

«Es war eine anstrengende Woche. Wo sind Sie gerade?»

«Ich sitze mit Brill im *Alibi*.» Die *Alibi Lounge* war eine bei Polizisten, Staatsanwälten, Richtern und Verteidigern gleichermaßen beliebte Kneipe und praktischerweise nur einen Häuserblock von dem Gerichtsgebäude, dem Graham Building und den Büros der Pflichtverteidiger entfernt.

«Rick möchte noch einmal Ihre Aussage für Dienstag durchgehen. Ich glaube, er will Sie nach Pete Colonna und Sergeant Demos in den Zeugenstand rufen. Können Sie herkommen?»

«Es ist Freitagabend, halb sieben. Ich habe Feierabend. Wenn Rick etwas von mir will, soll er hierherkommen. Er kann gern mit mir über meine Aussage sprechen, während ich ein kühles Bier genieße und mir die NCAA-Finals ansehe.» Lats Stimme wurde ein bisschen weicher. «Kommen Sie doch auch vorbei, Julia. Sie haben in letzter Zeit so viel gearbeitet – viel zu viel, wenn Sie mich fragen. Rick gönnt Ihnen ja kaum eine Pause, und außerdem» – er zögerte, suchte offenbar nach einer geeigneten Formulierung – «können Sie nicht auf andere aufpassen, wenn Sie nicht auf sich selbst aufpassen. Hat Ihre Mutter Ihnen das nicht beigebracht?»

Julia spürte einen Stich in der Magengrube und ignorierte die Frage. Lat hatte recht – sie war müde und gestresst. Sie hatte einige Kilo abgenommen, sodass ihre Kleidung nicht mehr richtig saß. Außerdem hatten sie und Rick seit Montag kaum miteinander gesprochen, noch nicht einmal vor Gericht. Sie war in einigen Fällen nicht mit seiner Wahl der Geschworenen einverstanden gewesen, doch das hatte ihn anscheinend überhaupt nicht interessiert. Und die nächste Woche würde mit Sicherheit noch anstrengender werden. So hatte sie sich ihren Mordprozess nicht vorgestellt. «Dann kommen wir vielleicht gleich noch vorbei», sagte sie seufzend. Womöglich würden ein oder zwei Drinks dazu beitragen, die Spannung etwas abzubauen, und außerdem war das allemal besser, als wieder bis zehn Uhr allein im Büro zu sitzen. Moose guckte sie bereits schief an, und sie würde bald einen Kredit aufnehmen müssen, um die Tagesbetreuung bezahlen zu können, aus der leider allzu oft auch eine Übernachtungsbetreuung wurde, weil sie es nicht schaffte, ihn rechtzeitig abzuholen.

«Die erste Runde geht auf mich», erwiderte Lat. «Bis gleich.»

«Okay, aber ich muss hier erst noch ein paar Dinge erledigen», sagte Julia. Sie legte auf und knabberte für einen

Moment nachdenklich an ihrem Bleistift. Sie gestand es sich nur ungern ein, aber sie vertraute Rick nicht mehr. Sie hatte mit eigenen Augen gesehen, was er mit der Wahrheit anstellte, wenn es um seinen eigenen Vorteil ging. Vielleicht war David Marquette tatsächlich ein Monster. Vielleicht war das offensichtlich, und sie war die Einzige, die es nicht einsehen wollte oder konnte. Aber sie musste die belastenden Fakten selbst vor Augen haben, anstatt sie von jemandem präsentiert zu bekommen, der irgendwelche undurchschaubaren Pläne verfolgte. Daher hatte sie in einigen Datenbanken eine Suchanfrage laufen lassen, und die Ausdrucke lagen nun vor ihr auf dem Schreibtisch. Die Mappe enthielt eine Aufstellung aller Morde, die in den letzten fünf Jahren in Florida in Tateinheit mit sexuellem Missbrauch oder versuchtem sexuellen Missbrauch begangen worden waren. Insgesamt handelte es sich um vierhundertsiebenundachtzig Fälle. Davon waren zweiundsiebzig ungeklärt und daher detailliert beschrieben. Die meisten der ungeklärten Fälle hatten mit Prostitution, Drogen oder beidem zu tun, doch siebzehn von ihnen stimmten mit den Suchparametern überein, die Julia angegeben hatte. Dazu gehörten die Morde an den Familien Tebin und Dell. Aber es gab noch eine weitere Ermittlungsakte, die Julias Aufmerksamkeit erregte.

DELEON COUNTY SHERIFF'S DEPARTMENT, UNTERSUCHUNGSBERICHT

Opfer: Charlene «Charley» Handley, 39 Jahre.
Kaitlyn Handley, 4 Jahre. Tyler Handley, 9 Jahre
Stadt/Bundesstaat/Zuständigkeitsbereich:
DeLeon Springs, Florida
Bezirk: Orange County

Todesursache: Mord. Mehrere Stichwunden, stumpfes Schädeltrauma

Tatwaffe: Küchenmesser; vermutlich Baseballschläger (noch nicht aufgefunden)

Sexueller Missbrauch: Charlene Handley

Verdächtige: unbekannt

Bemerkungen zur Ermittlung: *Unbekannte(r) Täter hat/haben sich möglicherweise durch die Eingangstür des einstöckigen Hauses Zutritt verschafft. Lage des Hauses ist ein Waldgrundstück in Volusia County. Keine Anzeichen für gewaltsames Eindringen. Das Opfer Charlene Handley wurde im Elternschlafzimmer aufgefunden. Die Autopsie ergab zweiundzwanzig Stichverletzungen im Oberkörper und Nackenbereich. Die Tatwaffe wurde am Tatort, im Körper des Opfers Charlene Handley gefunden. Das Opfer wurde mit einem unbekannten Gegenstand sexuell missbraucht. Kein Sperma, keine DNA-Spuren. Das Opfer Tyler Handley wurde im nordwestlichen Zimmer des Hauses gefunden. Todesursache: stumpfes Schädeltrauma mit mehrfacher Schädelfraktur, verursacht durch unbekannte Tatwaffe (den Einkerbungen in der Schädeldecke nach wahrscheinlich Baseballschläger). Das Opfer Kaitlyn Handley wurde im nordöstlichen Schlafzimmer gefunden. Todesursache: ebenfalls stumpfes Schädeltrauma durch eine unbekannte Tatwaffe, siehe oben. Fußabdrücke am Tatort zu verwischt für Identifizierung. Charlene Handley lebte seit Februar 2005 getrennt von ihrem Mann Ronald Marcus Handley, geboren am 16. 02. 1967, Sozialversicherungsnummer 12613421. Er ist Anwalt und lebt zurzeit in New York, 2123 West 93rd Street.*

Drei Frauen, die mit ihren Kindern allein im Haus waren. Mitten in der Nacht in ihren eigenen Betten vergewaltigt, erstochen, erschlagen. Die Handley-Morde waren beinahe identisch mit den Tebin- und Dell-Morden. Und wenn man die Tatsache außen vor ließ, dass David Marquette mit einem Messer im Bauch in seinem Badezimmer gefunden worden war, waren sie auch identisch mit den Morden in ihrem eigenen Fall. Fieberhaft suchte Julia in der Akte nach dem Datum, an dem die Handley-Morde verübt worden waren.

War Marquette ein Serienmörder oder das Opfer eines bizarren Zufalls?

31. Dezember 2005.

Julia schloss die Augen, und der Raum begann sich um sie zu drehen.

An diesem Tag hatte David Marquette bereits im Gefängnis gesessen.

KAPITEL 76

GEISTIG GESTÖRTE *Menschen legen bei Verbrechen oft falsche Geständnisse ab. Statistisch gesehen stehen Schizophrene ganz oben auf der Liste.»*

Julia hatte genug Fachartikel und Abhandlungen gelesen, um mit dem merkwürdigen Phänomen «falsches Geständnis» vertraut zu sein. Einige Studien belegten, dass die Anzahl der Falschaussagen sogar bei zweiundzwanzig Prozent lag. Und nur eine Woche zuvor hatte der Psychiater der Staatsanwaltschaft angedeutet, dass auch in diesem Fall die Möglichkeit einer Falschaussage besteht.

Was, wenn David Marquette seine Familie gar nicht umgebracht hat? Wenn sein Geständnis falsch ist? Wenn jemand anders ins Haus eindrang, Marquettes Familie tötete, von ihm überrascht wurde und ihn dann ebenfalls niederstach? Was, wenn jemand anders den Code für die Alarmanlage kannte? Was, wenn Marquette selbst ihm diesen Code verraten hatte?

Julia suchte in der Kiste mit den Beweisstücken nach der Aufzeichnung des Notrufs und legte das Band in ihren Recorder ein. Ihre Gedanken überschlugen sich.

«Notrufzentrale. Um was für einen Notfall handelt es sich?»

Stille.

«Hier ist der Notruf neun-eins-eins. Haben Sie einen Notfall zu melden?»

Wieder Stille. Dann die etwas gereizte Stimme der Frau von der Notrufzentrale:

«Hören Sie, Sie haben neun-eins-eins gewählt. Möchten Sie einen Notruf melden?»

«Helfen Sie uns.» Emmas Stimme klang so zerbrechlich und fern ...

«Natürlich helfe ich Ihnen. Wie heißen Sie? Können Sie lauter sprechen? Ich kann Sie kaum verstehen.»

«Helfen Sie uns ... bitte.»

«Ich helfe dir, Kleines. Aber du musst mir genau sagen, was passiert ist.»

«Ich glaube, er kommt zurück.»

«Wer kommt zurück? Bist du verletzt? Wie heißt du?»

«Er kommt zurück.»

«O nein, nein ... Daddy, nein!»

Julia schluckte. Die Aufnahme lieferte keinen eindeutigen Hinweis auf die Täterschaft. Emma sagte nicht, dass ihr Vater sie bedrohte. Vielleicht rief sie ihn ja auch zu Hilfe!

Vielleicht war noch jemand anders im Haus gewesen.

Marquette hatte niemals detailliert beschrieben, wie er die Morde verübte. Dr. Barakat nannte das «Schuldablenkung»: Der Mörder wartete erst einmal ab, wie viel sein Gegenüber über die Tat wusste, bevor er die volle Verantwortung dafür übernahm. *Ich habe es nicht getan. Niemand hat gesehen, wie ich es getan habe. Und wenn Sie gesehen haben, dass ich etwas gemacht habe, dann war es nicht meine Schuld.*

Aber vielleicht *konnte* Marquette die Morde ja gar nicht in allen Einzelheiten beschreiben. Weil er sie nicht begangen hatte.

Julia nahm ihre Handtasche vom Bücherregal und stopfte die Mappe mit den Ausdrucken in ihre Aktentasche. Dann eilte sie zu Ricks Büro, um ihm zu zeigen, was sie herausgefunden hatte. Trotz allem, was in der vergangenen Woche geschehen war, galt schließlich auch für ihn «im Zweifel für den Angeklagten». Vielleicht wusste er nichts von den Handley-Morden.

Vielleicht waren die Morde erst in die Datenbank aufgenommen worden, *nachdem* Lat und Brill ihre Anfrage eingegeben hatten. Niemand im Bezirk DeLeon hatte eine Verbindung zu den Marquette-Morden hergestellt, da David Marquette zum Zeitpunkt der neuen Morde bereits im Gefängnis gesessen und ein Geständnis abgelegt hatte.

Die Flure des Graham Building waren menschenleer. Freitags machten die meisten schon um fünf Feierabend, und um sieben waren nur noch die Reinigungskräfte und ein paar Wachmänner im Gebäude, die untätig in der Eingangshalle herumstanden. Selbst die Presseleute waren gleich nach der Vereidigung der Geschworenen in ihre Hotels verschwunden.

Julia zog ihren Sicherheitsausweis durch den Schlitz neben der Tür mit der Aufschrift *Major Crimes* und ging an den ebenfalls verlassenen Kabinen der Sekretärinnen vorbei. Vor Ricks Büro zögerte sie kurz, weil sie feststellte, dass die Tür bereits einen Spaltbreit offen stand. Ein Streifen Licht fiel in den Flur.

Aus dem Raum drang schweres, stoßweises Atmen – die gleichen intimen Geräusche, die ihr selbst nur wenige Tage zuvor in Ricks Armen entfahren waren. Durch den Spalt in der Tür konnte sie zwei ineinander verschlungene Körper erkennen.

Julia schloss die Augen und wich zurück, als sei die Tür elektrisch geladen. Dann drehte sie sich um und lief davon.

KAPITEL 77

JULIA WAR noch nie in der *Alibi Lounge* gewesen. Als sie mit ihrem Honda auf den Parkplatz einbog, fragte sie sich, warum sie nicht direkt nach Hause zu Moose fuhr, den Rest Weißwein leerte, den sie noch im Kühlschrank hatte, und sich dabei die Seele aus dem Leib heulte.

Lat saß an der Bar und unterhielt sich mit Brill und einigen Pflichtverteidigern.

«Hallo!», rief er und winkte sie zu sich. «Am besten besorgen wir Ihnen erst mal was zum Sitzen.» Er wandte sich an Brill: «Hol mal einen Stuhl.»

«Wie redest du denn mit mir?», entgegnete Brill beleidigt.

«Sei wenigstens einmal in deinem Leben nett. Die Lady braucht einen Stuhl.»

«Gib ihr doch deinen», grummelte Brill. Dann sah er Julia an und seufzte. «Na gut, für Jules mache ich eine Ausnahme. Weil sie heute diesem Arschloch Paroli geboten hat.»

«Wo wir gerade vom Teufel sprechen: Wo ist Bellido?», fragte Lat, nachdem Brill davongestampft war.

«Er kommt nicht.»

«Warum?»

«Ich hatte keine Gelegenheit, ihn zu fragen.» Julia starrte angestrengt auf eine Flasche Hennessy im Regal hinter der Theke.

«Wie soll ich denn das verstehen?»

«Er ist beschäftigt. Oder war es zumindest. Wahrscheinlich ist er inzwischen fertig.»

«Was zum –», begann Lat, doch dann sah er, wie sich ihre Augen mit Tränen füllten. «Ach du Scheiße.»

Julia ließ den Kopf hängen. «Ich glaube, ich brauche einen Drink», sagte sie leise.

Nach einer Weile sagte Lat: «Es wäre nicht das erste Mal.»

«Nein?»

«Nein. Rick hat einen gewissen Ruf, was Frauen angeht. Der basiert allerdings zum größten Teil auf seinen eigenen Aussagen. Von den Damen habe ich noch nicht besonders viele beeindruckende Geschichten gehört.»

«Woher wussten Sie von unserer Beziehung?», fragte sie.

«Julia, ich bitte Sie! Jeder wusste über Sie beide Bescheid. Und jeder weiß, dass er ein Arschloch ist – falls Sie das in irgendeiner Weise tröstet.»

Julia schwieg.

«Wer war es?», fragte Lat.

«Ich glaube, meine Abteilungsleiterin.»

Lat schüttelte den Kopf.

«Ich komme mir vor wie eine Vollidiotin. Eine absolute Vollidiotin.» Julia sah sich hilflos in der Bar um. «Und ich habe keine Ahnung, warum ich überhaupt hier bin …»

Lat stand abrupt auf. «Stopp. Es reicht. Gehen wir.»

«Wie bitte?»

«Sie bekommen Ihren Drink, meine Liebe, aber nicht hier.» An der Bar und an den Tischen drängten sich Anwälte, Wachleute und Polizisten, und womöglich hatten sich auch einige Reporter daruntergemischt. «Hier gibt es zu viele Leute, für die es ein gefundenes Fressen wäre, Sie weinen zu sehen.»

In diesem Moment kam Brill mit einem Stuhl zurück.

«Den brauchen wir nicht mehr, Kumpel. Wir gehen», sagte Lat und zog seine Lederjacke an. Dann schlug er Brill auf die Schulter. «Trotzdem danke.»

«Wo gehen wir denn hin?», wollte Brill wissen.

«Ich ruf dich morgen an!», rief Lat ihm über die Schulter zu.

Julia folgte Lat schweigend an den Billardtischen vorbei und durch eine Hintertür, die direkt auf den Parkplatz führte. Zu ihrer Überraschung ließ er die Streifenwagen und Zivilfahrzeuge links liegen und steuerte auf eine glänzende, rot-silberne Harley zu.

«Genaugenommen ist heute mein freier Tag. Und an freien Tagen fahre ich Harley. Hier», sagte er und reichte ihr einen Helm.

Julia zögerte. «Wollen Sie ohne Helm Motorrad fahren?», fragte sie skeptisch.

«Keine Angst, ich habe noch einen. Schließlich bin ich kein Idiot», sagte Lat.

«Ich – ich bin noch nie Motorrad gefahren», stammelte sie.

Er starrte sie ungläubig an. «Warum denn nicht?»

Julia strich mit dem Daumen über die glatte, harte Oberfläche des Helms. «Meine Mutter hat es mir immer verboten. Sie sagte, ich würde mir den Hals brechen.»

Lat stieg auf das Motorrad und lächelte. «Ist Ihre Mama gerade hier?»

«Nein», sagte Julia. «Sie ist tot.»

«Oh. Entschuldigung. Das tut mir leid.» Sein Lächeln verwandelte sich in einen ernsten Gesichtsausdruck. «Sie brauchen keine Angst zu haben. Sie sind in guten Händen.»

Julia sah nervös zu ihrem Auto, das auf der anderen Seite des Parkplatzes stand.

«Sie können auch hinter mir herfahren», sagte Lat und zuckte mit den Achseln. Dann drehte er den Zündschlüssel, und die Maschine erwachte zum Leben.

Julia war immer noch unschlüssig.

«Kommen Sie schon, Julia! Steigen Sie auf. Sie hatten einen beschissenen Tag, und meiner war auch nicht viel besser. Machen wir eine kleine Spritztour.» Er streckte ihr die Hand entgegen.

Sie zögerte kurz und biss sich auf die Lippe. Doch dann ergriff sie seine Hand, kletterte auf den Rücksitz und zog den Helm auf.

«Bereit?», fragte Lat und setzte sich ebenfalls einen Helm auf.

Julia schlang die Arme um seine Taille, legte den Kopf an seinen Rücken und schloss die Augen.

«Halten Sie sich fest!», rief er ihr zu. Dann gab er Gas. Das Motorrad brauste mit aufheulendem Motor vom Parkplatz, vorbei am Gericht und am Graham Building, auf die Interstate 95 und hinaus aus Miami.

KAPITEL 78

DER KALTE Fahrtwind peitschte gegen ihre nackten Hände und den Hals. Sie rasten über die I95 und fuhren dabei so dicht an Autos und LKWs vorbei, dass Julia das Gefühl hatte, sie müsse nur die Hand ausstrecken, um sie berühren zu können. Das Heulen der Maschine war dermaßen ohrenbetäubend, dass es jedes andere Geräusch übertönte. Doch wenigstens hinderten der Lärm und die Angst Julia daran, nachzudenken.

Sie schlang die Arme noch fester um Lat und presste den Kopf gegen seine Lederjacke.

Es herrschte nur wenig Verkehr. Sie überquerten das Autobahnkreuz Golden Glades, ein Geflecht aus Auffahrten und Überführungen, das die wichtigsten vier Schnellstraßen von Miami miteinander verband. Julia hatte keine Ahnung, wohin sie fuhren, und eigentlich war es ihr auch egal. Sie spürte, wie sie sich mit jedem Kilometer auch innerlich weiter von Rick entfernte, und wünschte, die Fahrt möge niemals enden.

Lat fuhr auf die Interstate 595 in Richtung Fort Lauderdale. Am Ende der Schnellstraße bog er auf eine verkehrsarme Bundesstraße ab. Autovermietungen und Werkstätten, die um diese Uhrzeit bereits geschlossen hatten, säumten die Straße, die in das Zentrum von Fort Lauderdale führte. Im Osten erkannte Julia die vier rot-weißen Schornsteine des Kraftwerks am Port Everglades, dem Hafen, in dem riesige Kreuzfahrtschiffe aus aller Welt vor Anker gingen.

Lat hielt an einer roten Ampel, und das Motorgeräusch wurde ein wenig leiser. Er wandte den Kopf und fragte: «Alles in Ordnung dahinten?»

Julia nickte. Ihre Ohren klingelten, als käme sie gerade von einem Rockkonzert.

Er tastete nach ihren Händen und umschloss sie. Ihre Finger fühlten sich an wie Eisblöcke. «Kalt?»

Sie nickte erneut.

Lat rieb ihre Finger, und Julia lief plötzlich ein Kribbeln über den ganzen Körper. Als die Ampel auf Grün sprang, schob er ihre Hände unter seine Jacke und drückte sie an seinen Bauch – ein Zeichen, dass sie sich wieder festhalten sollte.

Julias Finger tauten langsam auf, und sie spürte, wie sich Lats Bauchmuskeln anspannten, wenn er sich in die Kurven legte. Sie empfand die Situation als merkwürdig intim, und auf einmal war es ihr peinlich, ihm derart nahe zu sein. Sie fragte sich, ob es ihm ähnlich ging, und war froh, dass sie ihm nicht in die Augen schauen musste.

Sie näherten sich der Innenstadt, wo Fastfood-Restaurants, Drogerien, Kinos und Nagelstudios sich aneinanderreihten, und der Verkehr wurde lebhafter. Lat bog in eine Seitenstraße ein, die anfangs nur von Doppelhaushälften und Apartmenthäusern gesäumt wurde. Doch nach ein paar hundert Metern entdeckte Julia einen Tauchladen und einen Segelausstatter neben einem unscheinbar wirkenden Restaurant namens *Southport Raw Bar*. Handgemalte Meeresgeschöpfe tummelten sich auf der marineblauen Außenverkleidung.

Über der Eingangstür entdeckte Julia ein Schild, auf dem stand: *Wer Fisch isst, lebt länger. Wer Austern isst, liebt länger.*

Lat lenkte das Motorrad auf den erstaunlich vollen Parkplatz vor dem Restaurant und stellte den Motor aus. Julia nahm den Helm ab und genoss die plötzliche Stille.

«Hier bekommen Sie Ihren Drink», sagte Lat, stieg vom Motorrad und half ihr hinunter. Dann beobachtete er grinsend, wie sie ein wenig wackelig auf die Tür des Restaurants zusteuerte. «Alles in Ordnung, Frau Staatsanwältin?»

«Ich bin nur ein bisschen steif», erwiderte Julia und schnitt eine Grimasse. «Danke, dass Sie mich so behutsam mit dem Motorradfahren vertraut gemacht haben.»

«Ich bin nie schneller gefahren als hundertvierzig», entgegnete er lachend und hielt ihr die Tür auf.

Kaum hatten sie das Restaurant betreten, kam ein großer Mann mit Hornbrille, Schürze und zerzausten braunen Locken auf sie zugeeilt und schlug Lat auf die Schulter.

«John-John! Was zum Teufel machst du denn hier?»

«Hallo, Buddy!», sagte Lat und erwiderte die herzliche Begrüßung. «Ich bin zufällig in der Gegend und bringe dir neue Kundschaft. Julia, das ist Buddy. Buddy ist der Besitzer dieses Gourmettempels und macht die beste Muschelsuppe der ganzen Stadt. Julia ist Staatsanwältin in einem Fall, an dem ich gerade arbeite.»

«Sie kamen mir gleich so bekannt vor.» Das war alles, was Buddy dazu sagte. Julia war erleichtert, denn in letzter Zeit wurde sie mittlerweile häufig von Menschen angesprochen, die mit ihr über den Fall, die Todesstrafe und Marquettes Schuld oder Unschuld diskutieren wollten.

Buddy erklärte lächelnd: «Wenn das so weitergeht, sorgt John-John noch ganz allein dafür, dass sich die Zahl meiner Gäste in diesem Jahr verdoppelt.»

«Das kannst du laut sagen», entgegnete Lat grinsend. «Schau dich bloß mal um.» Er wies in den Raum. Die Tische und die Bar waren voll besetzt, und aus jeder Ecke plärrten Fernseher, in denen Basketball- und Hockeyspiele übertragen wurden. «Hier muss man ja schon reservieren, um einen Tisch zu bekommen. Womit wir beim Thema sind: Hast du noch Platz für uns?»

«Für dich immer.» Buddy führte sie durch das Restaurant

hinaus auf eine direkt am Wasser gelegene Terrasse. Boote dümpelten gegen den Kai, die Luft roch nach Fisch und Bier, und von irgendwoher schallte Reggaemusik. Zwei Minuten später saßen Lat und Julia an einem Plastiktisch und hatten jeder ein Bier vor sich stehen.

«Eine Harley, soso … Ich hätte nie gedacht, dass Sie der Typ dafür sind», sagte Julia, nachdem sie sich für Muschelsuppe und Garneleneintopf entschieden hatte.

«Urteilen Sie niemals nach dem Äußeren. Nicht alle Typen, die Harley fahren, sind Rocker, Zuhälter oder Schläger.»

«Das will ich hoffen», erwiderte sie lächelnd. Dann trank sie einen Schluck Bier und schaute sich um. «Wohnen Sie in der Nähe?»

«Nein. Ein guter Freund von mir hat hier ein Boot liegen, und manchmal fahren wir zusammen raus und fischen. Ich wohne in Miami Beach, aber manchmal wünsche ich mir, ich wäre hierhergezogen. Ich mag Fort Lauderdale, es ist so schön ruhig. Ich habe nur keine Lust, jeden Tag zu pendeln.»

«Miami Beach ist doch auch schön. Das findet zumindest MTV. Und Paris Hilton», sagte Julia mit einem schiefen Lächeln.

«Genau das meine ich. Ich heiße schließlich nicht Puff Daddy. Ich höre keinen Hiphop, sondern Lynyrd Skynyrd. Ich besitze auch keine schwarze Straußenlederhose. Miami Beach wird mir langsam ein bisschen zu abgefahren.»

«Er heißt jetzt übrigens nur noch Diddy. Es hat sich ausgepufft. Und das P. ist auch verschwunden.»

«Da sehen Sie's, ich habe keine Ahnung», sagte Lat achselzuckend. «Und wo wohnen Sie?»

«In Hollywood. In einem Gebäudekomplex an der Ecke Stirling und Fünfundneunzigste. Am liebsten würde ich direkt am Strand wohnen, aber als Staatsangestellte reicht das Budget dafür leider nicht aus.»

«Hm, vielleicht hätte ich Sie das fragen sollen, bevor ich Sie fünfzig Kilometer von Ihrem Auto weggefahren habe.»

Julia lachte. «Das macht nichts. Übrigens – danke. Für – all das hier.» Sie blickte sich um. «Was für ein nettes Lokal.» Überall waren bunte Sonnenschirme aufgespannt, und in der Mitte der Tische stand neben Papierservietten und Speisekarten jeweils eine Bierflasche mit einer einzelnen Pfingstrose darin. «Sogar echte Blumen», fügte sie hinzu und strich geistesabwesend über die Blütenblätter. «Ich liebe Pfingstrosen. Die Rose des armen Mannes – so hat meine Mutter sie immer genannt.» Sie wechselte schnell das Thema, bevor die Erinnerungen zu schmerzhaft wurden. «Die Fahrt hierher war …»

«Furchterregend?»

Sie lächelte. «So könnte man es ausdrücken.»

«Manchmal dachte ich, Sie wollten mir die Rippen brechen.»

«Oje, bitte entschuldigen Sie», sagte sie und wurde rot. «Eigentlich hatte ich nur am Anfang ein bisschen Angst. Sie sind ein guter Fahrer.»

«Zumindest haben Sie sich nicht den Hals gebrochen. Nicht auszudenken, wenn Ihre Mutter recht behalten hätte. Es tut mir übrigens sehr leid.»

Sie sah ihn verständnislos an.

«Das mit Ihrer Mutter. Wann ist sie gestorben?»

Julia spülte den Kloß in ihrem Hals mit einem großen Schluck Bier hinunter. «Das ist lange her», sagte sie schnell. «Mehr als vierzehn Jahre.» Seltsam. Rick hatte sie nie davon erzählt.

«Und woran ist sie gestorben?»

«Meine Eltern hatten einen Autounfall», erwiderte sie ganz automatisch. «Sie waren beide sofort tot.»

«O Gott. Bitte verzeihen Sie, ich wollte nicht …»

«Schon gut, Sie müssen sich nicht entschuldigen.» Julia zwang sich zu einem Lächeln.

«Haben Sie Geschwister?», erkundigte sich Lat.

«Nein», antwortete sie schnell und nippte an ihrem Bier. Plötzlich schoss ihr ein Satz aus der Bibel durch den Kopf: *Wahrlich, ich sage dir: In dieser Nacht, noch ehe der Hahn kräht, wirst du mich dreimal verleugnen.* Julia wandte beschämt den Blick ab.

«Bei wem sind Sie aufgewachsen?»

«Bei meiner Tante und meinem Onkel.» Sie wechselte rasch das Thema. «Kommen Sie aus Florida?»

«Nein, ich stamme aus Los Angeles. Ich bin nach Miami gezogen, weil das Filmbusiness nichts für mich ist. Aber meine Familie lebt noch dort – meine Mutter und meine beiden Brüder. Der eine ist schwer in Ordnung, der andere eher schwer zu bändigen.»

«Warum?»

«Stichwort Drogen und Gangs. Dieselbe Erziehung, drei verschiedene Resultate: ein Anwalt, ein Polizist, ein Krimineller. Aber wir haben immerhin alle das gleiche Berufsfeld gewählt. Und wenn wir zusammen sind, gibt es interessanten Gesprächsstoff.» Lat grinste, wurde dann jedoch wieder ernst. «Was war das eigentlich zwischen Ihnen und Bellido?»

«Keine Ahnung.» Julia starrte hinaus auf das Wasser. «Das ist ja gerade das Merkwürdige. Sechs Monate, und ich habe keine Ahnung.»

«Sechs Monate? Wow …»

«Finden Sie das lang?»

«Ich persönlich nicht, aber für Bellidos Begriffe …»

«Phasenweise haben wir uns oft gesehen, dann wieder seltener. Ich kann nicht behaupten, dass es eine richtige Beziehung war. Eigentlich dürfte mich die Sache von heute Abend nicht überraschen.» Sie rieb sich die Augen. Sie wollte diese Unterhaltung nicht führen. Es tat weh, vor allem, weil offenbar jeder außer ihr selbst es hatte kommen sehen. «Ich bin so dumm gewesen! Wir haben uns immer nur getroffen, wenn er Lust und

443

Zeit hatte. Meine Wünsche haben ihn überhaupt nicht interessiert. Und jetzt müssen wir gemeinsam diesen Fall zu Ende bringen und können uns nicht einmal aus dem Weg gehen.» Julia dachte an die Parallelen zwischen den Handley-Morden und ihrem Fall, die sie vor wenigen Stunden noch so aufregend und wichtig gefunden hatte. Jetzt schienen sie ihr überhaupt keine Bedeutung mehr zu haben. Sie hatte keine Lust, mit jemandem darüber zu reden, und wollte David Marquette und diesen verdammten Fall für einen Augenblick vergessen.

«Lieben Sie ihn?»

«Oje …» Julia sah Lat peinlich berührt an. «Gute Frage.» Seine sanften blauen Augen erwiderten ihren Blick, bis sie es nicht mehr aushielt und wegschaute. «Nein, ich kann nicht sagen, dass ich ihn liebe», stieß sie schließlich leise hervor und zerknüllte die Papierserviette auf ihrem Schoß. «Es mag seltsam klingen, aber von Liebe haben wir beide nie gesprochen. Ich wollte, dass er mich begehrt. Wahrscheinlich wollte ich auch, dass er mich liebt. Dass er es sagt …» Sie verstummte und schüttelte den Kopf. «Warum erzähle ich Ihnen das alles überhaupt? Ich habe noch nicht annähernd genug getrunken, um zu rechtfertigen, dass ich Ihnen diese Dinge anvertraue.» Sie blickte wieder zu ihm und stellte fest, dass er sie immer noch eindringlich ansah. «Erzählen Sie mir irgendetwas, John Latarrino. Irgendwas, das ich später gegen Sie verwenden kann, wenn es nötig sein sollte.»

«Ich leide an Schlaflosigkeit und mache mein Badezimmer nicht sauber.»

Sie lachte. «Sehr hilfreich. Dann erklären Sie mir doch mal, warum Sie nachts durchs Haus wandeln, Detective.» In diesem Moment brachte die Kellnerin zwei neue Gläser Bier und servierte das Essen, das von Buddy um eine Platte mit frittierten Meeresfrüchten erweitert worden war.

Lat wandte den Kopf und bedankte sich winkend bei seinem

Freund, der an der Terrassentür stand. Dann sah er wieder zu Julia und lächelte. «Weil ich noch nicht die Frau gefunden habe, deretwegen es sich lohnt, im Bett zu bleiben.»

Julia wurde rot. «Ach so», stammelte sie.

Lat zuckte mit den Schultern. «Ich habe eine gescheiterte Ehe hinter mir. Sie hielt nur ein Jahr. Glücklicherweise haben wir keine Kinder – wir hatten nie Zeit, welche zu machen, und das war laut meiner Exfrau auch die Wurzel allen Übels.»

«Haben Sie sich einvernehmlich getrennt?»

«Ja, das würde ich schon sagen. Sie hat ihren Anwalt geheiratet und drei Kinder bekommen. Ich bekam Lilly, eine übergewichtige, neurotische Golden-Retriever-Hündin.»

«Oje. Und wie geht es Ihnen jetzt?»

«Wie gesagt, ich schlage mir die Nächte um die Ohren. So wie Sie.»

Das Essen schmeckte phantastisch, genau wie Lat versprochen hatte. In den nächsten zwei Stunden unterhielten sie sich über alles Mögliche, von Politik bis zu U2, den großen Gewinnern bei den diesjährigen Grammy Awards, und gingen irgendwann zum Du über. Buddy setzte sich für eine Weile zu ihnen an den Tisch und gab eine Anekdote über Lat zum Besten, bevor er sich wieder um seine anderen Gäste kümmerte. Julia amüsierte sich fabelhaft, sie konnte sich nicht daran erinnern, wann sie zum letzten Mal so viel gelacht hatte.

Es war schon spät. Der Mond schien durch die Wedel einer Palme und warf silberne Streifen auf das schwarze, beinahe unbewegte Wasser. Das Restaurant hatte sich geleert, und auch die meisten Boote waren verschwunden. Am anderen Ende des Kanals, an dem die *Southport Raw Bar* lag, kreuzte ein weiterer Wasserweg, auf dem gerade eine prachtvolle, hellerleuchtete Jacht vorüberzog.

«Standet ihr einander nahe?», fragte Lat unvermittelt.

Julia starrte ihn an. «Wen meinst du?»

Lat nahm die Pfingstrose aus der Bierflasche und reichte sie ihr. «Du und deine Mutter. Standet ihr einander nahe?»

Die Tränen begannen zu strömen, bevor Julia auch nur daran denken konnte, sie zurückzuhalten.

«Ach du Schande», sagte Lat erschrocken. Dann schob er ihr den Serviettenhalter entgegen.

Julia nickte dankbar und vergrub ihr Gesicht in einer der Servietten. Sie kam sich vor wie der letzte Trottel. «Tut mir leid. Alles in Ordnung», schniefte sie.

«*Mir* tut es leid. Ich wollte dich nicht zum Weinen bringen», sagte Lat mit weicher Stimme. Dann griff er nach ihrer Hand. «Komm, Julia, lass uns gehen.»

KAPITEL 79

KEINER VON beiden sagte etwas, während Lat Julia an der Seite des Restaurants entlang zum Parkplatz führte. Er verabschiedete sich nicht von Buddy, wahrscheinlich, weil er Julia nicht den besorgten Fragen seines Freundes aussetzen wollte. Als sie schließlich vor der Harley standen, zog er seine Jacke aus und sagte leise: «Zieh die über. Es ist kühl geworden.» Ohne ihn anzusehen, schlüpfte Julia in die Lederjacke. Sie konnte ihm nicht in die Augen schauen, aus Angst, wieder weinen zu müssen.

Lat saß auf, Julia kletterte hinter ihm auf den Sitz und schlang zögernd wieder die Arme um seine Taille. Die vergangenen Stunden waren sehr schön gewesen, doch jetzt fühlte sie sich plötzlich unsicher und fehl am Platz. Als hätte er ihre Gedanken gelesen, nahm Lat erneut ihre Hände, rieb sie sanft und schob sie dann unter sein Hemd. Diesmal war es seine nackte, warme Brust, die Julia unter ihren Fingern spürte. Sie schloss die Augen und lehnte den Kopf gegen seinen Rücken, verwirrt angesichts ihrer Gefühle.

Lat startete den Motor und verließ den Parkplatz. Doch er nahm nicht den direkten Weg zurück nach Miami, wie Julia angenommen hatte, sondern fuhr an der Auffahrt zur Interstate 595 vorbei und bog hinter dem Fort Lauderdale Hollywood International Airport auf den Dania Beach Boulevard ein. Dann fuhr er in südlicher Richtung auf die A1A, die zweispurige Straße, die entlang der gesamten Küste Floridas verlief. Es war bereits weit nach Mitternacht, und der normalerweise von den

Autos der Touristen und Strandbesucher verstopfte Highway war ungewöhnlich leer.

Der Mond beschien ihren Weg entlang der Küstenlinie. Es ging an Motels mit blinkenden Neonschildern vorbei, an kleinen, bereits geschlossenen Restaurants. Julia sog die salzige Luft ein, die sie so liebte, und beobachtete, wie sich die dunklen Wellen in weißen Schaumkronen brachen und an den Strand rollten. Morgen früh würde er mit Sonnenschirmen, Kühltaschen und eingeölten Sonnenanbetern übersät sein, doch jetzt war alles friedlich und still.

«Soll ich dir helfen?», fragte Julia.

Andy sah aus dem Graben, den er in den Sand gebuddelt hatte, zu ihr auf. Seine Augen blinzelten im Sonnenlicht.

«Mama hat gesagt, ich soll dir helfen.»

Er zuckte resigniert mit den Schultern. Er wusste, dass er sowieso keine Wahl hatte. «Wenn du unbedingt willst.»

«Was baust du denn? Ein Hotel?», fragte sie.

«Das Kolosseum.»

«Das was?»

«Das Kolosseum. Es steht in Italien und sieht aus wie ein Stadion. So ein richtiges altes Baseball-Stadion.»

Jetzt erkannte sie es. Ein Stadion. Cool. «Kann ich Essensstände machen, so wie die bei den Softball-Plätzen im Eisenhower-Park?»

«Nein», seufzte er. Dann dachte er eine Weile nach und bedeutete ihr schließlich, zu ihm in den Graben zu kommen. Er nahm ihre Hand und führte sie vorsichtig an die Stelle, an der er gerade die Tribünen einritzte. «Du hast kleine Finger, Ju-Ju. Damit kannst du gut die Tunnel machen …»

Julia schloss die Augen. Warum hatte sie ihn verleugnet?

Julia spürte Lats Herzschlag unter ihren Fingern. Plötzlich bog er von der A1A auf die Stirling Street ab, und noch bevor Julia begriff, was vor sich ging, fuhr er auf den Parkplatz ihres Apartmenthauses. Er schaltete den Motor aus und stieg ab.

Julia starrte ihn an. «Aber mein Auto –», begann sie.

«Ich komme morgen vorbei, dann holen wir es ab. Ich möchte nicht, dass du heute Nacht noch Auto fährst. Außerdem ist es meine Schuld, dass dein Wagen so weit entfernt steht.» Er reichte ihr die Hand, um ihr beim Absteigen zu helfen.

Es hatte keinen Sinn, darüber zu diskutieren, und im Grunde war Julia ihm sogar dankbar. Sie nickte, nahm seine Hand und stieg vom Motorrad.

Sie betraten schweigend das Haus und gingen, die Finger locker ineinander verschränkt, die Treppe zu Julias Apartment hinauf. «Möchtest du noch mit reinkommen?», fragte sie leise, steckte den Schlüssel ins Schloss und starrte angestrengt auf den Türknauf. Genauso hatte es mit Rick angefangen.

«Das würde ich sehr gern …», begann Lat.

Julia drehte sich um und sah ihn überrascht an. Das Herz schlug ihr bis zum Hals.

«… aber ich lasse es besser.»

«Oh», erwiderte sie bloß und hoffte, dass er ihr die Enttäuschung nicht ansah, dass er ihre Gedanken nicht lesen konnte. «Okay.» Er stand nur wenige Zentimeter von ihr entfernt, und sie roch den schwachen Duft seines Rasierwassers.

«Es tut mir leid wegen vorhin …», sagte er.

Sie schüttelte den Kopf. Sie wollte nicht mehr darüber reden. «Das muss es nicht. Danke für das Abendessen.» Sie schlüpfte aus seiner Jacke und beugte sich vor, um ihm einen Abschiedskuss auf die Wange zu geben. Als ihre Lippen seine Haut berührten, zögerte sie für einen Moment. Beide verharrten regungslos. Dann trat sie näher an ihn heran, ihre Körper berührten sich, und ihre Lippen streiften sacht über sein Gesicht, bis sie den Mund fanden. Plötzlich fasste er sie mit seinen warmen Händen an den Schultern und zog sie an sich. Der Kuss dauerte nur ein paar Sekunden, dann löste sich Lat von ihr.

«Wow», sagte er und trat einen Schritt zurück. «Aber ich

möchte nicht derjenige sein, mit dem du dich über einen anderen hinwegtröstest, Julia. Das würde nur schiefgehen.»

Julia wusste nicht, was sie darauf erwidern sollte. Auf einmal fühlte sie sich nur noch leer. Als Lat sich umdrehte und die Treppe hinunterging, blickte sie ihm nach und wünschte sich einmal mehr, sie könnte das Unmögliche möglich machen und die Zeit zurückdrehen. Sie lauschte dem Geräusch des Motorrads, bis es irgendwo in der Ferne verebbte. Dann schloss sie die Tür ihres Apartments hinter sich und weinte. Aber nicht um Rick Bellido.

KAPITEL 80

BEI EINEM Strafprozess war es die Aufgabe der Staatsanwaltschaft, die Schuld des Angeklagten zweifelsfrei zu beweisen. Der Angeklagte hingegen war nicht dazu verpflichtet, eine Aussage zu machen, und die Verteidigung musste keinen einzigen Zeugen in den Zeugenstand rufen.

Bei Prozessen, in denen auf Unzurechnungsfähigkeit plädiert wurde, lag die Sache jedoch anders. In diesem Fall musste die Verteidigung beweisen, dass der Angeklagte schuldunfähig war. Die Staatsanwaltschaft musste also beweisen, dass der Angeklagte das Verbrechen verübt hatte, die Verteidigung musste beweisen, dass er aufgrund seiner Unzurechnungsfähigkeit nicht zur Verantwortung gezogen werden konnte, woraufhin die Beweislast wieder zurück an die Staatsanwaltschaft fiel, die nun beweisen musste, dass der Angeklagte zum Tatzeitpunkt sehr wohl zurechnungsfähig gewesen war. Dieses komplizierte juristische Hin und Her hatte zur Folge, dass die schweren Geschütze erst in der zweiten Halbzeit aufgefahren wurden, wenn sich beide Parteien warmgemacht und gegenseitig abgeschätzt hatten.

Die Eröffnungsplädoyers waren für Montagmorgen angesetzt, und Julia würde das der Staatsanwaltschaft übernehmen. Es war ein Zugeständnis an ihre offizielle Funktion als zweite Anwältin. Die Eröffnungsplädoyers waren die erste Gelegenheit für beide Seiten, zu den Geschworenen zu sprechen und detailliert darzulegen, welche Beweise sie in der Hand hatten, welche Zeugen aufgerufen werden und welche Bedeutung die Zeugenaussagen haben würden – Einzelheiten, die bislang weder an die Presse weitergegeben noch in irgendeinem Bericht erwähnt worden waren. Julia wusste, dass der erste Eindruck bei den Geschworenen oft der wichtigste war. Die meisten Fälle waren bereits gewonnen oder verloren, bevor der erste Zeuge den Zeugenstand betreten hatte. Wenn die Geschworenen einen mochten, wenn sie während des Plädoyers mitfieberten, wenn sie einem *vertrauten*, dann hatte man gute Karten. Doch man musste auch halten, was man versprochen hatte, sonst war das harterarbeitete Vertrauen schnell wieder verschwunden, und in den Augen der Geschworenen wäre man nichts weiter als ein Lügner.

Die halbe Nacht lang hatte Julia im Geiste an ihrem Plädoyer gefeilt. Wie bereits so oft in den Wochen davor. Es war eine alte Angewohnheit der Staatsanwälte. Sobald man einem Fall zugeteilt war, sich die Akten angesehen und mit den ersten Zeugen gesprochen hatte, begann man, sich über das Eröffnungsplädoyer Gedanken zu machen – welche Fakten und welcher Zeuge der Geschichte Leben einhauchen oder gar zu Tränen rühren konnte. Julia stellte sich immer wieder vor, wie sie die Geschworenen allein durch die Kraft ihrer Worte in die Nacht des achten Oktobers versetzte, ihnen die blutbefleckten, dunklen Räume zeigte und sie das unvorstellbare Grauen spüren ließ, das sie selbst empfunden hatte. Sie wollte, dass jene zwölf Männer und Frauen die gleiche Achterbahnfahrt der Gefühle durchmachten wie sie selbst – den Schock, das Entsetzen, die Traurigkeit und schließlich den unbändigen Zorn auf diesen Vater, der seinen eigenen Kindern, seiner eigenen Frau etwas so Grauenvolles angetan hatte. Während der vergangenen Monate, in denen immer mehr Fakten hinzugekommen waren und der Fall Stück für Stück Gestalt annahm, hatte Julia ihr Eröffnungsplädoyer weiter ausgearbeitet – sowohl auf dem Papier als auch mündlich für Rick und die Generalprobe, die er ihr abverlangt und vor wenigen Wochen mit seiner Videokamera aufgezeichnet hatte. Damals hatte sie zusammen mit Dayanara noch darüber gelacht, dass ihr Chef das Outfit für den Prozess auswählen wollte. Jetzt fand sie es abstoßend und kontrollsüchtig.

In den letzten Stunden vor Prozessbeginn passten die Puzzleteile für Julia nicht mehr so gut zusammen, wie dies einmal der Fall gewesen war. Sie hatte das ganze Wochenende lang versucht, die Teile wieder in die richtige Ordnung zu bringen, aber sie schienen sich ständig zu verändern wie die Seiten eines Zauberwürfels. War die gelbe Seite perfekt, dann stimmte die rote nicht. Hatte sie die rote wiederhergestellt, herrschte auf der grünen völliges Chaos. Sie fand einfach keine Lösung, die alle Seiten, alle Teile zu einem befriedigenden Ganzen vereinte. Sie grübelte, bis sie Kopfschmerzen bekam und nicht mehr wusste, was richtig und was falsch war und wem sie noch vertrauen konnte. Doch die Zweifel blieben, Zweifel, die sie in der Form noch bei keinem anderen Fall gehabt hatte. Aber schließlich war dieser Fall auch etwas Besonderes. Tante Nora hatte die ganze Zeit über recht gehabt – David Marquette war zu nahe dran. Die Grenzen ihres Urteilsvermögens waren bis zur Unkenntlichkeit verschwommen.

«Es geht nicht darum, was Sie glauben», hatte ihr Professor für Strafrecht einmal während des Seminars gesagt, *«es geht darum, was Sie die Geschworenen glauben machen. Am Ende ist es das Einzige, was zählt.»*

Julia legte die Videokassette mit der Aufnahme, die Rick von ihr gemacht hatte, in den Videorecorder. Kurz darauf sah sie sich selbstsicher durch einen leeren Gerichtssaal schreiten und das Eröffnungsplädoyer halten, an dem sie monatelang gearbeitet hatte. Es war, als würde sie einer Fremden zusehen, die während des Plädoyers alle Informationen wegließ, die Zweifel schüren könnten. So ergab die Geschichte selbst für Julia einen Sinn. Auch Rick war offenbar hochzufrieden gewesen, denn bereits nach einigen Einstellungen hatte er ihr Plädoyer für perfekt erklärt.

Vielleicht war das der Trick, dachte Julia am Montagmorgen, als die aufgehende Sonne die Zimmerdecke in warme Pink- und Orangetöne tauchte. Vielleicht mussten manche Puzzleteile gar nicht ins Bild passen, weil sie ohnehin niemand zu Gesicht bekam. Vielleicht mussten die Geschworenen gar nicht die ganze Geschichte hören …

Ein paar Stunden später, in einem bis auf den letzten Platz besetzten Gerichtssaal, trat Julia hinter dem Tisch der Staatsanwaltschaft hervor und bot den Geschworenen genau die Show, die sie wochenlang einstudiert hatte, sagte den auswendig gelernten Text auf und vollführte die eingeübten Bewegungen.

«Meine Damen und Herren, ich werde Ihnen nun eine Geschichte über einen mehrfachen brutalen Mord erzählen. Eine Geschichte, die keinen Sinn zu ergeben scheint und dadurch umso tragischer wird. Eine Geschichte, die Sie verängstigen, schockieren, entsetzen, verfolgen wird. Eine Geschichte, die selbst den Abgebrühtesten unter Ihnen die Tränen in die Augen treiben wird …»

Während sie redete, fragte sie sich, ob die zwölf Männer und Frauen sie durchschauten, ob sie hinter all den aufgesetzten Gesten die Schwindlerin erkannten, die sie in Wirklichkeit war. Während ihres Plädoyers saß Marquette nur wenige Meter von ihr entfernt. Seine Anwälte hatten dafür gesorgt, dass er gewaschen und frisch rasiert war, hatten ihm die Haare schneiden lassen und ihn in einen neuen Anzug gesteckt – aber an seinem abwesenden Gesichtsausdruck und dem leeren, starren Blick hatten sie nichts ändern können.

«‹Er kommt zurück›, flüsterte sie im Dunkeln ins Telefon, genau in dem Moment, als die letzte Person, die die kleine, sechs Jahre alte Emma Louise Marquette je in ihrem Leben sehen würde, das Licht anknipste. Sie werden Emmas verängstigte Stimme hören, meine Damen und Herren, genau in dem Moment, als der Mörder sie in ihrem hübschen lilafarbenen Zimmer hinter einer Kiste mit Barbie-Puppen und einem Hello-Kitty-Stuhl entdeckt. Dem Moment, als er mit dem Messer in der Hand auf sie zukommt. Exakt der Moment, als Emma weiß, dass sie sterben wird. ‹O nein, nein …›, werden Sie Emma flehen hören, kurz bevor der Mörder über sie herfällt.» Julia machte eine wohlüberlegte Pause und sah hinüber zu David Marquette. «Daddy, nein!»

Einige der Geschworenen brachen in Tränen aus, andere wurden rot vor Zorn oder schüttelten angewidert den Kopf. Für Julia mochte ihr Plädoyer seine Emotionalität und Überzeugungskraft verloren haben, doch die Geschworenen schienen davon tatsächlich nichts zu bemerken. Ihre Geschichte rief genau die Reaktion hervor, die Rick, Charley Rifkin, Jerry Tigler und all die Presseleute mit ihren Kameras haben wollten. Und als Julia ihr Plädoyer eine Stunde und fünfundvierzig Minuten später beendete, starrten die Geschworenen David Marquette nicht länger mit Neugier an, sondern mit purer Verachtung. Sie hatte ihre Sache gut gemacht.

«Gute Arbeit», flüsterte Rick, als sich Julia wieder neben ihn setzte. Er nickte ihr mit einem Lächeln zu, das sie schon eine ganze Weile nicht mehr an ihm gesehen hatte. «Du hast sie alle um den Finger gewickelt.»

Julia hatte ihm nicht von den Handley-Morden erzählt. Sie hatte ihn auch nicht über ihren Verdacht eines zweiten Mörders informiert, genauso wenig wie über die statistische Wahrscheinlichkeit einer Falschaussage. Die Zeit für derartige Erörterungen war lange vorbei. Die Bühne stand, die Scheinwerfer waren eingeschaltet, das Publikum hatte seine Plätze eingenommen, und der Vorhang war aufgegangen. Ricardo Alejandro Bellido – der nächste Generalstaatsanwalt des elften

Gerichtsbezirks – hatte das Stück geschrieben, die Schauspieler ausgesucht und führte nun Regie. Er würde keine Veränderungen in letzter Minute akzeptieren. Er nickte ihr anerkennend zu, weil sie sich an den Text gehalten hatte, aber zum ersten Mal war es ihr egal, ob er mit ihr zufrieden war oder nicht. Im Gegenteil – sein Beifall widerte sie an.

Es gab auch keinen Grund, Rick mit dem zu konfrontieren, was sie am Freitagabend in seinem Büro gesehen und gehört hatte. Ihre Beziehung war vorüber, und sie trauerte ihr nicht nach. Selbst die Erinnerungen schmeckten nun schal.

Richter Farley entließ die Anwesenden in die Mittagspause, und Julia packte ihre Aktentasche zusammen. Dieser Fall hatte den Beginn ihrer großen Karriere markieren sollen. Doch jetzt, da sie mit Wahrheit und Wahrnehmung, Schein und Wirklichkeit dieses Falles rang, taumelte sie gefährlich nahe am Abgrund entlang.

Als Julia den Gerichtssaal durch den Richterausgang verließ, um der Presse zu entgehen, kam sie an Karyn und Charley Rifkin vorbei, die sich leise miteinander unterhielten. Wahrscheinlich warteten sie auf Rick, der gerade der Frau, die den Notruf entgegengenommen hatte, letzte Anweisungen gab, da sie gleich nach der Pause als erste Zeugin der Staatsanwaltschaft aussagen sollte. Wie üblich nickte Rifkin Julia bloß flüchtig zu und sah dann schnell weg. Er hielt immer noch nicht viel von ihr. Karyn hingegen schenkte ihr zum ersten Mal seit Monaten ein Lächeln. Ein breites, fröhliches, strahlendes Lächeln.

Als wären sie die besten Freundinnen.

KAPITEL 81

ASAMASSINA, Cirto, Grubb, Morales, Monteleone», ertönte die gleichgültige Stimme der Krankenschwester aus dem Lautsprecher.

Andrew schaute von der Zeichnung auf, die er gerade anfertigte.

«Bitte melden Sie sich im Schwesternzimmer.»

Draußen wurde es langsam dunkel, und die Skyline von Manhattan glühte im Licht der untergehenden Sonne. Zeit für die Medikamentenausgabe.

Er legte Zeichenblock und Stifte zurück in den Schrank neben seinem Bett, unter einen Stapel mit neuen Polohemden, die Julia ihm bei ihrem letzten Besuch mitgebracht hatte. Da man in Kirby seine Schränke nicht abschließen durfte, hatten Dinge manchmal die Angewohnheit zu «verschwinden», wenn man sie nicht gut genug versteckte. Sein Zeichenblock war für ihn wie eine Fotokamera, und er wollte nicht, dass seine Bilder – besonders dieses Bild – verschwanden wie so viele andere zuvor.

Die Medikamente für seinen Flur wurden vor dem Schwesternzimmer ausgegeben, einem weißen Resopal-Bollwerk mit dicken, kugelsicheren Glasscheiben, das genau in der Mitte der Station lag, zwischen Fernsehzimmer, Essensbereich, dem offenen Schlafbereich und dem Gang, an dessen Ende sich die zumindest halbwegs privaten Zweibett-Zimmer befanden, von denen auch Andrew eins bewohnte. Von diesem strategisch geschickten Platz aus konnten die Schwestern und Sicherheitsleute jeden jederzeit beobachten. Andrew stellte sich wortlos zu den vier anderen vor der Ausgabe. Obwohl die Männer bereits ebenso lang hier waren wie er, hatte er mit keinem von ihnen Freundschaft geschlossen.

«Meine Damen und Herren, ich werde Ihnen nun eine Geschichte über einen mehrfachen brutalen Mord erzählen. Eine Geschichte, die keinen Sinn zu ergeben scheint und dadurch umso tragischer wird. Eine Geschichte, die Sie verängstigen, schockieren, entsetzen, verfolgen wird. Eine Geschichte, die selbst den Abgebrühtesten unter Ihnen die Tränen in die Augen treiben wird ...»

Andrew erstarrte. Die Nachrichten, die im Fernsehzimmer liefen, zeigten Julia in einem hübschen, blauen Kostüm, die Haare zu einem weichen Knoten frisiert. Warum war sie im Fernsehen? Dann verstand er plötzlich. Das war ihr großer Fall.

«... Staatsanwältin Julia Valenciano setzte in ihrem Eröffnungsplädoyer heute Morgen in einem vollbesetzten Gerichtssaal in die Tat um, was sie bereits angekündigt hatte – sie brachte die Geschworenen zum Weinen. Die Öffentlichkeit erfuhr heute zum ersten Mal grausame Details, als die Staatsanwältin beschrieb, in welchem Zustand die Leichen der Kinder entdeckt worden waren ...»

«Ist das nicht die Frau, die letzten Samstag Andrew Cirto besucht hat?», fragte Schwester Lonnie ihre Kollegin, die gerade Pillen in kleine Becher füllte.

Da die Tür zum Schwesternzimmer offen stand, konnte Andy ihr Gespräch mit anhören.

«... Der Verteidiger Mel Levenson erklärte in seinem Eröffnungsplädoyer, dass sein Mandant an paranoider Schizophrenie leide und nicht verantwortlich für den Tod seiner Frau und seiner Kinder sei ...»

«Sie sieht ihr wirklich ähnlich», erwiderte die andere Schwester, deren Namen Andrew nicht wusste, mit einem Blick auf den Bildschirm.

«Ja, das ist seine Schwester», bestätigte Samuel, einer der

Sicherheitsbeamten, der ebenfalls von seinem Diagramm aufgeschaut hatte.

«Ich wusste gar nicht, dass Cirto noch Familie hat.» Die unbekannte Schwester stieß einen Pfiff aus.

«Sie ist in letzter Zeit öfter hier. Du arbeitest einfach zu selten am Wochenende, Barbara.» Samuel grinste schief.

«Ich werde an diesem Ort nicht mehr Zeit verbringen als unbedingt nötig, vielen Dank.» Das war ein klares Wort.

«Was hat sie mit dem Marquette-Fall denn überhaupt zu tun?», fragte Schwester Lonnie.

«Ich glaube, sie ist die Staatsanwältin», erwiderte Samuel.

«Die Staatsanwältin? Das gibt's doch nicht. Vielleicht taucht sie in letzter Zeit ja deswegen so oft hier auf», sagte Schwester Barbara und ließ durch die Glasscheibe ihren Blick über die Insassen schweifen. «Um Nachforschungen anzustellen.»

Offenbar scherten sie sich nicht darum, dass er sie hören konnte. Doch mit dieser gleichgültigen Haltung war er nur allzu gut vertraut.

Andrew verließ die Schlange der Wartenden und betrat das Fernsehzimmer. Auf dem Fernsehbildschirm sah er, wie seine kleine Schwester den Gerichtssaal verließ und wie ein Filmstar sofort von einer Meute Fotografen umringt wurde. Mit ihrer Aktentasche in der Hand wirkte sie unglaublich intelligent und selbstsicher.

Wie eine wichtige Persönlichkeit.

Sie trug einen Schlafanzug, hatte sich einen pink und rot gestreiften Schal künstlerisch um den Hals geschlungen und ein ungleiches Paar Fausthandschuhe an den Händen. Sie hüpfte auf ihrem Bett herum, und ihre langen schwarzen Haare schienen dabei in der Luft zu schweben und sie wie ein Fallschirm zu umgeben. «Ich will keine Tierärztin mehr werden, Andy», sagte sie mit unerschütterlicher Überzeugung zwischen den einzelnen Hopsern. «Ich werde Schauspielerin. Ich will ins Kino und ins Fernsehen.»

«*Das ist doch bescheuert*», erwiderte er.

«*Nein, ist es nicht.*»

«*Ist es doch. Weißt du eigentlich, wie schwer es ist, Schauspielerin zu werden?*»

«*Na und? Ich kann es schaffen, wenn ich will.*»

«*Na schön. Aber dir ist schon klar, dass du dich ausziehen musst, wenn du berühmt werden willst, oder? Alle berühmten Schauspielerinnen haben sich ausgezogen.*»

Die Hopser verloren etwas an Schwung. «*Nee, oder?*»

«*Klar. Guck dir die Erwachsenenfilme doch mal an. Die Frauen sind alle nackt und fluchen die ganze Zeit.*»

Sie schwieg eine ganze Zeit lang. Plötzlich kam er sich schäbig vor, weil er versucht hatte, ihre Seifenblase platzen zu lassen. Doch bevor er sich entschuldigen konnte, fragte sie verdrossen: «*Und was willst du machen? Baseball spielen oder was?*»

«*Ich werde ein berühmter Baseballstar. Aber im Gegensatz zu dir habe ich einen Plan, wie ich das erreichen kann.*»

«*Ach, hör doch auf.*» *Das Hüpfen beschleunigte sich wieder auf volle Geschwindigkeit.*

«*Einfach bloß in 'nem Team zu spielen reicht nicht. Dad sagt, dass die unteren Ligen voll sind mit Spielern, die von der großen Karriere träumen. Um entdeckt zu werden, musst du etwas ganz Besonderes sein.*» *Er sah hinab auf seine rechte Hand und wackelte mit Zeige- und Mittelfinger.* «*Das hier – das ist meine Geheimwaffe. Diese Hand wird mich zum Star machen, Ju-Ju. Ich werde so lange an meinem Fastball arbeiten, bis ich es auf 150 km/h schaffe. Coach Rich sagt, dass ich das Zeug dazu hätte. Sobald ich den Fastball schneller als 145 km/h werfen kann, schaffe ich es in eins der großen Teams. Du brauchst etwas Besonderes, Ju-Ju, etwas, was niemand außer dir hat. Und niemand hat solche Finger wie ich.*»

Andrew sah hinab auf seine vernarbten Hände, die ihn einst zum Star hätten machen sollen. An der Wurfhand war der Daumen derart kraftlos Richtung Handgelenk abgeknickt, dass er einen Baseball nicht einmal mehr umfassen konnte. Tiefe Narben zogen sich über seine Handflächen bis hin zu seinen Fingerspitzen. Dort hatten sie ihm vor vielen Jahren den Chip eingepflanzt. Inzwischen wahrscheinlich halb verrottet, war er doch immer noch in ihm. Irgendwo. Das spürte er.

Er ließ den Kopf hängen und begann zu weinen.

KAPITEL 82

DAS MESSER steckte kurz unterhalb des Bauchnabels. Die Einstichstelle wies kein zerrissenes Gewebe auf, wie man es im Falle eines Kampfes vorfinden würde. Im betreffenden Bereich unterhalb des Nabels befinden sich außerdem keine lebenswichtigen Organe. Wenn der Dünndarm verletzt worden wäre, hätte dies lebensbedrohliche Folgen haben können, aber dies war ja, wie ich bereits sagte, nicht der Fall.» Dr. Frank Dahl, der Unfallchirurg des Jackson Memorial, der David Marquette operiert hatte, rutschte auf der Kante seines Stuhls hin und her und beugte sich derart tief über das Mikrophon, dass seine Nasenspitze es beinahe berührte. Offensichtlich bereitete ihm die Tatsache, dass er als Zeuge aussagen musste, mehr als nur Unbehagen – er war das reinste Nervenbündel. Er saß bereits seit einer Stunde und zwanzig Minuten im Zeugenstand, und das waren eine Stunde und neunzehn Minuten zu lang. Für *alle* Anwesenden. Dr. Dahl wischte sich den Schweiß von der Oberlippe und räusperte sich. Ein markerschütterndes Rückkopplungsgeräusch hallte durch den Gerichtssaal. Richter Farley verdrehte die Augen.

«Und einmal angenommen, der Dünndarm wäre verletzt worden – was wäre dann passiert, Dr. Dahl?», fragte Rick.

«Dann hätte ich ihn operieren und nähen müssen. Natürlich hätte dabei das Risiko bestanden, dass Flüssigkeit aus dem Darm in die Bauchhöhle gelangt und eine Infektion hervorruft. Eine durchaus ernstzunehmende Folge. Aber noch einmal: In diesem Bereich gibt es ansonsten keine lebenswichtigen Organe.» Der Doktor sah hinüber zu den Geschworenen, und sein Blick fiel auf eine Frau in der ersten Reihe. Sie hieß Alice Wade und war eine pensionierte Bibliothekarin aus Iowa, die ihren Lebensabend in Leisure City verbrachte. «Das ist auch der Grund, warum sich japanische Samurai, wenn sie Seppuku begingen – einen rituellen Selbstmord, der in der westlichen Welt als Harakiri bekannt ist –, das Messer nicht nur einfach in den Bauch stießen, sondern es auch quer durch ihre Eingeweide zogen», erklärte er und demonstrierte die Bewegung in der Luft. «Zum Schluss rissen sie die Klinge scharf nach oben. Diese Methode führte ziemlich sicher zum Tode, selbst wenn der betreffende Samurai keinen Helfer – den sogenannten Kaishaku-Nin – hatte, dessen Aufgabe es war, ihm zum Schluss den Kopf abzuschlagen», dozierte Dr. Dahl lächelnd. Alice Wade wurde grünlich-blass und starrte zu Boden.

«Einspruch!», sagte Levenson und stand auf. «Hetzerisch und irrelevant.»

«Stattgegeben», sagte Farley. «Reicht Ihnen das aus, Mr. Bellido? Ich glaube, nicht nur die Geschworenen, sondern wir alle haben verstanden, worauf Sie hinauswollen. Dr. Dahl hält es nicht für einen Selbstmordversuch. Sehen wir also zu, dass wir weiterkommen.» Er tippte ungeduldig auf seine Uhr.

«Vielen Dank, Dr. Dahl», sagte Rick und setzte sich. «Keine weiteren Fragen, Euer Ehren.»

«Mr. Levenson? Bitte sagen Sie mir, dass Sie ebenfalls mit diesem Zeugen fertig sind.»

«Ja, Euer Ehren. Keine weiteren Fragen.»

Dr. Dahl rannte förmlich aus dem Gerichtssaal.

«Nun gut», sagte Farley seufzend. «Staatsanwaltschaft, wer kommt als Nächstes?»

Rick ließ sich Zeit, bevor er zum Richter aufsah. Wenn er eine jener bedeutungsschwangeren Pausen machte, durch die er die Spannung bis ins Unerträgliche zu steigern pflegte, hing mittlerweile der ganze Saal an seinen Lippen. Schließlich erhob er sich und strich seinen teuren Anzug glatt. «Die Staatsanwaltschaft schließt die Beweisaufnahme ab, Euer Ehren.»

Aufgeregtes Murmeln erhob sich im Saal. Zur Überraschung aller Journalisten, Rechtsexperten und Nachrichtenkommentatoren, die von einem vierzehnwöchigen Verhandlungsmarathon wie beim Prozess gegen Michael Jackson ausgegangen waren, hatte es nur fünf Tage gedauert, bis die Staatsanwaltschaft alle zweiundzwanzig Zeugen aufgerufen hatte. Leonard Farley mochte die längste Prozessliste von Miami haben, doch wenn eine Verhandlung erst einmal begonnen hatte, machte er von Anfang an Druck. In diesem Fall hatte er den Geschworenen versprochen, dass der Prozess nur zwei Wochen ihrer Zeit in Anspruch nehmen würde. Und dieses Versprechen wollte er halten – um jeden Preis. Also begann die Verhandlung jeden Morgen um zehn, gleich nachdem Farley seine Prozessliste abgearbeitet hatte, und endete nicht selten erst nach sieben oder acht Uhr abends. Falls die Geschworenen Marquette für schuldig befanden, würde sechs Wochen später über das Strafmaß verhandelt werden, in einem gesonderten Prozess, in dem beide Seiten wiederum ihre Zeugen präsentieren konnten. Dann mussten die Geschworenen entscheiden, ob David Marquette den Rest seines Lebens in einer Hochsicherheitszelle verbrachte oder für seine Verbrechen hingerichtet wurde. Und auch dieser zweite Prozess, so hatte Farley ihnen versichert, würde nicht länger als eine Woche dauern.

Obwohl Rick den Großteil der Verhandlung führte, durfte auch Julia einige Zeugen befragen – den Archivverwalter des Coral Gables Police Department, die Techniker der Spurensicherung, die OP-Schwester aus dem Mount Sinai Medical Center, die David Marquettes Stimme auf dem Band der Notrufzentrale identifiziert hatte, und den Manager des Marriott, der bezeugte, dass Marquette für die Nacht des achten

Oktober 2005 ein Zimmer in seinem Hotel gebucht hatte. Julia hatte den Geschworenen die Hotelrechnung und die Laborberichte als Beweismittel vorgelegt. Und sie hatte die auf Plakatkarton gezogenen Fotos des Tatorts und der Opfer benutzt, um zu demonstrieren, wo die Leichen gefunden worden waren.

Doch bei alldem hatte sie die ganze Zeit das Gefühl, als würde sie einer Fremden zusehen, die sich als Julia Valenciano ausgab und in ihrem Namen handelte. Es schien, als würde sie sich selbst verlieren. Jeden Tag bröckelte ein Stückchen ihrer Persönlichkeit ab und verschwand, und sie fürchtete, dass am Ende nichts mehr von ihr übrig bleiben würde.

«Nun gut, Mr. Levenson», sagte Farley, nachdem er die Geschworenen ins Wochenende entlassen hatte. «Ab Montag sind Sie dran. Wie sieht Ihr Zeitplan aus?»

«Ich habe mehrere Zeugen, Euer Ehren, und ich weiß noch nicht, in welcher Reihenfolge ich sie aufrufen werde.»

«Wird Ihr Mandant aussagen?», fragte Farley und warf einen skeptischen Blick auf den Angeklagten.

«Auch das weiß ich noch nicht», erwiderte Levenson ruhig. Solange Rick Bellido und die Presse im Gerichtssaal waren, würde er sich nicht in die Karten gucken lassen. Doch Farley war nicht der Einzige, der bezweifelte, dass Marquette aussagen würde. Während der ganzen ersten Verhandlungswoche hatte Marquette teilnahmslos ins Leere gestarrt, mit dem Fuß gewippt und die Zunge abwechselnd gegen beide Wangen gestoßen. Julia fragte sich, wie sie sich verhalten würde, wenn sie unschuldig des Mordes angeklagt wäre. Oder wenn sie schuldig wäre, aber unschuldig wirken wollte. Und dann gab es noch die dritte Möglichkeit: wie sie sich verhalten würde, wenn sie schizophren wäre …

«Ich möchte diesen Fall nächsten Freitag zum Abschluss bringen», sagte Farley. «Liegt das im Bereich des Möglichen, meine Herren?» Mit einem Blick auf Julia fügte er hinzu: «Meine Dame?»

«Ich weiß, dass Sie einen vollen Terminkalender haben, Euer Ehren, aber –», begann Levenson..

«Nein, ich mache eine Kreuzfahrt. Sie beginnt am Einunddreißigsten. Wir hätten also nach dem nächsten Freitag noch eine Woche Luft.» Er erhob sich vom Richtertisch und ging zur Tür, die Jefferson für ihn offen hielt. «Aber ich bin sicher, dass wir die nicht brauchen», sagte er ruppig und stapfte davon, ohne sich noch einmal umzudrehen.

KAPITEL 83

ICH MÖCHTE, dass *du* Christian Barakat im Zeugenstand befragst», sagte Rick leise zu Julia, während sich der Gerichtssaal langsam leerte. «Du hast deine Sache bei der Anhörung nämlich sehr gut gemacht. Selbst Farley war beeindruckt. Und dein Eröffnungsplädoyer war erstklassig.»

Julia starrte auf ihre Aktentasche.

«Ich bin überhaupt sehr zufrieden mit dir», fuhr Rick zögernd fort. Als sie immer noch nichts erwiderte, sagte er: «Hör mal, Julia, ich weiß, dass zwischen uns in letzter Zeit alles etwas schwierig war. Zumindest für mich.»

Julia fragte sich, was er damit meinte. Rick hatte mit Sicherheit keine Ahnung, dass sie über ihn und Karyn Bescheid wusste. Plötzlich dachte sie an all die intimen Momente in seiner Wohnung, in seinem Bett, und hätte sich vor Scham am liebsten zusammengekrümmt. Sie schwieg beharrlich weiter.

«Bei den Geschworenen würde es einen guten Eindruck machen, wenn du mehr Verantwortung übernimmst», fuhr er fort. «Bisher ist es für uns ganz ausgezeichnet gelaufen. Jetzt kommt es nur noch darauf an, wie glaubwürdig Marquettes Seelenklempner sind. Ich nehme Koletis und Hayes ins Kreuzverhör, und du demontierst die Verteidigung mit der Aussage unseres Gutachters. Vielleicht überlasse ich dir auch die Befragung von Pat Hindlin, also sieh dir am Wochenende noch einmal seinen Bericht an. Mit einer effektiven direkten Befragung wirst du uns einige Pluspunkte verschaffen, auch wenn du dabei nicht so kämpferisch rüberkommst wie in einem Kreuzverhör. Außerdem müssen wir dich vor den Schlussplädoyers noch einmal den Geschworenen präsentieren. Du hast einen guten Draht zu ihnen. Mir war klar, dass es so kommen würde. Deshalb wollte ich dich als zweite Anwältin haben. Sie identifizieren sich mit dir und damit auch mit den Opfern.»

Einer der Gründe. Der andere Grund hatte inzwischen keine Bedeutung mehr.

«Bist du damit einverstanden?»

Julia nickte langsam. «Ja», hörte sie sich sagen. «Alles klar.»

«Sie mögen dich, verstehst du?», fügte Rick hinzu, während sie den Gerichtssaal durchquerten. Draußen im Korridor warteten immer noch einige Journalisten, um wenigstens ein paar gute Fotos zu erhaschen. «Und noch viel wichtiger, sie *vertrauen* dir.»

Dann trat er den Reportern mit einem selbstbewussten Lächeln entgegen.

KAPITEL 84

ALS JULIA in ihr Büro kam, hatte sie ein Dutzend Nachrichten auf ihrem Anrufbeantworter, zweiunddreißig
E-Mails in ihrem Postfach und die Akten von drei neuen Fällen auf ihrem Schreibtisch. Sie mochte zwar zweite Anwältin
im Mordprozess des Jahres sein, doch im alltäglichen Trott der
Staatsanwaltschaft bedeutete das überhaupt nichts. Niemanden
interessierte es, dass sie bereits hundertzwei Fälle bearbeitete,
und ihrer Abteilungsleiterin war völlig gleichgültig, wie sie es
schaffte, sich auf ihre Fälle vorzubereiten – Hauptsache, sie war
vorbereitet. Wahrscheinlich wartete Karyn nur darauf, dass Julia unter ihrer Arbeit zusammenbrach.

Anstatt also nach Hause zu fahren, eine Runde zu laufen
und einige Tabletten gegen die Kopfschmerzen zu nehmen,
die langsam zu ihrem ständigen Begleiter wurden, verbrachte
Julia zwei Stunden damit, das Chaos auf ihrem Schreibtisch zu
beseitigen.

Der Druck, der auf ihr lastete, wurde von Tag zu Tag größer.
Sie fühlte sich schrecklich einsam. Das Doppelleben, das sie in
den letzten Monaten geführt hatte, zehrte an ihren Kräften.
Außerdem gelang es ihr nicht, Distanz zu dem Fall aufzubau-
en, und sie hatte das Gefühl, niemandem mehr vertrauen zu
können, weder Rick, Karyn oder Charley Rifkin noch dem
Generalstaatsanwalt. Auch nicht Nora und Jimmy ... Julia vermisste die beiden sehr. Sie vermisste eine Familie. Doch sie
war zu einer Ausgestoßenen geworden, genau wie Andrew.
Sie nahm das Telefon und wählte die Nummer von Nora und

Jimmy, doch es meldete sich wie immer nur der Anrufbeantworter. Sie legte auf, ohne eine Nachricht zu hinterlassen, und sah auf die Uhr. Es war bereits zu spät, um Andrew anzurufen, und selbst wenn sie ihn ans Telefon bekäme, wusste sie nicht, was sie ihm hätte sagen sollen. Sie musste diese Sache allein durchstehen.

Julia legte den Kopf in die Hände und rieb sich über die Schläfen. Dieser Fall wuchs ihr langsam über den Kopf. Sie dachte an die Informationen über andere Mordfälle, die der Presse zugespielt worden waren und von denen sie nichts gewusst hatte. An die Einzelheiten, die ihr niemand mitgeteilt hatte. An all die politischen Motive und Betrügereien. Hätte sie das mit Rick und Karyn kommen sehen müssen? Hätte sie ahnen sollen, dass Rick einen Fall für seine politische Karriere manipulierte?

So ging es wahrscheinlich jedem Staatsanwalt, der einen derart hochkarätigen Mordprozess führte, sagte sich Julia. Man stand ununterbrochen im Rampenlicht, jede Bewegung, jeder Satz, jedes Outfit, einfach alles wurde beobachtet und kommentiert. Doch wenn sie den Druck, der auf ihr lastete, in den Griff bekam, schaffte sie auch alles andere. Bald war das ganze Spektakel ohnehin vorüber.

Es war bereits kurz vor acht. Wieder würde sie eine der Letzten sein, die das Gebäude verließen. Sie packte ihre Unterlagen zusammen und warf einen prüfenden Blick aus dem Fenster, konnte auf dem Parkplatz jedoch weder Ricks noch Karyns Wagen entdecken. Sie hatte nicht die geringste Lust, den beiden im Aufzug oder sonst wo zu begegnen.

Sie betrachtete das Gefängnis, das geisterhaft erleuchtet inmitten des menschenleeren Häusermeers aufragte. Während South Beach erst abends richtig zum Leben erwachte, wurden in dieser Gegend nach Feierabend die Bürgersteige hochgeklappt. Vor allem an Freitagen. Büros, Anwaltskanzleien, Arztpraxen, das Gericht, das Graham Building – der ganze Block würde bis Montagmorgen um acht wie ausgestorben sein. Nur das Gefängnis nicht. Dort brannte immer Licht. Julia starrte einen Moment lang auf die beigegrauen Mauern, dorthin, wo sie den neunten Stock vermutete. Wenn Julia die Augen schloss, konnte sie die Schreie der Insassen beinahe hören …

Das Telefon klingelte und riss sie aus ihren Gedanken. Sie nahm aus reiner Gewohnheit ab und ärgerte sich schon im selben Augenblick darüber, weil es wahrscheinlich nur ein Reporter war, der ihr einen Kommentar für die morgige Zeitungsausgabe abluchsen wollte.

«Büro des Staatsanwalts, Valenciano», sagte sie und holte schon einmal die Autoschlüssel aus ihrer Handtasche.

Am anderen Ende der Leitung blieb es still.

«Hallo? Wer ist denn da?», fragte sie ungeduldig.

«Julia Valenciano?»

Es war eine tiefe, dumpfe Männerstimme. Julia kam sie seltsam vertraut vor, und sie versuchte sich zu erinnern, wo sie sie schon einmal gehört hatte. Vielleicht war es der Reporter von der *Post*, der sie bereits am Tag zuvor angerufen hatte.

«Ja», antwortete sie. «Am Apparat.» Als sie seinen schweren Atem hörte, beschlich sie ein merkwürdiges, unbehagliches Gefühl. *Ein, aus. Ein, aus.* Ein kalter Schauer lief ihr über den Rücken. «Kann ich Ihnen helfen, Sir? Ich will nicht unhöflich sein, aber es ist schon spät, und ich –»

«Er war es nicht», flüsterte die Stimme. «Hören Sie mir zu, Frau Staatsanwältin? Er hat es nicht getan.»

Dann lachte er und legte auf.

KAPITEL 85

VIELLEICHT WAR *es bloß ein Streich,* sagte sich Julia wieder und wieder, stieß die Glastüren des Graham Building auf und eilte über den verlassenen Parkplatz zu ihrem Auto. Sie warf Aktentasche und Handtasche auf den Rücksitz, setzte sich schnell hinter das Steuer und verriegelte die Tür. Dann blickte sie sich atemlos um. Weit und breit war niemand zu sehen.

Vielleicht war es ein Reporter gewesen. Oder einer der Aktivisten gegen die Todesstrafe. Das musste es sein. Ein Menschenrechtler, der sie verunsichern wollte. Journalisten hatten irgendwann die Durchwahl zu ihrem Büro herausgefunden und belästigten sie seit Wochen mit Anrufen. Außerdem lauerten sie ihr überall auf, vor ihrem Büro, ihrer Wohnung, selbst beim Joggen am Strand hatte sie schon einige gesehen. Offenbar kannten jetzt auch noch andere ihre Nummer …

Julia fuhr vom Parkplatz und lenkte den Wagen auf die Interstate 95. Viele Fragen schossen ihr durch den Kopf. Warum wurde sie angerufen und nicht Rick? Er war schließlich der Hauptankläger. Aber vielleicht hatte er ja auch einen Anruf erhalten … *Wusste irgendjemand, was sie über die Handley-Morde herausgefunden hatte?* Julia erinnerte sich an die Worte, die David Marquette vor Monaten im Gerichtssaal gesagt hatte. *Ich habe sie gerettet.* Er hatte diese Worte zu *ihr* gesagt. Als wüsste er, was sie dachte … Als wüsste er über ihre Vergangenheit Bescheid. Als wüsste er von Andrew.

Woher hatte der Anrufer gewusst, dass sie um diese Uhrzeit

noch im Büro gewesen war? Die Verhandlung war schon seit Stunden vorbei. Wurde sie beobachtet? Ihr Auto, ihr Bürofenster? In diesem Moment? Die Haut in ihrem Nacken begann zu prickeln, und sie beschleunigte den Wagen.

Ihr fiel eine Bemerkung ein, die Andrew bei einem ihrer Besuche in Kirby gemacht hatte. *Nur weil man paranoid ist, heißt das noch lange nicht, dass man nicht verfolgt wird.* Jetzt war sie paranoid. Aber sie hatte auch allen Grund dazu. Sie verließ die Interstate einige Ausfahrten früher als gewöhnlich, fuhr über Nebenstraßen nach Hause und behielt dabei die ganze Zeit den Rückspiegel im Auge, um sicherzugehen, dass ihr niemand folgte. Sie parkte nicht auf ihrem eigenen Parkplatz, sondern auf dem des Apartmentkomplexes auf der anderen Straßenseite, und schlich über die Gehwege zwischen den Nachbargebäuden nach Hause.

Am liebsten hätte sie Lat angerufen und ihm erzählt, was passiert war und was sie herausgefunden hatte. Sie wollte, dass er herkam und ihr Apartment durchsuchte, wollte seine Stimme hören, wollte ihn sagen hören, alles sei in Ordnung. Aber sie konnte es nicht. Er hatte ihr unmissverständlich klargemacht, wie er zu ihr stand, und das musste sie akzeptieren. Außerdem hatte er gewusst, dass Marquette inoffiziell der Morde in Nordflorida verdächtigt wurde, sie jedoch nicht darüber informiert. Auch er hatte also Geheimnisse vor ihr.

Julia verriegelte die Wohnungstür, ließ überall die Rollläden herunter und schaltete das Licht aus. Dann ging sie ins Schlafzimmer und setzte sich mit dem Rücken gegen die Tür gelehnt auf den Boden. Sowohl das schnurlose Telefon als auch ihr Handy lagen in Reichweite. *Es war ein Spinner,* sagte sie sich. *Nur ein Spinner.*

Es gab keinen Grund, sich zu fürchten.

KAPITEL 86

ES IST, als hätte in Davids Kopf ein verhängnisvolles Erdbeben stattgefunden.»

Im Gerichtssaal herrschte vollkommene Stille, während Dr. Al Koletis einen Schluck Wasser trank und von seinen Notizen über David Marquettes psychischen Zustand aufsah. Eine Lesebrille thronte auf seiner Nase.

«Ich versuche, den Angehörigen eines schizophrenen Patienten diese Krankheit immer mit ganz einfachen Worten zu erklären», fuhr Koletis an Mel Levenson gewandt fort. «Anfangs sind die Betroffenen völlig unauffällig, sie haben Freunde, einen Beruf und Beziehungen wie jeder andere Mensch. Sie erledigen zuverlässig ihre Jobs, sie stehen im Supermarkt hinter uns in der Schlange. Kurzum, es sind ganz normale, produktive Mitglieder der Gesellschaft, die oftmals eine glänzende Zukunft vor sich haben. Doch tief unter der Oberfläche beginnen sich die Strukturen ihres Gehirns unmerklich zu verändern. Diese Veränderungen schaffen etwas, was ich als Störungszone bezeichnen möchte. Und in diesem Areal wächst ständig ein Krisenpotenzial, das sich irgendwann entladen wird. Und zwar plötzlich und unerwartet. Wie ein Erdbeben. Manchmal fallen bei einem Erdbeben lediglich ein paar Bilder von der Wand. Aber ein anderes Mal ist der Schaden weitaus größer. Ein Erdbeben kann die Struktur eines Gebäudes zerstören. Das Haus mag oberflächlich betrachtet unbeschädigt aussehen, aber ein Blick ins Innere verrät, dass die Mauern jeden Moment einstürzen können. Und wenn ein Erdbeben stark genug ist, kann es sogar ganze Landschaften verändern und im wahrsten Sinne des Wortes Berge versetzen.

Dasselbe gilt für die Schizophrenie. Die Anfangsphase der Krankheit – das Vorbeben – mit allmählichem Anstieg der Stressfaktoren und Veränderungen der Gehirnstruktur wird Prodromalstadium genannt. Im Rückblick auf dieses Stadium entdeckt man meist erste Warnzeichen, wie etwa Depressionen, Rückzug in sich selbst oder ein verändertes Schlafmuster. Darauf folgt das eigentliche Erdbeben, die akute Psychose, in der die Realität zusammenbricht. Dann setzen auch Halluzinationen und eventuell Paranoia ein. Die Zeit nach der Psychose ist die Erholungsphase.

Die Krankheit verläuft bei jedem Betroffenen anders, genau wie kein Erdbeben dem anderen gleicht. Manche Menschen können nach der psychotischen Phase mit Hilfe von Medikamenten normal weiterleben. Andere kommen ganz ohne Medikamente aus. Einige wenige haben sogar das Glück, nie wieder eine psychotische Episode durchzumachen. Andere hingegen bewegen sich ständig in der Risikozone eines erneuten Erdbebens. Auf den ersten Blick wirken diese Menschen ganz normal, doch im Grunde kommen sie nicht allein zurecht. Ihre strukturelle Integrität ist zerstört, ihre Mauern sind zerbrechlich. Und schließlich gibt es noch jene, deren gesamte innere Landschaft sich verändert hat. Sie schaffen es nicht, sich wieder in die Gesellschaft einzugliedern, und benötigen ihr Leben lang ärztliche Betreuung. Die Krankheit hat sie zu vollkommen anderen Menschen gemacht.»

Dr. Koletis hielt für einen Moment inne und nahm seine Brille ab. Mit sicherer Stimme fuhr er fort:

«David erlitt im Alter von neunzehn Jahren einen psychotischen Zusammenbruch. Es war nur eine Frage der Zeit, wann der nächste kommen würde, besonders, da David keine vorbeugenden Medikamente einnahm. Eigentlich ist es ein Wunder, dass es ihm die ganzen Jahre über so gut ging. Aber äußerliche Stressfaktoren – vielleicht das Neugeborene, berufliche Belastungen, Eheprobleme – verursachten eine neuerliche Psychose. Diesmal mit wahrhaft katastrophalen Folgen.»

«Sie haben ausgesagt, dass David Marquette an paranoider Schizophrenie leidet», sagte Levenson. «Sie und Dr. Hayes haben beide bestätigt, dass er in der Nacht vom achten auf den neunten Oktober 2005 aufgrund seiner Krankheit unter psychotischen Wahnvorstellungen litt, Stimmen hörte und visuelle Halluzinationen hatte, die ihn glauben ließen, seine Familie sei von Dämonen besessen und er müsse die Seelen seiner Frau und seiner Kinder retten.»

«Einspruch!», sagte Rick. «Steckt darin irgendwo eine Frage? Oder hält die Verteidigung bereits ihr Schlussplädoyer?»

«Seien Sie nicht so kleinlich, Mr. Bellido. Ich habe Ihnen auch einen gewissen Spielraum gelassen», erwiderte Farley. Dann sah er über den Rand seines Kaffeebechers hinweg zu Levenson. «Bitte runden Sie Ihre Ausführungen zu einer Frage ab, Herr Verteidiger. *Tempus fugit.*»

Levenson zuckte mit den Schultern. «Dann frage ich Sie, Doktor: In Anbetracht dieser geistigen Erkrankung, dieser Geisteskrankheit namens Schizophrenie – hat David gewusst, dass das, was er tat, falsch war? War er in der Lage, zum Tatzeitpunkt Richtig und Falsch voneinander zu unterscheiden?»

Natürlich achtete er sorgfältig darauf, seinen Mandanten nicht als Mörder zu bezeichnen. Es war ein heikles Spiel mit Worten. Ohne die Geschworenen gegen seinen Mandanten aufzubringen, musste er sie mit der juristischen Terminologie vertraut machen, da auch Richter Farley sie darüber belehren würde, bevor sie sich zu den Beratungen zurückzogen.

«Einspruch! Suggestivfrage.»

Farley warf Rick einen finsteren Blick zu.

Dr. Koletis wartete die Entscheidung des Richters gar nicht

erst ab. «Meiner Meinung nach war David in der Nacht, in der seine Familie ermordet wurde, in der Tat unzurechnungsfähig. Er litt unter einer akuten Psychose und Wahnvorstellungen. Er kann und will immer noch nicht über die Einzelheiten der Tat sprechen, da er Vergeltungsmaßnahmen befürchtet. Von wem, weigert er sich zu sagen, aber ich vermute, dass es sich dabei um die Dämonen handelt, von denen er seine Familie befreit zu haben glaubt. Er hat die Details verdrängt, weil er Angst hat, sich mit ihnen auseinanderzusetzen. Aber er sah Reißzähne bei seinem dreijährigen Sohn, die Augen seiner Tochter glühten rot, seine Frau ließ die Bibel verschwinden und gab merkwürdige Geräusche von sich, und seiner neugeborenen Tochter wuchs ein Horn. Er glaubt, dass die Dämonen ihn mit unterschwelligen Botschaften hypnotisierten, die sie über das Radio sendeten. Seine visuellen Halluzinationen wurden durch akustische Halluzinationen verstärkt. David hörte Stimmen, die ihm immer wieder sagten, dass seine Familie nicht mehr menschlich und sein eigenes Leben in Gefahr sei. Wenn die Dämonen auch ihn überwältigten, würde es niemanden mehr geben, der seine Familie vor der Verdammnis bewahren könnte. Verstehen Sie?», fragte er und schaute dabei zu den Geschworenen hinüber. «Er hat seine Familie nicht umgebracht, denn für ihn war sie bereits tot. Er wollte ihre Seelen vor der ewigen Verdammnis bewahren, indem er ihre Körper von den Dämonen befreite. Er litt die ganze Zeit unter einer paranoiden Wahnvorstellung.» Nur einer der Geschworenen nickte. Die anderen blickten zu Boden.

Dr. Koletis wandte sich wieder an Levenson und schüttelte den Kopf. «Um also Ihre Frage zu beantworten: Nein, David wusste nicht, dass das, was er tat, falsch war.»

«Weiß er es jetzt?»

Dr. Koletis sah hinüber zum Tisch der Verteidigung. Wie an jedem Tag des Verfahrens starrte David Marquette ins

Leere, stieß seine Zunge hin und her und wippte mit den Füßen.

«Mit Sicherheit nicht. Traurigerweise», beendete Koletis seine Ausführungen, «glaubt er immer noch, dass er nichts Unrechtes getan hat.»

KAPITEL 87

EIN MANN mit strähnigen langen Haaren saß mitten im Regen auf den Stufen des Gerichtsgebäudes und wurde von einem Reporter interviewt. Er trug Sandalen, Shorts und eine Zwangsjacke, an seine Brust hatte er ein Pappschild mit der Aufschrift «Erst Medikamente, dann die Hinrichtung» geheftet. Der Regen hatte das Schild aufgeweicht, und die Schrift zerlief langsam.

Julia hetzte an dem Mann, dem Reporter und der Menschenmenge aus Demonstranten, Journalisten und Prozesszuschauern vorbei ins Gerichtsgebäude. Ihr übergroßer Regenschirm schützte sie vor neugierigen Blicken. Zusammen mit Angeklagten, Zeugen, Anwälten und Polizisten passierte sie die Metalldetektoren und betrat die Eingangshalle. Dort war es derart voll, dass Julia sich vorkam wie bei einem Viehauftrieb. Menschen drängelten sich an ihr vorbei, berührten sie mit ihrer nassen Kleidung oder ihren Regenschirmen und atmeten ihr ins Gesicht. Es half nicht mehr, von zehn abwärts zu zählen, also fing sie bei vierzig an, ballte ihre freie Hand immer wieder zu einer Faust und atmete durch den Seidenschal, den sie sich um den Hals gewickelt hatte.

«Hallo, du», flüsterte eine Stimme in ihr Ohr. «Wo hast du dich die ganze Zeit versteckt?» Sie spürte eine Hand auf ihrer Schulter, zuckte zusammen und drehte sich abrupt um. Lat stand vor ihr und lächelte sie an. Er trug eine Anzughose und ein weißes Hemd, das mit Regentropfen besprenkelt war. Um seinen Hals hing seine Polizeimarke, und in einem Seitenhalfter steckte seine Dienstwaffe, direkt neben dem Handy. Er hatte sich ein Sportsakko lässig über die Schulter geworfen, und seine Haare glänzten feucht.

Als Zeuge durfte Lat der Verhandlung nicht beiwohnen. Er hatte zwar schon ausgesagt, es konnte jedoch sein, dass er nochmals in den Zeugenstand gerufen wurde, und seine Aussage sollte nicht von der Aussage anderer Zeugen beeinflusst werden. Julia hatte ihn daher seit über einer Woche nicht mehr gesehen. Sie nickte ihm schweigend zu. Dann kämpften sie sich gemeinsam bis zu einem der Aufzüge vor und quetschten sich hinein.

«Ich bin am Wochenende an deinem Apartment vorbeigefahren», sagte er leise. «Aber du warst nicht da. Ich wollte dich zu einer Sonntagnachmittagsspritztour einladen.» Im vierten Stock verließen sie den Aufzug und steuerten auf das Chaos zu, das sie vor dem Gerichtssaal erwartete. Als Julia immer noch nichts sagte, verwandelte sich Lats Lächeln in ein besorgtes Stirnrunzeln. «Ist alles in Ordnung?», fragte er leise und fasste sie leicht am Ellbogen.

Julia nickte kurz, schüttelte seine Hand jedoch ab und verschwand wortlos in der Menge. Vor dem Gerichtssaal war als zusätzliche Sicherheitsmaßnahme ein weiterer Metalldetektor aufgestellt worden, und sie reihte sich mit gesenktem Kopf in die Schlange derjenigen ein, die das Glück gehabt hatten, einen Platz im Gerichtssaal zu ergattern. Genau wie vor dem Gerichtsgebäude wurden auch hier im überfüllten Korridor Protestschilder geschwenkt. Einige waren handgemalt, andere stammten von Menschenrechtsorganisationen und wurden von den entsprechenden Aktivisten hochgehalten. Jemand streckte ihr so abrupt ein Schild mit der Aufschrift «Die Todesstrafe ist Mord!» entgegen, dass es sie an der Stirn traf. «Auch du wirst in der Hölle schmoren!», geiferte der Träger des Schildes und kam ihr dabei so nahe, dass sein Speichel ihr ins Gesicht sprühte.

«Hau ab, du Arschloch!», hörte Julia Lat rufen, während sie sich an einem Reporter vorbeidrängte, der die Szene mit amüsierter Miene beobachtet hatte. «Und nimm dein beschissenes Schild gleich mit. Cormier! Werfen Sie den Typ raus! Niemand darf der Staatsanwältin zu nahe kommen!»

«Das war's für dich, Kumpel», sagte eine andere Stimme. «Du bist zu weit gegangen.»

«Hier herrscht Redefreiheit, Officer! Ich kann zu dieser angehenden Mörderin sagen, was ich will! Hey, Lady! Fühlen Sie sich gut dabei, einen unzurechnungsfähigen Mann in den Tod zu schicken?» Es war das Letzte, was Julia hörte, bevor die Türen des Gerichtssaals hinter ihr zufielen und sie sich einen Weg zum Tisch der Staatsanwaltschaft bahnte.

... 7, 6, 5, 4, 3, 2, 1 – atmen.

In der vergangenen Woche hatte das Hauptaugenmerk des Prozesses auf der kaltblütigen Brutalität der Morde gelegen. Es ging um die Opfer, um Jennifers und Davids Ehe – darum, David Marquette als einen bösartigen und durchtriebenen Killer darzustellen, als raffinierten, hochintelligenten Mann mit zwei verschiedenen Gesichtern.

Doch Mel Levenson hatte den Mittelpunkt der Aufmerksamkeit verschoben, das Interesse zumindest vorübergehend umgelenkt. Seit drei Tagen stellte die Verteidigung ihre Zeugen vor. Die Gutachter Al Koletis und Margaret Hayes hatten über David Marquettes Wahnvorstellungen berichtet, über die Welt, in der er als Teenager gelebt hatte, über die Stimmen, die er hörte, und die verzerrten Gesichter, die er sah. Die Verteidigung hatte Marquettes Kindheit analysiert, sein Familienleben, seine Ehe und auch seinen in einer psychiatrischen Anstalt lebenden Zwillingsbruder. Jetzt hieß das Thema des Tages Unzurechnungsfähigkeit und ihre juristische sowie medizinische Bedeutung, und zwar nicht nur in der internationalen Presse, sondern auch an den Supermarktkassen überall im Land. Auf *CNN, FOX* und *MSNBC* debattierten Rechtsexperten über die Moral und die Verfassungsmäßigkeit der allgemein üblichen Praxis, Geisteskranken Medikamente zu verabreichen, damit sie überhaupt vor Gericht erscheinen konnten. Berühmte Strafprozesse, in denen die Angeklagten ebenfalls auf Unzurechnungsfähigkeit plädiert hatten, wurden bis zum Überdruss in Talkshows und Nachrichtenmagazinen diskutiert, während im Hintergrund Videoaufnahmen der besagten Verhandlungen liefen. Die meisten dieser Angeklagten waren gescheitert. David Berkowitz. Jeffrey Dahmer. Ted Bundy. Sirhan Sirhan. Henry Lee Lucas. Charles Manson. John Wayne Gacy. Die Experten wiesen darauf hin, dass in weniger als einem Prozent aller Prozesse auf Unzurechnungsfähigkeit plädiert wurde und dass die Verteidigung nur in einem Viertel dieser Fälle erfolgreich war. Auf allen Kanälen wurden Dokumentationen über John Hinkley jr. gezeigt, jenen jungen Mann, der sich in Jodie Foster verliebt hatte, nachdem er sie in dem Film *Taxi Driver* gesehen hatte. Hinkley wollte ihr seine Liebe beweisen, indem er 1981 versuchte, Präsident Ronald Reagan umzubringen. Er plädierte auf Unzurechnungsfähigkeit und wurde tatsächlich freigesprochen. Der Freispruch löste in den ganzen USA einen Aufschrei der Empörung aus und führte in vielen Bundesstaaten zu einer Reform der betreffenden Gesetzgebung.

Mel Levenson hatte drei Tage lang versucht, zu beweisen, dass David Marquette unzurechnungsfähig war. Nun lag es an Julia, ihn zu widerlegen.

Eigentlich hätte sie den Gerichtssaal am liebsten nie wieder betreten. Nach dem seltsamen Telefonanruf am Freitagabend hatte sie sich das ganze Wochenende über in ihrem Apartment verkrochen. Sie hatte es noch nicht einmal gewagt, die Morgenzeitung hereinzuholen, aus Angst, ein Reporter könnte draußen auf der Lauer liegen, ein Foto von ihr schießen und es an die Zeitungen verkaufen. Dann würden die Demonstranten vielleicht sogar herausfinden, wo sie wohnte. Ironischerweise war es Andrew gewesen, der sie dazu überredet hatte, weiterzumachen. Er hatte ihr zu bedenken gegeben, was mit ihrer Karriere geschehen würde, wenn sie einfach weglief.

Andrew sollte am Samstagmorgen endlich nach Rockland verlegt werden, und Julia wollte spät am Freitagabend nach New York fliegen, um dabei zu sein und ihm zu helfen, sich an die neue Umgebung zu gewöhnen. Niemand wusste, wie lange Andy in Rockland bleiben musste. Es konnten zehn oder fünfzehn Jahre sein, vielleicht aber auch nur zwei. Alles hing von den Beurteilungen der Psychiater ab. Doch eines wusste Julia genau: Sie wollte in der Nähe ihres Bruders sein, wollte ihn und seine Genesung unterstützen und ihn vor allem jedes Wochenende besuchen können, nicht nur, wenn sie einmal im Monat ein günstiges Flugticket ergatterte. Er war alles, was ihr geblieben war, und sie träumte davon, ihn eines Tages zu sich nach Hause zu holen, sei es in zwei Jahren oder in zwanzig. Und dieses Zuhause sollte so weit von Miami entfernt sein wie nur möglich.

In diesem Moment wurde David Marquette in den Gerichtssaal geführt, flankiert von zwei Wachmännern und vier zusätzlichen Sicherheitsbeamten. Nach der Aussage des Gerichtsmediziners in der vergangenen Woche waren derart viele Morddrohungen im Gefängnis eingegangen, dass Marquette seine Zelle nur noch in kugelsicherer Weste und mit bewaffnetem Geleitschutz verließ.

Im Grunde war es zum Lachen, dachte Julia, während Farley mit finsterer Miene seinen Platz einnahm und Jefferson die Anwesenden wie gewöhnlich eine Sekunde zu spät aufforderte, sich zu erheben. Der Staat setzte das Leben von sechs Männern aufs Spiel, um einen Mann lange genug am Leben zu erhalten, damit er ordnungsgemäß getötet werden konnte. Sogar Jay Leno hatte am Abend zuvor in seiner *Tonight Show* einen Witz darüber gemacht.

Es war wirklich zum Totlachen.

KAPITEL 88

S TAATSANWALTSCHAFT?», brummte Farley, lehnte sich zurück und deutete auf den Zeugenstand, an dem Ivonne gerade Christian Barakat vereidigt hatte. Der Psychiater trug einen maßgeschneiderten, grauschwarzen Anzug mit Seidenkrawatte und wirkte äußerst distinguiert und elegant. Falls sich der Prozess zu einem Rennen zwischen den Gutachtern entwickelte, würde Barakats attraktives Äußeres ihm vielleicht den entscheidenden Vorteil verschaffen. Zumindest bei den weiblichen Geschworenen, die alle miteinander die Hälse gereckt hatten, sobald Barakat durch die Tür getreten war.

Im Gerichtssaal herrschte für etwa dreißig Sekunden absolute Stille. Dreißig Sekunden zu lange für Farley, dessen Augen sich zu schmalen Schlitzen verengten. Er beugte sich vor. «Hallo? Sollen wir diesen Zeugen nur ansehen, oder wollen Sie ihn auch befragen, Miss Valenciano?»

Julia starrte auf ihre Notizen und biss sich auf die Lippe. Dann stand sie langsam auf und trat zum Zeugenstand, ließ die Zettel jedoch auf dem Tisch zurück. Sie spürte die Augen der Geschworenen auf sich, die jeden ihrer Schritte verfolgten. Alice Wade lächelte ihr zu.

Die Geschworenen mögen dich. Sie vertrauen dir.

«Guten Morgen, Doktor. Bitte nennen Sie dem Gericht Ihren Namen und Ihren Beruf», sagte sie schließlich.

«Mein Name ist Christian Barakat. Ich bin ein staatlich anerkannter forensischer Psychiater und habe eine Privatpraxis hier in Miami, in der Brickell Avenue.»

«Wie lange praktizieren Sie schon als Psychiater?»

«Seit sechzehn Jahren.»

«Bitte informieren Sie das Gericht über Ihre beruflichen Qualifikationen.»

Barakat war ein erfahrener Zeuge. Er hatte bereits in vielen medienträchtigen Prozessen ausgesagt und wusste genau, wie er sich ins rechte Licht rücken und als Experten ausweisen konnte. Er benötigte allein zehn Minuten, um die Meilensteine seiner Karriere aufzuzählen – darunter ein *Summa-cum-laude*-Abschluss in Yale, ein Doktortitel von der medizinischen Fakultät der University of Miami und ein hochdotiertes Forschungsstipendium der New York University.

«Hatten Sie Gelegenheit, den Angeklagten David Marquette zu untersuchen?», fragte Julia, nachdem er fertig war.

«Ja, die hatte ich.»

«Wann war das und unter welchen Umständen?»

Irgendwo in ihrem Kopf hörte sie plötzlich Ricks Stimme. Hörte die Worte, die er an dem Tag zu ihr gesagt hatte, an dem er sie zur zweiten Anwältin gemacht und die Ernennung mit einem leidenschaftlichen Kuss besiegelt hatte. *Du wirst deine Sache hervorragend machen, davon bin ich überzeugt.* Bald würde er Generalstaatsanwalt sein.

«Ich habe zweimal die Gelegenheit gehabt, mich mit Dr. Marquette zu unterhalten», erwiderte Barakat und blätterte in seinen Notizen. «Das erste Mal am fünfzehnten Dezember 2005, gemäß einer richterlichen Anordnung zur Feststellung der Prozessfähigkeit des Angeklagten. Am achten Januar dieses Jahres befragte ich ihn, um zu ermitteln, ob er zu dem Zeitpunkt, an dem er seine Frau und seine drei Kinder ermordete, im juristischen Sinne unzurechnungsfähig war.»

«Einspruch!», rief Mel Levenson. «Der Zeuge fällt bereits ein Urteil.»

«Stattgegeben», sagte Farley. «Es ist die Aufgabe der Geschworenen, zu entscheiden, ob der Angeklagte ein Mörder ist oder nicht.»

Julia blickte hinüber zu David Marquette, der ausdruckslos vor sich hinstarrte. Er schien völlig in seine eigene Welt versunken zu sein, kilometerweit entfernt vom Gerichtssaal.

Dieser Fall ist zu nahe dran, Julia. Er bringt nur – Verzweiflung.

Hören Sie mir zu, Frau Staatsanwältin? Er hat es nicht getan.

Ich habe sie gerettet.

Julia verbannte die Stimmen aus ihrem Kopf und trug die nächste Zeile ihres auswendig gelernten Textes vor. «Bitte erläutern Sie uns, wie Sie den Zustand des Angeklagten in der Tatnacht einschätzen würden.»

Was ging in Marquettes Kopf vor, in dieser rätselhaften verborgenen Welt? Hatte er Angst? Wusste er, dass er zum Tode verurteilt werden konnte? Begriff er, dass er etwas Furchtbares getan hatte? Würde er entsetzt sein, wenn die Realität irgendwann an seine Tür klopfte und Einlass begehrte, was laut Andy durchaus geschehen konnte? Würde er in der Lage sein, der Wahrheit ins Auge zu sehen? Würde er damit leben können?

«Es ist, als ob man die ganze Zeit ein völlig anderes Leben gelebt hätte, und plötzlich zieht jemand den Vorhang beiseite und sagt: ‹Ätsch, hast du nicht! Das ist dein wirkliches Leben.› Aber du erkennst es nicht … Und dann stehst du plötzlich da mit dem, was du getan hast. Ganz allein. Und was du getan hast, ergibt noch nicht einmal einen Sinn. An diesem Punkt erkennst du, dass es dir bessergehen würde, wenn du verrückt geblieben wärst, Ju-Ju.»

Plötzlich sah Julia ihren Bruder vor sich. Vierzehn Jahre zuvor hatte auch er auf der Anklagebank gesessen. Ein ängstlicher Junge mit dunkelbraunen Locken und blasser Haut, dessen Verstand in einer anderen, schrecklichen Welt gefangen war, ein Junge, ganz allein in einem Gerichtssaal voller Menschen, die ihn hassten, die ihn nicht verstanden, nicht verstehen wollten. David Marquette hatte immerhin noch seine Eltern, die in der

Reihe hinter ihm saßen. Marquettes Familie hatte sich nicht von ihm abgewandt, sie hatte verstanden, was diese Krankheit anrichten konnte. Julia kämpfte mit den Tränen. Für Andrew war niemand da gewesen.

Verzeih mir, Ju-Ju. Bitte verzeih mir. Ich wollte nicht, dass du mich hasst. Ich weiß, was ich getan habe, und ich wünschte, ich hätte es nicht getan. Ich wünschte, ich könnte alles rückgängig machen. Ich wünschte, ich wäre nie geboren worden.

«Staatsanwaltschaft? Hallo? Haben Sie noch weitere Fragen an den netten Herrn Doktor, oder sind wir fertig?», fragte Farley irritiert.

Julia blickte auf. Sämtliche Anwesenden sahen sie an und harrten ihrer nächsten Frage. Sie hatte keine Ahnung, was Barakat gerade gesagt hatte oder wie lange der Gerichtssaal schon auf ihre Reaktion wartete. Aber das war jetzt ohnehin gleichgültig.

Sie holte tief Luft. «Doktor Barakat, die Psychologie ist keine exakte Wissenschaft, oder?»

Barakat wirkte überrascht. «Nein, das ist sie nicht», antwortete er.

«Es gibt keine medizinischen Tests, durch die sich feststellen lässt, ob jemand an einer Geisteskrankheit leidet, oder?», fragte sie.

«Nein, es gibt keine Bluttests oder Röntgenuntersuchungen, durch die man eine Geisteskrankheit nachweisen kann, wenn Sie das meinen. Bei einigen Schizophreniekranken waren auf Kernspintomographien Veränderungen der Gehirnstruktur zu erkennen, doch diese Verfahren gelten nicht als sichere Diagnosemittel, da meistens keine Vergleichsaufnahme des Gehirns aus der Zeit vor dem Ausbruch der Krankheit existiert. Die Krankheit befällt den Verstand, Miss Valenciano – und Störungen der Denkprozesse oder Gefühle kann man nicht mit einem Blut- oder Urintest messen.»

«Wie wird eine Geisteskrankheit denn dann diagnostiziert? Genauer gesagt, wie wird *Schizophrenie* diagnostiziert?»

«Indem man dem Patienten zuhört und Symptome und Verhaltensauffälligkeiten analysiert.»

«Im Grunde können Sie Ihre Diagnose aber nur darauf stützen, was Ihnen der Patient *erzählt*, nicht wahr?»

«Im Grunde ja.»

Rick versuchte, sie mit Blicken auf sich aufmerksam zu machen, doch Julia ignorierte ihn. «Schizophrenie äußert sich bei jedem Betroffenen anders, richtig, Dr. Barakat? Zwei verschiedene Menschen erleben niemals genau die gleiche Wahnvorstellung, ist das korrekt?»

«Das ist korrekt.»

«Das heißt also, einige Betroffene haben zum Beispiel visuelle Halluzinationen, andere hören Stimmen, und manche riechen sogar seltsame Gerüche oder entwickeln anderweitige Sinnesstörungen. Einige Kranke ziehen sich völlig in eine andere Welt zurück und verfallen in Katatonie. Und manche Patienten leiden an einer Kombination verschiedener Symptome, korrekt?»

Barakat sah hinüber zu Rick. Das waren eindeutig Suggestivfragen. Juristisch betrachtet konnte Levenson Einspruch erheben, da Suggestivfragen nur im Kreuzverhör gestattet waren, doch das würde er mit Sicherheit nicht tun. Der Gerichtssaal wartete angespannt auf Barakats Antwort. «Ja», sagte Barakat zögernd. «Es kann durchaus schwierig sein, die Krankheit korrekt zu diagnostizieren und zu behandeln, aber es gibt gewisse Standardsymptome, auf die ein Psychiater achtet.»

«Wies Marquette einige dieser Standardsymptome auf?»

«Ja», erwiderte Barakat. «Er sagte, er würde Stimmen hören. Er behauptete, visuelle Halluzinationen zu haben, die Teil der paranoiden Wahnvorstellung waren, seine Familie sei von Dämonen besessen.»

«Aber Sie glauben nicht, dass er die Wahrheit gesagt hat?»

«Das ist korrekt. Ich glaube, dass er simuliert und die Symptome der Schizophrenie vortäuscht, um sich aus der Verantwortung zu ziehen.»

«Aber dieser Fall hat Sie vor eine schwierige Aufgabe gestellt, nicht wahr?»

Dr. Barakat starrte sie ungläubig an. Plötzlich begriff er, worauf sie hinauswollte. «Wie bitte?», fragte er und rutschte unbehaglich auf seinem Stuhl hin und her.

«Obwohl David Marquette alle Standardsymptome der Schizophrenie aufwies, Symptome, die, wie Sie zugeben, von den meisten Simulanten nicht nachgeahmt werden können – teilnahmsloser Gesichtsausdruck, abgestumpfte Emotionen, Katatonie –, war es letzten Endes einfach nur Ihr *Bauchgefühl*, das Ihnen sagte, dass er simuliert. Korrekt?»

Julia hatte ihn in eine Falle gelockt, aus der es kein Entrinnen gab. Barakat wusste das. «Ja, als Psychiater muss ich mich manchmal auf meine Instinkte verlassen.»

«Und wenn diese Instinkte Sie trügen?»

«Das glaube ich nicht.»

«Sie vertrauen also Ihren Instinkten, aber es gibt keinen medizinischen Test, der beweisen könnte, dass Sie recht haben, nicht wahr? Lassen Sie mich Ihnen noch eine Frage stellen, Doktor. *Falls* David Marquette an paranoider Schizophrenie leidet, *falls* er tatsächlich die Wahnvorstellungen hat, von denen er Ihnen erzählte, *falls* er wirklich glaubte, dass seine Familie bereits tot war, als er sie umbrachte, *falls* Ihr Instinkt Sie getrogen hat – wäre David Marquette dann juristisch betrachtet verantwortlich für die Morde an seiner Frau und seinen Kindern?»

«Einspruch!» Rick sprang auf.

Farley sah ihn stirnrunzelnd an. «Sie können während Ihrer eigenen Vernehmung keinen Einspruch erheben, Mr. Bellido.»

Dann fügte er mit erhobenen Augenbrauen und dem Anflug eines Lächelns hinzu: «Vielleicht haben Sie es ja vergessen, aber Miss Valenciano ist Ihre zweite Anwältin. Sie spielt in *Ihrem* Team.»

Julia wandte Rick demonstrativ den Rücken zu und fuhr fort: «Ja oder nein, Dr. Barakat? Falls David Marquette unter diesen Wahnvorstellungen litt, falls er sie in seinem Kopf für die Realität hielt – würden Sie dann sagen, dass er im Sinne der Gesetze Floridas unzurechnungsfähig war?»

Barakat blickte wieder zu Rick und dann hinüber zu Farley, als brächte er einfach nicht über die Lippen, was Julia ihn zu sagen zwang.

Der Richter zuckte mit den Schultern. «Beantworten Sie bitte die Frage.»

«Ja. Falls David Marquette tatsächlich unter den betreffenden Wahnvorstellungen litt, war er zum Tatzeitpunkt nicht in der Lage, zwischen Richtig und Falsch zu unterscheiden. Dann wäre er gemäß der juristischen Definition als unzurechnungsfähig einzustufen.»

Im ganzen Gerichtssaal brach aufgeregtes Geflüster aus. Julia richtete ihre Augen auf Rick und erwiderte seinen eisigen Blick.

«Keine weiteren Fragen», sagte sie bleiern und ging zurück zu ihrem Platz.

KAPITEL 89

JULIA HIELT sich die Hand vor das Gesicht und hastete an den Presseleuten vorbei, die versuchten, ihr mit Mikrophonen und Kameras den Weg zu versperren. Die Blitzlichter blendeten sie, das Trommelfeuer von Fragen tat ihren Ohren weh. Sie wollte so schnell wie möglich aus diesem Hexenkessel entkommen.

«Glauben Sie, dass Dr. Marquette zu Unrecht angeklagt wird?»

«Ist David tatsächlich unzurechnungsfähig?»

«War diese Zeugenbefragung mit Rick Bellido abgesprochen?»

«Mörder!», rief jemand zornig. *«Er ist ein Mörder! Ein Schlächter! Sie sind dafür verantwortlich! Sie lassen ihn mit diesen Morden davonkommen!»*

«Wie konnten Sie nur?», rief ein anderer. *«Er ist der Teufel!»*

«Sie werden in der Hölle schmoren!»

«Ruhe! Ich will Ruhe in diesem Gerichtssaal!», bellte Farley.

Julia stieß die schweren Mahagonitüren auf und stürmte in den Korridor. Als die Türen mit einem dumpfen Knall hinter ihr ins Schloss fielen, verstummten die Fragen und Schreie für einen Moment. Panisch blickte sich Julia um. Der Gang erschien ihr plötzlich völlig fremd. Wie bei Alice im Wunderland sahen alle Türen gleich aus, und sie konnte sich nicht mehr daran erinnern, welche wohin führte.

Es war nicht mehr so ein Gedränge wie am Morgen, doch noch immer liefen einige Leute vor den Gerichtssälen auf und ab oder warteten auf den mit Graffiti beschmierten Holzbänken auf ihre Anwälte oder Angehörigen. Sie beäugten Julia misstrauisch. Am anderen Ende des Korridors standen ein paar Journalisten, die bei ihrem Anblick schnell erkannten, dass sie offensichtlich etwas verpasst hatten, ihre Kaffeebecher fallen ließen und nach ihren Kameras griffen.

Julia flüchtete in Richtung des Treppenhauses. Sie fühlte sich furchtbar, geradezu körperlich krank. Wahrscheinlich hatte sie gerade ihren Job verloren. Und Rick und Karyn und Charley Rifkin und Jerry Tigler würden dafür sorgen, dass sie nie wieder als Staatsanwältin arbeiten konnte.

Trotz der bevorstehenden beruflichen Katastrophe überkam sie auf einmal eine merkwürdige Ruhe. «Ich habe dich nicht dazu erzogen, zu tun, was die anderen tun», hatte ihre Mutter einmal mit ernster Miene zu ihr gesagt, nachdem sie auf der Highschool mit einer Freundin den Unterricht geschwänzt hatte. «Sondern dazu, zu tun, was richtig ist. Höre auf deine innere Stimme, sie wird dir sagen, was richtig ist.» *Ich habe es getan, Mama. Ich habe auf meine innere Stimme gehört.* Obwohl das am Ende vielleicht keinen Unterschied machte und die Geschworenen womöglich beschließen würden, alles zu ignorieren, was sie heute gehört hatten – Julia hatte getan, was sie für richtig hielt.

«Julia! Warte!»

Als sie Lat ihren Namen rufen hörte, beschleunigte sie ihre Schritte, stieß die Tür zum Treppenhaus auf und hetzte die Stufen hinunter. Sie konnte jetzt niemandem in die Augen sehen, wollte nicht mit Fragen oder enttäuschten Gesichtern konfrontiert werden – besonders nicht mit Lats. In der zweiten Etage verließ sie das Treppenhaus wieder und ging zu den Aufzügen. Sie würde den Fahrstuhl in die Tiefgarage nehmen.

Plötzlich klingelte ihr Handy. Julia fuhr zusammen und zog es mit zitternden Händen aus ihrer Tasche. Vielleicht war es

Rick, der sie feuern wollte, noch bevor sie das Gebäude verlassen hatte. Oder Lat rief an, um zu fragen, warum sie vor ihm davonlief. Womöglich war es auch der anonyme Anrufer vom Freitagabend, der ihr zu ihrer hervorragenden Arbeit gratulieren wollte. Doch auf dem Display erschien eine Nummer mit New Yorker Vorwahl.

«Hallo?», flüsterte sie, während sie mit einigen anderen auf den Aufzug wartete, und vergewisserte sich mit einem Blick über die Schulter, dass weder Lat noch die Reporter ihr gefolgt waren.

«Miss Valenciano? Hier ist Mary Zlocki aus Kirby.»

«Hallo, Mary. Ich bin noch im Gericht.» Sie betrat den Fahrstuhl und drückte auf den Knopf für die Tiefgarage.

«Es geht um Ihren Bruder», erklärte Mary.

«Ja … Ich komme am Samstag. Ich werde da sein, wenn er verlegt wird.» Die Verbindung wurde schlecht. In der ersten Etage stiegen einige Leute aus, und Julia wich so weit wie möglich in die Kabine zurück, damit sie beim nächsten Halt niemand von der Eingangshalle aus entdecken konnte. «Ich stehe gerade in einem Aufzug, Mary. Es könnte sein, dass die Verbindung gleich abbricht.»

«… möchte … über Andrew …», ertönte Marys Stimme. Dann hörte Julia nichts mehr.

«Mary? Mary? Sind Sie noch da?», fragte sie leise. Kurz darauf öffneten sich die Aufzugtüren in der schlechtbeleuchteten Tiefgarage, und Julia trat hinaus. «Mary?»

«Miss Valenciano?», ertönte eine ernste Stimme in der Leitung, die Julia sofort als die von Dr. Mynks erkannte. Mary hatte sie offenbar durchgestellt. Julia ging schnell auf das kleine Rechteck aus Tageslicht zu, das nach draußen führte. «Hier spricht Dr. Mynks, Miss Valenciano. Ich muss mit Ihnen reden.»

«Ich habe gerade schon Mary gesagt, dass ich auf jeden Fall

am Samstag dabei sein werde, Dr. Mynks. Ich fliege morgen –»

«Miss Valenciano», unterbrach sie der Arzt sanft, aber nachdrücklich, «Andrew ist tot.»

Julia ließ das Handy fallen und sah zu, wie es zeitlupenhaft auf dem Betonboden der Tiefgarage zerbrach.

KAPITEL 90

JULIA SASS auf derselben Kunststoffbank und starrte auf dieselben Ausgaben von *People Magazine* und *Time* wie bei ihrem ersten Besuch drei Monate zuvor. Tom Cruise und Katie Holmes waren immer noch ein Paar, im Irak hatte man immer noch keine Massenvernichtungswaffen gefunden. War sie tatsächlich erst vor wenigen Monaten zum ersten Mal hier gewesen? Wie sehr sich ihr Leben in der Zwischenzeit verändert hatte ... Sie sah sich im Wartebereich um, der an diesem Samstagmorgen wieder einmal menschenleer war. Auch heute würden keine Besucher kommen – wie immer.

Die Wachmänner hinter der kugelsicheren Scheibe schauten nicht ein einziges Mal zu ihr herüber. Offenbar wussten sie, warum sie hier war. Sie war Cirtos Schwester. Eine Aussätzige.

Die Tür zum Bürotrakt öffnete sich, und Dr. Mynks betrat den Wartebereich. Julia nahm ihre Handtasche und erhob sich, um ihm in sein Büro zu folgen, doch Dr. Mynks ließ die Tür ins Schloss fallen und kam auf sie zu. Er hatte eine große, braune Papiertüte in der Hand, eine von der Sorte, wie man sie im Supermarkt bekam. Julia erkannte, dass Dr. Mynks nicht vorhatte, sich allzu lange mit ihr zu unterhalten.

«Miss Valenciano», begrüßte er sie in demselben sanften und doch unpersönlichen Tonfall, in dem er am Telefon mit ihr gesprochen hatte. «Im Namen aller Angestellten von Kirby möchte ich Ihnen mein Beileid bekunden. Es ist eine Tragödie, und wir werden natürlich sämtliche Umstände, die den Tod

Ihres Bruders betreffen, prüfen.» Er reichte ihr die Tüte. «Die Betreuer auf Andrews Station dachten, dass Sie vielleicht gern seine persönlichen Sachen hätten. Es ist hauptsächlich Kleidung, aber auch ein paar Zeichnungen sind dabei, die er an der Wand hängen hatte, außerdem sein Tagebuch, seine Brieftasche und ein Abschlussring von der Highschool.»

Dr. Mynks' Stimme klang nüchtern, und Julia wurde augenblicklich klar, dass Andrews Tod für ihn keineswegs eine Tragödie war, sondern reine Statistik. Wahrscheinlich bedauerte er lediglich, dass der Todesfall unter seiner Aufsicht geschehen war und daher mit ihm in Verbindung gebracht werden würde. Für ihn war Andrew nur ein Patient von vielen gewesen, ein Insasse, ein Aktenzeichen. Julia wartete förmlich darauf, dass Dr. Mynks verstohlen auf die Uhr sehen oder ungeduldig mit dem Fuß auf den Boden tippen würde, um ihr zu zeigen, dass er Besseres zu tun hatte.

Sie nahm die Tüte entgegen und verharrte dann bewegungslos. Sie war noch nicht bereit, zu gehen und kommentarlos zu akzeptieren, was geschehen war. «Was ist passiert?», stieß sie mit bebender Stimme hervor.

«Selbstmord», erwiderte Dr. Mynks ausdruckslos. «Wie ich Ihnen bereits am Telefon sagte, Miss Valenciano.»

Julia starrte ihn eindringlich an.

«Er hat sich in der Dusche erhängt.» Dr. Mynks schwieg einen kurzen Moment. Dann schaute er sie fest an und sagte: «Es tut mir sehr leid, Miss Valenciano. Aber schwere Depressionen sind häufig Begleiterscheinung von Schizophrenie. Ihr Bruder hatte sich mit seiner Krankheit abgefunden und begonnen, sich mit dem Verbrechen, das er begangen hat, auseinanderzusetzen. Leider wirken gewisse Erkenntnisse auf den Patienten manchmal derart überwältigend, dass er sie emotional nicht verarbeiten kann. Und in Anbetracht der kürzlich eingetretenen Veränderungen in Andrews Leben ...» Dr. Mynks verstummte. Dann hob er abwehrend die Hand. «Das soll nicht heißen, dass er sich deswegen das Leben genommen hat. Es gab keinen Abschiedsbrief, und er hat auch niemandem erzählt, was er vorhatte, also sind dies alles nur Vermutungen.»

Julia wusste, was Dr. Mynks eigentlich hatte sagen wollen. *Sie* war die Veränderung in Andrews Leben gewesen. Die Erinnerung an die Vergangenheit, die er nicht verkraften konnte.

«Wenn Sie in nächster Zeit das Bedürfnis haben sollten –», begann Dr. Mynks, doch Julia wartete das Ende seines Satzes nicht mehr ab. Sie drehte sich um, die Tüte mit Andrews Besitztümern fest an sich gedrückt, und trat durch die Sicherheitstüren hinaus in den Sonnenschein.

KAPITEL 91

DAS BEERDIGUNGSINSTITUT Barnes & Sorrentino an der Kreuzung von McKinley Street und Hempstead Avenue war immer noch in demselben unscheinbaren Gelb gestrichen, das Julia in Erinnerung hatte. Eine kleine Rasenfläche trennte das Haus vom Bürgersteig, und Blumenbeete säumten den Weg, der zu der Eingangstür aus dunklem Holz führte. In ihrer Kindheit war Julia unzählige Male auf dem Weg zur Bücherei oder zum Bäcker mit dem Fahrrad an diesem Haus vorbeigefahren und hatte es immer für eine Arztpraxis gehalten. Erst als ihre Eltern dort aufgebahrt worden waren, begriff Julia, dass es sich um ein Bestattungsunternehmen handelte.

Es hatte zu nieseln begonnen. Julia blieb für einen Moment neben ihrem Mietwagen auf dem leeren Parkplatz stehen, während die Erinnerungen auf sie einstürmten. Die Tankstelle an der Ecke, an der Andy und sie immer ihre Fahrradreifen mit Luft gefüllt hatten, war offenbar schon lange geschlossen, aber das Café auf der anderen Straßenseite existierte noch. Jeden Sonntag nach der Kirche hatte ihr Vater die Familie dorthin zum Brunch eingeladen – zu den besten Pfannkuchen der Welt. Zum letzten Mal hatte Julia die Pfannkuchen am Tag der Beerdigung ihrer Eltern gegessen. Nora und Jimmy hatten die Trauergäste zu einem kleinen Imbiss in das Café gebeten.

Sie ging langsam über den Parkplatz und auf den Seiteneingang des Bestattungsunternehmens zu.

Beeil dich, Julia, Liebes. Wir dürfen nicht zu spät kommen. Die Leute warten schon.

Als sie die Tür öffnete, erschien wie aus dem Nichts eine ältere Dame mit toupierten weißen Haaren und roten Lippen. Sie blickte an Julia vorbei nach draußen und sagte: «Ach je. Sieht so aus, als würde es schon wieder anfangen zu regnen. Dabei hatten wir in letzter Zeit wirklich genug Regen. Aber vielleicht ist der viele Regen ja ein Vorbote des Frühlings.» Sie lächelte. «Was kann ich für Sie tun?»

Julia sah sich unsicher im Empfangsbereich um. «Ich … Mein Name ist Julia Cirto. Ich habe gestern angerufen. Es geht um meinen Bruder, Andrew Cirto.»

Die Frau nickte, und ihr Lächeln verschwand. «Mein herzliches Beileid. Ich bin Evelyn. Setzen wir uns doch in mein Büro.»

Julia folgte Evelyn durch den Empfangsbereich, der mit einem abgenutzten roten Teppich ausgelegt war. Welch eine seltsame Farbe für ein Bestattungsunternehmen, dachte sie. Ein roter Teppich. Vielleicht sollte es ein Symbol sein – ein großer Abtritt von der Bühne des Lebens. *Auch du warst jemand!* In Evelyns kleinem Büro nahm Julia in einem der zwei Ohrensessel Platz, die vor einem antiken Schreibtisch standen. Evelyn setzte sich in den anderen.

«Der Leichnam Ihres Bruders ist heute von der Gerichtsmedizin an uns überstellt worden. Nun müssten wir noch …» – Evelyn zögerte kurz – «einige Dinge besprechen. Sie können sich unseren Katalog ansehen, oder –»

Julia schüttelte den Kopf. «Ich – ich kann mir nicht sehr viel leisten, Evelyn», stammelte sie. «Mein Bruder – er hatte kein Geld oder irgendeine Versicherung. Aber ich möchte, dass er etwas Schönes bekommt. Ich habe ungefähr fünftausend Dollar zur Verfügung. Würden Sie etwas für mich aussuchen?» Sie wollte nicht all die kostspieligen Särge sehen oder all die Extras, die sie nicht bezahlen konnte. Sie wollte es einfach nur hinter sich bringen.

Evelyn nickte und legte Julia mitfühlend die Hand auf den Arm. «Natürlich. Ich kann das gern für Sie übernehmen.» Sie hielt einen Moment lang inne und fuhr dann fort: «Ich muss zugeben, ich bin neugierig. Sie kommen aus Florida, und Ihr Bruder starb in Manhattan. Warum haben Sie sich für Barnes & Sorrentino entschieden? Haben Sie noch weitere Verwandte hier in West Hempstead? Möchten Sie, dass wir für Sie eine Todesanzeige schalten?»

Julia sah aus dem einzigen Fenster des Büros hinaus auf den Parkplatz. Der Regen war stärker geworden. Sie erinnerte sich daran, wie sie und Andy an Halloween in dieser Gegend Süßigkeiten gesammelt hatten und zum Schwimmen in den Echo Park gegangen waren. «Ich habe früher in West Hempstead gelebt. Mein Bruder und ich sind hier aufgewachsen, nur ein paar Häuserblocks entfernt in der Maple Street. Sie sind das einzige Beerdigungsinstitut, das ich kenne», erwiderte sie gedankenverloren. Dann senkte sie den Blick. «Meine Eltern wurden ebenfalls von Ihnen bestattet.»

«Ach je», sagte Evelyn. «Wann war das?»

Julia seufzte auf. «Vor langer Zeit.»

«Nun, ich verspreche Ihnen, dass wir uns um alles kümmern werden», sagte Evelyn mitfühlend. «Wir müssen aber noch einige Dinge bereden. Wie lange soll Ihr Bruder aufgebahrt werden, einen Tag oder zwei Tage?»

«Eine Aufbahrung ist nicht nötig. Ich bin die einzige Angehörige», entgegnete Julia leise. Sie räusperte sich und kämpfte mit den Tränen. «Außer mir wird niemand kommen. Niemand kennt meinen Bruder hier noch.»

«Oh», sagte Evelyn und warf einen Blick zur Tür. «Da wäre ich mir nicht so sicher. Wir haben heute Morgen eine Blumenlieferung bekommen.»

«Das muss meine gewesen sein.» Julia biss sich auf die Lippe. «Jeder Tote verdient Blumen.»

«Das stimmt», erwiderte Evelyn. Dann erhob sie sich. «Ich zeige Ihnen den Raum für die Trauerfeier – falls Sie sich dafür entscheiden, sie hier abzuhalten.»

«Wir sind katholisch. Ich würde gern einen kleinen Gottesdienst in St. Thomas abhalten lassen.»

Die beiden Frauen gingen schweigend den Gang entlang. Neben der zweiflügeligen Tür von «Chapel A» stand auf einer schwarzen Magnettafel in kleinen weißen Buchstaben der Name «Andrew J. Cirto». In ein paar Tagen würden die Buchstaben wieder zu einem anderen Namen angeordnet werden. Evelyn öffnete einen Türflügel, und Julia schloss die Augen.

Du musst nicht hinsehen, wenn du nicht willst, Kleines. Dann werden die Särge geschlossen.

Bitte nicht, Liebes. Sieh nicht hin. Du willst sie doch so in Erinnerung behalten, wie sie waren.

«Wie Sie sehen, war es eine ziemlich große Blumenlieferung. Wir mussten sie etwas verteilen», sagte Evelyn.

Julia öffnete die Augen. Hunderte weißer Pfingstrosen füllten den Raum.

KAPITEL 92

IN DER Kirche herrschte an diesem Montagmorgen eine unheimliche Stille. Nur das Geräusch des Regens, der gegen die bunten Glasfenster prasselte, war in dem hoch aufragenden, von Steinsäulen getragenen Mittelschiff zu hören. Julia saß allein in der ersten Bank. Unmittelbar vor ihr, inmitten der Pfingstrosen, stand Andrews Sarg auf einer rollbaren Metalltrage, bedeckt mit einem weißen Tuch. Sie hoffte, dass Evelyn einen schönen ausgesucht hatte. Dass er mit weißem Satin ausgekleidet war und ein weiches Kissen darin lag. Sie hoffte, dass ihr Bruder friedvoll aussah.

Du musst nicht hinsehen, wenn du nicht willst. Dann wird der Sarg geschlossen.

Sie hatte nicht hingesehen.

Die Gemeinde von St. Thomas unterhielt in West Hempstead zwei Gotteshäuser – die Hauptkirche und eine kleine Kapelle auf der anderen Seite der Stadt. Julias Vater hatte die Kapelle bevorzugt, daher hatte die Familie früher immer dort am Sonntagsgottesdienst teilgenommen. Doch Julia mochte die Hauptkirche lieber, vor allem, wenn sie voll besetzt war wie zur Mitternachtsmesse am Heiligen Abend. Dann drängten sich die Leute sogar im Vestibül und bis hinaus auf die Eingangsstufen, und der Chor sang von der Empore, begleitet von der alten Orgel und der Gitarrengruppe. Die meisten Chormitglieder waren die älteren Geschwister ihrer Klassenkameraden aus der St.-Thomas-Grundschule gleich nebenan. Julia erinnerte sich, dass sie auch einmal im Chor hatte mitsingen wollen.

Die Tür zur Sakristei öffnete sich, und ein junger Priester trat heraus. Er küsste die Stola, die um seinen Hals lag, und kniete vor dem Altar nieder. Dann drehte er sich um und blickte den Mittelgang der leeren Kirche entlang. Die beiden Sargträger von Barnes & Sorrentino standen an der Tür des Seitengangs. «Soll ich noch einen Augenblick warten?», wandte sich Pater Tom an Julia.

Sie schüttelte den Kopf. «Nein, Pater, das ist nicht nötig.»

Tante Nora hatte während ihres Telefonats am Abend zuvor einfach aufgelegt, sobald Julia Andys Namen erwähnt hatte. Sie war nicht einmal dazu gekommen, ihr mitzuteilen, dass er gestorben war. Danach hatte Julia die ganze Nacht hindurch nur noch das Besetztzeichen gehört. Außer ihrer Tante und Onkel Jimmy gab es niemanden, den sie hätte anrufen können.

Sie hielt eine zusammengefaltete, fast fertige Zeichnung von Andy in der Hand, die sie in der Tüte mit seinen persönlichen Sachen gefunden hatte. Es war eine Zeichnung von ihr. Sie saß am Tisch, eingerahmt von Sternen und Monden, im Besucherraum und lächelte.

«Gut», sagte Pater Tom sanft. «Dann wird das wohl ein sehr persönlicher Gottesdienst.» Anstatt die Kanzel zu besteigen, kam er die Stufen des Altarraums herab und setzte sich neben Julia. Zu ihrer Überraschung ergriff er ihre Hand. «Wir sind heute hier, um von Andrew Cirto Abschied zu nehmen, einem liebevollen Sohn und Bruder», begann er mit weicher Stimme. «Einer verlorenen Seele, die von allen vermisst wird, die ihn kannten, von seiner Familie und vor allem von seiner Schwester.»

Julia korrigierte ihn nicht. Sie senkte den Kopf und hörte zu, während Pater Tom zehn Minuten lang über all die Dinge sprach, die sie ihm gestern bei einer Tasse Kaffee im Pfarrhaus erzählt hatte. Über das Schlittschuhlaufen mit Andrew im Hall's Pond Park und die Filmnächte im Elmont Theater mit ihrer Mutter. Darüber, dass Andrew immer sein Pausenbrot mit ihr teilte, wenn sie ihres vergessen hatte, auch wenn sich die älteren Schüler dann über ihn lustig machten. Darüber, wie er einmal einen Jungen geschubst hatte, der frech zu ihr gewesen war. Wenn sie den Bus verpasst hatte, hatte er immer auf sie gewartet, damit sie gemeinsam nach Hause gehen konnten. Er war ein großartiger Zuhörer und wundervoller Freund gewesen. Und zuletzt sprach Pater Tom über den freundlichen, missverstandenen Mann mit dem jungenhaften, schüchternen Lächeln, den sie nach viel zu langer Zeit gerade erst wiedergefunden und neu kennengelernt hatte. Julia war erleichtert, dass der Pater kein einziges Mal erwähnte, dass Andrew ein Mörder gewesen war. Ein Wahnsinniger. Ein Kranker.

«Wir wollen beten», sagte er nun, und Julia kniete nieder und betete zu einem Gott, den sie für grausam hielt und an den sie schon lange nicht mehr glaubte. Sie schloss die Augen und sah Andrews Gesicht vor sich, so, wie sie es in Erinnerung behalten wollte. Bevor die Krankheit alle Lebensfreude aus ihm herausgesaugt hatte. Er war sechzehn Jahre alt und schwang lächelnd einen Baseballschläger. Tränen liefen über ihre Wangen, während das Gebet des Priesters die leere Kirche erfüllte.

KAPITEL 93

VOR DER Wohnungstür lag eine Matte mit der Aufschrift «Home Sweet Home», über dem Türspion hing ein Kranz aus getrockneten Blumen. Lat klingelte erneut und trommelte ungeduldig mit den Fingern gegen den Türrahmen.

«Julia», sagte er, «ich bin's, Lat. Komm schon, ich weiß, dass du zu Hause bist.»

Immer noch keine Antwort. Er hämmerte gegen die Tür. Ein paar trockene Blütenblätter flatterten zu Boden.

«Ich weiß, dass du da bist. Ich muss mit dir reden. Komm schon, mach auf!»

Immer noch nichts. Er ging ein paar Stufen hinab, um durch das Flurfenster in das um die Ecke liegende Fenster ihres Apartments zu blicken. In der Wohnung brannte kein Licht, und es gab auch sonst keine Anzeichen dafür, dass sie zu Hause war. Lat begann, sich ernsthaft Sorgen zu machen. Er hatte die Passagierliste der Fluggesellschaft überprüft und wusste, dass Julia an diesem Nachmittag zurückgekommen war. Ihr Wagen stand auf dem Parkplatz des Apartmentkomplexes gegenüber, aber sie ging nicht ans Telefon und auch nicht an die Tür. Sie hatte sich in letzter Zeit zunehmend merkwürdig verhalten, und nach dem, was er in der vergangenen Woche herausgefunden hatte, befürchtete er das Schlimmste.

«Julia!», rief er laut. Zum Teufel mit den Nachbarn. Er schlug gegen die Tür und hoffte, dass seine Stimme fest klang und nicht die Angst verriet, die seine Eingeweide zusammenzog.

«Ich breche die Tür auf, wenn du nicht –», begann er, doch plötzlich drehte sich der Knauf in seiner Hand, und die Tür wurde geöffnet. Lat ließ ihn los und trat einen Schritt zurück.

Sie stand im Flur ihres stockfinsteren Apartments. Mondlicht fiel durch die Wohnzimmerfenster hinter ihr, sodass Lat zunächst nur die Silhouette ihrer zierlichen Gestalt ausmachen konnte. Ihre Gesichtszüge lagen jedoch im Dunkeln.

«Du hast mir einen ganz schönen Schrecken eingejagt», stieß er erleichtert hervor.

Julia erwiderte nichts, rührte sich auch nicht.

Lat trat einfach an ihr vorbei in das Apartment. Er sah sich im Wohnzimmer um und erkannte die Umrisse von Kleidungsstücken und Akten, die überall verstreut lagen. «Ist alles in Ordnung?», fragte er, trat auf sie zu und wollte die Hand auf ihre Schulter legen.

Sie wich seiner Berührung aus. «Du hast Nachforschungen über mich angestellt.»

Er holte tief Luft und starrte in ihr Gesicht, das immer noch von der Dunkelheit verborgen war. Wie gern hätte er ihr in die Augen gesehen. War sie wütend auf ihn? Vielleicht hätte er die Blumen nicht schicken sollen …

«Ja, ich habe Nachforschungen angestellt», gab er schließlich zu. Dann sah er sich nach einem Lichtschalter um. «Warum sitzt du hier im Dunkeln? Können wir bitte Licht machen? Wir müssen miteinander reden –»

«Ich will kein Licht machen, und ich will auch nicht mit dir reden. Ich will, dass du gehst.»

«Julia, das mit deinem Bruder tut mir leid. Wirklich. Ich wünschte, du hättest mir davon erzählt …»

«Wovon?»

«Von ihm.»

«Ich weiß nicht, was ich dir hätte erzählen sollen. Vielleicht, dass er eigentlich ein ganz großartiger Mensch war, der von jedem missverstanden wurde, einschließlich mir?» Sie wandte sich ab, und er konnte hören, dass sie weinte.

«Ich will dich ansehen, Julia. Wo zum Teufel sind hier die Lichtschalter?» Wieder überfiel ihn Angst und drohte, ihm langsam die Kehle zuzuschnüren.

«Bitte, geh einfach», bat sie.

Lat hielt ihre Hand fest und zog Julia mit sich, während er mit einer Hand an der Wand entlangtastete, bis er endlich einen Lichtschalter gefunden hatte. Die Wohnzimmerlampe flammte auf.

Julia hatte den Kopf gesenkt, sodass die langen Haare ihr Gesicht verdeckten. Sie zitterte am ganzen Körper und wurde immer wieder von Schluchzern geschüttelt. Lat fühlte sich auf einmal völlig hilflos und wusste nicht, was er sagen sollte.

«Hör mal, Julia, ich habe die alten Zeitungsberichte gelesen. Und ich habe mit dem Bezirksstaatsanwalt von New York gesprochen. Ich weiß, was mit deinen Eltern passiert ist.» Er hielt inne und fragte sich, wie weit er gehen durfte. «Dr. Mynks hat mir von Andrew erzählt. Es tut mir so leid, Julia.» Er schaute betreten zu Boden. «Dein Verhalten war in letzter Zeit wirklich seltsam. Und dann hast du Dr. Barakat vor Gericht in die Mangel genommen und bist mitten in der Verhandlung einfach davongelaufen. Und seitdem nicht mehr aufgetaucht. Jetzt ergibt alles einen Sinn … Ich wollte nur … Warum hast du mir nichts gesagt? Vielleicht hätte ich dir helfen können …»

Julia riss sich los, drehte sich zur Wand und wischte sich die Tränen aus dem Gesicht. «Was hätte ich dir denn erzählen sollen? Und wann hätte ich das tun sollen? Hätte ich dir während einer Motorradfahrt ins Ohr brüllen sollen, dass mein Bruder schizophren ist? Und dass er eines Nachts, als ich bei einer Freundin schlief, meine Eltern umgebracht hat? Was hättest du denn getan, wenn ich dir all das erzählt hätte? Und das ist noch lange nicht alles.» Ihre Stimme füllte sich mit Zorn. «Weißt du, es war eigentlich gar nicht seine Schuld, dass er so war, wie er war.»

«Wovon sprichst du?»

«Stand das etwa nicht in der Akte, Lat? Das sollte es aber. Denn stell dir vor – mein Vater war ebenfalls schizophren, und vermutlich auch mein Großvater. *Vermutlich,* Lat, denn niemand hat je darüber geredet. Angesichts dieser Vorbelastung hätte kein Mitglied meiner Familie auch nur daran denken dürfen, ein Kind in die Welt zu setzen.» Sie schnappte nach Luft und wich an der Wand entlang zurück. «Meine Eltern kannten das Risiko, Lat. Sie wussten, dass sie uns die Krankheit würden vererben können. Trotzdem haben sie uns bekommen. Es war das Selbstsüchtigste, was sie tun konnten. Und sie haben es trotzdem getan …»

Lat trat auf sie zu. «Julia …»

Sie versteckte immer noch ihr Gesicht vor ihm. «Ich will dein Mitleid nicht, John. Ich will niemandes Mitleid.»

«Hast du deswegen nichts gesagt?», fragte er, und in seine Stimme mischte sich Enttäuschung. «Weil du dich für so verdammt stark hältst, dass du glaubst, mit alldem allein fertig zu werden? Weil du dir selbst und allen anderen beweisen willst, dass du es mit ungerechten Richtern, brutalen Verbrechern und dem ganzen System aufnehmen kannst? Dieser Fall – Marquette –, er hat so viel Ähnlichkeit mit dem, was du in der Vergangenheit erlebt hast … Es hätte von vornherein klar sein müssen, dass dich dieser Fall so mitnimmt.»

«Ich habe heute Morgen im Flugzeug Zeitung gelesen», sagte Julia leise. «Die *New York Post.* Ein kleines Mädchen hat dabei zugesehen, wie der Freund ihrer Mutter zuerst ihre Mutter und dann sich selbst umgebracht hat. Dann saß dieses kleine Mädchen zwei Tage lang neben den Leichen, bis jemand an der Tür klingelte und es fand. Als ich das gelesen habe, ging es mir richtig schlecht, Lat. Ich hatte *Mitleid* mit dem Mädchen – mit seinem Leben, damit, was aus seinem Leben wird, weil es so anders ist als alle anderen. Aber schon morgen wird irgendeine andere Tragödie in der Zeitung stehen, und in ein oder zwei Wochen werde ich das kleine Mädchen vergessen haben. So geht es uns doch allen, oder? Wir vergessen die Tragödien, die in den Zeitungen stehen. Es sind einfach zu viele.

Aber die Opfer der Tragödien leben weiter, John. Sie sitzen im Bus neben dir oder arbeiten im selben Büro. Es sind Menschen, die von anderen nur danach beurteilt werden, was ihnen widerfahren ist. Du bist nicht das nette Mädchen aus dem Mathekurs – du bist das Mädchen, dessen Eltern von ihrem verrückten Bruder umgebracht wurden. Du bist nicht die Sekretärin mit dem sympathischen Lachen – du bist die Frau, deren Familie bei einem Hausbrand ums Leben kam. Und ich – ich habe einfach keine Lust, darüber definiert zu werden.»

«Julia …»

«Deswegen erzähle ich es niemandem. Und vielleicht hast du recht, und ich muss mir tatsächlich jeden Tag etwas beweisen. Dass ich mit diesem Leben zurechtkomme, und mit den Erinnerungen, die niemals verschwinden, ganz egal, wie sehr ich es mir wünsche oder wie oft ich sie verleugne. Ich will nicht, dass mein Schicksal mein ganzes Leben bestimmt …»

Lat ging zu ihr und nahm ihren zitternden Körper in die Arme. Julia versuchte, sich herauszuwinden, doch er hielt sie fest, bis sie schließlich aufgab und weinend in seinen Armen zusammenbrach. Er strich ihr die Haare aus dem Gesicht und streichelte sanft über ihre tränenfeuchten Wangen und ihren Hals.

«Für mich bist du immer noch die heiße Staatsanwältin mit dem netten Lachen und dem tollen Busen», sagte er leise in ihr Ohr.

Lat spürte, wie Julias Körper erneut zu beben begann, doch

diesmal wusste er, dass sie lachte. Er umfasste ihr Gesicht mit den Händen.

Ihre Augen waren rot und geschwollen. Sie musste tagelang geweint haben. Seltsam, sie sah trotzdem wunderschön aus. So rebellisch. So verletzlich und zugleich so stark. Er beugte sich zu ihr hinunter.

«Du hast gesagt, du würdest nicht derjenige sein wollen, mit dem ich mich über einen anderen hinwegtröste», flüsterte sie.

«Das», sagte er und zog sie noch näher an sich, «habe ich auch nicht vor.» Dann tat er, wonach er sich schon seit so langer Zeit mit Leib und Seele sehnte, und küsste sie.

Ein Klaffen fühlte ich im Geist –
Als wär mein Hirn zerspalten –
Ich hielt die Teile – Saum an Saum –
Doch sie wollten nicht passen.

Nachher Gedachtes suchte ich
Mit dem Vorher zu verbinden –
Doch die Sequenz glitt aus dem Klang
Wie Bälle – auf den Boden.
Emily Dickinson

KAPITEL 94

MR. BELLIDO?», brummte Farley, noch ehe er am Dienstagmorgen auf dem Richterstuhl Platz genommen hatte. Jefferson hatte wieder einmal seinen Einsatz verpasst, und Farley forderte die Anwesenden mit einer Geste auf, sich zu setzen. Er hinkte seinem Zeitplan bereits drei Tage hinterher und war nur noch vier Tage davon entfernt, sein Schiff in Richtung Karibik zu verpassen. «Sind Sie bereit für Ihr Abschlussplädoyer?»

«Das bin ich, Euer Ehren», sagte Rick. Er erhob sich, knöpfte sorgfältig sein Jackett zu und trat vor die Geschworenen. Dann betrachtete er für eine Weile schweigend den Angeklagten. «David Marquette ist ein Mörder», sagte er schließlich. «In der Nacht vom achten auf den neunten Oktober 2005, um ungefähr vier Uhr fünfundvierzig, griff der Mann, der den Eid geschworen hatte, Leben zu retten, der gelobt hatte, seine Frau zu lieben und zu ehren und seine Kinder zu schützen, zu einem

Baseballschläger und schlich in das Zimmer, in dem Jennifer Marquette friedlich im gemeinsamen Ehebett schlief. Er schlug ihr mit diesem Baseballschläger derart fest auf den Kopf, dass sie *wahrscheinlich* bereits nach dem ersten Schlag das Bewusstsein verlor. Ich sage *wahrscheinlich*, meine Damen und Herren, denn der Gerichtsmediziner konnte dies nicht mit hundertprozentiger Sicherheit bestätigen. Wir *hoffen* allerdings, dass es so war. Denn danach holte Dr. David Marquette ein Messer hervor und begann, auf seine Frau einzustechen. Nicht einmal, nicht zweimal, sondern *zweiunddreißigmal*. Immer und immer wieder, mit einer solchen Kraft, dass die Klinge durch ihren Körper bis in die Matratze drang.» Rick hielt kurz inne, ohne die Augen von Marquette abzuwenden, der völlig teilnahmslos dasaß. «Lassen Sie sich nicht täuschen, meine Damen und Herren Geschworenen – dieser Mann *ist* ein Mörder.»

Dann richtete Rick seine Aufmerksamkeit auf die Geschworenen. Er sah jedem von ihnen für einen Sekundenbruchteil in die Augen, bevor er langsam zu den großen Porträtfotos der Opfer ging, die auf Staffeleien gegenüber der Geschworenenbank aufgestellt worden waren. Neben jedem Porträt stand ein Tatortfoto von der jeweiligen Leiche.

Rick wusste, dass sich die Geschworenen diese Bilder nur mit Widerwillen ansahen. Selbst er fand die Fotos verstörend, und ihm war klar, dass sich vor allem die weiblichen Geschworenen am liebsten abgewandt hätten. Doch das ließ er nicht zu. Wie ein erfahrener Hypnotiseur bannte er ihre Blicke auf die Bilder und nahm sie mit auf eine Reise in die Vergangenheit.

«Dann ließ David Marquette seine Frau tot im Elternschlafzimmer zurück und ging den Korridor entlang zu den Zimmern, in denen seine drei Kinder schliefen. Der kleine Danny, die neugeborene Sophie, die sechsjährige Emma. Er beabsichtigte, seinen drei kleinen Kindern mit demselben Baseballschläger und demselben Messer dasselbe Schicksal zu bescheren.

Aber etwas ging schief. Etwas, das David Marquette nicht hatte voraussehen können, meine Damen und Herren. Seine Tochter Emma wachte auf. Warum, werden wir nie erfahren – vielleicht durch das Weinen des Babys oder die Schreie ihres Bruders –, und sie stand auf und fand Danny in seinem Bett, entweder schon tot oder sterbend. Und dieses kleine Mädchen war so klug, den Notruf zu alarmieren. So klug, den Mann zu nennen, der sie kurze Zeit später ebenfalls ermorden würde. ‹O nein, nein› rief sie in Panik, als er ihren Namen laut in die Dunkelheit des Zimmers sagte. ‹Daddy, nein!›»

Rick trat einen Schritt zur Seite und gab den Geschworenen den Blick auf David Marquette frei. Er ließ ihnen Zeit, diesen Mann mit der ausdruckslosen Miene und dem neuen Anzug in das Bild einzufügen, das er gerade so anschaulich für sie gezeichnet hatte. Im Gerichtssaal herrschte absolute Stille. Es war, als wagten die Anwesenden kaum zu atmen, aus Angst, etwas zu verpassen.

«Das war der Zeitpunkt, an dem sich der Plan änderte», fuhr Rick schließlich fort. «David Marquette hatte sich ein perfektes Alibi zurechtgelegt, aber jetzt erkannte er, dass er nicht einfach zurück nach Orlando in sein schönes Hotel fahren konnte, um am nächsten Morgen, wenn ihm jemand die furchtbare Nachricht von den Mordfällen in seinem Haus überbringen würde, Überraschung und Entsetzen vorzutäuschen. Nun musste er einen Ausweg finden, und zwar schnell, denn innerhalb weniger Minuten würde die Polizei an seine Tür klopfen. Also ließ er sich etwas einfallen.» Rick machte erneut eine Kunstpause. «Jemand war in sein Haus eingedrungen!

David Marquette war von Orlando nach Hause gefahren, weil er seine Familie so sehr vermisste. Er war schon seit einigen Tagen auf diesem Ärztekongress und hielt es einfach keine weitere Nacht ohne Jennifer aus, ohne das Baby, ohne Danny und Emma. Denn er war ein großartiger Vater und Ehemann, genau wie alle sagten. Dies war eines der vielen Gesichter des David Marquette.

Während er ungefähr um vier Uhr dreißig im Badezimmer unter der Dusche stand, weil er sich bald auf den Rückweg nach Orlando machen wollte, wurde seine Frau im Schlaf von einem Eindringling ermordet. Als er wenig später in das Schlafzimmer kam, fand er seine Frau tot vor und hörte, wie seine Tochter seinen Namen schrie. Er rannte zu ihrem Zimmer, *kam ihr zu Hilfe,* überraschte den Eindringling und wurde selbst angegriffen und brutal in den Bauch gestochen.

Warum nicht zweiunddreißigmal auf ihn eingestochen wurde, wie bei seiner Frau? Warum nicht zwanzigmal, wie bei seiner Tochter? Warum er am Leben blieb? Weil der Eindringling nicht genug Zeit hatte. Schließlich wusste er, dass dank Emmas Anruf die Polizei unterwegs war und bald dort sein würde, also floh er in die Nacht hinaus und ließ die Tatwaffe zurück, sorgfältig platziert im Bauch unseres armen, schwerverletzten Angeklagten. *Sorgfältig* platziert deshalb, weil das Messer, mit dem David Marquettes Familie abgeschlachtet wurde, bei ihm selbst auf wundersame Weise alle lebenswichtigen Organe verfehlte. Und natürlich befanden sich auch nur die Fingerabdrücke unseres Doktors auf der Tatwaffe, denn selbstverständlich trug der Eindringling Handschuhe. Die Wunde würde lebensbedrohlich aussehen und stark bluten, aber keinesfalls zum Tode führen, vorausgesetzt, man platzierte das Messer richtig und wurde bald medizinisch versorgt. Als Chirurg konnte Marquette die erste Voraussetzung erfüllen. Und medizinische Versorgung war auf dem Weg, da seine Tochter ja den Notruf verständigt hatte.»

Die Geschworenen starrten David Marquette an. Eine Frau schüttelte fassungslos den Kopf.

«Ein tadelloser Ersatzplan, nicht wahr?», fuhr Rick fort. «Nicht schlecht, so ganz aus dem Stegreif. Für jemanden, der nur wenige Minuten Zeit hatte, sich das Blut seiner Familie vom Körper zu waschen und sich dann selbst eine Stichverletzung zuzufügen, geradezu brillant. Aber es gab ein Problem. Dr. David Marquette hatte ein kleines Detail vergessen, sonst wären wir jetzt nicht hier. Sonst würde der Herr Doktor schon die Millionen aus der Lebensversicherung seiner Frau verprassen und ein Leben ohne Kinder und Verpflichtungen genießen. Er wäre frei, zu tun und zu lassen, was er will, wann er will, mit irgendeiner der zahlreichen Geliebten, mit denen er sich so gern amüsierte, wie seine Kollegen ausgesagt haben. Aber David Marquette hatte vergessen, die Alarmanlage auszuschalten, meine Damen und Herren.»

Im Gerichtssaal erhob sich leises Gemurmel.

«Einspruch!», rief Mel Levenson und stand auf. Er spürte, wie die Stimmung im Saal zu Ricks Gunsten umschlug. Er musste den Bann brechen, bevor es zu spät war. «Das ist reine Spekulation, Euer Ehren.»

«Das ist das Schlussplädoyer. Abgelehnt», sagte Farley und gebot ihm mit einer Handbewegung, sich wieder zu setzen.

«Der verdammte Alarm», fuhr Rick kopfschüttelnd fort. «Aus reiner Gewohnheit hatte David Marquette in dieser Nacht, nachdem er sich ins Haus geschlichen hatte, um seine Familie umzubringen und ein neues Leben zu beginnen, die Alarmanlage wieder angeschaltet. Und während er auf dem Boden seines Badezimmers lag, das Messer schon im Bauch, hörte er, wie der Alarm ausgelöst wurde, als sich die Polizisten Zutritt zum Haus verschafften. In diesem Moment wurde ihm klar, dass auch Plan B nicht funktionieren würde. Wieder musste er sich etwas anderes ausdenken.

Also beschloss er, in seinem Krankenhausbett im Jackson Memorial, die einzige Krankheit vorzutäuschen, die eine Erklärung für das unvorstellbare Blutbad liefern konnte, das er angerichtet hatte. Schizophrenie. Sein Zwillingsbruder leidet darunter. Es würde keine schwierige Aufgabe darstellen, die Symptome zu imitieren, die er jahrelang bei einem Spiegelbild seiner selbst beobachtet hatte. Besonders nicht, da er während seiner Ausbildung ein Praktikum in der Psychiatrie abgeleistet hatte. Sehen wir der Wahrheit ins Auge, meine Damen und Herren: Dr. David Marquette kannte die Symptome, die es nachzuahmen galt, er wusste, was er den Psychiatern erzählen musste, die ihn untersuchen würden. Er kannte die Wirkung der Psychopharmaka, die man ihm geben würde. Auch seine Vergangenheit passte perfekt ins Bild. Während seines zweiten Universitätsjahres hatte er einige Wochen in einer psychiatrischen Klinik verbracht – wegen einer *Kokainpsychose*, die jetzt jedoch wunderbar als falsch diagnostizierter psychotischer Zusammenbruch gedeutet werden konnte. Ein Sozialarbeiter beschrieb Marquette während dieses Klinikaufenthaltes als, ich zitiere, ‹manipulierend und berechnend, oberflächlich im Denken und Handeln, mit egozentrischen und hochtrabenden Idealen, die nicht in der Realität verankert sind›. Meine Damen und Herren – für mich klingt das nicht nach einem kranken Mann, sondern nach einem Charakter, der zu allem fähig ist.

Meine Damen und Herren, ich bitte Sie inständig: Lassen Sie sich nicht täuschen. Dr. Barakat, ein forensischer Psychiater mit sechzehn Jahren Berufserfahrung, hat sich auch nicht täuschen lassen. Genauso wenig wie Dr. Hindlin. Die Gedankenprozesse, die in David Marquettes Kopf abliefen, waren brillant, nicht schizophren.» Rick warf dem Angeklagten einen Blick zu. «Wirklich brillant, das muss ich zugeben.» Marquette zuckte nicht einmal mit der Wimper.

Rick wandte sich wieder den Geschworenen zu und wartete, bis aller Augen auf ihn gerichtet waren. «David Marquette hat mit seiner Geschichte und seiner Schauspielkunst einige Menschen hinters Licht geführt, aber nicht uns alle, denn die Tatsachen sprechen für sich. David Marquette konnte weder die Detectives der Mordkommission noch die staatlich geprüften forensischen Psychiater täuschen, und er hat auch mich nicht getäuscht. Lassen Sie nicht zu, dass er *Sie* zum Narren hält. Er ist kein Mann, dessen Krankheit ihn dazu brachte, zum Mörder zu werden. Er ist ein Mann, der eine Krankheit dazu benutzt, das Rechtssystem dahin gehend zu manipulieren, dass es ihn freispricht. Er ist nicht schizophren, meine Damen und Herren Geschworenen. Er ist ein kaltblütiger Mörder. Und er muss für seine Taten bezahlen.»

KAPITEL 95

RICK BELLIDO setzte sich hinter den Tisch der Staatsanwaltschaft, dessen zweiter Stuhl seit Donnerstagnachmittag leer geblieben war. Die Abwesenheit der Staatsanwältin war inzwischen das Thema in allen Zeitungen, Nachrichtensendern und Talkshows.

Als die gespannte Stille im Gerichtssaal schließlich einem aufgeregten Flüstern wich, unterbrach Richter Farley die Verhandlung bis zwei Uhr mit der Bemerkung, es sei Zeit fürs Mittagessen.

Julia saß im Schlafanzug auf ihrer Wohnzimmercouch, kaute an den Überresten ihres Daumennagels und starrte auf den Fernseher, in dem die Kommentatoren gerade analysierten, was Rick Bellido gesagt hatte, wie die Geschworenen reagiert hatten und vor allem, was dies alles für die Verteidigung bedeutete.

Die einhellige Meinung lautete, dass Rick ein brillantes Schlussplädoyer gehalten hatte.

Julia schaltete von einem Sender zum nächsten und hörte zu, wie sie selbst von einer Parade lächelnder Rechtsexperten in der Luft zerrissen wurde.

Rick hatte sich gründlich gerächt. Er hatte sie und ihre Befragung Barakats so weit diskreditiert, wie es möglich war, ohne seinem Fall zu schaden. Jetzt stand sie als unerfahrene Idiotin da.

Sie ging in die Küche und kochte sich zum Mittagessen eine Tasse Kaffee. Dann öffnete sie eine neue Schachtel Zigaretten, setzte sich an den Küchentisch und vergrub ihren Kopf in den Händen.

Und auch, wenn das Telefon noch so lange klingelte – sie nahm nicht ab.

KAPITEL 96

MIT EINUNDSECHZIG JAHREN, einer Größe von einem Meter achtundachtzig und einem Gewicht von hundertvierzig Kilo konnte Mel Levenson zwar nicht mit Rick Bellidos Aussehen konkurrieren, doch er besaß auf jeden Fall mehr Erfahrung mit Geschworenen. Insgesamt sechsunddreißig Jahre Erfahrung, um genau zu sein, und damit war er Bellido ein ganzes Stück voraus. Er erhob sich gemächlich und ging langsam auf die Geschworenen zu. Er konnte an ihren Gesichtern ablesen, dass er ein oder zwei Punkte im Rückstand lag, und ihm blieb nicht mehr viel Zeit. Also musste er dafür sorgen, dass jedes Wort ins Ziel traf, wenn er seinen Mandanten vor der Todeszelle bewahren wollte.

«Ich mache diese Arbeit nun schon seit vielen Jahren», begann er in einem freundlichen Plauderton. «Seit wirklich langer Zeit. Und ich erinnere die Geschworenen immer gern daran, dass es sich bei dem, worüber der Staatsanwalt und ich in unseren Schlussplädoyers sprechen, nicht um Beweise handelt, ganz egal, was wir sagen, wie wir es sagen und wie schlüssig es klingen mag. Die Schlussplädoyers bieten der Staatsanwaltschaft und der Verteidigung lediglich die Gelegenheit, den Fall zusammenzufassen und zu erklären, was die während des Prozesses vorgelegten Beweise *ihrer* Meinung nach bedeuten. Aber die Schlussplädoyers selbst sind keine Beweise. Das kann man leicht vergessen, wenn man einen gutaussehenden, gutangezogenen und überzeugenden Mann wie Mr. Bellido vor sich hat, der einem sagt, wie man die Dinge zu interpretieren hat.»

Levenson machte eine wohldosierte Sprechpause und warf ein Lächeln hinüber zum Tisch der Staatsanwaltschaft. Im Gerichtssaal wurde gekichert, und einige weibliche Geschworene senkten verlegen den Blick.

«Der Staatsanwalt hat uns eine, wie er selbst sagt, ‹brillante› Theorie vorgestellt. Aber es ist *seine* Theorie, *seine* Interpretation der Beweise, nicht die Wahrheit. Mr. Bellido verfügt über eine rege Phantasie. Er hat eine verworrene Geschichte zusammengesponnen – drei Geschichten, um genau zu sein –, die sich darum drehen, was mein Mandant in jener Nacht *wirklich* vorhatte. Aber Mr. Bellido besitzt keine übernatürlichen Kräfte, meine Damen und Herren, er kann keine Gedanken lesen. Keine seiner drei Geschichten basiert auf *Fakten*, die wir während der Verhandlung gehört haben. Mr. Bellidos brillante Theorie ist ein Kartenhaus, das bei dem leisesten Luftzug in sich zusammenfällt.»

Levenson legte seine großen Hände lässig auf das Geländer der Geschworenenbank. «Das Gesetz von Florida besagt schlicht und einfach Folgendes: Wenn der Angeklagte zum Tatzeitpunkt an einer geistigen Störung litt und aufgrund dieser Störung nicht wusste, was er tat, oder nicht begriff, dass seine Handlung falsch war, gilt er als unzurechnungsfähig. Und», fügte er mit erhobenem Zeigefinger hinzu, «es hat keinerlei Bedeutung, ob der Angeklagte im vergangenen Jahr oder gestern Nacht geistig normal war oder ob er es jetzt in diesem Moment ist – es kommt nur darauf an, ob er zum Zeitpunkt der Tat zurechnungsfähig war.» Er hielt für eine Weile inne, da jeder hinüber zu David Marquette sah.

«Mr. Bellido möchte nicht, dass Sie glauben, dass mein Mandant an paranoider Schizophrenie leidet. Er möchte nicht, dass Sie glauben, dass er Stimmen hört und Wahnvorstellungen hat. Sie sollen nicht glauben, dass die Stimmen in Davids Kopf – die niemals schweigen, wie Dr. Koletis und Dr. Hayes beide bezeugt haben – ihm sagten, seine Familie sei von Dämonen besessen und er würde seine Frau und seine Kinder nicht umbringen, sondern ihre Seelen vor der ewigen Verdammnis retten. Aber ich sage Ihnen: David wusste nicht, dass er etwas Falsches tat, denn in *seiner* Welt, in *seiner* Realität waren seine Frau und seine Kinder bereits tot. Er brachte sie nicht um, sondern trieb den Teufel aus ihren sterblichen Hüllen aus. Den Teufel, der sich auch seiner eigenen Seele bemächtigen wollte. Und wenn dies geschehen wäre, hätte es niemanden mehr gegeben, der die Seelen seiner Familie hätte retten können. Das ist es, was David glaubt, ganz egal, was ein Staatsanwalt oder ein Detective vom Morddezernat oder selbst sein eigener Anwalt ihm sagen. Davon kann ihn niemand abbringen, denn *das ist Davids Realität*. Er glaubt, er habe das Richtige getan. Und in seiner Welt, meine Damen und Herren Geschworenen, *hat* er das Richtige getan!» Levenson schlug mit beiden Händen auf das Geländer und drehte sich dann zu den Zuschauern im Gerichtssaal um. Er schien sich nicht mehr nur an die zwölf Geschworenen zu richten, sondern an die ganze Welt.

«Es ist einfach, nicht daran zu glauben, nicht wahr? Es ist leicht, zu bezweifeln, dass jemand dermaßen verrückte Gedanken haben könnte, wenn man selbst nicht davon betroffen ist. Denn Sie, meine Damen und Herren, leiden nicht an einer Geisteskrankheit, Sie werden nicht von Ihrem eigenen Gehirn manipuliert, Sie sehen und hören keine Dinge, die gar nicht existieren. Sie leben nicht in einer anderen Welt.

Daher möchte ich, dass Sie jetzt einen Augenblick lang in sich gehen – und versuchen, sich vorzustellen, was in dieser bemitleidenswerten Person vor sich gegangen ist. Stellen Sie sich vor, wie es sein muss, fortwährend Stimmen zu hören, die in Ihrem Kopf schwatzen und schreien und flüstern. Stimmen, die für Sie so *real* klingen wie jetzt meine Stimme oder Richter Farleys oder Rick Bellidos. Stimmen, die ständig zu Ihnen sprechen, selbst im Schlaf. Und Sie wissen nicht, dass Sie krank sind, meine Damen und Herren. Sie erkennen nicht, dass etwas mit Ihnen nicht stimmt, weil das ein Teil der Krankheit ist. Schließen Sie bitte die Augen und stellen Sie sich den Schrecken vor, mit dem David jeden Tag leben muss.»

«Einspruch!», rief Rick und sprang auf, als die Geschworenen die Augen schlossen. «Mr. Levenson verstößt gegen die goldene Regel. Er fordert die Geschworenen auf, sich in den Angeklagten hineinzuversetzen!»

Farley hob skeptisch eine Augenbraue. «Mag sein, aber die Argumentation ist schlüssig. Einspruch abgelehnt.»

«Die Stimmen flüsterten David zu, seine Kinder seien vom Teufel besessen», fuhr Levenson fort. «Und er *sah* die Anzeichen für diese Besessenheit, wie er Dr. Koletis erzählte. Er sah die Teufelsmale auf ihrer Haut, auf ihren Köpfen, in ihren Haaren. Er sah die Anwesenheit des Teufels in der Art und Weise, wie sie ihr Essen kauten oder nach ihren Spielsachen griffen. Für ihn war es ein Zeichen, als sich seine Frau mit dem Küchenmesser in den Finger schnitt, die Wunde aber nicht blutete.» Er hielt inne. Wie schon bei der Befragung des Gerichtsmediziners musste er behutsam vorgehen, denn sonst gefährdete er den Ruf der Opfer. «Wir wissen aufgrund des Spermas, das auf Jennifers Nachthemd gefunden wurde, dass sie eine Beziehung zu einem anderen Mann unterhielt», sagte er. «Doch David kam es so vor, als schlafe seine Frau mit dem Teufel. All diese Zeichen bestätigten, was ihm die Stimmen schon seit so langer Zeit erzählten.

Von diesem Zeitpunkt an *weiß* David, dass er nicht paranoid ist – *er hat recht. Er kann den Stimmen vertrauen.* Und die Stimmen prophezeien ihm, dass die Seelen seiner Kinder für immer im Höllenfeuer brennen werden, wenn ihr Vater sie nicht davor bewahrt. David sieht seine Kinder über den Frühstückstisch hinweg an und bemerkt plötzlich das Aufblitzen rotglühender Dämonenaugen oder dunkelgelber Fangzähne, wenn sie ihn anlächeln. Wenn er seine Frau küsst, spürt er, wie sich ein Stück verfaulten Fleisches von ihrer Wange schält. Der Teufel offenbart sich David Marquette. Und wieder haben die Stimmen recht. Satan ist in seinem Haus, hat Besitz von seiner Familie ergriffen, und nur David Marquette weiß davon. Nur David Marquette kann es sehen, nur er allein kann es aufhalten. Stellen Sie sich das vor, meine Damen und Herren. Es ist, als sei man unfreiwillig in einen Horrorfilm geraten. Aber David kann nicht einfach aufstehen und das Kino verlassen. Für ihn ist es nicht bloß ein Film. Für ihn ist es die *Realität*.

Ich frage Sie – nein, nein», unterbrach sich Levenson und schüttelte den Kopf, «ich *beschwöre* Sie – versetzen Sie sich in diese furchtbare Welt und stellen Sie sich vor, *sie sei Ihre Realität*. Das ist Ihre Wirklichkeit. Das ist es, was Sie sehen, hören, schmecken, riechen und glauben. Vielleicht können Sie sich dann die furchtbare Hölle vorstellen, die mein Mandant täglich durchlebt. Das ist Schizophrenie. Das ist es, woran David Marquette leidet.

Nach dem Gesetz ist jemand, der zum Tatzeitpunkt unzurechnungsfähig war, nicht verantwortlich für seine Taten, egal, wie entsetzlich sie gewesen sein mögen.» Er sah in Rick Bellidos Richtung. «Natürlich würden wir uns alle besser fühlen, wenn wir jemandem die Schuld für den Tod von vier Menschen geben könnten. Es wäre viel beruhigender, wenn wir David Marquette als bösartigen Mörder abstempeln könnten. Als kaltblütigen Killer, dem, wie Mr. Bellido behauptet, seine Familie egal war und der mit dem Geld aus der Versicherung seiner Frau ein sorgenfreies Leben führen wollte. Aber die *Fakten* sagen etwas anderes. Alle Zeugen, auch Jennifer Marquettes eigene Familie, haben ausgesagt, dass David ein wundervoller Ehemann und Vater war. Ja, er hatte im Laufe der Jahre einige Affären, aber das heißt nicht, dass er seine Frau oder gar seine

Kinder umbringen wollte. Die Staatsanwaltschaft hat keinen einzigen Zeugen präsentiert, der dies ausgesagt hat. Aber der Staatsanwalt weiß, dass er den *Wählern* von Miami dieses widerliche, brutale Verbrechen viel leichter erklären kann, wenn er David Marquette einen kaltblütigen Mörder nennt.»

«Einspruch!», rief Rick und sprang erneut auf.

«Stattgegeben», sagte Farley und warf Rick über den Rand seiner Brille hinweg einen süffisanten Blick zu. Dann wies er ihn mit einer Geste an, sich wieder hinzusetzen. «Mr. Levenson, ich weiß wirklich nicht, wie Sie darauf kommen, dass Mr. Bellido diesen Fall zu einer Werbeveranstaltung macht, damit die rechtschaffenen Bürger von Miami ihn im Herbst zum Generalstaatsanwalt wählen.»

Ein Kichern ging durch den Saal, und Rick sank mit hochrotem Kopf auf seinen Stuhl.

Levenson wandte sich wieder den Geschworenen zu. «Sehen wir der Sache ins Auge. Es wäre viel einfacher für uns, wenn David Marquette ein gefühlloses Monster wäre. Wir müssten kein Mitleid mit ihm empfinden, sondern könnten ihn verachten. Und es wäre weit weniger beängstigend als die Wahrheit – dass eine Geisteskrankheit einen brillanten Chirurgen, einen großartigen Ehemann und liebevollen Vater dazu bringen kann, ohne die geringste *reale* Provokation vier Morde zu begehen. Es wäre weit weniger beängstigend, als festzustellen, dass wir für diese grausige Tat niemanden verantwortlich machen können.»

Levenson blickte einen Moment versonnen zu Boden, dann fuhr er beinahe nachdenklich fort: «Schizophreniekranke, wie die Doktoren Koletis, Hayes, Barakat und Hindlin erklärt haben, leiden nicht alle unter den gleichen Wahnvorstellungen. Sie hören nicht alle dieselben Stimmen, und sie haben nicht alle dieselben Halluzinationen. Die Krankheit äußert sich bei jedem Menschen anders. Es gibt keinen psychiatrischen Standardtest, mit dem sich Schizophrenie nachweisen lässt, keine wissenschaftliche Möglichkeit, um herauszufinden, ob der betreffende Patient die Wahrheit sagt. Dr. Barakat, der Gutachter der Staatsanwaltschaft, bezeichnete David Marquette als Simulanten. Als Lügner. Und doch haben wir am vergangenen Donnerstag alle gehört, dass Dr. Barakat während der Befragung durch Miss Valenciano einräumen musste, er könne nicht mit hundertprozentiger Sicherheit sagen, dass David Marquette *nicht* an Schizophrenie leide. Wir haben alle gehört, dass Mr. Bellido Einspruch einlegte und versuchte, seinen eigenen Zeugen daran zu hindern, die Wahrheit auszusprechen. Dr. Barakat gab zu, dass David Marquette, falls er tatsächlich unter den Wahnvorstellungen leidet, von denen er den Ärzten berichtet hat, falls er den Baseballschläger und das Messer tatsächlich nur deshalb in die Hand nahm, um den Teufel auszutreiben und die Seelen seiner Familie zu retten, nicht für seine Taten verantwortlich war. Dann war er tatsächlich unzurechnungsfähig. Selbst die Staatsanwaltschaft kann dem nicht widersprechen.

Und damit kommen wir zum letzten Punkt meiner Ausführungen», sagte Levenson und nahm nacheinander mit jedem Geschworenen Augenkontakt auf. «Wir leben in einer Gesellschaft, in der der Ausspruch ‹Ich glaube nur an das, was ich sehe› zum Gesetz geworden ist. Die Kirchen auf der ganzen Welt haben immer weniger Zulauf, und einige Menschen wollen sogar auf dem Rechtsweg erwirken, dass die Aufschrift ‹In God we trust› von unseren Geldscheinen entfernt wird.» Er hob abwehrend die Hände. «Verstehen Sie mich bitte nicht falsch, hier geht es nicht um Religion. Ich möchte lediglich einen Vergleich ziehen. Wir *wissen*, dass Schizophrenie eine real existierende Krankheit ist, auch wenn wir sie nicht unter einem Mikroskop ‹sehen› oder in einer Blutprobe nachweisen können. Wir *wissen*, dass Menschen mit dieser Krankheit unter Halluzinationen oder Paranoia leiden, dass sie oft nicht wissen, was sie tun, und manchmal Richtig und Falsch nicht voneinander unterscheiden können. Wir *wissen*, dass im Gehirn eines Schizophreniekranken die Realität, wie wir sie kennen, nicht existiert. Wir wissen all das, obwohl wir es nicht sehen können. Obwohl wir es nicht hören können. Obwohl wir es uns nur *vorstellen* können.

Meine Aufgabe während dieser Verhandlung bestand darin, Ihnen zu beweisen, dass mein Mandant David Alain Marquette zum Tatzeitpunkt unzurechnungsfähig war. Das habe ich getan. Mr. Bellidos Theorie ist nur dann schlüssig – und mein Mandant kann nur dann des vierfachen Mordes für schuldig befunden werden –, wenn Sie nicht anerkennen, dass David an Schizophrenie leidet.»

Er schaute hinüber zu David Marquette, doch es war, als säße dieser in einem völlig anderen Raum und wisse überhaupt nicht, dass gerade über ihn gesprochen wurde. Seine hellgrauen Augen wirkten genauso leblos wie an jenem Tag, an dem er den Gerichtssaal zum ersten Mal betreten hatte.

Mel Levenson schüttelte traurig den Kopf und ging zurück zu seinem Platz. «Dieser Mann ist bereits zu einem Leben in der Hölle verurteilt», sagte er mit weicher Stimme. «Bitte verurteilen Sie ihn nicht zum Tode.»

KAPITEL 97

DER SCHADEN war bereits angerichtet, noch bevor Rick aufspringen konnte. «Einspruch!», rief er. «Die Geschworenen entscheiden in dieser Phase des Verfahrens lediglich über Schuld oder Unschuld des Angeklagten, Euer Ehren. Mr. Levenson versucht, sie glauben zu machen, dass sie den Angeklagten automatisch zum Tode verurteilen, wenn sie ihn für schuldig befinden!»

Wieder zog Farley eine Augenbraue hoch. «Aber die Staatsanwaltschaft fordert doch die Todesstrafe, oder etwa nicht?», fragte er.

«Wie Euer Ehren sicherlich wissen, wird das Strafmaß unabhängig von der Schuldfrage geklärt. Außerdem setzen nicht die Geschworenen die Höhe des Strafmaßes fest, sondern Euer Ehren.»

«Aber Sie fordern die Todesstrafe, richtig, Mr. Bellido?» Richter Farley war ganz offensichtlich verärgert. Er hasste es, belehrt zu werden, vor allem vor laufenden Kameras. «Ist es nicht so?»

Rick biss die Zähne zusammen. «Ja, Euer Ehren, aber –»

«Na also», schnitt ihm Farley das Wort ab und sah hinüber zu den Geschworenen. «Wenn Sie den Angeklagten für schuldig befinden, wird in einem weiteren Prozess über das Strafmaß verhandelt, wobei Sie entscheiden, ob der Angeklagte zum Tode verurteilt werden soll oder nicht. Trotzdem bin am Ende ich derjenige, der das Strafmaß festsetzt und verkündet.» Dann warf er Rick einen bösen Blick zu und wandte sich an Levenson: «Sind Sie fertig, Herr Verteidiger?»

Levenson ließ sich auf seinem Stuhl nieder und klopfte seinem Mandanten freundschaftlich auf die Schulter. «Ja, Euer Ehren, ich denke, es ist alles gesagt.» Die Spannung im Gerichtssaal war beinahe mit Händen zu greifen. Jeder wusste, dass das Ende kurz bevorstand.

«Mr. Bellido, möchten Sie noch etwas sagen?», fragte Farley seufzend.

Rick dachte einen Augenblick lang nach. Der Richter war offenbar stocksauer auf ihn, und wenn er jetzt noch einmal auf das Plädoyer der Verteidigung einging, würde Farley dies gewiss auch den Geschworenen vermitteln. Rick betrachtete die Männer und Frauen auf der Geschworenenbank und stellte fest, dass sie ein wenig rastlos wirkten. Zwei lange, anstrengende Wochen lagen hinter ihnen, und der heutige Tag hatte ebenfalls seine Spuren hinterlassen. Wenn er erneut das Wort ergriff, riskierte er, die Geschworenen zu langweilen, sie mit psychiatrischer Fachterminologie zu verwirren oder – noch schlimmer – sie zu verärgern. Was wiederum dazu führen konnte, dass sie Mitleid mit dem Angeklagten bekamen. Glücklicherweise schaute keiner der Geschworenen zum Angeklagten hinüber, und das war auf jeden Fall ein gutes Zeichen. Wenn sie Marquette oder Levenson nicht in die Augen sehen konnten, hieß das, dass sie sich für die Seite der Staatsanwaltschaft entschieden hatten. Es gab also keinen Grund, die Sache weiterzuverfolgen. «Nein, Euer Ehren», sagte Rick. «Die Staatsanwaltschaft verlässt sich auf ihr Schlussplädoyer und auf die Fähigkeit der Geschworenen, die Beweislage richtig zu deuten.»

«Na schön, dann können wir jetzt einen Schlussstrich ziehen», sagte Farley, und im Gerichtssaal erhob sich aufgeregtes Murmeln. Farley sah mit gerunzelter Stirn in die Runde, bis er wieder alle Aufmerksamkeit auf sich gezogen hatte. «Es ist schon spät», sagte er. «Hiermit vertage ich die Sitzung. Morgen früh werde ich die Geschworenen belehren und in den Gesetzen unterweisen. Gegen Mittag sollten wir so weit sein, dass sie sich zur Beratung zurückziehen können.» Mit diesen Worten stand Farley auf, stürmte aus dem Saal und ließ die Tür hinter sich zuknallen.

«Erheben Sie sich!», rief Jefferson, wieder einmal um Sekunden zu spät.

KAPITEL 98

ETWA EINE Stunde nach dem Ende der Verhandlung klingelte Julias Telefon. Die angezeigte Nummer verriet ihr sofort, dass der Anruf aus einem Büro der Staatsanwaltschaft kam. Genauer gesagt aus einem Büro von *Major Crimes*.

Julia hatte keine Lust, sich anzuhören, dass sie gefeuert war. Sie blieb auf dem Küchentresen sitzen und wartete darauf, dass der Anrufbeantworter ansprang. Sie wollte sich nicht dafür rechtfertigen müssen, was letzte Woche vor Gericht passiert war. Sie wollte auch nicht erklären, was mit ihrem Bruder geschehen oder warum sie seit fünf Tagen von der Bildfläche verschwunden war. Sie wollte nicht in letzter Minute verzweifelt versuchen, ihren Job zu retten, und sie wollte niemandem, vor allem nicht Rick Bellido, die Genugtuung verschaffen, sie am Telefon weinen zu hören.

Bitte hinterlassen Sie eine Nachricht nach dem Signalton.

«Miss Valenciano, hier ist Charley Rifkin. Ich hatte gehofft, mit Ihnen persönlich sprechen zu können. Colleen Kay von der Personalabteilung sitzt gerade in meinem Büro ... Ihr Verhalten vor Gericht letzte Woche war völlig unangemessen, ja grenzte bereits an Insubordination ... unprofessionell und unbotmäßig ... ich bin schockiert und enttäuscht ... Mr. Bellido hat angemerkt ... Leider sehen wir uns genötigt, das Beschäftigungsverhältnis zu beenden ... erwarten, dass Sie Ihr Büro innerhalb der nächsten achtundvierzig Stunden räumen ...»

Irgendwann schaltete Julia den Apparat einfach aus. Nachdem sie ihn wieder angestellt hatte, löschte sie die Nachricht.

Sie hatte genug gehört. Sie war über den Anrufbeantworter gefeuert worden. Sie war froh, dass sie nicht abgenommen hatte, denn Rick hatte garantiert neben Rifkin gesessen. Wahrscheinlich hatte er seinem Kumpel erzählt, was für ein guter Fick sie gewesen war und dass er, Rifkin, doch leider von Anfang an recht gehabt hatte, was sie betraf.

Julia hatte zwar mit dem Anruf gerechnet, doch er erschütterte sie trotzdem. Staatsanwältin war der einzige Beruf, den sie je hatte ausüben wollen. Und nun war alles vorbei. Ihr Karriere-Flugzeug war gerade abgestürzt, und sie hatte es selbst gesteuert. Dabei war sie nur wenige Monate zuvor noch so hoch geflogen …

Sie wischte sich die Tränen aus dem Gesicht und ließ den Blick über das Durcheinander in ihrer Küche schweifen. Sie musste aus der erstickenden Enge dieses Apartments raus, sonst wurde sie noch verrückt. Sie hatte sich in ihren Bau zurückgezogen, um ihre Wunden zu lecken, aber nun hatte man sie aufgestöbert.

Julia rannte ins Schlafzimmer und zog eine Laufhose und ein T-Shirt an, band ihre Haare zu einem Pferdeschwanz zusammen und verließ die Wohnung.

Sie stellte ihren MP3-Player so laut, dass er die Stimmen von Charley Rifkin, Richter Farley, Rick, Karyn, Dr. Mynks und all den anderen übertönte. Sie lief Kilometer um Kilometer, immer schneller. Plötzlich sah sie Andrew vor sich. Er saß im Besuchsraum von Kirby und wartete auf sie, streckte ihr seine narbigen Hände über den Tisch hinweg entgegen, seine Lippen waren blau und geschwollen.

«Und in Anbetracht der kürzlich eingetretenen Veränderungen in Andrews Leben …»

Sie dachte an all die Möglichkeiten, wie sie ihn vor sich selbst hätte retten können. Sie hatte ihn im Stich gelassen.

«Sieh mich an, Ju-Ju! Sieh, was du mir angetan hast!»

Sie hatte auch David Marquette im Stich gelassen, dessen Krankheit sie nicht von Anfang an erkannt hatte. Sie hatte dazu beigetragen, ihn vor Gericht zu bringen. Sie war dafür verantwortlich, wenn man ihn zum Tode verurteilte. Wieder quollen Tränen aus ihren Augen, doch sie spürte gar nicht, wie sie ihr über das Gesicht rannen und sich mit Schweiß vermischten. Julia lief weiter und weiter, bis die Tränen versiegten, bis sie Andy nicht mehr sah und nur noch die Musik in ihrem Kopf hörte. Dann kehrte sie um und lief zurück nach Hause. Sie hatte mehr als sechzehn Kilometer gebraucht, um den Kopf frei zu bekommen, und fragte sich, ob es irgendwann einen Moment geben würde, an dem sie den Dämonen nicht mehr würde davonlaufen können. Sie fragte sich, ob das das Ende sein würde, der völlige Zusammenbruch, und ob sie es wie Andrew und David Marquette überhaupt nicht bemerken würde.

Als sich Julia ihrem Apartmentkomplex näherte, entdeckte sie die rot-silberne Harley auf dem Parkplatz. Sie blieb abrupt stehen und starrte das Motorrad einige Sekunden lang an.

«Hallo, du!», rief Lat. Er hatte auf der Treppe ihres Gebäudes gesessen, doch jetzt sprang er auf und kam ihr entgegen.

«Hi!», rief sie. Sie hatte nicht erwartet, ihn an diesem Tag zu sehen. Nach dem, was in der vergangenen Nacht passiert war, hatte sie nicht damit gerechnet, dass sie John Latarrino jemals wiedersehen würde.

«Du siehst aus, als bräuchtest du jemanden, der dich zum Abendessen einlädt», sagte er lächelnd, als er bei ihr angekommen war.

«Tatsächlich?», fragte sie.

«Tatsächlich.» Er zögerte für einen Moment, während Julia den Kopf senkte, die Hände in die Hüften stemmte und so tat, als müsse sie erst zu Atem kommen. «Ich habe versucht, dich anzurufen, aber du scheinst heute keine Lust zu haben, ans Telefon zu gehen. Also beschloss ich, einfach vorbeizukommen und dich persönlich einzuladen.»

Julia wurde rot und hoffte, dass ihr Gesicht vom Laufen noch so gerötet war, dass Lat es nicht merkte. Plötzlich fielen ihr all die Dinge ein, die sie in der letzten Nacht gesagt hatte. Sie hasste es, sich dermaßen *entblößt* zu fühlen. Sie war so verdammt verletzlich gewesen! So hilfsbedürftig, und dann hatte Lat auf einmal unangekündigt vor ihrer Tür gestanden. Sie war völlig überrumpelt gewesen und hatte ihm viel zu viele Dinge erzählt, die sie besser für sich behalten hätte. Jetzt wusste John Latarrino alles über sie.

Sie dachte an seinen Körper, seinen Herzschlag an ihrem Ohr … Seine Berührung hatte sie auf eine Weise erschauern lassen, die sie bei Rick nie erlebt hatte. Als Lat sie küsste, hatte sie deutlich eine seelische Verbindung zwischen ihnen beiden gespürt und sich diesem überwältigenden Gefühl einfach hingegeben. Fünfzehn Jahre lang hatte sie sich hinter einem Geflecht aus Lügen, einer erfundenen Vergangenheit versteckt, doch jetzt wusste zum ersten Mal seit dem Tod ihrer Eltern ein anderer Mensch die Wahrheit über ihr Leben – und war nicht entsetzt zurückgeschreckt.

Lat hatte sie stundenlang geliebt, langsam und unglaublich zärtlich, und dennoch ebenso hungrig nach ihr wie sie nach ihm. Er war mit ihr ins Schlafzimmer gegangen, hatte sie dabei fest an sich gepresst und sie die ganze Zeit geküsst, als hätte er Angst, die unsichtbare Verbindung zwischen ihnen könne durchtrennt werden und sei dann für immer verloren. Hinterher hatten sie nebeneinandergelegen, die Gesichter einander zugewandt, die Lippen nur ein paar Zentimeter voneinander entfernt, und in jenem Moment hatte Julia ihm Dinge anvertraut, die sie ihm nie hätte sagen sollen. Er hatte ihr schweigend zugehört und sie mit seinen sanften blauen Augen angesehen. Nicht für eine Sekunde hatte er seinen Blick von ihr gelöst.

Sie hatte nicht einschlafen wollen, aus Angst, diesen kostbaren Moment zu verlieren, und hatte doch gewusst, dass der Zauber verfliegen würde, sobald die Sonne aufging.

Als sie aufwachte, war er fort.

Julia schüttelte die Erinnerung ab, blickte auf und lächelte. «Abendessen? Stimmt, ein Cheeseburger wäre nicht schlecht.»

«Ein Cheeseburger?», erwiderte Lat ungläubig, während sie den Parkplatz überquerten. «Das ist ja eine preiswerte Verabredung. Ich wollte eigentlich Steinkrabben und eine Flasche Wein vorschlagen. Aber gut», sagte er achselzuckend, «dann eben ein Cheeseburger und Bier. Die Frau gefällt mir. Ich kenne da genau das richtige Lokal.»

«Steinkrabben? Wow. Du weißt, wie man eine Frau beeindruckt. Womit habe ich das bloß verdient?»

«Für dich nur das Beste, Liebling», antwortete er fröhlich. Als sie die Treppe erreicht hatten, wurde er plötzlich ernst und griff nach ihrer Hand. «Wie geht es dir heute?»

Sein besorgter Gesichtsausdruck verriet ihr, dass er sie das schon die ganze Zeit hatte fragen wollen, und sie wich seinem Blick beschämt aus. Vielleicht wusste er bereits, dass sie entlassen war. Vielleicht war er deswegen hier. Die arme Julia mit der schrecklichen Vergangenheit lag wieder einmal am Boden, und er war gekommen, um ihr aufzuhelfen. Aber sie würde sich nicht noch einmal auf ihn stützen. Sie würde nicht zulassen, dass er sie nur aus Mitleid besuchte oder, schlimmer noch, nur aus Mitleid mit ihr schlief. Dann blieb sie lieber allein mit ihren Dämonen.

«Gestern war ich …» Sie verstummte. «Hör mal, das mit gestern Nacht tut mir leid, Lat», sagte sie schließlich.

«Das muss dir nicht leidtun.»

«Ich habe einige Dinge gesagt –»

«Die du hoffentlich ernst gemeint hast.»

«Und ich habe einige Dinge getan –»

«Die du hoffentlich auch ernst gemeint hast.» Lat lächelte.

Julia starrte auf ein Stück abblätternde Farbe am Treppengeländer. «Ich schäme mich so», stieß sie leise hervor.

«Aber warum denn? Wenn ich irgendwelche Bedenken hätte, wäre ich jetzt nicht hier.»

«Na gut», sagte sie schließlich. «Ich springe nur schnell unter die Dusche und ziehe mich um.» Sie ging die Treppe hinauf.

«Ich bin heute Morgen um sieben zu einem Einsatz gerufen worden, sonst wäre ich nicht gegangen», sagte er.

Julia drehte sich nicht um. «Gut», erwiderte sie nur. Dann verschwand sie in ihrem Apartment.

KAPITEL 99

DAS ABENDESSEN bestand aus Cheeseburgern und Pommes und viel Kaffee in einem kleinen Restaurant. Lat fragte Julia nach Andrew, also erzählte sie ihm von ihrem Bruder – aber nur davon, wie er in ihrer Kindheit gewesen war, bevor die Schizophrenie seinen Verstand verwüstet hatte. Es war zu schmerzhaft, an die jüngsten Ereignisse zu denken. Sie konnte sich noch nicht eingestehen, dass die Dinge hätten anders laufen können. Dass sie in den letzten fünfzehn Jahren etwas hätte anders machen können. Lat fragte sie auch nach ihren Eltern, doch darauf antwortete Julia ihm nicht. Sie hatte nach wie vor das Gefühl, dass einige Puzzleteile fehlten, sie konnte immer noch nicht alle Ereignisse zu einem Bild zusammenfügen. Ohne die Hilfe von Nora und Jimmy würden Teile ihrer Vergangenheit für immer im Dunkel verborgen bleiben.

Lat bedrängte sie nicht. Er hatte Verständnis für ihre Zurückhaltung. Dann wechselte er einfach das Thema und sprach über seine eigene Familie, über das Fischen und über Orte in Europa, die er eines Tages gern besuchen wollte. Nach einer Weile stellte Julia fest, dass sie sehr viel mehr gemeinsam hatten, als sie sich vor ein paar Monaten hätte vorstellen können. Zu ihrer Erleichterung mied Lat Themen wie die Arbeit, Fälle, Angeklagte, Verbrechen oder den Prozess gegen David Marquette, und falls er bereits wusste, dass sie entlassen worden war, erwähnte er auch dies mit keiner Silbe. Wahrscheinlich waren sie beide die einzigen Menschen in ganz Amerika, die *nicht* darüber spekulierten, wie lange es dauern würde, bis die

Geschworenen im Fall Marquette zu einem Urteil kamen, und wie dieses Urteil lauten würde. Als Lat nach ein paar Stunden merkte, dass Julia keine Lust mehr hatte, zu reden, verließ er mit ihr das Restaurant, gab ihr seine Jacke und half ihr auf das Motorrad. Wieder fuhren sie noch für eine Weile an der Küste entlang, und als sich Lat schließlich auf den Rückweg machte, wünschte sich ein Teil von Julia, er wäre einfach immer weitergefahren, immer weiter, bis Miami nur noch eine verschwommene Erinnerung war. Ein winziger Fleck auf der Landkarte. Als Lat vor ihrem Apartment anhielt, dämmerte bereits der Morgen. Vor der Tür küssten sie sich zärtlich, doch Julia bat ihn nicht, noch mit hineinzukommen, und er fragte auch nicht danach.

Julia fand keinen Schlaf. Dennoch spielte sie mit dem Gedanken, einfach so lange im Bett zu bleiben und sich so lange die Decke über den Kopf zu ziehen, bis die Geschworenen ihr Urteil gefällt hatten und der Fall Marquette endlich abgeschlossen war. Erst dann würde sie sich in Ruhe überlegen können, was sie mit ihrem Leben anfangen wollte. Doch Rifkins Achtundvierzig-Stunden-Frist saß ihr im Nacken. Sie hatte zwar überhaupt keine Lust, irgendjemandem von der Staatsanwaltschaft zu begegnen – am allerwenigsten Rick oder Rifkin oder Karyn –, aber sie wollte die Frist nicht einfach verstreichen lassen und somit Gefahr laufen, ihre Habseligkeiten aus der nächsten Mülltonne fischen zu müssen. Und es gab auch niemanden, den sie bitten konnte, ihr Büro auszuräumen – niemanden, dem sie vertraute. Sie dachte kurz daran, Dayanara anzurufen, doch sie wollte sie nicht in die Sache hineinziehen. Es konnte das Aus für Days Karriere bedeuten, und das wollte Julia auf keinen Fall verantworten. Daher blieb ihr keine andere Wahl, als selbst noch einmal ins Büro zu fahren.

Am Nachmittag beobachtete Julia fast eine Stunde lang von ihrem geparkten Wagen aus, wie ihre ehemaligen Kollegen das

Graham Building betraten oder verließen – Kollegen, die einmal wie eine zweite Familie für sie gewesen waren, ihr nun jedoch wie Fremde erschienen. Um kurz vor sechs quoll eine wahre Menschenmenge aus dem Gebäude und strömte zu den Parkplätzen und der Eisenbahnstation. Nun war der geeignete Zeitpunkt, um hineinzugehen.

Julia nahm an, dass Colleen Kay von der Personalabteilung als Erstes ihren Sicherheitsausweis gesperrt hatte. Wahrscheinlich würde sie also nicht um die Peinlichkeit herumkommen, von zwei Wachleuten in ihr Büro begleitet zu werden, die aufpassten, dass sie nur ja keine Büroklammer zu viel in ihren Karton packte.

Die Eingangshalle wirkte wie ausgestorben. Auch der gelangweilt wirkende Wachmann, der sie durch den Metalldetektor winkte, schien keine Notiz von ihr zu nehmen. Julia trug T-Shirt, Jeans und Turnschuhe, hatte sich die Haare zu einem Pferdeschwanz gebunden und eine Baseball-Kappe aufgesetzt, daher war sie für Menschen, die sie nur in Kostüm und hochhackigen Schuhen kannten, wahrscheinlich auf den ersten Blick eine Fremde. Mit einem zusammengefalteten Pappkarton unter dem Arm verschwand sie schnell im Treppenhaus, denn hier würde ihr mit an Sicherheit grenzender Wahrscheinlichkeit niemand begegnen. Sie ging hinauf in die dritte Etage.

Der Korridor war menschenleer. Julia zog ihren Sicherheitsausweis hastig durch den Schlitz an der Tür. Als sie das vertraute Klicken vernahm, atmete sie erleichtert auf. Dann schritt sie mit erhobenem Kopf und straffen Schultern durch die Tür und den Flur entlang. So, als würde sie immer noch hierhergehören.

Einige Anwälte arbeiteten bei geöffneter Tür und sahen von ihren Schreibtischen auf, als Julia an ihren Büros vorüberging. Sie hörte förmlich, wie die Telefon- und DSL-Leitungen um sie herum zu summen begannen und jedem, der noch im Gebäude war, ihre Anwesenheit verkündeten. Der Flur dehnte sich wie Gummi, und eine halbe Ewigkeit schien zu vergehen, bis sie endlich ihr Büro erreichte. Sie trat ein, schloss die Tür hinter sich und lehnte sich atemlos dagegen. *Bitte, lieber Gott, lass mich das durchstehen …* Dann lief sie zu ihrem Telefon und schaltete alle Leitungen auf besetzt.

Julia sah sich in dem kleinen, vollgestopften Büro um, das über zwei Jahre lang ihr Reich gewesen war. Obwohl sie innerhalb der Staatsanwaltschaft mehrmals die Abteilung gewechselt hatte, war es ihr gelungen, nie umziehen zu müssen. Auf ihrem Schreibtisch stand eine pinkfarbene Geschenktüte. «Denken Sie daran: Der Boss ist immer ein Arsch», hatte Marisol auf die darangeheftete Karte geschrieben. «Viel Glück. Ich werde Sie vermissen.» Julia griff in die Tüte und holte ein weißes, mit pinkfarbenen Strasssteinen besetztes T-Shirt hervor. Sie biss sich auf die Lippen.

Um sich abzulenken, schaltete sie den kleinen tragbaren Fernseher ein, der auf ihrem Aktenschrank stand. Natürlich ging es auf sämtlichen Kanälen um den Gerichtsprozess. Eine der Geschworenen hatte ein Problem mit ihrem Babysitter gehabt, daher war das Gericht erst um 11 Uhr 30 wieder zusammengetreten. Nach der Unterweisung hatte Farley die Geschworenen um kurz vor zwei in die Beratung entlassen, und da sie erst einmal zu Mittag aßen, hatte sich der Beginn der Beratung auf drei Uhr verschoben. In Anbetracht von Farleys langer Belehrung gingen die Rechtsexperten davon aus, dass die Geschworenen nun erst einmal juristische Formulierungen entwirren, die Zeugenaussagen und ihre eigenen Notizen durchsprechen und dann eine erste Abstimmung durchführen würden, um zu ermitteln, welche Position jeder von ihnen vertrat. Morgen würden sie dann mit der eigentlichen Beratung beginnen, und man nahm an, dass nicht vor Montag mit einem

Urteil zu rechnen war. Richter Farley würde sein Schiff verpassen. Sehr gut.

Julia fing an, den Inhalt ihrer Schreibtischschubladen in den Karton zu packen, und betrachtete versonnen einige alte Bilder und Briefe, die ihr einmal viel bedeutet hatten.

Als draußen auf dem Gang plötzlich aufgeregte Stimmen und dazu Schritte ertönten, sah sie auf und hielt den Atem an. Doch die Schritte hasteten an ihrer Tür vorbei und verhallten. Julia atmete erleichtert aus.

Instinktiv schaute sie wieder auf den Fernsehschirm. Die Reporterin von *Channel 6* stand im Korridor vor Gerichtssaal 4.10 und sprach aufgeregt in die Kamera, während hinter ihr eine Menschenmenge in den Saal strömte.

«Das kam völlig unerwartet», sagte die Reporterin gerade. «Richter Farley wartet nur noch darauf, dass David Marquette in den Gerichtssaal gebracht wird, was etwa –»

Julia schnappte nach Luft, als in diesem Moment ein Nachrichtenbalken am unteren Bildschirmrand eingeblendet wurde.

DIE GESCHWORENEN SIND
ZU EINEM URTEIL GEKOMMEN.

KAPITEL 100

JULIA SAH aus dem Fenster. Jeder, der noch im Graham Building gewesen war, eilte nun hinüber zum Gericht. Übertragungswagen säumten die Straße. Die Polizei hatte die 14th Street abgesperrt und war gerade dabei, auch einen Sicherheitsbereich um das Gerichtsgebäude abzuriegeln. Auf der Freitreppe drängten sich aufgeregte Journalisten um Rick Bellido, der versuchte, sich einen Weg durch die Menge zu bahnen. Rick nahm natürlich nie den Weg durch die Tiefgarage. Und selbstverständlich ließ er auch keine Gelegenheit aus, eine Pressekonferenz zu geben. Während Julia ihn vom Fenster aus beobachtete, tönte seine Stimme aus dem Fernseher.

Sie hatte während ihrer Karriere als Staatsanwältin unzählige Urteilsverkündungen erlebt, trotzdem war ihr jedes Mal aufs Neue das Adrenalin durch den Körper geschossen, wenn die Gerichtsschreiberin ihr am Telefon mitgeteilt hatte, dass die Geschworenen zu einem Urteil gekommen waren und sie im Gericht erwartet wurde. Julia war nicht die Einzige, die so empfand – jedem Staatsanwalt ging es so. Selbst wenn der Fall völlig unbedeutend war – *die Geschworenen waren zu einem Urteil gekommen.*

Auch in diesem Moment spürte Julia den Adrenalinschub. Sie sah auf die Uhr. Es war erst achtzehn Minuten nach fünf. Die Geschworenen hatten sich nur zwei Stunden lang beraten. Ein schnelles Urteil bedeutete bei einem Fall, in dem es um Unzurechnungsfähigkeit ging, nichts Gutes für die Verteidigung. Julias Herz fing an zu rasen, und sie ging hektisch in ihrem Büro auf und ab. Jetzt wäre der ideale Zeitpunkt, den Rest ihrer Habseligkeiten in den Karton zu werfen, ihr Diplom von der Wand zu nehmen und rasch zu verschwinden.

Aber sie konnte es nicht.

Stattdessen starrte sie wieder aus dem Fenster. Die Stufen vor dem Gerichtsgebäude waren nun gespenstisch leer.

Das war *ihr* Fall. *Ihre* Urteilsverkündung. Sie wollte ein letztes Mal den Gerichtssaal betreten, ein letztes Mal in die Gesichter der Geschworenen blicken, die sie selbst mit ausgesucht hatte. Doch vor allem wollte sie, dass diese drei Männer und neun Frauen *sie* noch einmal sahen. Sie alle sollten wissen, dass dies nicht bloß irgendein Fall für sie gewesen war. Also ließ Julia den Pappkarton stehen und lief hinüber zum Gericht.

Niemand bemerkte, wie sie in den überfüllten Gerichtssaal schlüpfte, denn aller Augen waren auf die zwölf Männer und Frauen gerichtet, die gerade wieder ihre Plätze auf der Geschworenenbank einnahmen. Sie hatten den Blick gesenkt. Keiner von ihnen sah in die Menge der Zuschauer. Und keiner sah hinüber zum Angeklagten.

Plötzlich tauchte Lat neben Julia auf und nahm wortlos ihre Hand.

«Meine Damen und Herren Geschworenen, sind Sie zu einem Urteil gekommen?», fragte Richter Farley und faltete das Blatt mit der offiziellen Urteilsverkündung, die er gerade gelesen hatte, wieder zusammen. Dann reichte er es Ivonne, der Gerichtsschreiberin.

«Ja, das sind wir, Euer Ehren», sagte der Sprecher der Geschworenen und verschluckte dabei die zweite Hälfte des Satzes, weil er in diesem Moment endlich aufsah und registrierte, dass eine Wand aus Kameras auf ihn gerichtet war. Er wurde puterrot, und große Schweißperlen traten auf seine Stirn.

«Angeklagter, bitte erheben Sie sich», sagte Farley und betrachtete David Marquette mit gerunzelter Stirn.

Julia starrte den Sprecher der Geschworenen wie hypnotisiert an.

Mel Levenson beugte sich zu seinem Mandanten und flüsterte ihm etwas ins Ohr. Dann standen beide auf. Levenson strich sein Jackett glatt und knöpfte es zu. David Marquette blickte starr geradeaus, die Hände hinter dem Rücken verschränkt. Julia bemerkte, dass sie leicht zitterten.

«Würde die Gerichtsschreiberin dann bitte das Urteil verkünden?», sagte Richter Farley mit undurchdringlicher Miene.

Ivonne nickte und erhob sich. Sie setzte sich ihre Lesebrille auf und faltete das Blatt Papier auseinander. «Wir, die Geschworenen des Bezirks Miami-Dade, Florida», begann sie, «befinden an diesem neunundzwanzigsten März des Jahres 2006 den Angeklagten David Alain Marquette in Punkt eins der Anklage, dem Mord an Jennifer Leigh Marquette, für –»

Die Gerichtsschreiberin stieß ein leises Keuchen aus und blickte mit aufgerissenen Augen in die Kameras, bevor sie die Worte stammelte, auf die die ganze Welt wartete.

«Wir befinden den Angeklagten für nicht schuldig aufgrund von Unzurechnungsfähigkeit ...»

KAPITEL 101

WÄHREND IVONNE mit der Urteilsverkündung fortfuhr, brach im Gerichtssaal die Hölle los. Richter Farley hatte gewusst, was passieren würde, und in weiser Voraussicht den Alarmknopf unter seinem Tisch gedrückt, gleich nachdem er das Urteil an Ivonne weitergereicht hatte. Nun verteilten sich bereits mehrere bewaffnete Sicherheitsbeamte im Saal.

«O mein Gott!», schrie einer der Reporter in eine Kamera und verstieß damit gegen die Gerichtsordnung. «Nicht schuldig! Er ist nicht schuldig! In allen vier Anklagepunkten!» Das brach auch bei den anderen Journalisten den Bann, und plötzlich schrien alle durcheinander und versuchten, sich gegenseitig an Lautstärke zu übertrumpfen.

Farley brüllte Jefferson an. Jefferson brüllte «Ruhe! Die Verhandlung ist noch nicht beendet!», doch niemand scherte sich darum. Julia hatte etwas Derartiges noch nie erlebt.

Rick Bellido saß am Tisch der Staatsanwaltschaft und starrte die Geschworenen fassungslos an. Reporter schossen Fotos, hielten ihm Mikrophone vor das Gesicht und verlangten einen Kommentar. Doch diesmal hatte Ricardo Bellido, der nächste Generalstaatsanwalt des elften Gerichtsbezirks, nichts zu sagen.

David Marquette senkte den Kopf, als Levenson ihm auf den Rücken klopfte. Alain Marquette drängelte sich nach vorn und umarmte den Anwalt seines Sohnes mit tränenüberströmtem Gesicht. Julia suchte in der Menge nach Davids Mutter. Schließlich entdeckte sie Nina Marquette ein Stück weiter hinten. Sie trug ein marineblaues Kostüm und hatte ihr weißblondes Haar zu einem klassischen Knoten aufgesteckt. Während alle zum Tisch der Verteidigung strömten, wich sie immer weiter in Richtung Ausgang zurück. Reporter riefen ihr Fragen zu, doch sie hob abwehrend die Hände und drehte sich weg. Bevor sie ohne ihren Mann den Gerichtssaal verließ, begegnete sie für einen kurzen Moment Julias Blick. Julia sah, dass sie an diesem Tag einmal nicht geweint hatte. Aber sie lächelte auch nicht. Ihr Gesicht war aschfahl, und sie wirkte krank.

Schließlich wurde ein Reporter auf Julia aufmerksam, hielt ihr sein Mikrophon entgegen und schrie ihren Namen. Daraufhin nahm eine Armee von Kameras Lat und sie ins Visier. Julia ließ seine Hand los.

«Miss Valenciano, sind Sie zufrieden mit dem Urteil?» «Wurde der Gerechtigkeit Genüge getan?» «Haben Sie mit David Marquette gesprochen?» «Können Sie bestätigen, dass die Staatsanwaltschaft Sie entlassen hat?» «Sollte die Todesstrafe abgeschafft werden?» «Möchten Sie den Geschworenen irgendetwas sagen?»

«Detective, sind Sie wütend auf die Staatsanwaltschaft?» «Glauben Sie, dass Miss Valenciano für das Urteil verantwortlich ist?» «Versuchen Sie weiterhin, Marquette mit den Mordfällen in Nordflorida in Verbindung zu bringen?» «Kann Marquette wegen der anderen Morde angeklagt werden, obwohl er in diesem Fall für unzurechnungsfähig erklärt wurde?» «Ist er ein Serienmörder?»

Die Journalisten feuerten ihre Fragen dermaßen schnell ab, als wollten sie überhaupt keine Antwort hören. Julia schüttelte unentwegt den Kopf, während die Kameras und Gesichter immer näher kamen und sich die Welt um sie zu drehen begann. Sie wusste nicht, was sie sagen sollte. Es war alles so unwirklich! Viele Gefühle stürmten auf sie ein. Ein Teil von ihr fühlte sich bestätigt – die Geschworenen hatten begriffen und die Schuld der Krankheit gegeben, nicht dem Kranken. Ein

anderer Teil empfand abgrundtiefe Reue und Schuld gegenüber Jennifer, Danny, Sophie und besonders Emma, die in den
letzten Minuten ihres kurzen Lebens durch die Hölle gegangen war und nicht einmal gewusst hatte, warum. Julia hoffte,
dass sie auch in den Augen der Opfer das Richtige getan hatte.
Ein dritter Teil von ihr schämte sich – als habe sie ihr Amt und
ihren Eid als Staatsanwältin verraten. Doch das Recht war nie
so eindeutig, so schwarz-weiß, wie es in den Fallrechtssamm-
lungen und Gesetzbüchern dargestellt wurde.

Richter Farley fand endlich einen schweren Gegenstand, mit
dem er auf den Tisch schlagen konnte, und brachte den Saal
mit Hilfe der Sicherheitsbeamten wieder unter Kontrolle. Er
war außer sich und hatte keine Lust mehr, für die Kameras
gute Miene zum bösen Spiel zu machen. Sollte die Presse doch
schreiben, was sie wollte.

«Ich werde jeden Einzelnen in diesem Saal wegen Missachtung des Gerichts anklagen, wenn hier nicht in fünf Sekunden
Ruhe herrscht!», brüllte er in die Mikrophone. Sein zorniger
Blick fiel auf die Reporter an der Tür. «In diesem Gerichtssaal finden keine Interviews statt, solange die Verhandlung
nicht geschlossen ist! Und auch danach nicht, haben Sie mich
verstanden? Erledigen Sie das meinetwegen draußen auf dem
Gang oder auf der Straße.» Als Farley erkannte, dass es Julia
war, um die sich die Reporter scharten, blinzelte er überrascht.
«Führen Sie Ihre Interviews, wo immer Sie wollen, aber nicht
in meinem Gerichtssaal.» Dann warf er dem verzweifelten
Jefferson einen eisigen Blick zu. «Das nächste Mal halten Sie
diese Leute gefälligst im Zaum! Das ist eine Gerichtsverhandlung, kein Rockkonzert!» Schließlich wandte er sich mit all-
umfassender Verachtung an die übrigen Anwesenden. «Und
jetzt lassen Sie uns die Sache zu Ende bringen», brummte er.
«Ich habe nicht vor, mich diesem Rummel noch einen weiteren Tag auszusetzen.»

Er wies Jefferson mit einer Handbewegung an, die Geschworenen aus dem Saal zu geleiten. Seiner Miene war deutlich anzusehen, dass er mit ihnen und ihrem Urteil nicht sonderlich zufrieden war. «Meine Damen und Herren, ich danke Ihnen für Ihre Dienste», sagte er barsch. «Sie werden hier nicht mehr gebraucht. Mr. Jefferson wird Sie nun hinausbegleiten. Wenn Sie mit der Presse reden wollen, dann tun Sie das. Wenn nicht, können Sie im Beratungszimmer warten. Man wird Sie dann später zu Ihren Autos bringen. Wann das sein wird, kann ich allerdings nicht sagen.»

Als Jefferson die Geschworenen hinausführte, bemerkte Julia, dass einige der Männer und Frauen einen zögerlichen letzten Blick hinüber zum Tisch der Verteidigung warfen. Sie wusste, was dieser Blick zu bedeuten hatte, sie hatte ihn schon häufiger gesehen, wenn auch nicht in einem Gerichtssaal. Es war der Blick, mit dem Passanten den zerlumpten, wirr redenden Obdachlosen an der Straßenecke ansahen, dem sie gerade einen Dollar gegeben hatten. Es war ein Blick voller Mitleid. Voller Geringschätzung. Und voller unverkennbarer Angst. Aber in diesem Blick flackerte auch noch etwas anderes auf. Während sich die Geschworenen in die Sicherheit des Beratungszimmers zurückzogen, erkannte Julia in ihren Blicken selbstgerechten Stolz. Stolz auf ihre eigene Großzügigkeit und auf das Verständnis, das sie gezeigt hatten.

Sobald die Geschworenen gegangen waren, wandte sich Richter Farley an David Marquette: «Mr. Marquette, die Geschworenen haben Sie in allen vier Anklagepunkten für nicht schuldig wegen Unzurechnungsfähigkeit befunden. Ich denke, wir alle stimmen aufgrund der Beweislage überein – Mr. Levenson? Mr. Bellido? –, dass Sie in der Tat geisteskrank sind und darüber hinaus eine Gefahr für sich selbst und andere darstellen. Können wir daher auf eine diesbezügliche Anhörung verzichten, meine Herren?»

«Ja, Euer Ehren», erklärte Mel Levenson sichtlich ergriffen. Offenbar hatte nicht einmal er mit diesem Urteil gerechnet. Ricks «Ja» hingegen war beinahe nicht zu hören.

«Gemäß Paragraph 916.15 des Gesetzbuches für den Bundesstaat Florida und gemäß den entsprechenden Absätzen der Prozessordnung», fuhr der Richter schnell fort, «befinde ich, dass David Marquette die Voraussetzungen für die Einweisung in eine geschlossene Anstalt erfüllt, und überstelle ihn dem Familienamt. Das Amt wird entscheiden, in welcher Anstalt er behandelt werden soll, aber die Zuständigkeit verbleibt weiterhin bei diesem Gericht. Ivonne, vermerken Sie, dass in sechs Monaten ein Beurteilungstermin ansteht. An diesem Termin werde ich mir die Berichte über die Fortschritte Ihres Mandanten ansehen, Mr. Levenson, und dann entscheiden, wie es weitergeht. Das wäre alles, meine Damen und Herren. Die Verhandlung ist geschlossen.» Richter Farley stürmte mit wehender Robe aus dem Saal, ohne Julia oder irgendwen sonst noch eines Blickes zu würdigen.

Lat führte Julia am Ellbogen in Richtung Ausgang. Zwar drangen die Reporter nun, da Farley gegangen war, wieder mit Fragen auf sie ein, doch die Menge lichtete sich. Einige Journalisten hetzten hinaus, um die Geschworenen abzufangen, andere jagten Rick Bellido nach, der den Saal offenbar gleich nach dem Richter durch den Hinterausgang verlassen hatte. Julia sah sich noch ein letztes Mal in dem Raum um, in dem ihre Karriere so abrupt geendet hatte. Sie mochte gar nicht daran denken, dass sie womöglich nie wieder einen Gerichtssaal betreten würde.

Am Tisch der Verteidigung ließ sich David Marquette geduldig Handschellen und Fußfesseln anlegen. Julia beobachtete ihn eine Sekunde lang. Er stand mit hängenden Schultern da, während die verbliebenen Zuschauer aufgeregt über ihn redeten und immer noch Kameras auf ihn gerichtet waren.

Die Situation erinnerte Julia an eine Szene aus *King Kong* – daran, wie der betäubte und in Ketten gelegte Kong in einer bombastischen, geschmacklosen Show dem sensationslüsternen Publikum vorgeführt wird. Sie wollte sich angewidert abwenden, doch da hob David Marquette plötzlich den Kopf und sah sich um.

Vielleicht suchte er nach seinem Vater. Oder nach seiner Mutter. Vielleicht suchte er ja sogar nach *ihr*. Aus welchem Grund auch immer, plötzlich bohrten sich seine gespenstischen hellgrauen Augen wieder in die ihren, genau wie damals bei der Anhörung zur Feststellung der Prozessfähigkeit.

Julia konnte nicht wegsehen. Sie konnte sich nicht bewegen, obwohl sie von Lat und den Reportern langsam weitergeschoben wurde. Sie kam sich vor wie in einem schalldichten, luftleeren Raum, in dem alles in Zeitlupe ablief. Und als die Wachmänner David Marquette schließlich zu der Tür brachten, durch die man auf die Brücke und zurück zum Gefängnis gelangte, tat er etwas, was Julia noch nie bei ihm gesehen hatte. Nicht ein einziges Mal. Etwas, das ihren Herzschlag aussetzen ließ und ihr einen eiskalten Schauer über den Rücken jagte.

Er lächelte ihr zu.

KAPITEL 102

MEINE DAMEN *und Herren Geschworenen, sind Sie zu einem Urteil gekommen?*

Die Worte des Richters klangen zäh und dumpf zu ihm herüber. Die Zeit schien aus den Fugen geraten zu sein, Sekunden wurden zu Stunden, wie in einem Film mit zu vielen Zeitlupenaufnahmen. Die Menschenmenge hielt den Atem an, während der Richter sprach. Der Moment erschien so zerbrechlich, als hätte jemand eine teure Vase fallen lassen und wartete nun darauf, dass sie auf dem Boden in tausend Stücke zersprang. Genauso stellte er sich die letzten Stunden seines Lebens vor, falls man ihn zum Tode verurteilte. Stunden würden zu Tagen werden, die letzten Sekunden zu einer Ewigkeit, bis er es vielleicht kaum noch erwarten konnte, dass es endlich vorbei war. Vor Angst und Aufregung kitzelte es ihn am ganzen Körper. Er widerstand dem Drang, sich zu kratzen. Er musste hier ruhig verweilen, ganz egal, wie viel Angst er hatte. Es dauerte nicht mehr lange.

Sie waren alle *seinetwegen* hier. Nicht wegen seines brillanten Vaters oder seiner kaltherzigen Mutter oder seines bemitleidenswerten Bruders. Sie waren aus der ganzen Welt angereist, um *ihn* zu sehen. *Ihn* zu hören. *Ihn* zu filmen. Und während er darauf wartete, sein Schicksal zu erfahren, gefangen in diesem zerbrechlichen Moment, redeten auf der ganzen Welt Millionen Menschen über *ihn*. Natürlich war es nie seine Absicht gewesen, so viel Aufmerksamkeit zu erregen, aber er fand es belustigend, wie sich die Dinge manchmal entwickelten. Und er war mehr als nur ein bisschen stolz darauf, dass er so weit gekommen war. Aber noch gab es keinen Grund für Selbstzufriedenheit, noch befand sich die Vase in der Luft.

Sein Anwalt beugte sich zu ihm. «David, hören Sie mir zu», flüsterte er ernst, in der Hoffnung, zu ihm durchzudringen. «Wenn die Geschworenen Sie für schuldig befinden, sagen Sie nichts. Alles, was Sie sagen und tun, kann gegen Sie verwendet werden. Sobald der ganze Papierkram erledigt ist, komme ich sofort zu Ihnen, und ich werde beantragen, dass man Sie wieder in den neunten Stock bringt, damit Sie weiterhin Ihre Medikamente bekommen.»

Angeklagter, bitte erheben Sie sich …

Er bemerkte, dass der Richter zu ihm herüberblickte. Und dann sah er den Richter blinzeln.

Es geschah so schnell, dass er sicher war, dass niemand anders es bemerkt hatte. Aber er hatte in seinem Leben schon oft genug Poker gespielt und erkannte einen missglückten Bluff. Richter Farley hatte sich mit einem kurzen Aufflackern von Panik in seinen Augen verraten. In diesem kurzen Moment wusste er, was die Gerichtsschreiberin sagen würde.

Sein Anwalt zog sachte an seinem Ellbogen, um ihm zu zeigen, dass er aufstehen sollte. «Sagen Sie also bitte nichts, das ist wirklich sehr wichtig.»

Er stand auf.

Würde die Gerichtsschreiberin dann bitte das Urteil verkünden …

Alles in ihm entspannte sich, und er biss sich auf die Innenseiten seiner Wangen, biss immer fester zu, bis er Blut schmeckte. Der Schmerz hielt ihn davon ab, sich zu rühren. Zu jubeln. Zu seufzen. Zu lachen.

Wir befinden den Angeklagten für nicht schuldig aufgrund von Unzurechnungsfähigkeit …

Er wollte schreien oder in die Luft springen. Sogar seinen Anwalt umarmen. Er wollte sich umdrehen und seinen weinenden

Vater umarmen – bevor er diesen erbärmlichen Ausdruck von Verzweiflung aus dem Gesicht des alten Mannes prügelte. Es war derselbe Ausdruck, mit dem sein Vater Darrell betrachtete. Er wollte ihn wegwischen. Seine Mutter war schon immer sehr viel diskreter gewesen und verlieh ihrer Scham erst dann Ausdruck, wenn die Kameras nicht mehr liefen. Er brauchte sich nicht einmal umzuwenden, um zu wissen, dass sie bereits fort war. Sie würde die Schande niemals verkraften – die Schande, zwei schizophrene Söhne zu haben, die Schande, die Mutter eines wahnsinnigen Mörders zu sein. Wahrscheinlich würde diese Schande sie früher oder später umbringen.

Er wusste, dass es noch nicht vorbei war. Die Männer und Frauen, die über ihn geurteilt hatten, saßen mit unbehaglichem Gesichtsausdruck auf der Geschworenenbank, und die Kameras waren weiterhin auf ihn gerichtet. Deswegen schlug er seinen Vater nicht, schrie seiner Mutter nicht nach und umarmte auch niemanden. Er tat gar nichts, schluckte nur das Blut hinunter und starrte stur geradeaus.

Um ihn herum brach Chaos aus. Er hörte die Hurrarufe derer, die seinen Fall zu ihrer Sache gemacht hatten und ihn zu ihrem Aushängeschild. Und er vernahm das empörte Johlen derjenigen, die ihn für den leibhaftigen Teufel hielten. Für einen Simulanten. Einen Betrüger. Einen Mörder.

Und in all dem Lärm und Geschrei hörte er auch, wie sie *ihren* Namen riefen.

«Miss Valenciano, sind Sie zufrieden mit dem Urteil?» «Wurde der Gerechtigkeit Genüge getan?» «Haben Sie mit David Marquette gesprochen?»

Seine Wundertäterin. Sie hatte den Blinden die Augen über seine *Krankheit* geöffnet und die Tauben die *Stimmen* hören lassen, die nur er hören konnte. Staatsanwältin Julia Valenciano. Sie bestürmten sie mit Fragen, doch sie antwortete ihnen nicht. Er hörte ihre melodische, herausfordernde Stimme nicht. Trotzdem *wusste* er, dass sie dort war, irgendwo hinter ihm, wartend. Er spürte sie. Er roch sogar ihr Parfüm. Von Anfang an hatte zwischen ihnen eine Verbindung bestanden, und er wusste, dass sie ihn nicht verlassen würde, bis es endgültig vorbei war.

«… befinde ich, dass David Marquette die Voraussetzungen für die Einweisung in eine geschlossene Anstalt erfüllt, und überstelle ihn dem Familienamt … An diesem Termin werde ich mir die Berichte über die Fortschritte Ihres Mandanten ansehen, Mr. Levenson, und dann entscheiden …»

Er verdankte ihr möglicherweise sein Leben. Es war an der Zeit, ihr zu zeigen, wie dankbar er dafür war. Es war an der Zeit, die Welt in das kleine Geheimnis einzuweihen, das er die ganze Zeit für sich behalten hatte. Nun ja, nicht ganz allein für sich, dachte er und lachte still in sich hinein. Dort draußen gab es noch jemand anderen, der Geheimnisse bewahren konnte. Jemand, dessen Gedanken weitaus finsterer waren als seine eigenen.

Als die Wachmänner mit Fußfesseln und Handschellen auf ihn zukamen, hielt er ihnen geduldig die Arme hin. Es würde nicht mehr lange dauern, bis er die Dinger los war. Bis Gott auf wundersame Weise den Kranken heilte. Bis sie ihn bedauerlicherweise wieder freilassen mussten. Die Zeit würde wie im Flug vergehen.

Er ließ sich von den Männern zum Ausgang führen, doch er wusste, dass sie noch wartete. Sie würde bis zur letzten Sekunde auf ihn warten. Also drehte er sich um und dankte ihr mit einem freundlichen Lächeln für alles, was sie für ihn getan hatte.

Sie war wirklich verdammt hübsch.

An Gott
Warum hast du das Leben so unerträglich
gemacht und mich zwischen vier Wände
gesperrt, wo ich den Mahlzeiten nicht zu
entfliehen vermag, ohne durch mein Flehen
einen Aufseher zu verärgern. Heute Abend
wurde ich in eine sinnliche Hölle gerissen, alles
hat mich verlassen, und ich weine und bange
innerlich dem Tode entgegen und erhalte
ihn doch nicht. Ein Teil meines Verstandes ist
erloschen. In mir tobt eine schreckliche Hölle.
Ivor Gurney, englischer Komponist, Dichter und
Patient in einer Londoner Nervenheilanstalt

KAPITEL 103

ES WAR seltsam, die Vögel singen und zwitschern zu
hören. Von dem Fenster ihres Zimmers aus sah Julia den
Parkplatz, hinter dem sich eine endlose, schneebedeckte Ebene
erstreckte. In der Ferne ragten majestätische Berge auf, deren
weiße Gipfel von einem Wolkenschleier verhüllt wurden. Die
Landschaft wirkte öde und trostlos. Doch direkt neben ihrem
Fenster, in einer kleinen, von Schnee und Eis überzogenen Tan-
ne, baute ein Kardinalspärchen sein Nest. Hier und da kämpften
sich auch schon winzige grüne Knospen durch die Schneedecke.
Der Frühling kündigt sich an, hatte John ihr gesagt.

«Das Positive – wenn wir unter diesen Umständen überhaupt von *positiv* sprechen wollen –», erklärte die Ärztin langsam, «das Positive ist, dass Sie die Krankheitsmerkmale wahr-
nehmen, Julia. Das erhöht die Wahrscheinlichkeit für einen

günstigen Verlauf.» Auf dem Namensschild an ihrer weißen Jacke stand *Marie G. Ryan, M.D. Psychiatric Services.* «Und natürlich besteht die Möglichkeit, dass dies nur eine einmalige psychotische Episode war, obwohl ich Ihnen in Anbetracht Ihrer Familiengeschichte keine großen Hoffnungen machen möchte.»

Julia wusste, dass sie aufmerksam zuhören sollte, aber sie konnte sich nicht konzentrieren. Die Vögel zwitscherten so laut, als wollten sie erreichen, dass Julia nur noch ihren Gesang hörte. Das Zwitschern erfüllte ihren Kopf, für alles andere war kein Platz mehr. Julia versuchte, sich an einigen Wörtern der Ärztin festzuhalten. *Positiv. Umstände. Verlauf.* Die Wörter durften ihr nicht entgleiten, ganz gleich, wie laut das Zwitschern war. Sie wusste, was mit ihr passieren würde, wenn sie müde wurde und losließ. Das war das … *Positive.* Ihr war bewusst, was mit ihr geschah, und das sprach für einen günstigen Verlauf. Plötzlich war alles klar und ergab einen Sinn. Julia seufzte erleichtert.

«Es gibt auch andere positive Faktoren, die wir berücksichtigen sollten. Sie sind eine Frau, und statistisch gesehen haben Frauen nach einem, fünf oder auch nach zehn Jahren eine weitaus bessere Prognose als Männer. Bei Ihnen sind erst im Alter von achtundzwanzig Jahren erste Anzeichen der Krankheit aufgetreten, das ist ebenfalls gut. Je älter man beim Ausbruch der Krankheit ist, desto positiver ist meist der Verlauf. Bis vor ein paar Wochen waren Ihr Verhalten und Ihre Denkprozesse weitgehend normal, wie Sie und John mir berichtet haben. Sie hatten weder Wahnvorstellungen noch Halluzinationen. Sie litten auch als Kind nicht unter derartigen Symptomen. Das ist ebenfalls sehr gut.» Dr. Ryan sah zu John. «Patienten, die eine normale Kindheit verleben», sagte sie und malte bei dem Wort «normal» Anführungszeichen in die Luft, «und bei denen die Krankheit plötzlich im Erwachsenenalter ausbricht, haben eine bessere Langzeitprognose als Patienten, bei denen sich die Krankheit über Monate oder Jahre hinweg kontinuierlich entwickelt. Natürlich ist jeder Fall einzigartig, und ich muss betonen, dass das rein statistische Informationen sind.»

«Inwieweit spielt es eine Rolle, was mit ihrem Bruder und ihren Eltern geschehen ist?», fragte John.

«Die Morde waren zweifellos ein traumatisches Erlebnis, aber man muss sie trotzdem gesondert betrachten. Julia war in ihrer Kindheit sowohl emotional als auch sozial völlig unauffällig. Und wenn man bedenkt, wie traumatisch dieses Ereignis war, ist es schon bemerkenswert, dass sie keinerlei psychiatrische Behandlung in Anspruch nehmen musste. Obwohl Stress schon länger nicht mehr als Ursache für Schizophrenie gilt, kann er bei Menschen, die eine Veranlagung für die Krankheit haben, der Tropfen sein, der das Fass zum Überlaufen bringt. Mit anderen Worten: Die Tatsache, dass Julia bisher noch keine schizophrenen oder psychotischen Symptome gezeigt hat, lässt vermuten, dass sie sehr stark ist.»

Es ist, als hätte in ihrem Kopf ein Erdbeben stattgefunden. Berge stürzen ein. Meere vertrocknen. Die Landschaft wird nie wieder so sein wie zuvor.

Julias Blick schweifte wieder zum Fenster. Sie beobachtete, wie das Kardinalsmännchen mit dem leuchtend roten Gefieder plötzlich in die weiße Landschaft flog. Sie sah ihm nach, bis es nur noch ein kleiner Fleck war und schließlich ganz verschwand. Das Weibchen blieb allein zurück, und Julia bemerkte, dass es aufhörte zu zwitschern.

«Aber wir müssen Ihre Familiengeschichte mit in Betracht ziehen, Julia.» Der Gesichtsausdruck der Ärztin wurde ernster, angespannter. «Je mehr Familienmitglieder an der Krankheit leiden, desto schlechter ist die Prognose. Ihr Vater und Ihr Bruder waren schizophren, also zwei direkte Verwandte. Über andere Familienmitglieder wissen wir leider nichts, da niemand mehr Auskunft geben kann. Aber Sie reagieren gut auf die Medikamente, Julia, und das ist sehr positiv. Sie hören auch keine Stimmen mehr, nicht wahr?»

Das Weibchen begann wieder zu zwitschern, aber die Töne klangen anders, irgendwie besorgt, und wurden immer eindringlicher. Schließlich gab es den Nestbau auf und hüpfte von Ast zu Ast.

«Julia?»

Dr. Ryan sah sie an. Sie wusste nicht, wie lange schon. Wie lange war sie diesmal fort gewesen?

«Julia, hören Sie noch Stimmen?» Die Ärztin sprach langsam und deutlich, als hätte sie die Frage schon ein paarmal gestellt.

Halte dich an den Worten fest. *Medikament. Positiv. Stimmen.* Sie schüttelte den Kopf. «Nein. Ich glaube, sie haben aufgehört. Manchmal …» Sie verstummte. Plötzlich fand sie es schrecklich heiß im Zimmer.

«Sie hören *manchmal* auf?» Dr. Ryan runzelte die Stirn. «Ich dachte, Sie hören die Stimmen gar nicht mehr.»

Julia schüttelte wieder den Kopf. «Nein. Ich – ich – ich höre sie nicht mehr. Manchmal werde ich, äh, werde ich nervös, weil …» Sie holte tief Luft. Es war heiß. Die Worte, die aus ihrem Mund kamen, klangen dumpf. Sie spürte, wie John und die Ärztin sie beobachteten, wie sie analysierten, was sie tat und sagte, und es mit «normalen» Reaktionen, Sätzen und Gefühlen verglichen. Dr. Ryan verglich sie mit anderen Patienten und den Fallstudien in ihren Fachbüchern. John verglich sie wahrscheinlich mit der «alten» Julia. Mit der Julia, die keine unzusammenhängenden Sätze vor sich hin brabbelte oder in eine Welt abdriftete, zu der sonst niemand Zugang hatte.

«… weil ich Angst habe, dass sie zurückkommen.»

Würde sie es merken, wenn die Stimmen tatsächlich zurückkamen? Würde sie erkennen, dass ihr eigener Verstand sie in die Irre führte? Oder würde der Wahnsinn sie beim nächsten Mal mit solcher Wucht überrollen, dass sie ihn nicht mehr bekämpfen konnte?

Sie kannte die Prognosen. Laut Statistik würde sie in spätestens einem Jahr wieder in einer Anstalt landen. In den nächsten zehn Jahren bestand jeweils eine fünfundzwanzigprozentige Wahrscheinlichkeit, dass sie sich entweder vollständig erholte und ein halbwegs normales und unabhängiges Leben führen konnte – was immer das bedeuten mochte –, oder aber, dass sie außerhalb einer Anstalt nur schlecht zurechtkam. Mit fünfzehnprozentiger Wahrscheinlichkeit würde sie als Dauergast in einer geschlossenen Abteilung enden und mit zehnprozentiger Wahrscheinlichkeit Selbstmord begehen. Im Großen und Ganzen sah ihre Zukunft nicht besonders rosig aus.

Als könne John ihre Gedanken lesen, beugte er sich zu ihr, nahm ihre Hand und streichelte sie sanft. «Es gibt Menschen, die diese Krankheit besiegen, das weißt du.»

«John hat recht», sagte Dr. Ryan. «Mit Hilfe von Medikamenten werden manche Patienten vollständig geheilt. Sie haben bisher nur schreckliche Erfahrungen mit dieser Krankheit gemacht, sowohl in Ihrer eigenen Familie als auch in einem juristischen Umfeld. Aber mehr als zwei Millionen Menschen *leben* mit dieser Krankheit, und das allein in den Vereinigten Staaten. Dank der richtigen Behandlung geht es vielen von ihnen sehr gut. Sie üben einen Beruf aus und haben eine Familie. Vergessen Sie, was Sie im Gerichtssaal oder im Fernsehen gesehen haben. Schizophreniekranke sind nicht immer gewalttätig. Es gibt Hoffnung.» Sie lächelte Julia an. «Bei Ihnen spielen viele positive Faktoren mit hinein. Und Sie haben jemanden, der Ihnen beisteht und Sie unterstützt. Ich glaube, dass Sie die Behandlung ohne weiteres außerhalb einer Klinik fortsetzen können.»

Die Ärztin erhob sich. «Das Wichtigste ist, dass Sie auch weiterhin Ihre Medikamente nehmen. Selbst wenn Sie sich wieder völlig normal fühlen.»

«Die Medikamente machen mich so müde», sagte Julia.

«Ja, das ist eine unangenehme Nebenwirkung. Aber das Mellaril schlägt bei Ihnen momentan ganz gut an … Ich würde das Medikament nur ungern wechseln. Andere Psychopharmaka können gravierende Nebenwirkungen haben. Wir sollten es erst einmal dabei belassen. Und das Elavil hilft gegen Angstzustände und Depressionen, allerdings dauert es bei diesem Medikament ein wenig länger, bis die Wirkung eintritt.» Dr. Ryan ging zur Tür, öffnete sie und drehte sich noch einmal zu Julia um. «Ich sehe Sie in drei Tagen in meinem Büro, dann schauen wir, wie Sie zurechtkommen. Ich wünsche Ihnen viel Glück.» Sie verließ das Zimmer, und John und Julia waren allein.

Das Vogelgezwitscher begann aufs Neue, und Julia sah aus dem Fenster. Das Männchen war zurückgekehrt, den Schnabel voller Zweige.

«Wann fahren wir nach Hause?», fragte sie leise. «Ich …» Sie versuchte, den Gedanken zu Ende zu führen, aber er war irgendwo steckengeblieben, also schwieg sie.

«Ich habe ein Haus in Anaconda gemietet», sagte John und blickte ebenfalls aus dem Fenster. «Das ist nur ein paar Kilometer von hier entfernt. Eine ruhige, idyllische Kleinstadt – also erwarte keine wilden Partys wie in South Beach.» Er lächelte. «Ich habe deine Unterhose mit Leopardenmuster gar nicht erst eingepackt. Meine übrigens auch nicht.»

Julia lachte verhalten.

«Ich glaube, dass wir schon für eine Weile hier draußen bleiben werden», sagte er.

«Gut versteckt und abgeschnitten von der Außenwelt», flüsterte sie und wurde mit einem Mal wieder ernst.

«Genau wie die Cowboys. Willkommen im Wilden Westen.» Er trat an das Fenster. «Es ist wunderschön hier, nicht wahr?»

Sie nickte, doch plötzlich entglitten seine Worte ihr wieder. Es war, als habe ihr Verstand beschlossen, ein kurzes Nickerchen zu machen, ohne ihr vorher Bescheid zu geben. Und wenn er wieder aufwachte, hatte sich die Welt für eine Weile ohne sie weitergedreht.

«Findest du nicht auch?», fragte er leise und versuchte, sie auf diese Weise zurückzuholen. Er wartete einen Augenblick, bevor er sie erneut fragte. «Findest du nicht auch? Ist diese Gegend nicht wunderschön?»

«Ja», erwiderte sie. «Ist es wirklich so kalt draußen?»

«Alle sagen, das sei nur ein verspäteter Schneesturm gewesen. Der Frühling steht vor der Tür, schließlich ist es schon Mai», erklärte John. Dann klopfte er gegen die Fensterscheibe, doch die Vögel beachteten ihn nicht. «Es ist so friedlich dort draußen! Ich glaube, das ist genau das, was wir jetzt brauchen, Julia. Abstand von dem ganzen Wahnsinn, damit wir dafür sorgen können, dass es dir bessergeht.»

Dem ganzen Wahnsinn. Die letzten Wochen lagen in einem dichten Nebel verborgen, doch vielleicht war das ganz gut so. Julia wusste nicht mehr genau, wann sie begriffen hatte, dass etwas mit ihr nicht stimmte. Trotz der Medikamente war sie sich nicht sicher, was real gewesen war und was nicht. Die Telefonanrufe, die Demonstranten, die Reporter, die sie verfolgten … David Marquettes lächelndes Gesicht tauchte immer und immer wieder vor ihrem geistigen Auge auf. Hatte sie sich in ihm getäuscht? Hatte er sie wirklich angelächelt? Sie hatte Angst, John danach zu fragen. Also fraß sie den Zweifel in sich hinein.

John behauptete steif und fest, dass niemand davon erfahren hatte, was mit ihr geschehen war. In den Tagen nach der Gerichtsverhandlung habe sie sich merkwürdig benommen und immer mehr zurückgezogen. Als John sie schließlich dazu brachte, mit ihm zu reden, erzählte sie ihm, dass etwas mit ihr nicht stimmte, dass sich ihre Gedanken nicht so anhörten, wie sie es gewohnt war. Dass sie klangen, als stammten sie von jemand anders. Und manchmal sogar, als kämen sie aus dem Fernseher.

Noch in derselben Nacht hatte sich John mit ihr in ein Flugzeug gesetzt und war mit ihr hierhergeflogen, weit, weit weg von Miami. Julia wusste nicht, wo sie war, unterschrieb alle Papiere, die er ihr vorlegte, nahm alle Medikamente, die er ihr gab. Sie erinnerte sich, dass sie geweint hatte, als sie an dem Schild mit der Aufschrift *Montana State Hospital* vorbeigefahren waren. Hier, in der Abgeschiedenheit der Rocky Mountains, kannte niemand sie. Das hatte John ihr zumindest versichert.

«… bevor ich Geld investiere, will ich sichergehen, dass es mir hier draußen auch gefällt. Immobilien sind immer eine gute Investition, selbst wenn es bis zur Pensionierung noch ein Weilchen hin ist. Ich habe darüber nachgedacht, mal nach Bozeman zu fahren. Das soll eine wirklich nette Universitätsstadt sein. Einer der Jungs aus dem Raubdezernat ist dort hingezogen, und er schwärmt ununterbrochen davon. Ist auch nicht weit entfernt von Helena oder Jackson Hole in Wyoming. Ich wette, du wärst ein süßes Skihäschen.» John wandte sich vom Fenster ab und nahm Julias Hand. «Was halten Sie davon, meine Dame? Würden Sie hier gern eines Tages mit mir Pferde züchten?»

«Was ist mit deinem Job?», fragte Julia. «Hast du im Moment keinen Fall, um den du dich kümmern musst?»

«Miami wird für eine Weile ohne mich auskommen. Für eine lange Weile, wenn es sein muss.» Er lachte. «Ich habe neulich mit Brill telefoniert. Offenbar hoffen einige meiner Kollegen, dass ich nie wiederkomme.» Er sah sie einen Moment lang nachdenklich an. «Hör mal, ich habe seit Jahren keinen Urlaub gemacht und jede Menge Überstunden angesammelt. Eine kleine Auszeit tut mir mal ganz gut.»

Julia schloss die Augen und kämpfte mit den Tränen.

«Hey», sagte er und strich sanft über ihr Gesicht. «Wir sorgen schon dafür, dass es dir bald bessergeht. Lass uns einfach ein wenig entspannen. Wir werden angeln, wandern und bergsteigen. Und vielleicht gehen wir irgendwann zurück. Aber bitte eins nach dem anderen.»

Er lächelte, aber Julia sah ihm an, wie erschöpft und besorgt er in Wahrheit war. «Du musst das nicht für mich tun», sagte sie unter Tränen.

«Hör mal zu, Julia. Ich liebe dich. Das weiß ich schon seit langer Zeit. Ich liebe deine Stärke, deine Unberechenbarkeit, deine Entschlossenheit. Ich war mir noch nie in meinem ganzen Leben bei etwas so sicher. Und das», sagte er und drückte ihre Hand, «*das* ist die Realität. *Wir* sind die Realität. Egal, ob in Montana oder in Miami, ich helfe dir dabei, das durchzustehen. Du wirst diese Krankheit besiegen und wieder gesund werden. Und wenn du daran zweifelst, wenn es dir wieder schlechter geht, wenn du einen Rückfall bekommst, dann denk immer daran: *Wir sind die Realität.* Und ich werde nicht aufhören, dich zu lieben. Ich werde da sein und dir helfen.»

«Ich liebe dich auch», flüsterte sie. Ja, sie liebte ihn, liebte ihn von ganzem Herzen. Sie wünschte nur, ihre Beziehung hätte nicht auf diese Art begonnen. «Danke», fügte sie hinzu.

«Außerdem hat deine Tante angerufen», fuhr er sanft fort. «Keine Sorge, ich habe ihr nichts erzählt, aber sie will unbedingt mit dir sprechen. Sie sagt, sie würde schon seit Wochen versuchen, dich zu erreichen …» Er hielt kurz inne. «Ich soll dir sagen, dass sie dich vermisst.»

Julia konnte die Tränen nicht mehr zurückhalten. *Wohin war alles verschwunden? Was war real?*

John wischte ihr behutsam die Tränen aus dem Gesicht und küsste sie zärtlich auf den Mund. «Und jetzt raus mit uns beiden in diesen wundervollen, kalten Sonnenschein.»

EPILOG

ENTSCHULDIGUNG?» Es klopfte. «Hallo? Ist jemand zu Hause?»

Julia blickte von dem Durcheinander aus Akten, Unterlagen und Formularen auf ihrem Schreibtisch auf. Wahrscheinlich würde es Wochen dauern, bis sie Ordnung in das Chaos gebracht hatte und wusste, wie alles funktionierte. Was für eine Heimkehr! Im Türrahmen, eine Hand in die ausladende Hüfte gestemmt, stand ihre neue Sekretärin. Sie sah nicht besonders glücklich aus und trommelte mit überdimensionalen roten Fingernägeln ungeduldig gegen die offen stehende Tür.

«Hallo», sagte Julia lächelnd. In den vergangenen Tagen hatte sie sich so viele neue Gesichter und Namen merken müssen, dass sie nicht sicher war, wie ihre Sekretärin überhaupt hieß. Linda oder Lurinda. Vielleicht auch Lucinda. Sie wollte nicht noch einmal nachfragen. Ein unbehagliches Schweigen entstand.

«Hier ist eine Dame, die mit Ihnen sprechen möchte», erklärte die Sekretärin schließlich.

«Mein Ein-Uhr-Termin?»

«Nein. Sie hat am Mittwoch einen Vorverhandlungstermin bei Gina Castronovo.»

«Bitte entschuldigen Sie», sagte Julia, «aber wer ist Gina? Ich kenne sie nicht.» Sie war noch nicht einmal ein Jahr lang weg gewesen, und doch hatte sich unglaublich viel verändert. Steve Besson, der neue Generalstaatsanwalt, hatte mit eisernem Besen gekehrt. Er hatte sogar die Hilfskräfte und Sekretärinnen ausgewechselt. Und trotzdem hat das neue Personal genau die gleichen Eigenarten wie das alte, dachte Julia amüsiert.

«Gina ist die C-Anwältin bei Spivac, in Leonard Farleys alter Abteilung. Die Dame draußen hat aber gesagt, dass Sie ihren Fall bearbeiten.»

«Ich war früher in Richter Farleys Abteilung. Sagen Sie der Dame bitte, dass ich nicht mehr dort arbeite und dass Gina Castra–» Sie erinnerte sich nicht mehr an den Namen und räusperte sich. «Sagen Sie ihr bitte, dass jetzt eine andere Anwältin den Fall bearbeitet.»

«Das habe ich bereits getan, aber sie will trotzdem zu Ihnen, und sie lässt sich nicht abwimmeln.» Lurinda oder Lucinda kratzte sich mit einem ihrer krallenartigen Fingernägel an der Nase, wobei die unzähligen Goldreifen an ihrem Arm klimperten. «Sie sieht auf jeden Fall wie eines unserer Opfer aus», sagte sie und verzog den Mund.

Unsere Opfer. Willkommen in der Abteilung für häusliche Gewalt.

Julia zuckte mit den Schultern und nickte. «Na gut. Sie soll reinkommen. Ich werde mal sehen, ob ich ihr helfen kann.»

Die Sekretärin seufzte entnervt und stolzierte davon. «Meinetwegen», murmelte sie noch. Julia wusste zwar nicht, warum sie so sauer war, aber ihr Benehmen war ein echter Trost. Nachdem sich Julia dazu entschlossen hatte, zurückzukehren, hatte sie wochenlang befürchtet, dass die Leute sie mit Samthandschuhen anfassen und in Watte packen würden. Daher empfand sie die Unfreundlichkeit und Gleichgültigkeit ihrer Sekretärin als geradezu erfrischend.

Sie trank einen Schluck Kaffee und sah sich in ihrem neuen Büro um. Die Wände waren mausgrau und voller Löcher, Kratzer und Schrauben, die von der langen Reihe ihrer Vorgänger zeugten. Auf dem Boden neben dem Aktenschrank lehnten ihre gerahmte Abschlussurkunde von der Universität, ihre Anwaltslizenz und ihr erster Amtseid aus dem Jahr 2002, den sie unter Jerry Tigler abgelegt hatte. Für den neuen musste sie noch einen Rahmen kaufen.

Daneben befand sich der Pappkarton mit den Habseligkeiten aus ihrem alten Büro. Fotos, Bücher, noch mehr Bilder, eine Uhr, ihr kleiner tragbarer Fernseher und ein Radio. Der Karton stand bereits seit einer Woche dort, und Julia war sich nicht sicher, ob sie ihn überhaupt auspacken würde. Nur ein paar Fotos hatten bisher den Weg auf ihren Schreibtisch gefunden. Eines davon zeigte Andrew, das andere John und sie selbst vor dem Eingang des Yellowstone-Nationalparks. Es erinnerte sie immer daran, wie viel Glück sie gehabt hatte und wie gern sie jeden Abend nach Hause fuhr.

John hatte nicht gewollt, dass sie jemals wieder für die Staatsanwaltschaft arbeitete. Das hatte er ihr sofort nach ihrer Rückkehr nach Miami klargemacht. Nun rief er beinahe jede Stunde an und fragte, ob alles in Ordnung sei. Obwohl Rick Bellido schon lange nicht mehr da war – weder er noch Charley Rifkin hatten nach den Wahlen ihre Zukunft in Miami gesehen –, war der Stress der gleiche geblieben. Und obwohl Julia gut auf die Medikamente ansprach, machte sich John Sorgen. Dass sie einen Rückfall erleiden könnte. Dass sie aufhörte, ihre Medikamente zu nehmen. Dass sie zu einem Fall in der negativen Statistik wurde und er ihr das nächste Mal nicht helfen konnte. Dass ihre gemeinsame Zeit begrenzt sein würde.

Er hatte sie angefleht, noch einmal darüber nachzudenken, doch sie konnte nicht untätig zu Hause herumsitzen. Wenn sie sich mit dem Gedanken abfand, dass sie krank war – dass sie gestört war oder nicht richtig funktionierte –, würde dieser Gedanke sie von innen heraus zerstören. Und wenn sie am Straßenrand Blumen verkaufte oder als Telefonistin arbeitete, nur um ein stressfreies Leben zu führen, hieße das für sie ebenfalls, dass die Krankheit gewonnen hatte. Selbst Zivilrecht,

Steuerrecht oder irgendein anderes Gebiet kam für sie nicht in Frage. Sie wollte wieder zurück zur Staatsanwaltschaft.

John hatte vorgeschlagen, in einen anderen Bezirk zu wechseln, und Julia hatte auch darüber ernsthaft nachgedacht – Broward, Palm Beach, vielleicht sogar die Florida Keys. Doch als der neue Generalstaatsanwalt, ein ehemaliger Kollege von John aus dem Miami-Dade Police Department, der zuerst Polizist, Anwalt, Staatsanwalt und schließlich Richter geworden war, ihr anbot, nach Miami zurückzukehren, hatte sie angenommen.

Jetzt, mit einem Stapel neuer Fälle auf dem Schreibtisch, einem neuen Chef und einer ganzen Reihe neuer Richter, mit denen sie sich erst noch vertraut machen musste, war Julia allerdings nicht mehr so sicher, ob sie die richtige Entscheidung getroffen hatte.

Ein paar Minuten später klopfte es an der Tür. Eine schlanke junge Frau trat ein und blieb im Türrahmen stehen, ein Baby auf dem Arm und einen quengelnden kleinen Jungen an der Hand.

Julia schnappte nach Luft. Wulstige Narben verunstalteten das Gesicht der Frau. Ihr linkes Auge war vollkommen zugeschwollen.

«Pamela», entfuhr es Julia, bevor die Frau etwas sagen konnte. «Pamela Johnson!»

«Sie erinnern sich an mich?», fragte die Frau.

Julia nickte und stand auf. «Kommen Sie herein und setzen Sie sich. Hat Letray das getan?», fragte sie und deutete auf das geschwollene Auge.

«Ja», erwiderte Pamela. «Er ist wieder mal ausgerastet. Wie immer. Aber diesmal war's schlimmer als sonst. Er wollte mich abmurksen. Hat gesagt, ich wär sogar zu hässlich zum Vögeln, und jetzt würde er's zu Ende bringen. Meine Nachbarin hat zum Glück die Bullen gerufen.»

«Wurde er angeklagt?»

«Ja, wegen schwerer Körperverletzung, glaub ich. Er hat mir die Bratpfanne meiner Momma übergezogen.»

«Sitzt er in Untersuchungshaft?»

«Ich hab gehört, dass er gleich auf Kaution wieder rausgekommen ist. Ich wohn jetzt bei meiner Schwester, aber wenn er mich findet, muss ich da auch wieder weg.»

«Ihr Fall wird von einer anderen Staatsanwältin verhandelt, Pamela. Ihr Name ist Gina –»

Pamela schüttelte den Kopf. «Ich hab darüber nachgedacht, was Sie letztes Mal gesagt haben. Sie wissen schon, das letzte Mal, als Letray so ausgerastet ist.» Sie zögerte. «Wegen Ihnen saß er im Gefängnis.»

«Aber Sie haben mir nicht geholfen, deswegen ist er wieder rausgekommen, Pamela.»

«Ich weiß, ich weiß», erwiderte Pamela. Tränen stiegen ihr in die Augen. «Na ja, aber Sie sind die Einzige, die sich wirklich für mich eingesetzt hat, Miss. Ich hätte auf Sie hören sollen. Ich hab Kinder, um die ich mich kümmern muss, und der Mann wird mich umbringen. Das weiß ich genau. Meine Momma sagt, ich soll mich nicht beschweren, ich hätte Letray schon lange verlassen sollen. Sie sagt, jetzt will mich sowieso keiner mehr, da kann ich genauso gut bei ihm bleiben, besser wird es mir eh nicht gehen.» Der kleine Junge zog an ihrem T-Shirt und versuchte, auf ihren Schoß zu klettern. Das Baby drückte ihm eine Hand ins Gesicht, und beide fingen an zu weinen.

«Glauben Sie Ihrer Mutter nicht.»

«Schauen Sie mich doch an», entgegnete Pamela, legte sich das Baby über die Schulter und streichelte dem Jungen mit der freien Hand über den Kopf. «Sie haben letztes Mal für mich gekämpft, und ich will, dass Sie das wieder machen», sagte Pamela schließlich. «Ich will so nicht mehr leben. Und ich will, dass er bezahlt.»

Julia sah Pamela Johnson eindringlich an. Sie war dreiundzwanzig Jahre alt, hatte Kinder, keine Arbeit, keine Zukunft und ein Gesicht voller hässlicher Narben. Sie wurde von einem Teufel in Menschengestalt gejagt und nicht nur von der mitleidlosen Gesellschaft im Stich gelassen, sondern auch von ihrer eigenen Familie. Ein schlimmeres Leben konnte man sich kaum vorstellen.

Julia betrachtete das Foto von Andrew auf ihrem Schreibtisch. Sie hatte es an einem sonnigen Winternachmittag in Kirby aufgenommen und es sich seit seinem Tod jeden Tag angesehen. Daneben stand die Zeichnung, die er von ihr angefertigt hatte. Sie hatte geschworen, nie wieder zu vergessen, ganz gleich, wie viel Angst sie vor der Zukunft hatte.

Sie nickte Pamela Johnson zu. «Wir fangen mit Ihrer Aussage an», erklärte sie mit einem Blick auf ihren leeren Notizblock. «Aber ich warne Sie», fügte sie hinzu, «das Ganze wird nicht leicht.»

Jilliane Hoffman
Cupido

Der Albtraum jeder Frau: Du kommst abends in dein Apartment. Du bist allein. Alles scheint wie immer, nur ein paar Kleinigkeiten lassen dich stutzen. Du gehst schlafen. Und auf diesen Moment hat der Mann, der unter deinem Fenster lauert, nur gewartet ...
3-499-23966-3

German Angst? American Fear!
«Knallhart gut.»
Der «Stern» über «Cupido»

P. J. Tracy
Der Köder

Nach dem Überraschungserfolg von «Spiel unter Freunden», das von Lesern und Kritikern mit Lob überhäuft wurde: «Ebenso spannend wie unterhaltsam. Ein witziger, gelungener Thriller, der den Leser von der ersten Seite an fesselt.» *(Publishers Weekly)*
3-499-23811-X

Kate Pepper
5 Tage im Sommer

Auf einem Supermarktparkplatz verschwindet eine junge Mutter. Vor sieben Jahren wurde eine andere Frau entführt, kurz darauf verschwand ihr siebenjähriger Sohn. Und tauchte nie wieder auf. Im Gegensatz zu seiner Mutter.
3-499-23777-6

Weitere Informationen in der Rowohlt Revue oder unter www.rororo.de

Jilliane Hoffman
Morpheus

Ein Serienmörder, der korrupte Cops umbringt. Eine Staatsanwältin, die ein dunkles Geheimnis hat. Ein Monster, das im Todestrakt auf den Tag der Rache wartet ... Drei Jahre ist es her, dass die Cupido-Morde ganz Florida in Atem hielten. Jetzt schlägt das Grauen wieder zu. Kann C. J. Larson ihm noch einmal entkommen? rororo 23691

Thriller de luxe

Karin Slaughter
Schattenblume

Geiseldrama in Heartsdale. Bei einem Überfall auf die Polizeistation wurde ein Polizist erschossen und Chief Jeffrey Tolliver schwer verwundet. Zudem befindet sich eine Schulklasse im Gebäude. Kinderärztin Sara Linton setzt alles daran, ihrem geliebten Jeffrey das Leben zu retten. rororo 24073

Kate Pepper
48 Stunden

Nach einem Streit verschwindet die vierzehnjährige Lisa spurlos. Susan und ihr Mann Dave, ein New Yorker Polizist, suchen vergeblich nach ihr. Bald trifft ein rätselhafter Brief ein, und es wird klar: Lisa ist entführt worden. rororo 24430

Weitere Informationen in der Rowohlt Revue *oder unter* www.rororo.de